Ces enfants d'ailleurs

DU MÊME AUTEUR

AUSSI VRAI QU'IL Y A DU SOLEIL DERRIÈRE LES NUAGES
biographie
Libre Expression, 1982

LES FILLES DE CALEB
roman
tome I : *Émilie*
Table ronde, 1988
tome II : *Blanche*
Table ronde, 1989

UN ÉTÉ, UN ENFANT
récit (collectif)
Québec/Amérique, 1991

MONTRÉAL EN MOTS, MONTRÉAL EN COULEURS
nouvelle (collectif)
Éditions Internationales Alain Stanke, 1992

Arlette Cousture

Ces enfants
d'ailleurs

ROMAN

Albin Michel

Pour la première édition :

© Arlette Cousture, 1992
Éditions Libre Expression, Montréal

Pour la présente édition :

© Éditions Albin Michel S.A., 1994
22, rue Huyghens, 75014 Paris

ISBN 2-226-06744-2

À Daniel

Soupir

« Je pars avec tes yeux. »

JE me suis effondrée sur une banquette de l'aérogare de Mirabel. En larmes. On a appelé les voyageurs en partance pour Londres. Je devais me rendre à Londres et, de là, à Varsovie pour enfin voir, sentir et entendre la Pologne. Depuis trois ans que Daniel et moi vivions dans les ouvrages de documentation, nous nous promettions d'aller, pour la grande finale de l'écriture de ce roman, rencontrer les visages de ses personnages, voir leur habitat, choisir leur maison, respirer l'air des Carpates.

Je suis restée au sol et Daniel s'est envolé. Jamais départ n'aura été aussi triste. J'avais mal géré mes vases communicants énergie/résistance... Mon corps a refusé de partir.

Ces enfants d'ailleurs sont un véritable enfant. Car, si je suis l'auteur de ce roman, le germe à partir duquel j'ai procédé à sa réalisation est venu de mon conjoint, Daniel Larouche.

Depuis des années, j'avais envie d'écrire un roman dont les personnages seraient des immigrants. Est-ce là un héritage familial ? Sans doute. Mon père ayant travaillé à l'immigration au Canadien National, à la Société pour Immigrants catholiques, à la Société canadienne d'Immigration rurale, et, au gouvernement du Québec, à la mise sur pied du ministère de l'Immigration au début des années 60, j'ai été en contact très tôt avec des « néo-Canadiens ». Interdiction, à la maison, de les nommer « immigrants », appellation jugée péjorative. Donc, nous avons souventes fois accueilli des néo-Canadiens à la maison, pour une soirée ou une fête champêtre, ou pour les accompagner à la campagne où ils

9

allaient se choisir une terre. Il y a eu Andrew, qui venait d'Angleterre, et, en 1956, Grégoire, un Hongrois dont la famille avait été parrainée par la mienne. Je me souviens très bien de Grégoire parce qu'il portait des lunettes — comme je l'enviais ! — et parce que sa mère avait reçu en cadeau notre beau batteur à œufs à poignée rouge — comme je lui en voulais ! J'ai aussi fréquenté une colonie de vacances, à Huberdeau, réservée exclusivement aux enfants des nouveaux arrivants... et à moi — aurais-je été un tantinet privilégiée ?

Et le temps a passé et la tornade des *Filles de Caleb* m'a aspirée dans son œil. Pendant les années consacrées à l'écriture de ce premier roman, plusieurs fois je me suis fait la promesse que le suivant — ou très certainement l'autre après — raconterait des vies d'immigrés. Pourtant, après la publication du tome II des *Filles de Caleb, Blanche,* j'entrepris, plus que sérieusement, deux romans qui n'avaient aucun rapport avec cet univers : *Fait d'hiver* et *William le Conquérant.* Et je commis l'erreur de les annoncer ! L'abandon du premier et la mise en attente du second ont donc davantage ressemblé à des deuils qu'à des avortements.

Au début de 1989, Daniel, mon alter ego, rentra un beau soir en me racontant une petite histoire survenue en Hongrie en 1956. L'histoire d'un père qui, au moment de l'insurrection qui fut réprimée par les troupes soviétiques, conduisit ses enfants à la frontière et les obligea à la franchir, seuls, pour aller vers la liberté... et le Canada. Il n'en fallut pas plus pour que renaisse mon envie de parler de néo-Canadiens. À nous deux, nous avons commencé à rêver à une série télévisée, puis à y travailler. La maison s'est rapidement emplie de traités sur la Pologne et son histoire contemporaine. Pourquoi la Pologne ? Parce que les Polonais, forts d'une riche tradition francophile, ont aussi combattu sous commandement britannique pendant la Deuxième Guerre mondiale, ce qui donnait toute sa vraisemblance à l'intégration simultanée de membres d'une même famille aux deux communautés linguistiques du Canada. Ensemble, Daniel et moi avons imaginé une famille aimant la musique, formée de Tomasz Pawulski, de Zofia Pawulska

10

et des enfants Pawulscy (car en polonais les noms de famille ont un masculin, un féminin et un pluriel). Ensemble, nous avons fait des recherches sur la guerre en Europe, sur le Canada d'après-guerre, sur les conditions d'arrivée des immigrants et sur la manière dont ils étaient accueillis...

Puis notre expédition a changé de cap : une série télévisée peut-être, mais d'abord et avant tout un roman. Notre catamaran s'est scindé et j'ai poursuivi en solitaire un voyage dans l'espace et dans le temps. Une grossesse de deux ans sur une mer parfois déchaînée, parfois huileuse, mais avec une bonne radio qui me permettait de parler au « père » quand j'avais peur des vents ou des remous...

Daniel n'est pas le père de tous les personnages de ce roman, mais il les a adoptés tous. Il a adopté *Herr* Schneider, Étienne, M. Jaworski, Florence, les Dupuis... Il n'a pas non plus écrit une seule ligne du roman, mais il m'a obligée à faire quelques précisions historiques...

À Mirabel, j'étais en larmes, inconsolable. Daniel était parti. « Je pars avec tes yeux », m'avait-il dit. Juste avant que je n'arrive au port, il avait fallu que nous embarquions de nouveau dans un catamaran. Il est revenu avec des centaines de photos, des plans détaillés de Cracovie et de la Pologne — certains en trois dimensions.

Et, de ses poches, il a sorti en souriant un petit cadeau, trouvé chez un antiquaire de Cracovie : une vieille paire de lunettes cerclées de métal qui me regardent depuis ce jour, véritables yeux de Tomasz...

Daniel, pour ton amour, ta collaboration, ton soutien et ta confiance, merci !

Arlette COUSTURE

Premier temps

1939-1944

1

— ÉLISABETH, attends-moi!

Jan avait aperçu sa sœur à l'intersection des rues Nicolas et Sainte-Croix. Il lui fit un signe de la main et, un cartable lourd pendant au bout du bras, il la rejoignit en courant et sautillant de plaisir. Elle le regarda venir.

— L'école est finie! L'école est finie, Élisabeth! J'ai plein de projets pour l'été.

Ils étaient rendus devant la maison et ils montèrent l'escalier jusqu'au premier. Mme Grabska, la concierge, balayait le palier et elle gronda gentiment Jan d'avoir marché dans les poussières.

— Mais qu'est-ce qui vous arrive aujourd'hui?

— L'école est finie! Et demain c'est le 24 juin, la fête de mon saint patron, et mon frère Jerzy va prendre le train pour aller à Wezerow.

Jan avait parlé si vite que Mme Grabska, agacée, ne s'était même pas donné la peine de le faire répéter. Elle savait que depuis cinq ans, depuis qu'il avait eu douze ans, Jerzy vivait ses étés à la campagne. Elle regarda Élisabeth pénétrer chez elle et fit un signe réprobateur à Jan qui ne cessait de bousculer sa sœur pour la presser. Il allait disparaître quand il ressortit la tête par l'embrasure pour dire à Mme Grabska que, dans deux ans, lui-même irait à la campagne pour tout l'été.

— À douze ans, on commence à travailler à la ferme. Mon père veut que nos mains soient aussi habiles que notre tête.

Jan ferma très fort et Mme Grabska entendit Mme

Pawulska, leur mère, interrompre un morceau de piano, certainement pour réprimander son fils.

Élisabeth posa sa serviette et alla embrasser sa mère.

— Vous avez eu une belle journée?

— Comme toutes les dernières journées de classe. Les ursulines riaient plus que d'habitude et les filles parlaient de leurs projets de vacances.

Zofia regarda sa fille. Elle serra les lèvres, incrédule devant les onze ans qu'Élisabeth portait avec une maturité et une élégance que ses jeunes amies lui enviaient. Elle et Tomasz, son mari, ne cessaient de remercier le ciel de leur avoir donné trois enfants aussi attachants. Zofia passa une main sur le front d'Élisabeth pour repousser une mèche blonde accrochée aux sourcils et tenta de la faire tenir derrière l'oreille. Elle lui demanda ensuite de vider son cartable et de jeter tous les papiers inutiles.

— Peux-tu demander à ton frère de venir me saluer? J'ai l'impression qu'il a oublié.

Élisabeth frappa à la porte de la chambre de Jan et entra sans attendre sa permission. Son frère était installé sur le lit, occupé à regarder les pages d'un herbier. Élisabeth s'assit à ses côtés.

— Maman veut te voir.

— J'y vais.

— Où as-tu pris ça?

— C'est un grand qui me l'a donné. Il m'a dit qu'il n'en aurait plus besoin au lycée.

Jan tourna encore quelques pages et posa l'herbier sur les cuisses de sa sœur avant de sortir. Zofia l'attendait et elle lui sourit en le voyant.

— Qu'est-ce qui peut être si important que tu en oublies de venir m'embrasser?

Jan lui baisa les mains avec frénésie pour se faire pardonner. Zofia éclata de rire, lui tapota le derrière de la tête et lui rappela que leur père serait accompagné du père Villeneuve.

— Oh non! Ça veut dire que Jerzy, Élisabeth et moi nous allons manger tout seuls dans la cuisine?

Zofia se mordit les lèvres devant son air absolument catastrophé.

— Je vais en discuter avec ton père. M'est avis qu'il va accepter que vous soyez là. Le père Villeneuve quitte Cracovie demain pour le Canada.

— Ouais! Il rentre au Canada?

Zofia fut déroutée par la joie visible de son fils.

— Mais, Jan, il n'y a rien de réjouissant. Le père Villeneuve aurait aimé demeurer ici une année de plus.

— Ça, c'est peut-être triste. Mais moi je suis content parce qu'il va pouvoir m'expédier des belles feuilles d'érable toutes rouges. Je vais les mettre dans mon herbier.

— Tu as un herbier, maintenant?

— Oui, depuis aujourd'hui.

Jan alla retrouver sa sœur, insensible à la musique du piano qui venait d'envahir les pièces de la maison.

Tomasz céda le pas à l'abbé Villeneuve et l'invita à passer au salon. Zofia se joignit à eux, portant un plateau sur lequel elle avait posé deux verres de vin blanc. Jan et Élisabeth vinrent saluer Villeneuve, Jan d'une poignée de main et d'un petit hochement de tête, Élisabeth d'une discrète révérence. Zofia annonça qu'elle avait invité les enfants à se joindre à eux dans la salle à manger. Tomasz approuva. Jan fut enchanté de l'honneur qu'on leur faisait en leur permettant d'être assis avec les adultes.

— C'est une belle façon de fêter la fin des classes, papa.

— Tu penses que nous devons fêter ça? Il me semble que c'est plutôt triste de savoir que pendant deux longs mois tu ne voudras pas ouvrir un livre.

— Ce n'est pas triste. Et puis nous fêtons le départ de Jerzy pour la campagne et nous pouvons même commencer à fêter la Saint-Jean.

Élisabeth donna un coup de coude à son frère, craignant qu'il ne commence une discussion. Encore deux phrases, elle le savait, et son père l'aurait rappelé à l'ordre, d'un œil sévère. Jan comprit, aussi s'empressa-t-il d'ajouter que lui et sa sœur joueraient un peu de violon avant de passer à table.

Les enfants disparurent. Zofia jeta un coup d'œil à son

mari et vit qu'il était mal à l'aise. Elle le savait inquiet dès qu'il avait les ailes du nez recouvertes de gouttelettes. Elle retourna à la cuisine pour en ressortir avec un plat de pruneaux au lard dont Villeneuve se servit en se pourléchant les babines.

— Comment vais-je faire, Zofia, pour me réhabituer à la nourriture des religieuses canadiennes? Dieu me pardonne, mais elles n'ont pas compris les principes de la bonne cuisine.

— Voulez-vous que je vous donne des livres de recettes? Votre connaissance du polonais est maintenant assez bonne pour que vous les leur traduisiez.

Villeneuve la regarda, la lèvre pincée sur un sourire, chercha des yeux l'accord de Tomasz et acquiesça finalement.

— Vendu. À moi le Manitoba sans trop de regret. Avez-vous la recette des blinis?

Tomasz ne fut pas dupe. Le ton désinvolte et amusé du père Villeneuve laissait deviner son désarroi devant la montée de la tension politique en Europe. Il habitait la Pologne depuis deux ans et Tomasz s'était lié d'amitié avec lui le jour où il l'avait trouvé dans le fond de la bibliothèque de l'université de Cracovie, un lexique à la main, cherchant désespérément des livres sur l'histoire de la Pologne.

— Je peux vous aider, mon père?

— Peut-être. Je trouve ces livres incompréhensibles.

— Je suis de votre avis. L'histoire est parfois impossible à saisir.

— Oh! Je ne parle pas de l'histoire, je parle de la langue.

Tomasz lui avait prêté les livres de Jan et d'Élisabeth, puis ceux de Jerzy, et Villeneuve avait pu commencer ses leçons, soigneusement supervisées par Tomasz qui s'était fait un malin plaisir de faire découvrir son pays à un étranger et qui avait, de jour en jour, apprécié la reconnaissance et la naïveté de celui-ci mais surtout son amitié.

Ils passèrent à table et Tomasz sembla mécontent du retard de Jerzy qui n'était pas encore rentré. Élisabeth et Jan étaient assis, le corps droit et l'oreille attentive, espérant une question du père Villeneuve, leurs parents leur interdisant de parler sauf si on leur adressait la parole. Jan essayait d'attirer le regard de son père, souhaitant que ce dernier remarque sa très grande envie de dire quelques mots.

Élisabeth se leva pour ouvrir les fenêtres au moment où le clairon de l'église Kosciol Panny Marii, que le père Villeneuve trouvait plus simple d'appeler Notre-Dame, jouait, du haut de la tour, les premières notes de vingt heures. Tomasz fronça les sourcils et essuya ses verres qu'il avait épais pour neutraliser sa myopie.

— Je me demande vraiment ce que fait Jerzy. T'a-t-il dit quelque chose, Zofia ?

— Non. Sa valise est prête pour demain et M. Porowski a téléphoné de Wezerow pour m'assurer qu'il serait à la gare.

Tomasz claqua la langue avant de dire que Jerzy était assez grand pour porter son bagage et se rendre à pied de la gare à la fermette. Il ne cessa de regarder l'heure et le père Villeneuve tenta maladroitement de le rassurer en lui rappelant que son fils avait quand même dix-sept ans.

— Pardonne-moi, François, mais tu n'as pas d'enfants. Tu ne peux pas comprendre.

Le père Villeneuve fut si mortifié par la remarque de Tomasz qu'il grimaça devant le regard désolé de Zofia. Jan, lui, voyait couler son espoir d'être intégré à la conversation. À son tour, il fit un rictus, que Villeneuve interpréta comme de la compassion.

— Alors, jeune homme, ce sont les grandes vacances ?

Jan ressentit un choc de plaisir. Il pouvait enfin parler de son herbier et demander des feuilles d'érable à Villeneuve. Il allait répondre quand la porte d'entrée s'ouvrit. Jerzy pénétra dans la salle à manger, l'air contrit et désolé. Il alla immédiatement serrer la main de Villeneuve en s'excusant de son retard, embrassa celle de sa mère et demanda pardon à son père pour son impolitesse.

— Où étais-tu ?

Jerzy s'assit rapidement, installa sa serviette de table avant de répondre qu'il était au *Caveau de Michel*. Tomasz parut s'en offusquer.

— Tu n'as pas l'âge d'entrer dans les bistrots.

— J'étais avec des professeurs et je n'ai rien bu.

Tomasz haussa les épaules et se détendit. Il savait que son fils avait probablement fêté la fin des classes et son départ de la ville. Il demanda à Zofia d'apporter un verre de vin pour Jerzy qui rougit de fierté devant la marque de confiance. Jan pensa à son herbier et soupira. Le père Villeneuve semblait avoir complètement oublié qu'il lui avait posé une question.

— Alors, jeune homme, tu pars pour Wezerow?

Villeneuve avait la manie de les appeler « jeune homme » ou « jeune fille ». Jan piqua sa fourchette tandis que Jerzy avalait une gorgée de vin. Ce dernier regarda son père, l'œil interrogateur, et Tomasz, d'un hochement de tête, l'autorisa à répondre.

— Demain matin. Mon père a toujours eu pour principe qu'il faut savoir travailler des mains aussi bien que de la tête.

— C'est très bien, jeune homme. Et tu vas t'occuper des potagers?

— C'est ça. Ceux de M. Jacek. Chaque été, je sème, plante, sarcle et joue du violon avec lui.

— M. Jacek était mon professeur de violon. Il m'a aussi appris comment enseigner l'amour de la musique. Un homme tellement admirable que Tomasz et moi avons toujours conservé un lien d'amitié avec lui et sa femme.

Zofia parla avec tendresse de M. Jacek Porowski pendant que Jerzy approuvait tout ce qu'elle disait.

— J'ai pensé à toi, papa, ce soir, au *Caveau*.

— Vraiment?

— Je veux bien croire qu'il faut un esprit sain dans un corps sain, mais je trouve que certains de mes confrères ont un esprit de plus en plus malsain.

Tomasz regarda Villeneuve d'un air amusé, intrigué par les propos de son fils.

— Malsain?

— Si tu les entendais! Je sais qu'il y en a au moins deux qui trouvent que Hitler est le maître dont l'Allemagne a besoin pour épurer la race aryenne...

— Dieu leur pardonne!

Villeneuve était vraiment scandalisé des propos qu'il venait d'entendre. Tomasz, lui, enleva ses lunettes et mit beaucoup de temps à les essuyer.

— Je connais ce raisonnement. J'espère que tu n'es pas un de ces deux-là.

— Comment peux-tu penser ça, papa ? Je réagis tellement contre ce qu'ils disent qu'ils me traitent de tous les noms.

Jerzy s'arrêta pour mastiquer et vit qu'il avait réussi à les intéresser. Il leur demanda d'un air moqueur s'ils pouvaient deviner de quel surnom on l'affublait Tomasz proposa « culterreux », Zofia, « trouble-fête », et Villeneuve, « hérétique ». Jerzy avala sa bouchée et annonça avec fierté qu'on le traitait de Polonais ! Tomasz secoua la tête.

— J'imagine qu'ils parlent des Polonais comme s'ils n'en étaient pas.

— Exactement. Ils parlent français le plus souvent possible et citent des vers de Lamartine.

Jerzy se leva de table et, mimant l'allure de ses collègues, récita quelques vers du poète :

> *Que t'importe après tout que cet ordre barbare*
> *T'enchaîne loin des bords qui furent ton berceau ?*

Tomasz hocha la tête. La candeur des dix-sept ans de son fils le laissait à la fois étonné et incrédule. Aussi poursuivit-il tristement avec Jerzy, sans arrière-pensée, la dernière phrase :

> *Que t'importe en quels lieux le destin te prépare*
> *Un glorieux tombeau ?*

Jan et Élisabeth s'amusèrent du court duo improvisé alors que Villeneuve et Zofia se jetaient des regards inquiets. Jerzy, qui n'avait pas saisi le tourment de son père, retourna s'asseoir et continua à parler de ses confrères.

— Ils sont quand même très généreux. Ils me pardonnent mon insignifiance non seulement parce que je suis le fils d'un professeur de l'université de Cracovie, qu'ils appellent

21

évidemment « l'illustre université jagellonienne [1] » en insistant sur « illustre » les lèvres pincées et les dents collées, mais aussi parce que ma mère, il est notoire, est un des meilleurs professeurs de piano de Cracovie et une incomparable interprète de Chopin. Ils répètent évidemment à qui veut l'entendre que Chopin n'est qu'à moitié polonais, l'autre moitié étant française.

Tomasz l'interrompit sèchement.

— Tu diras à tes amis qu'ils saliront probablement leurs petites mains blanches manucurées quand ils auront à creuser des tranchées.

Jerzy jeta un coup d'œil à Villeneuve et à sa mère. Il se demandait si son père avait réagi aussi violemment parce que lui-même avait été méprisé ou parce que la guerre était plus imminente qu'il ne l'aurait cru. Zofia lui sourit pour le rassurer et se leva pour porter les assiettes à la cuisine. Élisabeth l'imita tandis que Jan annonça fièrement que ses mains n'étaient pas trop blanches et qu'il ne reculerait devant aucune tranchée à creuser. Pour toute récompense, il dut se retirer de table et aller se savonner.

Tomasz se leva et s'avança vers la fenêtre. Il entendit le clairon annoncer vingt et une heures et s'interrompre brusquement.

— Est-ce que c'est bien vrai, Tomasz, que le clairon s'interrompt toujours au milieu du morceau ?

— Oui. Ça c'est la Pologne, François. Une longue mémoire pour la tristesse des événements. On a un Requiem quotidien pour le pauvre guetteur qui a été tué par une flèche tatare pendant qu'il jouait du clairon.

Jan revint dans la pièce et s'assit aux côtés de son frère qu'il admirait sans réserve. Jerzy proposa de faire un petit récital pour souligner le départ du père Villeneuve, ce que toute la famille accepta avec enthousiasme. Jan et Élisabeth furent ravis de repousser l'heure du coucher alors que Jerzy était enchanté de voir que les adultes l'écoutaient.

---

1. En l'honneur de Ladislas II Jagellon, devenu roi de Pologne en 1386. (*N.d.A.*)

Jan tira la couverture et sortit son herbier de sous l'oreiller. Il tourna les pages encore une fois, avec mille précautions pour éviter d'abîmer les fleurs et les feuilles séchées. Il avait, à trois reprises, tenté de demander au père Villeneuve de lui expédier du Canada des feuilles rouges, orange et rouille, mais avait toujours été interrompu. Il se promit donc de lui écrire, avec l'aide d'Élisabeth, au mois de septembre. Jan parvint à s'endormir, les voix du salon lui parvenant comme un ronronnement.

Tomasz versa un autre verre de vin à Villeneuve qui en aspergea accidentellement sa soutane. Jerzy lui apporta un linge humide.

— Quelle sottise! C'est la soutane que je dois porter demain pour le voyage. Je vais sentir le vin.

Villeneuve ne cessait de frotter le devant de son vêtement, y ajoutant quelques peluches blanches du chiffon.

— C'est pire.

— Mais ce sera sans odeur.

Tomasz souriait de la déconfiture de son ami, qui, il le savait, élevait le soin de sa personne jusqu'à la coquetterie. Villeneuve, l'air penaud, se calma et se rassit. Il regarda son ami Pawulski et comprit que celui-ci avait l'inquiétude collée au ventre. Il savait Tomasz certain que la Pologne serait encore violée par des soldats aux bottes pleines de crottin, qui écraseraient encore une fois les frontières, froissant ainsi le traité de Versailles. En bon professeur d'histoire, Tomasz comprenait toujours le présent par l'étude du passé.

— Au Manitoba, Tomasz, l'immensité de la plaine nous étouffe. Comme tu étouffes ici aujourd'hui.

Tomasz le regarda, sensible à sa compassion. Il ne pouvait savoir que François, venu en Pologne pour maîtriser la langue parlée par de plus en plus d'ouailles immigrées, avait envie de blasphémer. Un blasphème de révolte devant le chantage et les menaces de Hitler. Tomasz ignorait aussi que deux années de vie à Cracovie lui avaient souvent fait regretter de porter la soutane lorsqu'il voulait comprendre pourquoi les Polonais défendaient à mains nues une terre entourée de barbelés.

— Je mettrais ma main au feu que les cultivateurs n'auront pas le temps de récolter, cette année.

Tomasz venait de fixer une échéance à son cauchemar. Zofia, qui était venue s'asseoir, le regarda, étonnée par cette prédiction pessimiste, inquiète à cause de l'irréfutabilité coutumière de ses analyses. Jerzy, lui, fronça les sourcils, soudainement alerté. Son père venait de dire que M. Jacek et lui travailleraient pour rien.

— Si tu me permets, papa, je ne suis pas d'accord. Ce soir, au *Caveau*, nous avons parlé de ça et même mes professeurs ont des doutes sur l'imminence d'une guerre.

Tomasz balaya de la main l'objection de son fils et se versa un autre verre.

— Croyez-moi, je les attends de partout. Toutes les pièces sont en place. Même les jeunes Allemandes sont forcées de donner une année de leur vie au service du Reich, à condition...

Tomasz s'interrompit, avala une gorgée, secoua la tête de découragement et d'incrédulité avant d'enchaîner.

— À condition qu'elles ne soient pas juives !

— Bon Dieu ! Mais c'est qu'il est sérieux, cet homme. Qu'est-ce qu'il a contre les juifs ? Le Christ était juif.

Soudain, Villeneuve semblait affolé. Jerzy haussa les épaules et lui répondit que Hitler leur cherchait noise depuis des années. Tomasz n'écoutait plus. Les avant-bras appuyés sur les cuisses et les mains jointes, il commença à parler d'une voix monocorde, comme s'il essayait de ne pas distraire ses pensées.

— Hitler s'est installé un peu partout et, depuis un an, a grignoté les frontières de la Tchécoslovaquie. Maintenant, il est à Prague et presque personne n'a réagi. Il a lancé une sorte d'ultimatum à la Pologne. Ou bien le gouvernement polonais remet Dantzig au Reich, ou bien on ne sait trop. L'Angleterre et la France, j'en suis certain, comprennent mal la gravité de la requête. L'Angleterre promet de nous défendre pendant que la France signe avec l'Allemagne un traité de bonne entente. Vous me suivez ?

Jerzy regarda son père, hypnotisé. Il avait certes l'habitude de l'entendre disserter, mais jamais il n'avait si bien vu le professeur d'histoire qu'il était. Villeneuve, qui allait porter son verre à ses lèvres, interrompit son geste.

— La France croit encore en ses traités avec nous pendant que Hitler veut être le seul à contrôler l'Europe centrale ! Je suis peut-être myope, François, mais la France a choisi d'être borgne !

Tomasz se leva et commença à arpenter la pièce. Jerzy ne l'avait jamais vu aussi troublé. Il regarda sa mère, qui ne lui sembla pas affolée. Villeneuve, lui, mesurait les limites de sa compréhension du cœur polonais de son ami. Sa peur, ses craintes, oui. La haine séculaire plantée dans le cœur, non. Zofia s'approcha de son mari et lui frotta doucement une épaule pour le calmer.

— Tu te tortures tout seul, Tomasz. Attends que le temps...

À la surprise de Jerzy, Tomasz enleva la main de Zofia un peu trop brusquement. Il s'en excusa aussitôt en la lui baisant et se rassit, découragé.

— Nous n'avons plus le temps d'attendre. Je ne comprends pas que les gens ne voient pas en ce mégalomane un démon qui n'a qu'une envie : jouer à saute-mouton par-dessus toutes les frontières et marquer les gens au fer rouge...

Jan venait d'entrer dans le salon en se frottant les yeux pour les protéger de la lumière, si tamisée qu'elle fût. Il se dirigea vers son père et lui demanda de parler moins fort.

— Tes mots se mélangent dans mes rêves et ils sont moins jolis.

Tomasz s'excusa sincèrement et promit de baisser le ton. Voulant s'assurer que Jan n'avait pas saisi le sens des propos de Tomasz, Zofia lui demanda à quoi il rêvait.

— J'ai fait deux rêves.

— Deux ?

— Oui. Dans le premier, je rêvais aux semis que nous allons faire la semaine prochaine à Wezerow.

Jerzy le regarda d'un air sceptique, le rêve de Jan étant trop à propos pour qu'il y croie. Il trouvait d'ailleurs que son frère avait un air un peu trop éveillé pour un enfant tiré du sommeil en pleine nuit.

— Et dans mon deuxième rêve, je collais plein de feuilles rouges que le père Villeneuve m'avait envoyées.

— Tu collais des feuilles ?

— Oui, dans mon herbier.

Jan regarda le père Villeneuve d'un air interrogatif. Ce dernier se passa l'index sous le nez avant d'avouer qu'il ne pouvait en être comme dans le rêve puisqu'il n'y avait pas de feuilles rouges au Manitoba.

— Elles ont de belles couleurs mais pas autant que celles des érables à sucre.

Complètement éveillé, Jan ne put cacher sa déception. Il sortit en faisant une moue tout en gardant un œil bien ouvert sur les réactions à sa petite mise en scène. Revenu dans sa chambre, il entrebâilla la porte pour continuer d'entendre parler de la guerre, dont il ne savait que penser.

— Zofia et moi, nous aimerions faire comme M. Jacek et avoir notre fermette.

Tomasz, oubliant ses prévisions, sourit en pensant qu'encore une fois lui et sa famille iraient ensemencer et sarcler le potager de M. Porowski. Son sourire disparut rapidement lorsqu'il imagina que cette terre risquait de voler en mottes blessées et qu'elle aurait un goût de cendre.

— Villeneuve, toi qui es encore plus croyant qu'un Polonais, peux-tu me dire quel Dieu tu pries ? Celui de ce nouveau pape, Pie XII, qui n'a pas encore usé les semelles de ses mules et dont on ne sait rien des intentions politiques ? Le Dieu des Polonais, qui les abandonne sans arrêt ? Ou celui des Allemands, qui va leur donner l'univers dans un calice de sang ?

Villeneuve détestait ce genre de question puérile qui le troublait et l'obligeait à faire de Dieu un porte-drapeau emprisonné dans un uniforme. Il refusa de répondre, se contentant d'avaler une autre gorgée de vin. Zofia alla à la cuisine chercher une nouvelle bouteille. Jerzy profita du silence pour demander à être excusé et serra la main de Villeneuve en lui souhaitant bon voyage.

Tomasz se leva, tituba très légèrement et s'accouda sur l'appui de la fenêtre. Le clairon avait réussi à monter au sommet de la tour mais ne parvint pas à souffler correctement dans son instrument.

— Il doit être complètement ivre. Ça arrive.

Tomasz fut pris d'un léger tournis et se retint à l'appui. Il se pencha à l'extérieur, regardant la rue Nicolas. À sa droite, il voyait la silhouette d'une église. À sa gauche, la rue fuyait pour laisser apparaître d'autres maisons et quelques clochers plus discrets. Il respira longuement et profondément.

— Entends-tu, François?

Villeneuve n'avala pas la gorgée qu'il venait de prendre, soudain très attentif aux bruits de la nuit, les yeux fixes, se mordant la langue, essayant désespérément de trouver la bonne réponse. Il déglutit enfin.

— Autant me le dire, Tomasz; je sais que je n'aurai jamais la réponse que tu veux.

Tomasz ricana en haussant les épaules et regarda son ami, les sourcils levés et les lèvres pincées sur un sourire moqueur.

— Je suis déçu. Pourtant, rien d'aussi clair n'a couru dans les rues et les champs de Pologne depuis vingt ans. Écoute bien...

Villeneuve s'approcha du cadre de la fenêtre et, malgré ses efforts, n'entendit rien d'autre que le bruit irrégulier des véhicules, une lointaine sirène d'ambulance, des pas étouffés, la toux d'un voisin, le vagissement d'un enfant, les gargouillis de la tuyauterie de la maison. Rien. Il n'entendit même pas le clairon de Notre-Dame, qui s'était probablement endormi profondément avant d'avoir pu annoncer la première heure du samedi 24 juin. Villeneuve pensa tout à coup que son ami parlait des sons de l'été et, enhardi, voulut proposer cette réponse lorsque Tomasz répondit lui-même.

— La rumeur, François, la rumeur. Elle est cachée dans les têtes mais je sais que chaque Polonais qui respire la nourrit. Les âmes polonaises savent, François, que les canons vont attaquer leurs chairs.

Tomasz quitta son coin de fenêtre et retourna s'asseoir. Il se versa un autre verre de vin qu'il regarda longuement devant le reflet de la lampe avant de prendre une gorgée qu'il ne sembla pas savourer.

— Oui, François, les âmes le savent et elles s'empressent

de se préparer à quitter les corps... ou le pays. Si seulement j'étais plus jeune, j'inviterais la mienne à vivre ailleurs.

Villeneuve mit quelques secondes à comprendre les propos et la profonde douleur de son ami. Il pencha la tête dehors pour essayer de reconnaître cette rumeur mortelle. Il se tourna enfin vers le salon, regarda longuement Tomasz et Zofia avant de proposer de les faire sortir par la filière des oblats canadiens. Tomasz enleva ses lunettes, les frotta énergiquement et les remit tranquillement.

— Non, merci. C'est d'ici que je veux voir venir les obus cannibales.

Zofia regarda son mari. Elle savait qu'il venait de décider de ne pas bouger quoi qu'il advienne. Il resterait, cachant sa dissidence derrière des lunettes protectrices. La myopie l'avait protégé de la conscription, mais ses yeux, si bien déformés par le verre, devenaient fragiles sitôt découverts. Zofia avait compris que ces yeux dépouillés, incapables de lire les aiguilles d'une montre, pouvaient néanmoins saisir les mouvements du balancier de l'horloge de l'Histoire. Ces yeux fragiles, fidèles reflets de son cœur, Zofia les connaissait et les aimait depuis que Tomasz avait accepté de s'abandonner dans ses bras, petite bête aveuglée par la joie lumineuse d'une nuit de noces.

Le clairon de l'église, sorti de sa torpeur, faussa les premières notes de son morceau. Tomasz et François réussirent à en rire. Villeneuve décida de rentrer. Il lui fallait essayer de dormir quelques heures et boucler sa valise avant de se diriger vers la gare, espérant que le train ne serait pas retardé. Tomasz le regarda défroisser sa soutane à grands gestes secs et bruyants. Il se leva, demanda des yeux à Villeneuve de ne pas éveiller Zofia qui s'était assoupie sur le divan, et le prit par l'épaule. Tels deux vieillards fatigués de marcher la vie, ils se dirigèrent vers la porte. Un craquement du plancher fit bondir Zofia vers eux.

— J'espère, François, que tu retrouveras ton pays tel que tu l'as quitté. Mais je sais que tu ne retrouveras jamais la Pologne que tu as connue.

Voyant le chagrin des deux hommes, Zofia s'éloigna et se

dirigea vers les chambres de Jan et d'Élisabeth qui dormaient profondément. Elle tapota les couvertures de chacun comme s'ils avaient été découverts et elle s'assit près d'Élisabeth, dont la blondeur réfléchissait les rares rayons de lune qui tenaient tête aux nuages. Elle repensa à la demande de Villeneuve, passa rapidement à la cuisine et vint lui porter deux livres de recettes que François serra sur son cœur comme s'ils avaient été des bréviaires.

— Nous ne nous reverrons plus, François...

— Voyons...

— Tu ne viendras pas dire à un Polonais qu'il ne sait reconnaître les murmures hypocrites des canons.

— Je reviens l'an prochain...

— Je ne pense pas.

Tomasz remonta le pont de ses lunettes nerveusement, cherchant une contenance. Il regarda son ami, tenta un sourire qui ne transforma que la bouche, le reste du corps demeurant au garde-à-vous de la vie. Il se réfugia finalement dans les bras que Villeneuve venait d'ouvrir malhabilement, dans un geste ressemblant à celui qu'il faisait à l'*Ite missa est*.

— Embrasse ton triste ami polonais et va respirer le blé de ta plaine.

Villeneuve partit sans se retourner pendant que Tomasz sortait un mouchoir pour essuyer ses lunettes. Dès qu'il n'entendit plus les pas de l'oblat dans l'escalier, il referma la porte doucement, chercha des yeux sa silhouette grise par la fenêtre puis se retourna vers Zofia qui, il le savait, l'attendait pour qu'ils bercent leur chagrin quelques heures avant que le soleil ne bondisse d'une trompeuse joie sur le plancher. Doucement et calmement, ils tentèrent de s'accrocher à l'avenir en s'étreignant au point de se fondre l'un dans l'autre.

2

POUR impressionner Jerzy, Jan récolta les tomates à toute vitesse. Jerzy le regarda s'échiner et souffler sans se plaindre et dut concéder qu'à dix ans son jeune frère semblait bardé de courage. Dès qu'il eut terminé une rangée de plants, Jan s'attaqua à une deuxième, non sans avoir jeté un coup d'œil en direction de son frère pour s'assurer qu'il le regardait toujours. Le stratagème n'échappa pas à Tomasz, qui sourit à M. Porowski.

— Jan est terriblement impressionné par Jerzy. Il m'a demandé, en venant, s'il était toujours son frère ou s'il n'était pas devenu un oncle, étant donné qu'il a de la barbe et la voix grave.

M. Porowski sourit. Élisabeth sortit de la maison en courant et se dirigea vers Jan.

— C'est à ton tour. J'ai terminé mes exercices.

Jan soupira, se leva lentement comme si d'arrêter de travailler l'ennuyait au plus haut point, s'essuya les genoux et lui remit son panier.

— N'oublie pas de les poser comme des œufs.

— Je sais, je sais, Jan.

Jan se dirigea vers la maison et ce n'est que lorsqu'il fut certain que personne ne pouvait le voir qu'il grimaça, s'étira et se frictionna les bras puis se massa les fesses et les jambes. Il entra sans faire de bruit, mais, au lieu de prendre son violon, il préféra l'herbier. Depuis son arrivée à Wezerow, la veille, il avait ajouté une pleine section de feuilles de légumes et de fruits. Il jeta un regard par la fenêtre, retint fermement l'herbier par une cordelette et, soudain, s'endormit profondément dans le fauteuil, l'herbier en équilibre sur les genoux. C'est dans cette position plutôt humiliante qu'il fut réveillé par des moqueries. Faisant fi de toute politesse, il monta à la chambre qu'il occupait et s'y endormit de nouveau. Personne ne parvint à l'éveiller pour le souper.

La soirée n'étant que peu avancée, Élisabeth exécuta un solo devant M. Porowski, qui l'applaudit avec admiration.

— Bientôt, tu pourras presque faire rougir ta mère.

— Pourquoi la faire rougir ?

— Parce qu'elle ne pourra plus cacher sa fierté.

Jerzy fit une petite grimace de dépit mais il savait que sa sœur avait beaucoup plus de talent que lui.

Ils allèrent tous dormir très tôt. Le lendemain matin, fidèle à ses habitudes, Jerzy s'installa dans le potager pour jouer du violon. Il rentra ravi de la température qui s'annonçait encore clémente mais fut accueilli par la figure inquiète de son père. La radio était allumée et une voix annonçait que la Société des Nations ne craignait nullement pour Dantzig. Un porte-parole de la Société avait même ajouté que le problème politique polonais n'était pas d'importance internationale. Jerzy s'assit lentement.

— Qu'est-ce que ça veut dire, papa ?

— Que nous sommes un petit pays.

Tomasz n'ajouta rien, se contentant d'emplir son assiette et d'inviter Jan et Élisabeth à faire comme lui. Ils retournèrent rapidement aux champs pendant que Mme Porowska préparait les sacs de provisions qu'ils rapporteraient à Zofia.

Jerzy se mit les mains dans la terre après avoir rappelé que c'était la terre d'un pays aux frontières fragiles qu'il était prêt à défendre. Tomasz le regarda, effrayé par les pensées qui se bousculaient dans sa tête. Il prit une botte de carottes et les montra à son fils en disant que c'était aussi cette terre qui les nourrissait. M. Porowski ne dit rien et s'extasia devant la taille des queues d'oignons.

M. Powoski raccompagna Tomasz et les enfants à la gare tandis que Jerzy resta à la ferme. Le dos courbaturé et les ongles noirs, Jan et Élisabeth somnolèrent sur une banquette. Les hommes parlèrent rapidement, presque furtivement, avant de se taire, tous deux suivant en silence le même sillon de pensée, espérant que Jerzy pourrait rapporter d'autres provisions à la maison.

L'arrivée du train leur emplit le nez d'odeur de charbon et les poumons de vapeur. Les roues glissèrent sur les rails en crissant, faisant frissonner Élisabeth et Jan. Les yeux cireux, ils montèrent à bord, Élisabeth portant les violons et Jan deux paniers de provisions. Tomasz tapota le dos de son ami en lui donnant l'accolade, ramassa ensuite deux énormes poches de jute bien remplies. M. Porowski le regarda disparaître comme s'il avait été aspiré par les volutes de crachin du train.

Tomasz devina le pays à la lueur des lampadaires qui longeaient la voie ici et là. Il s'abandonna la tête sur le dossier et tenta de ne penser à rien d'autre qu'à l'insignifiance des politiciens, auxquels l'histoire ne semblait rien apprendre. La lune, quand les nuages le lui permettaient, éclairait tantôt les champs, tantôt les hameaux. Le ciel s'illumina et Tomasz reconnut les lueurs de la ville de Cracovie. Il éveilla Élisabeth qui, à son tour, secoua Jan. Le train se faufila le long des quais et ils eurent tout juste le temps de sortir de la gare pour attraper le dernier tramway.

Zofia les entendit monter l'escalier et elle soupira de soulagement. Si elle l'avait pu, elle aurait pris le train et serait allée les retrouver à Wezerow. Il lui faudrait écrire à Jerzy pour lui expliquer les raisons de son absence. Tomasz ouvrit la porte et laissa passer Jan qui retenait avec peine une terrible envie d'uriner. Tomasz et Élisabeth passèrent directement à la cuisine déposer les provisions.

— Mais la récolte s'annonce exceptionnelle !

— S'annonce... Rien ne garantit qu'elle le sera.

Zofia fit une discrète moue. Depuis le départ de Villeneuve, Tomasz n'avait cessé d'analyser tous les articles de journaux et toutes les déclarations dont il avait pris connaissance, faisant constamment le lien entre le positionnement de Hitler sur l'échiquier européen et l'imminence d'une attaque. Zofia avait pensé que deux jours à Wezerow le détendraient. Elle avait apparemment sous-estimé l'obsession de son mari.

Jan et Élisabeth gagnèrent leurs chambres et Zofia invita Tomasz à la suivre au salon.

— Il faut que nous discutions, Tomasz.

Tomasz ressentit un malaise. Zofia avait parlé d'une voix mal assurée. Il s'assit devant elle et, constatant qu'elle cherchait ses mots, il lui offrit ce sourire auquel elle n'avait jamais su résister.

— J'ai vu le médecin hier, Tomasz. Si tout se passe bien, nous aurons un bébé comme présent pour l'année 1940.

Tomasz demeura bouche bée, enleva ses lunettes et se prit la tête à deux mains. Zofia en eut le souffle coupé. Tomasz avait complètement cassé son sourire et elle avait maintenant l'impression qu'il sanglotait. Elle s'approcha de lui, s'accroupit à ses pieds et lui caressa le dessus de la tête pour essayer de tromper le mal qui semblait l'avoir atteint.

— Tomasz? Tu ne dis rien, Tomasz?

Il leva la tête et Zofia n'en crut pas ses yeux. C'était la première fois que Tomasz Pawulski avait l'air d'un homme âgé.

— Tomasz?

— Mais, Zofia, tu vas avoir quarante ans...

— Oui, et toi cinquante, Tomasz.

Tomasz hochait la tête d'incrédulité. Si Zofia avait pu l'entendre penser, elle aurait su qu'il souffrait amèrement à l'idée que cet enfant n'aurait probablement pas de famille, pas de pays, peut-être même pas de vie.

3

L E matin du 30 août 1939 avait bâillé comme tous les matins avant de faire marcher un soleil frétillant sur le fil de l'horizon. Jerzy se leva, s'empressa de se débarbouiller et sortit, le violon sous le bras. Depuis ses douze ans, l'été était la saison qu'il préférait. La saison où l'odeur de la terre le changeait de celle des livres, du papier et des rues de Cracovie. Il adorait accompagner de musique matinale les sons des champs pour se délier les doigts, nourrir son instrument, ajouter une ou deux pièces à son répertoire et les offrir à ses parents à son retour pour les remercier de ne l'avoir jamais empêché d'être un cultivateur estival.

Ce matin-là donc, Jerzy dorlotait son violon lorsque M. Porowski le fit sursauter. Il s'approcha, lui demanda de ranger son instrument et de s'agenouiller avec lui. Jerzy, inquiet, pensait que Porowski avait appris une mauvaise nouvelle et qu'il voulait prier, mais c'est dans le carré de pommes de terre qu'ils s'agenouillèrent. Porowski le pressa d'en déterrer le plus possible. Il avait les mâchoires si serrées que Jerzy eut l'impression d'entendre craquer ses maxillaires.

En une seconde, toute la bucolique s'évanouit. Jerzy se mit à frémir, d'abord dans le ventre, puis dans la poitrine. Il suffoquait. Son souffle semblait sortir d'un corps ne lui appartenant plus. Ses mains tremblèrent et sa voix en fit autant.

— Est-ce que Hitler...

— Pas encore. Mais tu dois partir aujourd'hui. On dit que

34

c'est la mobilisation générale. Quel dommage que les choux ne soient pas prêts à être récoltés !

Jerzy eut à peine le temps d'emplir ses sacs de jute que Porowski lui donna un vélo pour qu'il puisse rentrer à Cracovie, la panique du pays rendant les transports incertains. Jerzy pédala à perdre haleine pendant de nombreuses heures, ayant l'impression d'être un marchand de saucissons fuyant une meute de chiens. Son cerveau ne cessait d'essayer de comprendre ce qui s'était peut-être déjà produit. Il eut un urgent besoin de son père pour tenter de trouver une explication à la folie et à la peur. Il ne cessait de croiser des gens qui lui disaient tous la même chose :

— Rentre chez toi. La rumeur veut que Hitler soit juste de l'autre côté des guérites des postes frontières.

Jerzy était complètement affolé. Il pédala avec de plus en plus d'énergie malgré la douleur qui lui déchirait les mollets et les tendons. Même ses mains qu'il tenait serrées sur les guidons étaient paralysées. Un éclatement le fit sursauter. Il perdit le contrôle du vélo, chuta et s'écorcha le côté droit du visage sur le gravillon de la route. Il se releva le plus rapidement possible et vit que son pneu avant était arraché de la jante. Il cacha la bicyclette derrière des arbustes et dut abandonner la presque totalité de ses provisions. Il bourra ses poches, attacha tout ce qu'il put sur lui-même, utilisant les rayons des roues pour embrocher les queues de betteraves et les oignons. Il marcha péniblement les derniers kilomètres le séparant de Cracovie et se retrouva finalement devant la maison. Il ouvrit la porte du hall et passa devant la loge de Mme Grabska qui l'aperçut et sortit en criant.

— Il faut vous nettoyer la figure tout de suite, pauvre petit. Qu'est-ce qui vous est arrivé ?

Elle s'empressa de prendre un de ses sacs et de le précéder dans l'escalier. Elle frappa à la porte des Pawulscy. Ce fut Tomasz qui ouvrit et, apercevant son fils, il tomba littéralement dans ses bras déjà trop pleins.

— J'ai eu terriblement peur que tu ne sois retenu en route.

— Le seul endroit où j'aurais pu être coincé, c'est dans la chaîne de la bicyclette de M. Jacek.

Mme Grabska posa le sac qu'elle avait monté et les quitta.

Tomasz, secondé de Jan, aida Jerzy à vider le plus profond de ses goussets, nulle pelure d'oignon ne trouvant grâce.

— C'est tout ce que j'ai réussi à apporter. Heureusement que tu as pu aller chercher des légumes le mois dernier.

Zofia, le ventre rond de quatre mois de couvaison, les rejoignit. Elle vit la blessure et l'examina avant d'embrasser Jerzy qui n'osait la regarder, décontenancé par sa silhouette alourdie. Il avait bien reçu la lettre dans laquelle elle annonçait sa grossesse, mais de la voir ronde comme une jeune femme lui fit prendre conscience qu'elle et son père faisaient encore...

— Va te nettoyer le visage, Jerzy. Je ne voudrais pas que ça s'infecte.

Il revint, deux sparadraps sur la joue, et réussit finalement à observer sa mère. Comme tout enfant, il avait toujours trouvé sa mère jolie. Maintenant, il devait l'avouer, elle avait l'air encore plus radieuse, contrairement à son père dont les cheveux gris s'acharnaient à lui colorer les tempes.

— Nous pourrions aller chercher le reste. J'ai tout caché à environ une heure de marche d'ici.

— Des ventres bien remplis oublient l'ennemi...

Zofia ne termina pas sa phrase, Tomasz lui ayant fait signe de se taire. Elle fut surprise de le voir si prudent dans leur propre maison.

— Nous pouvons quand même parler chez...

— Plus maintenant, Zofia. Nous devons apprendre à nous taire, à faire comprendre nos pensées et à agir.

Tomasz entra dans la chambre et s'allongea près de Zofia qui attendait le sommeil, couchée sur le dos, les mains posées sur le ventre. Tomasz la caressa doucement. Zofia se tourna vers lui et lui chuchota son soulagement que Jerzy se fût empressé de rentrer et qu'ils eussent pu, la veille, récupérer les provisions qu'il avait cachées. Tomasz soupira.

— Demain matin, je vais télégraphier à François et lui demander d'accueillir les enfants au Canada.

— Quoi?

Zofia repoussa sa fatigue et déclara qu'il n'était pas question qu'ils se séparent.

— Tu n'y penses pas, Tomasz! Tu as dit toi-même que tu voulais rester ici. Jerzy n'a que dix-sept ans et tu voudrais qu'il soit responsable d'Élisabeth et de Jan?

— Jerzy est un homme, Zofia.

— Voyons, Tomasz! Reviens sur terre... Tu les vois partir de Pologne et se rendre jusqu'au Canada? Seuls?

— Oui, je les vois très bien, Zofia.

Tomasz se leva, alluma et mit ses lunettes. Il vit que Zofia refoulait des sanglots et que des larmes silencieuses lui avaient déjà bien humecté les joues.

Si l'épuisement avait presque eu raison d'eux quand le clairon avait sonné la dernière heure du 31 août, ils étaient encore tous les deux complètement éveillés pour l'entendre sonner la quatrième heure, le lendemain matin.

— Mais si la guerre n'éclate pas, Tomasz?

— Crois-moi : d'ici Noël, l'Europe va être en guerre.

— Pour défendre la Pologne?

— Zofia, nous ne reviendrons pas là-dessus.

— Mais le bébé?

— Zofia...

Zofia, les yeux bouffis de fatigue et de chagrin, capitula. Tomasz l'avait convaincue qu'il était préférable que les enfants fassent leur année scolaire au Canada. « Ça ne sera pas pire que le pensionnat », avait-il dit.

— Tu vas télégraphier aujourd'hui?

— Oui.

Zofia s'étendit près de Tomasz, acceptant de lui faire confiance mais suppliant Dieu, comme l'avait fait le Christ au jardin des Oliviers, d'éloigner le calice. Elle s'endormit dans les bras de son mari, qui ronflait occasionnellement à petits coups saccadés et opprimés. Avant même que le clairon n'ait eu le temps de sonner la cinquième heure, les frontières furent déchirées et les bottes allemandes râpèrent les choux que les Polonais n'avaient pas encore eu le temps de cueillir.

4

L<small>A</small> porte heurta le mur si violemment que Tomasz sursauta, certain que toute une division venait de prendre sa maison d'assaut. C'était Jan qui, affolé, chercha refuge dans sa chambre. Inquiet, Tomasz alla le retrouver. Jan fouillait sous le lit, tirant des dizaines d'objets hétéroclites, le dernier étant son herbier.

— Qu'est-ce que tu cherches, Jan ?

— Un vieux livre que tu m'as donné.

— Un vieux livre ?

— Oui, un livre que tu avais quand tu étudiais et que tes cours étaient en allemand.

Tomasz s'assit et tenta d'attirer Jan, qui lui échappa et se dirigea vers l'armoire, dont il ouvrit la porte. Il recommença ses recherches et Tomasz l'entendit enfin crier de joie.

— Tu vois, je ne l'ai jamais jeté.

Tomasz lui arracha le livre des mains et le feuilleta nerveusement.

— Il faut que je sache l'allemand parce qu'ils viennent d'entrer dans la ville. C'est plein de soldats partout.

Abasourdi, Tomasz mit quelques minutes à comprendre, puis il se dirigea à la hâte vers la fenêtre du salon mais le bruit de la marche au pas et le cliquetis des armes confirmaient les dires de son fils. Jan avait bien vu. Tomasz se mit à trembler sans être capable de se contrôler. Il regarda défiler les soldats et eut envie de les suivre pour connaître leur destination, mais ses jambes étaient complètement paralysées. Tomasz ne sut si c'était de peur — que connaissait-il des villes occupées ? — ou de soulagement — les bombes épargneraient la ville. Tomasz retrouva enfin son souffle et ses jambes, interdit à Jan de sortir et partit à la recherche des trois autres. Il savait que Zofia et Élisabeth étaient quelque part au Grand Marché. Quant à Jerzy, s'il n'était pas dans les rues à suivre les militaires, il était peut-être au *Caveau*. À peine avait-il posé les pieds sur le trottoir que Jerzy arrivait en courant.

— Ils s'installent au Wawel.

— Pas étonnant. Quoi de mieux qu'un château ?

Tomasz demanda à Jerzy de retrouver sa mère et sa sœur et il remonta à l'appartement, content de ne pas avoir à laisser Jan seul. Il retrouva celui-ci penché par la fenêtre, comptant les Allemands qu'il apercevait. Tomasz lui fit rentrer la tête et ferma la fenêtre.

— À partir d'aujourd'hui, Jan, tu ne fais rien qui risque de te distinguer des autres, tu entends ?

— Mais je n'ai rien fait, papa. Je les ai vus en sortant de l'école.

— Je sais. Mais il faut que tu apprennes à avoir l'air d'un mur, ou d'une porte, ou d'un banc de parc. Tu entends ?

Jan eut peur de son père qui, apparemment, était très énervé par l'arrivée des Allemands. Quant à lui, il se demandait s'ils allaient utiliser leurs fusils-mitrailleurs.

— Écoute-moi bien, Jan. Je ne blague pas. C'est déjà extraordinaire que ton école ne soit pas fermée. Il faut que tu marches lentement sur les trottoirs et que tu cesses de crier. Le silence attire rarement l'attention.

Son père avait l'air si sérieux que Jan eut un mouvement de recul. Il promit de devenir aussi grand que Jerzy.

— Rien ne presse, Jan. Sois simplement sage.

On aurait dit les rues de Cracovie muselées par la méfiance et la peur. Les Cracoviens ne cessaient d'attendre, jour après jour, un coup de force qui ne venait pas. Tomasz, comme tous les professeurs de l' « illustre université jagellonienne », se heurta à des portes verrouillées. Il en fut offusqué et fit pression auprès de son doyen pour que celui-ci à son tour convainque le recteur qu'il fallait réagir.

Une université aussi renommée que la leur ne pouvait être bâillonnée.

Quand Jerzy rentra, Tomasz usait sa colère sur les tapis du salon. En voyant son père, il eut un air si coupable que Tomasz en fut alerté.

— Qu'est-ce que tu as fait ?

— Rien.

Tomasz le dévisagea et Jerzy soutint son regard avec peine. Il s'assit et annonça, sans vacillement dans la voix, qu'il avait l'intention de marcher derrière les divisions polonaises qui allaient vers l'ouest pour repousser les Allemands.

— Es-tu devenu fou, Jerzy ?

— Pas que je sache.

— Partir au front à dix-sept ans...

— Je ne pars pas au front, papa. Je marche derrière les armées.

— Et tu penses que les obus vont faire la différence ?

Sentant que son père ne comprenait pas son patriotisme, Jerzy se leva et entra dans sa chambre. Tomasz le suivit.

— Jerzy ! Je t'interdis de mettre à exécution un projet aussi dangereux.

— Il n'est pas dangereux.

— Pas dangereux ? As-tu au moins conscience de ce qui se passe ?

— Oui. Il se passe que la Pologne a besoin de tout son monde.

— Mais non, Jerzy. Il se passe que trop de réservistes se sont rapportés et que l'armée a toutes les peines du monde à les équiper et à les nourrir. Il se passe que des civils s'emparent des armes de ceux qui ont été tués et que, sans connaissance aucune de leur maniement et du commandement militaire, ils pensent abattre l'ennemi. Ce sont eux qui tombent, Jerzy.

— Malgré tout mon respect, papa, je pense que tu n'exprimes que ton point de vue.

Tomasz fut si interloqué par la réaction de son fils qu'il ne sut quoi ajouter.

— Je pars ce soir.

Tomasz, furieux, retourna au salon. Zofia venait de rentrer. Devant le regard de son mari, elle devint livide. Seule une catastrophe avait pu le courroucer à ce point. Elle alla à la cuisine porter les quelques provisions qu'elle rapportait et vint le retrouver. Il frottait ses lunettes avec tellement de force qu'elle craignit qu'il n'en brise le verre. Elle entendit du bruit venant de la chambre de Jerzy et s'y rendit, certaine qu'il n'était pas étranger à l'humeur de son père. Elle aperçut un havresac reposant sur le plancher. Jerzy regarda sa mère et eut une soudaine envie de pleurer. Il ne voulait surtout pas la chagriner.

— Papa est en colère.

— Peut-être.

— Je ne comprends pas. C'est lui-même qui ne cesse de dire que notre Pologne est perpétuellement en chantier : on l'étire, la rétrécit, la pétrit et la reconstruit, et, quand tout semble rentrer dans l'ordre, on la démolit. Mes amis et moi, nous voulons avoir la plante des pieds dans la terre. Faire un bouclier avec nos corps pour empêcher les envahisseurs...

Zofia mit trois doigts sur la bouche de son fils. Elle ne voulait plus l'entendre parler de sa folie guerrière. Elle tenta gauchement de lui expliquer qu'à la défensive ou à l'offensive lui et ses amis seraient quand même vulnérables. Pendant qu'elle essayait de ralentir les ardeurs de Jerzy, Tomasz sortit de l'appartement. Elle s'en inquiéta mais n'en dit rien, réussissant à convaincre Jerzy de ne pas partir avant d'avoir mangé une dernière fois avec son frère et sa sœur. Jerzy se plia à sa demande.

— Jerzy, je ne veux pas que tu dormes dans le ventre de la terre polonaise.

Zofia parlait en lui caressant une épaule.

— Ni dans le ventre d'aucune autre terre. Pas maintenant. Dieu confie deux ventres à l'homme. Celui de sa mère, qui le fait naître, et celui de sa femme, pour qu'il y sème une autre vie.

Elle prit la main de son aîné et la posa sur son ventre qui approchait de plus en plus de l'éclosion. Jerzy, retenant un reniflement, se passa un doigt sous le nez et se racla la gorge.

Le souper fut lugubre. Tomasz picora dans son assiette, qu'il repoussa presque avec violence en déclarant qu'il n'avait plus faim. Tout dans son attitude mettait sa famille mal à l'aise, Zofia la première. Elle savait que Jerzy ne changerait pas d'idée et, tout comme Tomasz, elle était certaine qu'il courait à sa perte. Elle aurait quand même préféré le voir les quitter avec une relative sérénité et en voulut à Tomasz de lui faire la tête.

Jan et Élisabeth ne cessaient de se regarder, conscients que quelque chose de grave leur échappait. Élisabeth avait presque peur de son père, ne l'ayant jamais vu aussi sec et aussi tranchant. Jan faisait des efforts magistraux pour manger le plus silencieusement possible, déposant ses ustensiles doucement et mastiquant lentement. Zofia essayait d'alléger l'atmosphère en parlant du bébé qui ne cessait de lui donner des coups de pied. Personne ne sembla l'écouter, encore moins Tomasz qui n'appréciait pas qu'elle parle de son corps avec autant de légèreté. Zofia proposa une soirée musicale, que Tomasz et Jerzy refusèrent, au grand étonnement des trois autres. Élisabeth s'enferma dans sa chambre et joua seule de son violon tandis que Jan regarda les pages de son herbier. Tous les deux ne comprenaient rien à la lourdeur de l'atmosphère de la maison. Pendant que Zofia mettait la cuisine en ordre, Tomasz s'assit dans le salon, un journal à la main. Il fit semblant de lire, n'ayant d'écoute que pour les sons qui lui provenaient de la chambre de Jerzy. Zofia vint s'asseoir elle aussi, les mains croisées sur le ventre, le visage blême et sans expression. Il était dix heures quand le silence prit possession de la maison. Tomasz se leva et, sur la pointe des pieds, alla jusqu'à la porte de Jerzy. Il soupira en voyant que les lampes avaient été éteintes. Il retrouva Zofia et tenta faiblement de lui faire croire que le calme était revenu dans le cœur de leur fils. Ils allèrent se coucher et, chacun de son côté, feignirent le sommeil. Tomasz espéra que son fils s'inclinerait devant son autorité alors que Zofia se flattait le ventre, préférant s'accrocher à l'avenir plutôt qu'au présent trop déchirant.

Jerzy se leva doucement et se glissa en chaussettes dans le couloir. Il ouvrit la porte de la chambre d'Élisabeth, s'approcha à tâtons de son lit, la secoua légèrement pour l'éveiller et lui annonça qu'il partait pour le front. Élisabeth se mit aussitôt à pleurer en silence, comprenant le chagrin de ses parents.

— Je devrais être rentré pour Noël. Promets-moi que tu vas faire jouer mon violon de temps à autre. Je ne voudrais pas que le bois sèche trop.

Élisabeth se pendait à son cou et il eut toutes les difficultés du monde à se défaire de son étreinte.

Il alla ensuite éveiller Jan. C'est en embrassant son jeune frère que Jerzy eut le plus de difficulté à retenir ses sanglots. Son départ lui pesait soudainement très lourd et lui-même aurait eu envie de se faire bercer dans les bras d'un grand frère qui l'aurait éclairé le long des chemins tortus et torturants qu'il venait de choisir.

Tomasz et Zofia crurent entendre le cliquètement que fit la poignée de la porte. Ils devinèrent un mouvement dans l'escalier. Tomasz se leva mais Zofia le retint, le cœur à l'affût. Le souffle coupé, elle ferma les yeux. Tomasz attendit cinq bonnes minutes avant de se diriger vers la fenêtre du salon, qu'il ouvrit. Il passa la tête à l'extérieur et, ne voyant rien, alla aux fenêtres donnant sur la cour. Apercevant Jerzy qui emplissait un petit sac de terre, il sut que son fils quittait Cracovie et résista à la tentation d'ouvrir, se tenant caché derrière la tenture. Tomasz aurait voulu supplier Jerzy de rentrer mais sa douleur et sa peur étaient si intenses qu'il en fut incapable. Jerzy passa dans le couloir du rez-de-chaussée et Tomasz se précipita de nouveau vers la fenêtre du salon. Zofia y était déjà. Ils le virent apparaître devant la maison, marcher furtivement puis disparaître en direction des jardins Planty.

— J'aurais dû lui dire que la vie est toujours devant et jamais derrière. Oh! Zofia, je tremble dans ma chair...

Zofia regarda pleurer son mari. Ils n'eurent plus besoin de mots pour comprendre qu'ils avaient la certitude de ne plus jamais revoir leur fils.

5

Tomasz s'acharnait à trouver une fréquence radio à travers la friture quand tout à coup, venue de nulle part, une voix annonça, haut et clair, que les Soviétiques venaient d'attaquer le pays par l'est. Tomasz ferma les yeux et mit sa main sur son cœur, craignant que Jerzy n'ait fait partie de l'étal où s'étaient approvisionnés les Soviétiques. Il se leva et alla trouver Zofia pour lui transmettre l'information.

— Bientôt, nous ne vivrons plus dans un pays mais dans une passoire.

Tomasz savait que Zofia n'osait parler de Jerzy. Toute la famille se remettait à peine du choc de son départ.

— Zofia, tu peux dire ton chagrin. Notre situation est quand même moins pire que celle d'autres familles qui ont déjà enterré leurs fils.

— Tu penses ?

Comme les Cracoviens qui avaient tacitement décidé de ne pas affronter les envahisseurs afin d'éviter à la ville les bombardements, Zofia se tourna vers Tomasz, son regard n'exprimant ni colère ni soumission. Tomasz espérait se tromper en y devinant une pointe de rancœur.

Tomasz entendit Mme Grabska frapper trois petits coups sur son plafond avec son balai. Il sut qu'on montait chez lui. C'était la deuxième fois depuis le début des hostilités qu'il s'enfermait dans son bureau, entre le salon et la salle de musique de Zofia, avec des collègues de l'université pour chercher un moyen de faire rouvrir leur chère institution.

Durant ces réunions, Zofia détournait l'attention des enfants en leur jouant du piano et en leur demandant de mémoriser les mélodies.

— Je ne sais pas si nous aurons le piano encore longtemps. Les Allemands peuvent nous le confisquer. Il faut que vous appreniez vite.

Tomasz vint se coucher ce soir du 18 septembre en lui apprenant que les membres du gouvernement polonais s'étaient, la veille, réfugiés en Roumanie, emportant les sceaux de la nation.

— De là, ils espèrent se rendre en France. Ils ont bien fait. J'aime mieux un gouvernement en exil qu'un gouvernement neutralisé.

— Je me sens quand même orpheline.

Le pays, dont le costume de terre ocre se confondait avec les uniformes marron, noirs et gris, ressemblait de plus en plus à une marionnette déglinguée. L'air européen commençait à sentir la poudre et la chair à canon. Zofia passait ses nuits à bercer l'enfant qui grandissait innocemment en elle. Tomasz, qui se voulait réaliste, essayait de convaincre les habitants de leur immeuble que la guerre était perdue depuis longtemps pour la Pologne.

— Les panzers et l'aviation sont trop puissants pour nous. Mais les politiciens et les militaires allemands sont encore plus dangereux.

Jan, lui, continuait de trouver plutôt excitant de voir les soldats allemands habiter la ville et il essayait d'apprendre à distinguer les grades d'après les galons cousus ou épinglés sur les uniformes. Tomasz voyait d'un mauvais œil des goûts aussi douteux mais en profitait pour instruire son plus jeune fils en déployant une vaste carte sur la table de la salle à manger, lui expliquant qui était où, tout en cherchant d'un doigt distrait les refuges où il imaginait Jerzy. Lui et Zofia frémissaient de peur.

— T'ai-je dit, Zofia, que je meurs d'inquiétude ?

— Non, mais je le sais.

Elle le regardait sans ajouter un mot, plissant les yeux

lentement sur un sourire qui devenait de plus en plus effacé au fur et à mesure que passait le temps.

Jusqu'à la fin de septembre, la Pologne suinta une odeur indescriptible : celle de la cire des cierges polonais qui fondaient en larmes derrière les cercueils des victimes du pays. Elle puait aussi le saucisson allemand et le chou russe. Le 29, Varsovie capitula. Les Polonais, désarçonnés, écrasés et piétinés, étaient retournés à leur passé ; ils regardaient, impuissants, leur pays divisé de nouveau comme un gâteau à partager entre deux ogres : Staline et Hitler. Le peuple vaincu avait deux nouveaux patrons nullement saints, dont les croisades s'abreuveraient du sang des hommes.

Élisabeth regardait la cour par la fenêtre de sa chambre, essayant d'y déceler un changement entre le mois de septembre et le mois d'octobre. Au dire de sa mère, elle avait été absolument raisonnable, se contentant, pour son douzième anniversaire, d'une pomme à la chair à peine meurtrie. Elle essuya une énorme larme qui lui coulait sur la joue, l'estomac encore creux, la peine causée par le départ de Jerzy toujours aiguë. Elle écouta les bruits du voisinage, cherchant à entendre la voix de son frère.

Après le repas que sa mère avait tenté de déguiser en réjouissance, son père, toujours abasourdi par la chute de Varsovie, avait sorti le violoncelle, elle et Jan leurs violons, et leur mère s'était assise au piano. Ils avaient fait danser l'anniversaire d'Élisabeth au son d'un menuet. Sans un mot, Élisabeth avait rangé son instrument et sorti celui de Jerzy.

— Il m'a demandé de l'amuser. Si nous le faisions valser ?

Le violon de Jerzy s'amusa avec les autres, en trois temps. Depuis qu'elle savait que les Soviétiques aussi s'en étaient pris à la Pologne, Élisabeth avait peur que son frère n'ait été tué. Tous les soirs, en se couchant, elle lui parlait, le suppliant de rentrer à la maison.

Élisabeth abandonna enfin sa fenêtre et se mit en boule sous ses couvertures. Elle endormit ses douze ans sur un oreiller mouillé en se demandant si elle reverrait un jour des anniversaires remplis de rires.

6

— M^AIS qu'est-ce que tu fais, Tomasz?
— Je vous installe un abri dans la cave.
— Dans la cave? Il n'en est pas question. Je descendrai dans la cave uniquement si nous sommes bombardés.

Le climat de la Pologne s'était refroidi. La chaleur humaine se faisait de plus en plus rare, les cœurs ayant été pris comme dans un étau entre l'angoisse et la peur, la désespérance et la désillusion. Un mois après que la Pologne eut capitulé, Tomasz paniqua, craignant que le prix de sa tête de professeur n'augmente de jour en jour et qu'il ne soit forcé d'abandonner sa famille.

— Tomasz! Où est mon optimiste? On dirait que tu ne raisonnes plus. Tu prophétises le malheur.
— Je ne prophétise rien. Je sais.

Tomasz enlaça sa femme, contournant son ventre qui était de plus en plus encombrant, et l'embrassa sur le front, à la racine des cheveux. Zofia ne savait comment se rassurer elle-même car Tomasz avait presque toujours eu raison. Il avait la certitude que les Allemands pêcheraient les intellectuels polonais d'abord, puis tous les autres objecteurs de conscience, à grands coups de filets pour vider le pays. Il lui disait ne voir qu'une logique dans leur stratégie : les Allemands voulaient utiliser son pays comme plaque tournante pour l'Europe. Pire, en faire une pépinière de main-d'œuvre à bas prix. Il avait peur que ses craintes cauchemardesques ne se réalisent. Il avait peur qu'Élisabeth et Jan ne se retrouvent déracinés dans leur propre pays et que Zofia ne puisse épanouir ses mamelles sereinement. Il se reprochait amèrement de ne pas les avoir envoyés au Canada en juin, quand Villeneuve lui avait offert son secours. Il avait poussé son raisonnement jusqu'à dire qu'il voulait voir venir les coups. Pourquoi avait-il attendu la nuit qui avait précédé l'attaque allemande pour revenir sur sa décision ? Zofia lui frotta la nuque doucement, lui peignant les cheveux avec ses ongles, voulant se faire rassurante.

— On dit que Cracovie est la seule ville chanceuse de Pologne.

Tomasz essaya de faire la sourde oreille à tout ce qui aurait pu sembler trop réjouissant. Zofia, par contre, probablement parce qu'elle berçait constamment une nouvelle vie, avait adopté un ton encore plus combatif, plus réaliste à son avis, mais plus naïf selon Tomasz.

— Nous sommes presque chanceux, Tomasz. La ville est épargnée parce que les Allemands ont installé leur quartier général au Wawel. Nos enfants ne voient pas de maisons éventrées. Nos enfants ne voient pas d'hommes éventrés non plus.

Tomasz eut envie de croire Zofia, sachant que si elle ne se torturait pas pour l'enfant à naître, il devait lui faire confiance. Zofia vit qu'elle avait réussi, pour quelque temps, à endormir la peur morbide de son mari. D'après elle, cette angoisse était dictée non pas tant par ses craintes de la douleur et de l'absence que par sa connaissance de l'âme humaine, coulée dans les statues et les cénotaphes de l'histoire. Zofia ne comprenait pas que Tomasz était en proie au remords de ne pas avoir mis les siens à l'abri et de ne pas avoir réussi à empêcher le départ de Jerzy.

Tomasz descendit une bonne partie de ses notes de cours et de ses livres à la cave, fermement décidé à poursuivre l'instruction de ses enfants et même celle de ses étudiants, s'il les retrouvait. Le soir où il avait rempli de livres des étagères improvisées, il s'assit sur la terre humide, le sourire aux lèvres. Pour la première fois depuis le mois de septembre, et malgré une horreur existentielle collée au ventre, il faisait des projets. La guerre lui avait bouché la vue sur le présent, mais avait laissé une petite brèche ouverte sur l'avenir.

Tomasz prit de la terre dans ses mains, l'écrasa avec force avant de la laisser couler lentement entre ses doigts. Il fronça les sourcils en pensant au sac de terre que Jerzy avait rempli le soir de son départ. Il s'efforça aussitôt de chasser cette pensée qui se faisait de plus en plus récurrente et douloureuse. Il se permit alors de rêver à ce qu'il fallait faire : créer une université clandestine.

Tournant la tête, il regarda encore une fois les étagères garnies et cligna des yeux sous ses verres épais. C'est ici, si le gouvernement allemand continuait à refuser de rouvrir l'université, qu'il rêvait de revoir ses étudiants. Pendant tout le mois d'octobre, lui et ses collègues avaient multiplié les rencontres afin d'exercer des pressions pour que les portes de la « jagellonienne » soient rouvertes. Les occupants semblaient malheureusement avoir d'autres priorités. Comment leur faire comprendre que la Pologne ne pouvait se permettre de perdre une autre génération ? Tomasz savait que cela cadrait parfaitement avec ses théories. Pourquoi les instruire ? leur laisserait-on entendre. Le Reich a besoin de bras, non de cerveaux.

Tomasz regarda autour de lui, se leva, se frotta les mains sur son pantalon et monta à sa chambre sans faire de bruit. Il se glissa sous les couvertures et posa la tête sur l'épaule de Zofia qui dormait sans méfiance, offrant son nombril sorti du nid à un ciel qu'elle voulait bien croire protecteur et bienveillant.

Le début du mois fut plus triste que jamais. La pluie d'automne fit basculer les dernières feuilles roussies encore accrochées aux arbres. Cracovie grisonna. Malgré la présence harcelante et harassante des militaires, qui commençaient à faire des fouilles systématiques dans les maisons et des arrestations arbitraires, les habitants essayèrent de penser à leurs saints pendant les quelques heures du 1er novembre avant de sombrer dans la tristesse du jour des Morts, le lendemain.

Zofia avait longuement marché à la recherche de légumes colorés, passant et repassant devant des étalages couverts de vieux journaux gris et mouillés qui tentaient de protéger des légumes desséchés ou ocreux. Elle ne s'habituait pas à recourir au marché noir pour avoir trois carottes et un chou.

— Tomasz, réfléchis. Est-ce que les Porowscy sont les seules personnes que nous connaissions qui habitent la campagne ?

— Désolé. Si tu voulais manger en temps de guerre, il fallait être prévoyante et épouser un cultivateur et non un professeur d'histoire.

Zofia le regarda en haussant les épaules, l'ombre d'un sourire sur les lèvres. Tomasz essayait de la faire rire, sachant qu'elle s'alourdissait de jour en jour et que l'enfant qu'elle portait absorbait le peu qu'elle mangeait, ne lui laissant à elle que le plaisir de goûter. Le reste du temps, Zofia avait faim.

7

JAN entra en courant, excité par la nouvelle qu'il apportait. Zofia le retint par le bras tandis que Tomasz pensa, le temps d'un éclair, que la guerre était peut-être finie.

— L'université va rouvrir !

Jan riait du plaisir que cette bonne nouvelle procurerait à son père, mais ce dernier fronça les sourcils, sceptique.

— D'où tiens-tu ça ?

Jan se rembrunit un peu. Son père n'eut pas l'air aussi heureux qu'il l'avait souhaité. Il voulut lui répondre lorsque Mme Grabska frappa trois coups avec son balai. Tomasz se dirigea vers la porte sans se presser, comme si rien n'avait troublé la minute qui venait de s'écouler. Il introduisit un collègue qui lui tendait un papier, l'air radieux.

— Ton fils t'a dit ?

— Il a dit que l'université rouvrirait.

— C'est de moi qu'il tient cela. Nous nous sommes croisés dans la rue. Oui, l'université va rouvrir ses portes. Nos pressions ont été efficaces.

— Je n'y crois pas.

Tomasz invita son collègue dans son bureau, lui expliquant que jamais les Allemands ne feraient une pareille chose. Depuis quatre semaines, ils n'avaient même jamais voulu considérer cette éventualité. Son collègue, lui, tenait la nouvelle du recteur. Il n'avait aucune raison d'en douter, affirma-t-il.

— Moi, je dis qu'il faut se méfier. D'abord, la plupart des garçons ne sont plus là et les filles s'occupent du pays. Quant

51

à nous, les professeurs, j'ai davantage le sentiment qu'on voudrait nous expédier en prison...

Son collègue l'interrompit en élevant le ton.

— Tu n'es qu'un pisse-vinaigre, Tomasz. Ce n'est pas parce que tu es professeur d'histoire et que tu connais bien le passé que tu sais deviner l'avenir. Les Allemands ont quand même été à peu près corrects depuis le début de la guerre...

— Tu te moques de qui?

— ... ici à Cracovie, à tout le moins. Tomasz... Tu sais combien ils sont orgueilleux et fiers. Pour célébrer la réouverture de l'université, ils invitent tous les professeurs à assister à la conférence d'un des leurs, un certain major Bruno Müller.

— Tu penses vraiment qu'ils veulent faire une petite réception pour des professeurs qu'ils surveillent depuis deux mois?

— Non, je pense qu'ils veulent tout le crédit de la réouverture, c'est tout. Les Allemands aiment les actions d'éclat.

— Les éclats d'obus, oui...

Tomasz frottait ses lunettes en hochant la tête avec scepticisme, la bouche amère. Son collègue se leva.

— Tomasz, tu es méconnaissable avec ton cynisme et ta mauvaise foi.

Son collègue lui tendit enfin l'invitation. Tomasz la lut et promit d'y être, ne fût-ce que par solidarité, puis tenta gauchement d'excuser son impolitesse. Son collègue le quitta, agacé par l'accueil qu'il avait reçu. Jan, qui avait entendu des bribes de la conversation, s'approcha de son père.

— Je pensais que c'était une bonne nouvelle.

— C'est probablement une bonne nouvelle, Jan. Sûrement, même. Merci.

Tomasz lui caressa une épaule puis se leva et se dirigea vers le salon. Il s'approcha du piano, sur lequel il jeta l'invitation après l'avoir relue. Le major Müller traiterait « de la position du IIIe Reich et du national-socialisme en regard des problèmes soulevés par la science et l'enseignement universitaire ». Il pianota ensuite quelques notes sans air, enleva ses lunettes de nouveau, les frotta, les remit pour relire une autre fois l'invitation. Les mots étaient coulants comme des nœuds. Tomasz sentit un martèlement sur ses tempes et s'interdit de penser que ce battement pouvait accompagner un glas.

Zofia, le sourire aux lèvres, regarda partir Tomasz. Il s'était rasé de près et avait enfilé une chemise qu'elle avait blanchie et repassée avec entêtement. Jan, pour sa part, avait ciré ses chaussures à coups de crachats comme il avait vu les militaires le faire, et Élisabeth avait pressé son pantalon. Zofia n'avait pas repris le travail de sa fille malgré le pli de la jambe droite, qui tournait dangereusement vers la malléole externe. Tomasz avait le trac. Il avait embrassé Jan avant que celui-ci ne parte pour l'école, lui disant que tout irait bien. Jamais il n'aurait parlé de ses sombres intuitions. Il embrassa Zofia à deux reprises et accepta qu'Élisabeth, privée d'école depuis le début des hostilités, l'accompagne une partie du trajet.

Dès que Tomasz eut fermé la porte derrière lui, Zofia s'assit devant son clavier et commença à pianoter un malaise qui lui écrasait le souffle directement sous le plexus solaire. Elle regarda l'heure et se mit à rythmer son *Prélude* sur les pas que Tomasz faisait sur le trottoir, empoussiérant sûrement déjà ses chaussures si bien astiquées par Jan. Elle le devina toujours dans la rue Sainte-Croix mais il devait apercevoir les jardins Planty. Élisabeth rentra et vint s'asseoir derrière elle, comme si elle comprenait le besoin de sa mère d'être à la fois seule et entourée.

Zofia continua à suivre Tomasz en marquant la cadence. Il devait maintenant regarder les vieillards gris assis sur les bancs des Planty. Elle ralentit son rythme, pensant qu'il avait certainement croisé des Cracoviens portant épinglée sur leurs vêtements l'étoile de David. Cette exigence des Allemands les irritait au plus haut point. Il avait dû tourner à droite dans la rue des Dominicains, franchir la place Ludow avant de poursuivre dans la rue des Franciscains, ces autres moines à bure, et de retraverser les Planty à l'autre extrémité.

Zofia cessa de jouer, se frotta les mains qu'elle avait glacées. Elle attaqua une courte sarabande. Puis, sachant que Tomasz était probablement arrivé à l'université, elle abandonna les notes et se croisa les mains, toujours froides, telle une nonne en prière. Elle regrettait amèrement de ne pas avoir retenu Tomasz, d'avoir feint une trop grande confiance devant sa petite bête presque aveugle mais tant aimée. Elle ne se pardonnait pas d'avoir tu ses craintes et sa peur. Elle regarda de nouveau l'heure, se leva et se dirigea vers la porte pour accueillir un élève annoncé par les trois coups du balai de Mme Grabska. Elle l'accueillit avec un sourire en se demandant combien de temps elle pourrait tenir avant de se mettre à trembler.

L'arrivée à l'université fut presque rassurante, mais personne n'offrit de vin bien que ce fût l'heure de l'apéritif. Tomasz et ses collègues furent conduits dans le local Josephi-Swiski, qu'ils préféraient appeler le « cinquante-six », numéro affiché au-dessus des portes doubles. La classe cinquante-six était plutôt grande, mais Tomasz fut surpris qu'on ne les eût pas invités dans un des amphithéâtres. Il fut enchanté de serrer les mains du recteur, le professeur Tadeusz Splawinski, de son doyen et de ses collègues. Un officier allemand se tenait à l'avant de la classe, souriant et essayant de faire patienter les invités en s'excusant du retard du conférencier.

Ils s'assirent tous aux pupitres, peut-être un peu trop nombreux pour l'exiguïté de la salle, mais discutèrent davantage de leur joie de réintégrer leur chère institution que du coude à coude. Ils parlèrent et rirent un peu trop fort, comme si le fait d'avoir les genoux coincés sous un pupitre garantissait un rajeunissement instantané. Un deuxième officier entra dans la classe et chuchota quelque chose à l'oreille du premier, qui leur annonça que le conférencier était arrivé à l'université et qu'il ne tarderait pas à se joindre à eux. Le silence à peine installé recommença à se meubler. Une oreille douée du « diapason naturel » aurait pu remarquer que quelques notes de jovialité avaient disparu. Tomasz se tut et, pour se détendre, commença à compter les pupitres et le nombre de professeurs qui avaient voulu souligner l'événement. Il remarqua que les fenêtres doubles avaient été installées en prévision de l'hiver, et il trouva heureux que les Allemands n'eussent pas empêché le personnel de l'université d'effectuer ces travaux. Les Polonais se devaient de préserver leur héritage, surtout cette université, une des aïeules des universités d'Europe, qui accueillait des étudiants depuis près de six cents ans.

Tomasz enleva ses lunettes et s'essuya les yeux et le front. Il transpirait abondamment et se demanda si c'était de chaleur, d'inconfort ou de peur. En remettant ses verres, il aperçut, assis près des fenêtres, un homme dont le visage lui était familier. Il se sentit blêmir lorsqu'il reconnut justement un des employés de l'université. Il se tourna sur son banc et remarqua d'autres personnes n'appartenant pas au corps professoral. Il se leva et se dirigea vers le recteur.

— Excusez-moi, monsieur Tadeusz, mais, à votre connaissance, est-ce qu'on a invité les employés ?

— Non, pourquoi ?

— Parce que j'en vois une dizaine ici. Pensez-vous qu'ils sont intéressés à ce point par les problèmes scientifiques et l'enseignement universitaire ?

Le recteur ne dit rien mais fronça les sourcils. Tomasz se pencha à son oreille et lui chuchota quelque chose.

— Qu'est-ce que vous dites, monsieur Tomasz ?

— Je dis que, comme souricière, on peut difficilement faire mieux.

Tomasz n'eut pas le temps de savoir ce qu'en pensait le recteur. L'immense porte marron à deux battants, située au centre de la pièce, s'ouvrit. Une clameur de soulagement s'éleva des premiers rangs de la salle pendant qu'un silence de mort envahissait les pupitres de l'arrière. Tomasz se glissa sur son banc pendant que des soldats armés pénétraient au pas et s'installaient de part et d'autre de la chaire. Ce n'est qu'alors que Tomasz remarqua qu'on avait arraché le cadre de l'aigle polonais qui avait orné le mur. Le clou dénudé aurait dû leur faire comprendre à tous la raison de la rencontre. Il sentit sa tête s'alourdir et son menton tomber sur sa poitrine. Ce mouvement de résignation de Tomasz fut accompagné de plusieurs soupirs d'inconfort, de quelques gémissements de peur et de quelques apostrophes de colère qui fusèrent de toutes parts. Tomasz garda le silence, retournant chez lui en pensée pour réembrasser Zofia, caresser la tête de Jan et sourire de toute sa tendresse à la jeune femme que devenait Élisabeth. Il entendit un cri plus fort que les précédents, un cri en allemand. On lui donnait, à lui et aux cent quatre-vingt-trois autres arnaqués, l'ordre de se lever et de suivre les soldats, qui avaient fait craquer leurs armes et les tenaient en joue comme s'ils avaient été des criminels. Il osa un regard d'encouragement vers ses collègues historiens, sourit timidement au professeur Glemma, et fit un petit signe de reconnaissance à Lepszy. Tomasz reconnut qu'il avait eu bien raison de se méfier, mais ne ressentit aucun plaisir à le savoir. Derrière lui, au sortir de la classe, il entendit son collègue, celui qui, malgré lui, avait servi d'estafette aux Allemands en livrant une invitation au voyage, lui demander pardon.

Pour la première fois, Tomasz fit un effort pour voir plus clairement que ne le lui permettaient ses verres. Il tenta d'imprimer dans sa mémoire les arcades du plafond, les candélabres, les boiseries vernies des portes. On leur donna l'ordre de s'arrêter avant de descendre l'escalier à leur gauche. Il garda la tête penchée, en profitant pour observer les dessins des carreaux bleus et jaunâtres du plancher. Il en vit un de craquelé. On leur criait maintenant de descendre et il regarda les balustrades des galeries, aux moulures en rosaces. Il tenta de compter les marches mais trébucha sur le palier et changea d'idée, se contentant de savoir qu'il y en avait au moins deux fois une quinzaine. Ils passèrent sous une arche en ogive et tournèrent encore une fois avant de poursuivre leur descente vers la sortie. Il eut l'impression de n'avoir jamais remarqué la couleur des colonnes gothiques, dont les teintes de la pierre allaient du beige au marron en passant par plusieurs tons de gris. Il aperçut enfin la porte de sortie et se demanda si son cœur n'allait pas éclater avant qu'il ne revoie le soleil de midi. Parce qu'il était midi, comme le sonnaient les cloches de la ville, enterrant le souffle du clairon. Ils se retrouvèrent tous à l'extérieur et il remarqua que le sol était maintenant fait de carreaux beaucoup plus grands posés en damier. Ils traversèrent une des nombreuses portes de métal forgé et se retrouvèrent dans la cour, forcés de s'immobiliser encore une fois.

Les camions traversèrent la ville en faisant pétarader leurs chevaux-vapeur qui tiraient un chargement transpirant à la fois de chaleur et d'angoisse. Tous les hommes se taisaient, préférant être à l'écoute de leurs pensées et de leur cœur.

Les camions s'arrêtèrent enfin et Tomasz reconnut la prison. Ils avaient dû passer tout près de l'école de Jan. Escortés par des soldats encore plus nombreux, ils entrèrent et Tomasz fut étonné de voir à quel point l'impuissance et l'angoisse avaient alourdi leurs semelles.

Quand la nuit avait commencé à devenir de plus en plus silencieuse, qu'Élisabeth s'était glissée dans sa chambre, que Jan les avait rejointes dans le lit et que le bébé avait cessé de lui labourer l'abdomen, Zofia s'était forcée à arrêter de trembler.

Pendant deux jours, les professeurs restèrent là à attendre que quelqu'un décide de leur sort.

— Je pense qu'on a voulu nous faire une bonne peur. Nous devrions rentrer à la maison demain.

— Je suis d'accord. Ce doit être la façon que les Allemands ont choisie pour nous faire comprendre que l'université était sous scellés et que ce n'était pas négociable.

— Qu'est-ce que vous en pensez, monsieur Tomasz?

Tomasz avait envie de leur dire qu'il avait la sincère conviction qu'ils en étaient à la première station de leur chemin de croix, mais il se contenta d'esquisser un sourire fade et de hausser les épaules.

— Si M. Tomasz n'en pense rien, c'est que l'histoire ne nous a pas donné de modèles. Il n'y a rien à en penser.

— Professeur, croyez-vous que la date du 6 novembre va être mémorable?

57

Un des employés venait de sortir de sa torpeur et lui avait posé la question.

— Je l'espère sincèrement.

Tomasz lui avait faiblement souri pour le rassurer et il apprit par le regard du brave homme que ce dernier avait parfaitement compris ce qui leur arriverait. Après ces deux jours de limbes, ils furent regroupés et on les fit remonter dans des camions qui les emmenèrent à la gare. Tomasz ne fut pas le seul à conclure que les trains se rendraient à différentes destinations. Ils se saluèrent tous discrètement, espérant, sans y croire, se revoir à l'université sitôt la guerre finie. Lorsque son camion s'immobilisa et qu'on les fit descendre devant les portes de la gare, Tomasz jeta un coup d'œil derrière lui, caressant l'espoir secret d'apercevoir Zofia, Élisabeth ou Jan.

Le train fit halte en pleine campagne. Tomasz ferma les yeux, certain d'entendre un peloton d'exécution charger ses armes et lui viser le dos. Le silence ne s'emplit d'aucun crépitement. En fait Tomasz fut transféré avec certains hommes dans un nouveau wagon. Ils y montèrent, les canons des armes leur grattant le crâne et les côtes pour qu'ils pressent le pas. Tomasz ne résista pas, mais perdit ses lunettes, qu'il put ramasser et reposer sur son nez. C'est à ce moment que, dans le coin supérieur de son verre gauche, il aperçut un tout petit éclat. Son verre avait été si discrètement fêlé que Tomasz pensa tout à coup qu'il était presque heureux qu'il puisse, du matin jusqu'au soir, voir une étoile luisante comme un diamant. Il se fit la promesse formelle que, le mois de novembre fini, il regarderait cette étoile comme un mage. Il la suivrait durant toute cette longue nuit, qu'elle fût diurne ou nocturne, en se rappelant qu'au terme de sa route il y aurait un nouvel enfant qui l'attendrait.

— J'ai entendu dire qu'on nous conduisait à Wroclaw.

— Pourquoi pas... ?

Tomasz, comme la majorité de ses collègues, attendit de nouveau que les ronds-de-cuir veuillent bien s'occuper d'eux. Cette nouvelle station de leur calvaire était si intolérable qu'il se demanda s'il était préférable d'être précipité dans les limbes ou de savoir qu'ils étaient réellement dans l'antichambre de l'enfer.

Un autre matin frappa aux murs de la prison, escorté de soldats aux bottes ferrées qui recommencèrent le même manège : camion, gare, train.

Le train roula si longtemps que Tomasz se demanda s'il était toujours en Pologne. La seule distraction réconfortante qu'il trouva fut de regarder le pli de son pantalon mal pressé. Le train s'immobilisa enfin et Tomasz entendit des cris et des ordres. On ouvrit sans délicatesse la lourde porte du wagon. Les hommes descendirent, affamés et assoiffés. Derrière sa petite étoile, Tomasz lut : Saschenhausen. On venait de les précipiter dans le nid de l'aigle allemand.

8

Zofia n'avait pas encore consolé ses enfants ni son cœur que le calendrier lui annonçait qu'elle devait affronter l'année 1940. Elle essaya d'entrer en elle-même le plus possible pour parler à ce morceau de vie que lui avait confié Tomasz. Elle avait vainement tenté d'obtenir des renseignements au Wawel, siège du gouvernement général de l'occupant, qui avait élu Cracovie pour capitale. Par le réseau clandestin, elle n'avait rien appris sinon que son mari pouvait aussi bien être mort que prisonnier à Saschenhausen, Dachau ou ailleurs. Les nouvelles qu'elle avait obtenues par des bouches apeurées n'étaient jamais bonnes.

Voulant conserver l'espoir que son bébé aurait un père et plus d'un frère, elle avait cessé, le 6 novembre, de jouer toute pièce musicale pouvant évoquer un Requiem. Elle refusait obstinément que des oreilles non encore nées eussent peur. Le premier de l'an, les voisins passèrent quelques heures chez elle pour remplir la solitude dans laquelle le départ de Tomasz avait précipité la famille. Ils arrivèrent, qui avec de l'eau, qui avec des fruits plus que précieux, qui avec un bout de saucisson. Tous les riens étalés sur la table illuminée aux bougies créèrent une illusion de paix et d'abondance. Même les enfants demeurèrent calmes.

Zofia, après un repas arrosé de beaucoup d'eau pour tromper l'appétit, s'installa au piano. Elle jeta un regard entendu à Élisabeth et Jan, les suppliant silencieusement de venir égayer cette musique d'une joie qu'elle ne ressentait absolument pas. Élisabeth lui sourit avant de sortir non pas son violon mais celui de Jerzy. Jan, lui, voulant désespérément qu'on le prenne au sérieux depuis qu'il assumait toutes les responsabilités de l'homme de la maison, appuya le violoncelle de son père contre le mur dans un coin de la pièce avant d'aller chercher son propre instrument. Les Pawulscy, inspirés par la magie que pouvait encore faire éclore leur chagrin, jouèrent avec une émotion que seules les fenêtres de la maison empêchèrent d'aller toucher toute la ville de Cracovie. Les voisins se recueillirent pour entendre les cordes frémir sous les archets. Suscitant l'attendrissement de tous, Zofia se tenait fièrement devant le piano, les bras étendus, empêchée par son ventre de s'approcher du clavier. Ils jouèrent des cantiques religieux que les locataires de la maison entière chantonnèrent d'abord avant de les laisser s'échapper de leurs poitrines enfin libérées pour quelques instants de la peur qui les opprimait. Ils se quittèrent finalement lorsque le clairon de Notre-Dame annonça la deuxième heure de la première nuit de la nouvelle année et sans qu'aucune bouche eût offert de vœux. Tous les voisins avaient tant de souhaits à formuler qu'aucun n'osait le faire, de crainte de donner l'impression de commettre un sacrilège. Comment dire « Paix sur la terre aux hommes de bonne volonté » quand la terre tremblait à l'arrivée des bombes, quand tous les Pawulscy de Pologne pleuraient maris et fils, quand les hommes ne cessaient d'enterrer leurs semblables ? Comment dire « volonté » quand les peuples de conquérants vivaient dans la volonté d'abattre les frontières et les jardins qu'elles enclosent ? Comment dire « Bonne année ! » à Zofia et aux enfants qui jouaient pour ce nouvel an comme s'ils avaient voulu rappeler à tous que derrière leurs larmes demeurait le souvenir d'un temps différent, éclairé par un phare d'avenir, alors que de timides lumignons ombrageaient leur présent ?

Jan avait pris une démarche presque nonchalante. Il ne voulait ni se hâter ni flâner, de crainte d'attirer l'attention. Il lui fallait rentrer rapidement à la maison avec une feinte désinvolture. Sa mère, la veille, pendant la messe de l'Épiphanie, avait annoncé que son corps lui donnait les signes avant-coureurs de l'accouchement. Ce matin même, elle s'était plainte d'un mal de ventre et de pincements au dos. Jan était certain qu'il entendrait un bébé dès son retour. Il entra donc le cœur presque léger, ravi à l'idée de sentir la guerre déjouée par la naissance d'un autre Polonais. Élisabeth était assise dans le salon, serrant contre sa poitrine le manche du violoncelle de son père, comme si elle avait voulu tromper la solitude dans laquelle elle avait été précipitée à son retour de l'école clandestine. Elle avait les yeux inondés de crainte.

— La sage-femme est avec maman. Elle crie un peu, Jan. N'aie pas peur.

Élisabeth le vit tenter courageusement de retenir un frisson d'inquiétude et elle-même aurait voulu voir sa mère pour se rassurer. Elle s'approcha de la porte de la chambre de ses parents, y colla une oreille et écouta les sons de la naissance qui lui parvenaient étouffés. La musicienne en elle entendit un rythme en crescendo, suivi d'un silence, d'un nouveau crescendo, d'un silence, d'un crescendo. Élisabeth ne broncha pas. De l'autre côté de la porte, Zofia demanda de l'eau avant de reprendre la bride d'un cheval fabuleux qu'elle semblait chevaucher à perdre haleine. Élisabeth déglutit tout doucement, de crainte de révéler sa présence. Mais elle voulait tant voir sa mère que, la chevauchée terminée, elle se pencha et approcha ses lèvres de la serrure.

— Maman, c'est moi. Est-ce que je peux entrer te voir une minute ?

La voix de Zofia lui parvint clairement. Élisabeth eut la permission d'entrer et elle ouvrit la porte délicatement pour ne pas troubler le calme serein qu'elle protégeait. Sa mère avait la tête douchée d'une sueur qui lui dégouttait encore sur les paupières. Élisabeth s'approcha, prit le chiffon qui pendait sur le bord d'un bol rempli d'eau fraîche et éponge le front de sa mère qui la regarda en silence, le visage fatigué, souriant à travers un tremblement. Élisabeth vit avec étonnement le ventre de sa mère s'aspirer lui-même et la sage-femme lui demanda de quitter la pièce. Elle partit à reculons, referma la porte précautionneusement et alla rejoindre Jan.

Ils s'assirent tous les deux, se tenant la main — ce qu'ils ne voulaient évidemment plus faire depuis qu'ils avaient vieilli. Ne cessant d'entendre les sons rythmés qui leur parvenaient de la chambre, ils commencèrent à fredonner des airs sur ces rythmes pour exorciser leur peur de perdre la seule personne qui leur restait. Tantôt ils fredonnaient du Debussy beau à endormir un insomniaque ou *Guillaume Tell* de Rossini sur un rythme endiablé. Sans en prendre vraiment conscience, ils chantonnèrent de plus en plus fort. De la chambre, Zofia les entendit et fut émue de ce soutien inespéré. Elle aspira les rythmes qu'ils lui donnaient à boire avant de s'engager en trio avec eux, haletant staccato.

Un son rauque et sans note, saisissant comme celui d'un gong, rompit le rythme. Il se changea rapidement en gargouillements tandis que la voix de leur mère imita une berceuse remplie de sourires et de larmes. Élisabeth et Jan, la bouche ouverte, espéraient pouvoir reprendre les rênes de la chevauchée, effrayés de penser que l'amazone avait été désarçonnée. La sage-femme ouvrit enfin la porte.

— Le bébé est arrivé. Je vous l'apporte dès qu'il sera propre.

Jan plissa le nez et demanda à sa sœur pourquoi un bébé tout neuf n'était pas propre. Élisabeth, dont le corps n'avait pas vraiment achevé sa métamorphose, était aussi ignorante que lui. Ils ne s'interrogèrent pas longtemps, la sage-femme étant tout à coup devant eux, une petite chose rose emmitouflée dans un lainage blanc reposant au creux de ses bras.

— Devinez.

Élisabeth répondit « une fille » au moment où Jan disait « un garçon ».

— Un garçon. Malheureusement.

Jan cessa de sourire et fronça les sourcils. Malheureusement? Pourquoi malheureusement? pensa-t-il. Sa mère était-elle triste d'avoir trois garçons?

Jan s'éloigna et s'assit sur son lit, le cœur beaucoup trop gros pour une poitrine encore petite, et il éclata en sanglots. Sa mère l'entendit et, malgré son épuisement, le fit venir près d'elle. Jan s'approcha en hoquetant, déjà pénitent d'être un garçon. Zofia tenta de trouver la cause de ce violent chagrin mais Jan tut sa torturante révélation.

La présence d'Adam changea complètement Zofia. Elle passait ses journées à surveiller le sommeil du bébé, qu'elle berçait de piano joué en sourdine pour ne pas semer de crainte dans ses oreilles nouvellement nées. Elle changea le répertoire de ses élèves, abandonnant les pièces exigeant trop de forte au profit de berceuses, de ballades et de nocturnes. Maintenant qu'elle était délestée du poids du bébé, c'est l'absence de son mari et de son fils qui, jour après jour, l'alourdissait davantage. Sa vie baignait dans l'irréel. Elle souffrait tellement que même son lait lui semblait se cailler. Pour les enfants, par contre, elle préférait le mensonge à la vérité. Jamais, espérait-elle, ils ne la sauraient malheureuse.

9

Jerzy regarda Mme Saska prendre le bas de son tablier et essuyer ses mains pleines de sang. Elle avait tranché le cou d'une poule que Jerzy avait regardée tournailler dans la cour, la tête à moitié arrachée, avant qu'elle ne s'écrase, morte. Mme Saska l'avait alors prise par une patte et posée sur la table pour lui couper la tête. Jerzy ne broncha pas, partagé entre son plaisir de voir que Mme Saska avait pensé, pour souligner ses dix-huit ans, lui offrir ce festin et son inconfort de savoir Karol enterré derrière la grange.

Mme Saska demanda à Jerzy de déplumer l'oiseau pendant qu'elle-même allait piger une pomme de terre et un chou dans ses réserves secrètes. Jerzy commença à arracher les plumes, d'abord aux ailes, puis au dos et aux cuisses. Ses gestes étaient précis et mécaniques, laissant tout loisir à sa pensée de vagabonder.

Il repensa à son départ de Cracovie. Il avait la certitude d'être la grande déception de son père. Décollant une petite plume coincée sur son sourcil, il se revit, gonflé d'orgueil, marcher derrière les troupes qui avaient quitté Cracovie pour aller contrer l'attaque allemande sur le front ouest. Il marchait d'un pas qui ne connaissait aucune faiblesse aux côtés de Karol, son meilleur ami. Ils n'avaient cessé de parler de tous les actes de bravoure qu'ils feraient, n'ayant tous les deux qu'une seule ambition : devenir des héros de guerre dont on parlerait dans les livres d'histoire. Jerzy savait que son père serait alors très fier de l'avoir engendré.

Le commandement militaire leur avait demandé de rentrer, ne pouvant ni les armer ni les nourrir, comme le lui avait prédit son père le soir de son départ. À l'instar de milliers d'autres civils, Jerzy et Karol ne reculèrent pas d'un centimètre, certains qu'ils prendraient les fusils et les casques de soldats tués et qu'on leur permettrait dès lors de se sustenter à la cantine.

Jerzy éternua, ayant respiré une plumule. Il renifla et continua son travail. Ils avaient marché pendant près d'une semaine, se nourrissant de légumes qui auraient pourri dans les champs s'ils ne les avaient mangés. Le soir, ils essayaient de s'approcher des militaires pour se donner l'impression qu'ils faisaient vraiment partie de ce groupe d'hommes prêts à se sacrifier pour le pays.

Ils avaient donc marché pendant près d'une semaine quand, un matin, ils tombèrent en enfer. Les tirs allemands arrivaient de partout. Tous deux s'étaient jetés par terre en hurlant de panique. Jamais ils n'avaient entendu autant de cris de douleur, d'appels au secours et de jurons de peur, sous un feu qui se nourrissait à même les corps des victimes.

Jerzy pinça la bouche. Il avait encore honte de ce qu'ils avaient fait. Ils avaient été couards. Deux véritables poltrons qui s'étaient enfuis en se tenant la main comme des enfants de maternelle, laissant derrière eux toute ambition d'être immortalisés par leur fait d'armes. Pendant leur course, Karol avait poussé un cri et trébuché mais Jerzy ne lui avait pas laissé la main et il avait souvent eu l'impression de le tirer derrière lui. Ils avaient couru et couru, véritables marathoniens de la trouille.

Mme Saska revint, lui prit la poule des mains, l'ouvrit et la vida de ses viscères. Elle demanda ensuite à Jerzy de brûler tous les ombilics et les barbes de plumes retenus à la peau de l'oiseau. Jerzy le fit, réagissant à peine à l'odeur de chair roussie. Les tirs s'étaient finalement arrêtés et Jerzy avait estimé qu'ils avaient franchi une distance respectable. Ils avaient alors aperçu quelques autres civils, aussi lâches qu'eux, mais ne les avaient pas salués, trop gênés d'être où ils étaient.

Mme Saska prit la taie que Jerzy avait remplie de plumes et lui dit qu'elle allait laver le tout. Il rentra dans la maison, grelottant dans le froid du 5 février, et s'assit tout près de l'âtre où se consumaient timidement quelques brindilles qu'il avait mis des heures à ramasser.

Ce n'est que le soir de leur fuite qu'ils avaient vu la blessure de Karol. Un trou dans le flanc droit d'où sortaient en bouillons des caillots de sang. Tous les deux, ils avaient paniqué.

— Mais je me meurs !

— Mais non. Si tu te mourais, Karol, tu n'aurais pas couru toute la journée.

— C'est vrai, j'ai l'air d'avoir une vilaine blessure. Je ne comprends pas que je n'aie presque rien senti.

— Et maintenant ?

— Je ne sens toujours rien.

— Ce doit être parce que c'est superficiel.

Ils étaient repartis, marchant toujours vers l'est pour éviter de tomber sur des patrouilles allemandes. Pendant près de trois semaines, ils avaient avancé péniblement, Karol souffrant de plus en plus. Ils avaient finalement trouvé un médecin qui avait examiné la plaie et tenté de la désinfecter en faisant comprendre à Jerzy que Karol n'avait aucune chance de survivre à sa blessure. Jerzy avait alors appris que la Pologne avait capitulé depuis la fin de septembre et qu'il lui serait impossible pour l'instant de retourner à Cracovie, l'armée allemande y ayant installé le siège de son gouvernement. Il avait redemandé conseil quant à la direction qu'il devait emprunter et, soutenant Karol qui grelottait de fièvre, il avait repris son chemin.

Mme Saska revint dans la cuisine.

— Je ne pense pas avoir suffisamment de bois.

Jerzy enfila des bottes trop petites dans lesquelles il gelait des pieds, et un manteau de treillis râpé, volé sur le cadavre d'un soldat.

Karol avait cessé de manger et Jerzy voyait son squelette qui devenait de plus en plus saillant à travers sa peau grisâtre.

— Mange, Karol. Il faut que tu reprennes des forces. Il faut...

Jerzy n'avait plus rien dit, parce qu'il ne savait plus ce

67

qu'il fallait. Son seul but était de forcer Karol à vivre. Celui-ci avait atteint un tel point de faiblesse que Jerzy le traînait maintenant derrière lui, le portant, telle une cape, sur ses épaules. Karol râlait de plus en plus et avait finalement prié Jerzy de le laisser tomber et mourir en paix.

— Voyons, Karol. Tu vas beaucoup mieux.

Jerzy avait aperçu le vacillement de la lumière d'une bougie derrière la fenêtre d'une chaumière. Il s'en était approché et avait frappé à la porte, soutenant toujours Karol. Mme Saska lui avait ouvert, ne montrant qu'une moitié de son visage.

— Est-ce que mon ami et moi nous pourrions dormir dans votre bâtiment ?

Mme Saska s'était approchée de lui, l'avait examiné directement sous le nez, puis avait répété son geste avec Karol.

— Tu peux peut-être dormir, mais pas ton ami. Parce que moi, ce que je vois sur ton dos, c'est un mort.

Elle s'était signée et Jerzy avait laissé tombé Karol pour l'examiner. Karol avait les yeux et la bouche ouverts. Sans dire un mot, Mme Saska était allée dans le bâtiment chercher une pelle et, munie d'une lampe à huile, elle avait éclairé Jerzy pendant qu'il creusait la fosse de son ami.

Jerzy revint vers la maison, un bon fagot dans les bras. Mme Saska serait certainement ravie. L'odeur de volaille embaumait déjà l'air. Depuis son arrivée, quelque part en octobre ou en novembre, Mme Saska, sachant qu'il n'avait plus d'endroit où aller, lui avait permis de demeurer chez elle et non dans les dépendances comme il l'avait demandé. Jerzy remerciait tous les jours le ciel de l'avoir mise sur son chemin. Elle lui avait permis de manger, d'avoir un Noël presque normal, et aujourd'hui, pour ses dix-huit ans, elle le gâtait encore une fois.

Jerzy se leva de table pour aller chercher le bac à vaisselle. Mme Saska claqua de la langue, le força à se rasseoir et passa dans un coin de la pièce. Elle en revint avec la taie dans laquelle Jerzy avait mis les plumes de la poule.

— C'est pour toi.

Jerzy prit la taie, regarda à l'intérieur et y trouva une

pelisse marron, rapiéciée à trois endroits. Il la sortit et l'enfila. Mme Saska souriait de son sourire jaunâtre mais resplendissant.

— Tu n'auras plus froid, Jerzy. Ta pelisse est remplie de plumes.

Jerzy retint ses larmes. Il ne pouvait montrer sa faiblesse devant Mme Saska. Il sortit de la maison et se dirigea vers l'arrière du bâtiment pour prier devant la petite croix de bois qu'il voyait poindre d'un renflement dans la neige.

Zofia était en larmes. Elle avait collé Adam contre sa poitrine et lui parlait sans cesse de ce frère qu'ils avaient tous perdu et qui, quelque part, devait pleurer le jour de son anniversaire au lieu de s'en réjouir. Ce 5 février lui semblait tellement triste. Elle répéta à Adam qu'elle travaillait avec les conspirateurs à l'acheminement du courrier clandestin, comme l'avait fait son père avant d'être emmené par les Allemands. Zofia savait que des enfants transportaient des messages dans la doublure de leur manteau ou dans leurs chaussettes, mais elle n'avait jamais osé utiliser ses élèves, même s'ils auraient pu faire d'excellents pigeons voyageurs.

Zofia replaça la couverture autour du bébé et parla encore de Tomasz, comme s'il avait été absent depuis des années. Elle raconta que leur vie avait été bombardée et qu'elle savait que les fondations de la famille étaient lézardées. Ils auraient désormais tous de la difficulté à poursuivre leurs existences sans stigmates. Elle s'assoupit enfin en se disant que lorsque Tomasz rentrerait — ce qui ne saurait tarder, elle voulait s'en convaincre — toute la famille serait vivante, en santé et fière d'avoir tenu le coup en servant aux envahisseurs une résistance farouche.

— Je dois être en train de grandir.

En disant cela, Jan avait grimacé, comme si le fait de grandir avait été une maladie incurable. Zofia s'en amusa. Elle s'était levée l'air froissée et s'était empressée de langer Adam avant de rejoindre Jan et Élisabeth dans la cuisine où ils cherchaient quelque chose à se mettre sous la dent.

— Tant mieux. Je vais rallonger ton pantalon.

— Je veux dire que je dois être en train de grandir parce que j'ai toujours de plus en plus faim.

Élisabeth, mécontente de la remarque de son frère, fronça les sourcils en le regardant, lui reprochant aussitôt de parler comme un bébé de trois ans qui ne pense qu'à son ventre. Jan parut mortifié, mais pas autant que sa mère, qui ne doutait pas de sa faim. Zofia prit sa portion de pain, en arracha une bouchée et sépara le reste en deux morceaux qu'elle offrit à ses enfants. Élisabeth refusa et Jan se sentit désespéré. S'il acceptait, il donnerait presque l'impression de faire mourir sa mère de faim. S'il refusait, il était convaincu que c'était lui qui mourrait. Il regarda le morceau de pain devant lui, le déchira en deux lui aussi, et en remit la moitié à sa mère qui l'accepta. Élisabeth l'imita et Jan jeta un coup d'œil en direction d'Adam, refoulant la peur qu'il avait de le voir grandir trop vite. Jan paniqua à la pensée qu'il devrait, un jour, partager avec lui ses si petites portions de nourriture.

10

— Pianissimo, pianissimo. La musique ne doit pas toujours être un coup de cymbales. Elle peut aussi bercer l'âme. Pense que ton âme est un bébé qui vit bien au chaud dans ton corps.

Zofia venait d'endormir Adam et tentait de calmer l'ardeur musicale d'une élève qui martelait les notes de ses doigts raides et frappait les pédales comme si elle avait été un Allemand en parade. La jeune fille adoucit sa touche et Zofia pencha la tête de contentement. À la fin de la leçon, elle se leva et s'approcha de son élève qui lui tendait les deux carottes qu'elle venait d'extraire d'un sac de fortune.

— Je suis contente de toi. Tu fais des progrès immenses et ton Bach était bien exécuté.

Zofia prit les deux carottes et remercia son élève. Cette leçon lui avait rapporté deux grosses carottes, longues et fermes. Adam s'éveilla au moment où elle les faisait cuire en attendant l'arrivée de Jan et d'Élisabeth. Ils seraient ravis de voir des pommes de terre, des carottes et un petit morceau de volaille sauté avec un oignon. Les cours de piano aujourd'hui avaient payé plus qu'à l'accoutumée.

Jan arriva le premier et chercha sa sœur. Il fit le tour de l'appartement et revint vers sa mère, bredouille.

— Élisabeth n'est pas rentrée ?

Zofia regarda l'heure et sentit la crainte lui rétrécir la poitrine. Élisabeth n'était pas encore rentrée. Pourquoi n'avait-elle pas remarqué son absence ? Sa fille avait déjà plus de deux heures de retard. Depuis le mois d'octobre, depuis qu'Élisabeth suivait ses cours clandestins, variant son horaire tous les jours, promenant son matériel de maison en maison, de quartier en quartier, Zofia ne savait jamais où elle pouvait être, Élisabeth se faisant un devoir de le lui cacher pour protéger toute sa famille. Zofia sentit sa gorge devenir si sèche qu'elle eut du mal à déglutir. Elle allait s'affoler lorsqu'elle entendit la porte s'ouvrir.

— Maman ! Ça sent bon depuis le hall. Tu devrais faire attention. Tout le voisinage va vouloir t'embaucher comme cuisinière. Depuis que j'ai mis le pied sur la première marche, je prie pour que les odeurs proviennent d'ici.

Élisabeth entra dans la cuisine et vit la pâleur de sa mère.

— Qu'est-ce qu'il y a, maman ?

— Il y a que tu as plus de deux heures de retard.

— Mais non. Je t'avais dit que j'irais travailler chez Térésa.

Du coup, Zofia se détendit. Elle s'en voulut d'avoir oublié, se jurant à elle-même et promettant à Jan de toujours bien mémoriser ses messages.

Jan et sa sœur ne cessèrent de se mettre le nez dans les casseroles, les papilles frétillantes. Zofia riait de leur plaisir tout en jetant un regard aimant sur Adam qui dormait profondément malgré le bruit et l'excitation. Elle prit trois assiettes et commença à répartir presque équitablement — son assiette à elle s'emplissait moins vite — le contenu du poêlon et des casseroles.

Le bruit d'une suite de coups dans le plafond du dessous emplit tout l'appartement. Élisabeth regarda sa mère, souleva Adam dans ses bras et s'enfuit dans sa chambre, suivie de Jan qui ferma la porte derrière lui. Adam ne s'éveilla même pas. Zofia resta dans la cuisine, un couteau à la main, prête à défendre ses enfants et son domaine. Les coups cessèrent. Un bruit venant de l'avant de l'appartement lui paralysa le bras. Jan et Élisabeth tendirent l'oreille. Terrorisée, Élisabeth regarda Adam, qui sursautait légèrement dans ses bras secoués d'effroi.

Zofia sortit de la cuisine et marcha dans le couloir à tâtons, tenant toujours son couteau. Elle entendit un bruit mat, comme si une poche de farine venait de tomber sur le sol.

Elle sursauta et s'empressa d'allumer. Elle aperçut le corps d'un homme affalé devant elle et poussa un cri.

— Tomasz !

Elle répéta le nom au moins dix fois, lui donnant toutes les significations possibles. Tomasz, pour la joie ; Tomasz, pour l'horreur devant son corps émacié ; Tomasz, pour la douleur qu'elle éprouvait devant ses blessures ; Tomasz, pour le soulagement de le voir vivant et de retour ; Tomasz, pour l'instinct maternel qui lui gonflait les seins à la vue de sa pauvre tête dodelinant derrière des lunettes dont le verre gauche était étoilé. Elle n'entendit pas venir Jan et Élisabeth, attirés par ses cris. Ils regardaient cet homme aux yeux éteints, au corps décharné. Après trois mois à peine, la guerre leur rendait l'ombre du père si fier qui était parti pour l'université, la chemise repassée, les chaussures cirées et le pantalon bien pressé.

Zofia prit Tomasz par les aisselles et demanda à Jan et à Élisabeth de prendre chacun une jambe. Élisabeth alla poser Adam dans son lit et revint en toute hâte. Tous les trois, ils traînèrent Tomasz plus qu'ils ne le transportèrent. Arrivée dans sa chambre, Zofia les pria de sortir pendant qu'elle le lavait et le pansait. Ensuite, suivie d'Élisabeth, elle se dirigea vers la cuisine d'où elle revint avec une assiette remplie. Tomasz, qui n'avait pas encore proféré un seul mot, eut la certitude qu'il vomirait tout ce qu'il ingurgiterait ou, pire, qu'il mourrait d'un éclatement de l'estomac comme une vache gourmande au printemps. Jan et Élisabeth entrèrent, Élisabeth portant Adam. Elle le coucha près de son père. Tomasz, larmoyant, caressa la tête blonde de l'enfant qui l'avait aidé à survivre et lui baisa le front en signe de reconnaissance, avant de faire comprendre à Élisabeth de le reprendre. Élisabeth sortit de la chambre aussi discrètement qu'elle y était entrée. Tomasz prit la fourchette, la fit tourner dans ses mains, déshabitué d'en utiliser une, et piqua dans un morceau de carotte. Jan le regarda faire avant de quitter la chambre pour aller jeter un coup d'œil dans les casseroles afin de voir s'il restait assez de nourriture pour faire taire les grondements de son estomac.

Tomasz, sous le regard incrédule de Zofia et des enfants

qui étaient revenus, commença à manger, d'abord très lentement, puis de plus en plus rapidement. Zofia alla remplir l'assiette et Jan tendit le cou en direction de la cuisine. Cette fois, il s'attrista, mais ne dit pas un mot. Son père mangeait encore, et encore, et encore. Élisabeth, elle, se demandait si les Allemands lui avaient coupé la langue. Le père Villeneuve lui avait raconté que les Indiens du Canada avaient coupé la langue de certains missionnaires. Elle frissonna, n'ayant qu'une hâte : entendre la voix de son père.

Finalement, ni Zofia, ni Élisabeth, ni Jan ne goûtèrent au festin. Jan s'endormit sur un estomac maintenant plus que vide, en retenant ses larmes, honteux de ses pensées. Il avait tellement faim et son père qui était maigre comme un clou avait mangé comme un ogre avant de tomber inerte sur le lit, la peau tendue, l'oreille à l'écoute d'une berceuse que Zofia jouait en sourdine pour essayer de le faire parler, leur avait-elle dit.

Alors que la ville chuchotait sa douleur et que la lune faisait mal à voir tant son quartier était rogné, Jan fut éveillé par un hurlement. Il se précipita à l'extérieur de sa chambre et se heurta à Élisabeth qui avait l'air aussi affolée que lui. Leur père, leur père qui avait ensemencé le potager avec eux chez les Porowscy, leur père qui avait tout fait pour que rouvre l'université, leur père hurlait comme un condamné, éveillant et effrayant Adam. Apeurés, ils le regardèrent inonder de larmes la poitrine déjà humectée de lait de leur mère. Leurs parents pleuraient, elle en le berçant frénétiquement, lui en hurlant de peur devant des fantômes que personne ne voyait. Élisabeth partit réconforter Adam et revint vers Jan, le corps et le cœur en émoi, voulant accueillir la tête de son frère exactement comme le faisait sa mère, mais Jan se détacha et courut se réfugier dans sa chambre. Son père n'était pas un héros. Pas cette nuit. Élisabeth battit en retraite elle aussi et, emmenant Adam qui sanglotait toujours, alla rejoindre Jan.

Ils ne virent pas leur père régurgiter tout le festin dont ils avaient été privés, mais ils l'entendirent. Jan, à son tour, commença à pleurer. Élisabeth pensa que c'était par gourmandise. Et elle espérait qu'Adam, finalement endormi, ne s'éveillerait pas. Quant à elle, elle était certaine qu'elle s'éveillerait le lendemain et que cet homme qui n'habitait que partiellement les vêtements et la place de son père serait retourné d'où il était venu.

11

Jerzy fut éveillé par le froid qui avait pénétré au cœur même de sa paillasse. Il ouvrit les yeux et se souvint que Mᵐᵉ Saska était, la veille, partie au village aider une de ses sœurs. Il sortit de sous sa couverture, enfila son pantalon en grelottant et en sautillant, se soulagea dans le récipient métallique mis à sa disposition « uniquement parce que c'est l'hiver » et se pencha pour enfiler ses chaussures qui ne ressemblaient en rien à ce qu'elles avaient été à Cracovie. Il allait se diriger vers la cuisine lorsque quelqu'un martela la porte. Il se dit que ce devait être Mᵐᵉ Saska qui avait probablement changé d'idée et avait décidé de rentrer tôt du village. Il craignit qu'elle ne fût gelée et se hâtait vers la porte lorsqu'une voix d'homme lui ordonna, en russe, d'ouvrir. Il n'eut même pas le temps d'obtempérer : la porte s'ouvrit et il se retrouva devant cinq soldats armés, qui firent rapidement le tour de la chaumière.

— Saski ?

Jerzy repensa à sa lâcheté et à sa fuite, à la fragilité et à la générosité de Mᵐᵉ Saska, et décida de rendre tout ce qu'elle lui avait donné.

— Oui.

— Ton prénom ?

— Jerzy.

Le militaire chercha d'une main sale dans ses listes et ne trouva aucun Jerzy Sasky. Il ne s'en étonna pas, haussa les épaules, mouilla de sa langue pointue la mine de son crayon.

— Tu es seul ?

— Oui.

— Tu as vingt minutes pour préparer tes bagages. Par ordre du gouvernement, tu dois être évacué.

Les soldats s'éloignèrent et Jerzy était si ébranlé — c'était son premier contact avec un conquérant — qu'il ne bougea pas. Il finit par se ressaisir, remercia le ciel d'avoir expédié Mme Saska au village, mit tout ce qu'il put de vêtements dans une valise cabossée, revint à la cuisine pensant y prendre de la nourriture, hésita et laissa tout sauf un pain qu'il enfouit dans ses poches. Il enfila des couvre-chaussures, le manteau reçu cinq jours auparavant, et une chapka légèrement mitée qui avait appartenu à un des frères de Mme Saska.

Jerzy se regarda, si étonné de son attifement qu'il eut, pendant quelques instants, l'impression d'être un personnage de Gorki. Un bruit de moteur le ramena à la réalité et il sortit, referma la porte derrière lui et espéra que Mme Saska ne tarderait pas à rentrer pour nourrir les animaux. On lui cria de se hâter et il courut jusqu'à la boîte du camion, y lança sa valise et monta rapidement, un soldat devenant un peu trop insistant avec la crosse de son fusil.

Des hommes, des femmes et des enfants avaient déjà été ramassés. Les enfants pleuraient, les femmes les consolaient ou questionnaient sans arrêt les hommes qui, pour la plupart, se contentaient d'émettre des jurons.

— Eh! choléra!

— Sang de chien!

Jerzy les supplia du regard de ne pas mentionner Mme Saska. Ils se turent tous. Le camion, écrasant pierraille, glace et neige, passa derrière le bâtiment et Jerzy, pensant à Karol, cligna des yeux en guise d'au revoir.

Ils furent conduits non pas à la gare mais dans une cour de triage. Un chaos indescriptible attendait Jerzy. Il n'avait rien vu de tel, même les jours de folie au Grand Marché de Cracovie. Il y avait ici cette même foule bigarrée mais il y avait surtout l'angoisse. Jerzy n'avait jamais eu si peur, sauf le jour de sa fuite avec Karol. Les voix étaient criardes, posant toutes les mêmes questions : « Où allons-nous ? » et « Pourquoi nous ? ».

Des militaires les firent dégager une voie et une locomotive tirant des wagons de fret glissa devant eux. Jerzy ne broncha pas, attendant qu'elle reparte. Sous son regard étonné, les portes furent ouvertes et les soldats ordonnèrent aux gens de monter. Jerzy s'affola, regardant à gauche et à droite, refusant de croire qu'on pouvait traiter les humains comme du bétail. Il tut ses réflexions, entraîné dans une bousculade. Une petite fille tomba devant lui et il faillit lui écraser une main. Il se pencha et la prit dans ses bras pour la rendre à sa mère affolée qui ne cessa de le remercier.

Jerzy entra, fit des yeux le tour du wagon et ne vit aucun contenant d'eau, aucun cabinet d'aisances. Seul un poêle à charbon en fer corrodé avait été placé au centre, relié à la toiture par un tuyau percé par la rouille. Il installa son bagage le plus près possible de la porte pour pouvoir se sauver le cas échéant. Ils étaient si nombreux dans le wagon qu'il se demanda comment ils respireraient, mangeraient et même soulageraient leurs besoins.

On ferma les portes et Jerzy, les yeux dans le vide, attendit que le train s'ébranle pour une destination que personne ne leur avait indiquée. Les minutes puis les heures passèrent. Jerzy, malgré le froid extérieur, avait enlevé son manteau, se contentant de le garder sur ses épaules, et avait remonté le rabat et la visière de sa chapka. Les gens commencèrent à s'impatienter et à réclamer de l'eau et de la nourriture. Un des hommes, plus gueulard que les autres, se leva, marcha péniblement jusqu'à la porte et frappa en appelant. Il cessa son martèlement quand un garde vint le trouver.

— Nous voulons de la nourriture et de l'eau.

— Tu veux de l'eau ?

— Ouais, je veux de l'eau.

Jerzy, qui observait le soldat par le jour entre deux planches, le vit appuyer l'œil sur la mire. Jerzy retint son souffle.

— Tu veux que mon fusil te pisse dessus ?

L'homme pâlit et fit un geste des mains pour calmer le soldat. Il retourna s'asseoir aux côtés de sa femme qui, Jerzy le comprit, avait craint de devenir veuve. La porte fut refermée et Jerzy se demanda comment il pourrait dormir.

La nuit tomba et avec elle le froid commença à se faire

mordant. Jerzy se réemmitoufla et se roula en petite boule, les pieds dans les reins d'un vieil homme et les mains sur la tête d'une femme. Il pensa à son père qui lui avait interdit de suivre l'armée et, pour la millième fois, se demanda pour quelles raisons il ne lui avait pas obéi. C'est en se demandant s'il avait eu une petite sœur ou un petit frère qu'il réussit à se calmer et à s'endormir.

Le train partit finalement, réveillant Jerzy qui fut étonné de voir qu'il avait dormi. Il sentit quelque chose lui mouiller la joue, leva la tête et vit qu'il avait dormi dans une rigole d'urine.

— *Kurwa !* Putain !

Il se mit sur ses pieds aussi rapidement qu'il le put, réveillant les autres passagers qui, avec lui, regardèrent le soleil se lever. Il mit la main dans sa poche et déchira un petit morceau de pain qu'il mastiqua longuement et discrètement pour ne pas attirer l'attention des quelques rares passagers qui n'avaient pas apporté de nourriture.

Le train fit une halte dans une gare et les portes s'ouvrirent sur une foule qui leur tendit du pain et du lait. Jerzy s'assit sur le bord de la porte et achemina la nourriture à l'intérieur. Il chuchota avec une des femmes venues les ravitailler.

— Qui vous a dit que nous étions dans le train ?

— Les nouvelles sont allées plus vite que lui. Vous êtes déportés.

— Déportés ? On nous a dit qu'on nous relocaliserait.

— Vous êtes à la frontière de la Russie.

— On nous envoie en Russie ?

— C'est ce qu'on dit. Dans des camps de travail.

La porte fut refermée et Jerzy transmit le message.

— Un camp de travail ? Avec des enfants ?

Le train fila dans la terne immensité russe, s'arrêtant parfois à un village pour refaire ses provisions d'eau et de charbon. Lors d'une halte, Jerzy aperçut un homme dont les frusques étaient encore plus misérables que les siennes. Il pensa avec horreur que s'il avait vu le bombardement comme un enfer, il se trouvait maintenant au purgatoire. Ils reçurent quelques provisions de nourriture et assez de charbon pour taquiner un feu au lieu de l'alimenter. Après huit jours, ils se retrouvèrent dans une immense gare et Jerzy apprit qu'ils étaient dans la banlieue de Moscou. Il pria pour qu'on leur dise qu'ils étaient rendus à destination, mais les portes furent refermées et le train fut aiguillé sur une voie semblable à toutes les voies ferrées, dans une campagne qui commençait à changer, la plaine se faisant lentement envahir par la forêt.

Jerzy se demanda si le train avait vraiment une destination ou s'il n'errait pas plutôt, cherchant un endroit où déverser sa cargaison de plus en plus faible, sale et malodorante. Il avait compté qu'il était parti de Lomza depuis trois semaines.

Le train s'immobilisa et les wagons de queue furent détachés des autres. Il repartit presque aussitôt et Jerzy ne sut s'il devait se réjouir d'être toujours relié à la locomotive. Le train s'arrêta encore le lendemain. La porte fut ouverte et Jerzy et les derniers occupants furent presque tirés sur les quais de Niandoma. Le train fou avait atteint sa destination.

12

M. POROWSKI avait quitté sa campagne, deux sacs de coton noués et portés en joug sur les épaules, et les bras tenant deux cartons bien fermés et bourrés de légumes. Il avait pris le train, essayant d'ignorer la faim dans les yeux de ceux qui salivaient en sentant les francs effluves de son butin.

Sortant de la gare centrale de Cracovie, il se dirigea à la hâte vers les Planty, cette ceinture de verdure qui protégeait le vieux Cracovie de la vue de toute la ville. Lui-même avait habité ce secteur du temps où il était professeur à l'École de musique.

Porowski frôla les murs de l'hôtel Polonia, y apercevant trop d'Allemands pour son confort. Il put enfin prendre un des sentiers des Planty derrière le théâtre Slowacki, qui avait déjà diverti les Cracoviens du XIXe siècle et s'était fait bâillonner à au moins deux reprises depuis le début du XXe. Porowski avisa un banc et s'y assit, ne se délestant ni de ses sacs ni de ses cartons. Il avait trop peur que quelque voyou ne s'en empare. Il se releva, encore essoufflé, maudissant l'âge qui ne cessait de lui rétrécir la poitrine, et reprit sa route. Il marcha cinq minutes tout au plus avant de s'écraser de nouveau sur une banquette de bois dont le dossier était craqué.

Depuis qu'il était entré dans la ville, il avait franchement peur des attaques et des rapines. Même s'il avait bien caché les provisions, il aurait juré que les gens les flairaient comme l'avaient fait les passagers du train. Il sentait son cœur battre

81

la chamade chaque fois qu'il apercevait un soldat ou ce qu'il croyait être un voyou. Les deux l'affolaient également. Il était essoufflé et courbatu mais la pensée de la joie qu'il verrait chez les Pawulscy lui redonna de l'énergie.

Porowski s'arma de courage et commença la dernière partie du trajet, quittant le parc pour prendre le trottoir de la rue Nicolas. Il monta en soufflant la légère pente derrière l'église Notre-Dame-des-Neiges et s'encouragea en faisant une prière muette à défaut de pouvoir se signer. Il traversa enfin la rue Sainte-Croix et essaya de se faire rire lui-même en voyant entre lui et le Christ une légère ressemblance. À son grand désespoir, M. Porowski dut tourner autour du pâté de maisons pendant une demi-heure, des soldats allemands entrant dans les maisons et en ressortant, comme s'ils y faisaient des perquisitions. Il espéra qu'ils épargneraient celle de ses amis. Ils partirent enfin, mais Porowski attendit de voir quelqu'un de la famille pour se manifester.

Élisabeth revenait du marché, tenant un couffin qui semblait léger. Elle retint un cri de plaisir quand elle le reconnut.

— Va chercher de l'aide. Je vous ai apporté des provisions.

Elle monta les bras chargés d'une boîte avant de redescendre accompagnée de sa mère qui piaillait de joie.

— Quelle surprise ! Non mais, quelle surprise !

Zofia se précipita dans les bras de Porowski avec tellement de fougue qu'il en fut un peu heurté et elle s'excusa aussitôt.

— Mais non, mais non. Mon seul regret, Zofia, c'est de me dire que tu es probablement plus heureuse de voir la nourriture que ton vieil ami.

Zofia devint rose et non pas rouge, puisque l'accusation n'était pas justifiée.

— Dois-je vous répéter souvent, monsieur Jacek, que vous étiez le plus beau de mes professeurs ? Le plus charmant ? Le...

— En fait, oui. Surtout aujourd'hui. Je me sens centenaire et apparemment je suis susceptible.

Zofia continua donc à lui parler de ces souvenirs qu'elle avait de lui, tous plus agréables les uns que les autres. À eux trois, ils montèrent toutes les provisions. Porowski s'attendrit devant Adam, qui aurait bientôt neuf mois.

— Une vraie réussite, Zofia. Regarde-moi ces cheveux blond-blanc bouclés... Et ces yeux bleus...

— Pas tout à fait. On dirait que l'œil gauche est un peu plus vert. Tomasz dit que c'est parce que tout le temps qu'il était à Saschenhausen...

— Saschenhausen?

Zofia se figea autant que lui. Elle réalisa que même si l'incident avait ému les capitales du monde entier, M. Jacek, dans son village, n'avait peut-être pas entendu parler du drame de la déportation et de l'emprisonnement des professeurs, ni du retour de Tomasz qui avait eu la vie sauve uniquement parce qu'il avait plus de quarante ans. Il ne savait pas non plus que Tomasz était méconnaissable, ne parlant que d'horreurs, de peurs et de regrets. Alors, elle raconta.

— Et, devant l'opprobre international, ils ont laissé partir tous les professeurs âgés de plus de quarante ans. Vous n'avez vraiment pas entendu parler de ça?

M. Porowski secoua la tête, reportant à plus tard l'annonce du décès de sa femme. La famille de ses amis était déjà assez chagrinée. Profitant de l'absence d'Élisabeth qui avait décidé d'aller au-devant de Jan, elle parla du malaise des enfants vis-à-vis de leur père.

— Je me demande pourquoi il pense tout à coup que toute sa vie n'a été qu'une accumulation d'erreurs. À l'entendre, il aurait dû m'épouser beaucoup plus tôt. Être, comme moi, professeur de musique au lieu d'enseigner l'histoire, parce que c'est moins douloureux.

Porowski l'écoutait religieusement, entendant là ce qui ressemblait à l'âme polonaise : une immense nostalgie de ce qui aurait pu être si... Zofia continua l'énumération des doléances de Tomasz, écrasant occasionnellement un embryon de larme dans le coin de ses yeux maintenant bleu et rose.

— Il se torture parce qu'il n'a pas pu empêcher Jerzy de

83

partir. Il s'en veut même de l'avoir obligé à étudier alors que Jerzy aurait préféré être cultivateur.

— Jerzy me l'a déjà dit, c'est vrai.

— Nous le savions mais nous voulions qu'il ait un diplôme pour avoir plus de choix. Ce n'est pas facile d'accepter que nos enfants suivent d'autres chemins que ceux que nous leur avions tracés. Tomasz se désole aussi de ne pas avoir accepté l'offre de son ami Villeneuve qui nous avait proposé, en juin 39, de quitter la Pologne et d'aller au Canada. Tomasz dit qu'il sera toujours responsable de la mort de sa famille. Il est furieux contre lui-même de ne pas lui avoir écrit assez tôt pour qu'il puisse à tout le moins lui envoyer les enfants.

— Mais vous êtes vivants !

— Il vous répondrait que nous le sommes « peut-être » ou que nous le sommes « pour combien de temps ? »...

Zofia y alla franchement d'un coup de mouchoir et s'excusa pour aller coucher Adam que sa complainte avait endormi. Porowski la suivit des yeux avant de s'accrocher le regard quelque part dans le vague.

Tomasz enfouissait dans son coin de cave ces pommes de terre, ces choux et ces oignons que M. Porowski et Jerzy avaient plantés au mois de juin. Maintenant qu'il avait retrouvé la voix, Tomasz ne cessait de parler de Saschenhausen, de ce qu'il y avait vu de souffrance et de terreur. De générosité aussi. Le paradoxe des camps de prisonniers. Les trois mois qu'il y avait vécus lui avaient entrouvert le rideau de l'enfer de la bêtise et du paradis de la bonté. Porowski l'écoutait attentivement, même si Tomasz avait déjà commencé à répéter sa litanie de souvenirs douloureux. Porowski avait remarqué que les hommes ne se lassaient jamais d'entendre parler d'horreurs. Il s'était déjà demandé si c'était parce que l'homme était un voyeur de souffrances ou si ce n'était pas plutôt parce qu'il aimait se réconforter dans une relative sécurité. Tout à coup, sa maison et ses terres faisaient écran contre le mal, même si la guerre ne cessait de frapper à la porte jour et nuit. Tomasz, qui s'était accroupi pour mieux placer quelques tubercules, s'arrêta et hocha la tête.

— Je suis absolument incapable de cesser de penser à Jerzy. Zofia est plus courageuse que moi. Je me dis que c'est parce qu'elle ne sait pas... S'il était vivant, nous aurions eu des nouvelles.

— S'il était mort, vous en auriez aussi, non ?

Tomasz se tut pendant de longues minutes. Porowski vit ses paupières se gonfler encore davantage derrière ses verres épais. Tomasz soupira profondément à deux reprises. La première fois pour contrôler sa peine. La seconde pour trouver de l'énergie.

— Pour me rassurer, je me dis qu'il doit être prisonnier quelque part. Croyez-moi, monsieur Jacek, il est trop jeune pour perdre le goût de vivre. Trop jeune. Le camp rogne tout : le corps, le cœur et l'intelligence. Il faut avoir beaucoup de bonnes raisons pour affronter les journées. Pour ne pas abandonner. Jerzy est si jeune. Il n'a que nous. Pas de femme, pas d'enfant, pas de travail. Que nous. Il lui faut une force de caractère très grande pour... J'en ai trop vu qui...

Tomasz vida le dernier sac, qui contenait des oignons. Il les palpa doucement.

— Il faut qu'il s'accroche à sa famille. Qu'il soit certain que nous l'attendons. J'espère qu'il sait que la rancune n'a pas sa place chez les Pawulscy. Ni chez le père ni chez le fils.

Tomasz soupira et changea de sujet, racontant à nouveau les horreurs. Les tortures. La faim. La mort de plusieurs de ses collègues qui n'avaient pu survivre aux privations. M. Porowski l'écoutait encore, les murmures de Tomasz ressemblant à des oraisons funèbres.

Toute la famille, enfants et adultes, était attablée, se régalant de ce que M. Porowski avait apporté. Zofia avait doublé les portions et était à la fois ravie et déçue de voir que Tomasz et Jan auraient pu en reprendre autant. Personne ne fut dupe du prétendu manque d'appétit de M. Porowski.

— C'est quand même étonnant de savoir la France aux mains des Allemands. Elle serait sous tutelle depuis juin. Même Paris est occupé.

— Comme Cracovie ?

Zofia avait parlé d'un ton presque neutre mais elle s'anima devant la question d'Élisabeth.

— Presque.

M. Porowski, lui, s'était étonné de ses propos, impressionné par la quantité d'informations qui réussissait à se rendre à Cracovie.

— Est-ce qu'on sait s'il y a eu des bombardements ?

Cette fois, Tomasz prit la parole.

— Il n'y en a presque pas eu. Rien n'est confirmé mais peut-être le XVIᵉ arrondissement près de Boulogne. Paris et Cracovie sont deux des villes épargnées. Les Allemands se vantent d'ailleurs d'avoir sauvé les plus beaux monuments gothiques d'Europe. Mais si les nouvelles se confirment, Londres n'aura plus cette chance.

— Hitler l'a déjà dit.

Jan avait parlé rapidement, interrompant et défiant presque son père. Zofia jeta un regard significatif à Porowski, haussant les sourcils pour lui faire comprendre qu'il avait là un exemple de la difficulté pour Tomasz de redevenir le père de ses enfants. Tomasz enleva ses lunettes, frotta le verre droit — il ne touchait que rarement au gauche, craignant de l'abîmer davantage — et les remit avant de répondre calmement à son fils.

— Je suis heureux, Jan, que tu te tiennes au courant des nouvelles. Il est vrai que Hitler a dit ça. Ce que moi je dis, c'est que ce ne sont plus des menaces. L'attaque devrait avoir lieu d'ici une semaine.

Jan se leva d'un bond, faisant sursauter toute la tablée. Il se dirigea vers sa chambre pour en revenir avec aux pieds une vieille paire de chaussures ayant appartenu à son frère Jerzy. Zofia et Tomasz le regardèrent avec étonnement.

— Il faut faire quelque chose. Écris-moi toutes les informations et je vais aller les porter.

Tomasz interrompit son fils à contrecœur pour lui dire que cela avait certainement été fait. Le courrier clandestin, lui expliqua-t-il, fonctionnait de deux façons : pour expédier et pour recevoir. Pas du tout rassuré par cette réponse, Jan en prit ombrage.

86

— Tu veux dire que vous expédiez des messages ?

Tomasz hésita. Il était mauvais d'évoquer ces faits devant les enfants. Les adultes devaient, s'ils participaient à la conspiration, le faire à leur insu.

— Cela nous regarde, Jan.

Zofia ne savait plus que dire. Elle trouvait la réponse de Tomasz justifiée, mais voyait bien que Jan était insatisfait.

— Est-ce que le courrier a été expédié par les enfants pigeons voyageurs ?

Tomasz ne savait pas du tout où son fils voulait en venir. Zofia, elle, pensa saisir.

— Jan, pourquoi portes-tu les chaussures de Jerzy ?

— C'est ma stratégie.

— Ta stratégie.

Jan jeta un regard désespéré en direction d'Élisabeth qui n'avait pas encore dit un seul mot. Elle lui fit comprendre qu'elle prenait la relève.

— Jan et moi, nous ne savions pas que vous expédiiez des messages. Nous pensions que vous en receviez, c'est tout.

— Il est préférable d'oublier la conversation que nous venons d'avoir.

Porowski se demandait pourquoi il lui fallait être le témoin d'autant d'incompréhension. Il se grattait la nuque, question de se donner une contenance. Quelque chose lui échappait et il s'en réjouissait presque. Jan se drapa de fierté dans un vêtement imaginaire et sortit de la cuisine telle une prima donna offusquée. Élisabeth lui emboîta le pas. Les parents se regardèrent, décontenancés, pendant que Porowski décidait que la meilleure chose à faire était de se resservir de pommes de terre.

— Jan doit être très troublé pour ne pas terminer son repas.

Jan se déchaussa tristement pendant qu'Élisabeth, assise sur le lit, le regardait faire. Il prit les souliers de Jerzy, tenta de les embuer de son haleine avant de les frotter avec son avant-bras.

— Ils sont trop grands à mon goût.

Il alla les ranger dans une armoire avant de revenir s'asseoir aux côtés de sa sœur.

— Je ne reconnais plus papa.

— Laisse-lui le temps de s'adapter...

— Il ne ressemble plus à mon père, Élisabeth.

Jan avait parlé si fort que sa phrase se répercuta dans la cuisine. Tomasz se figea avant de se lever tout doucement. Il fit signe à Zofia de ne pas le suivre. Il alla s'installer derrière la porte de la chambre où s'étaient réfugiés les enfants.

— Mon vrai père nous expliquait toujours tout. Il me montrait les mouvements des troupes sur une grande carte. Mon vrai père disait qu'il ne fallait jamais se retourner mais toujours regarder en avant. Depuis qu'il est rentré de ce maudit camp...

— Jan !

— ... de ce maudit camp, il ne regarde même plus en avant. Il regarde toujours en arrière. Mon vrai père aimait jouer du violoncelle. Depuis qu'il est revenu de ce maudit camp, il n'y a même pas touché. Il ne nous a même pas rappelé de faire nos exercices de violon. Ce n'est pas mon vrai père. Mon vrai père nous aurait demandé d'être des pigeons voyageurs et mon vrai père n'aurait jamais accepté de travailler pour les Allemands.

Tomasz fut tenté de frapper à la porte mais il retint son geste. Il lui fallait attendre un peu, le temps de digérer toute la douleur des enfants. Il décida de coller le premier sparadrap. Il rejoignit Zofia et M. Porowski dans la cuisine.

— Est-ce qu'Adam a pris son dernier biberon ?

— Oui, il ne s'éveillera que demain matin.

Tomasz demanda à M. Porowski s'il accepterait de se joindre à eux en jouant sur le violon de Jerzy. Porowski acquiesça pendant que Zofia, une main sur la bouche, retenait son émotion devant ce petit miracle. Tomasz se dirigea vers le salon, soupira avant de prendre son violoncelle. Zofia donna le *la* au piano et ils accordèrent leurs instruments. Elle sortit son violon, dont elle adorait jouer mais ne le faisait qu'occasionnellement, le piano demeurant son instrument préféré. Ils jouèrent en trio pendant près d'un quart d'heure avant que Jan et Élisabeth ne daignent s'approcher. Élisabeth fut la première à s'asseoir et à poser la joue sur sa mentonnière. Jan, lui, attendit un peu que son menton cesse de vibrer d'émotion avant de se joindre au quatuor.

13

Tomasz jura d'impatience. Il venait encore d'écraser la pointe de son crayon, faisant voler la mine. Le travail qu'on lui avait confié était si dégradant, si humiliant, qu'il en perdait son savoir. Il se leva et fit le tour de son cagibi pour se calmer avant de se rasseoir. Rare professeur rescapé de Saschenhausen, on lui avait parlé d'un ton offensant comme s'il avait été coupable d'être rentré, affront suprêmement contrariant pour l'efficacité prussienne.

Tomasz affûta son crayon et se remit à la tâche. Pour faire vivre sa famille, il avait été forcé d'accepter de réécrire « l'histoire de la Pologne et de ses longues et excellentes relations avec l'Allemagne depuis la Première Guerre mondiale ».

Depuis qu'il devait, sur une base quotidienne, côtoyer les Allemands au Wawel, Tomasz avait adopté un comportement calqué sur celui des prisonniers qu'il avait connus. Il avait pris une nouvelle démarche, avançant toujours à pas feutrés, la tête penchée vers la gauche, du côté de son verre fêlé, ne regardant jamais personne dans les yeux. Il avait aussi commencé à susurrer toutes ses phrases plutôt que de risquer des éclats. Bref, il s'était transformé en « petit Polonais », ressemblant le plus possible à l'image méprisante que s'en faisaient les Allemands. Disparaître pour mieux voir et entendre. Jouant un personnage on ne peut plus insignifiant, il gardait les oreilles grandes ouvertes. C'est ainsi qu'il apprit l'imminence du bombardement de Londres et qu'il put, le soir même, tenter de faire parvenir les renseignements aux Anglais.

Le 5 septembre 1940, marchant le long des murs du couloir qui menait à son cagibi, il apprit que Londres avait été attaquée la veille. Profondément frustré, il s'empêcha de réagir et continua à traîner les pieds.

— Londres a été bombardée.

Tomasz avait abandonné ses allures de minable et était redevenu le bon vieux myope dont le cerveau courait allègrement derrière les lunettes. Jan grimaça de déception. Après maintes discussions avec Zofia, Tomasz avait accepté de parler du réseau de renseignements avec les enfants. Il en parlait toujours comme s'il en connaissait l'existence mais jamais il n'avoua en faire partie. Il avait pensé qu'il était normal qu'Élisabeth, qui risquait sa vie tous les jours pour parfaire son instruction dans la clandestinité, sache que ses parents faisaient eux aussi leur effort de résistance.

— Pourquoi est-ce que tu n'as pas averti les Anglais, papa?

— On m'a dit que quelqu'un avait tenté de le faire. Je ne peux quand même pas téléphoner du quartier général pour savoir s'ils ont reçu les lettres venant des résistants de Cracovie. Réfléchis un peu, Jan.

— C'est ce que je fais. Qu'est-ce que ça donne, toutes les lettres qu'on envoie et toutes les lettres qu'on reçoit, si Londres se fait quand même bombarder?

— Ça donne qu'il arrivera peut-être qu'on pourra aider quelqu'un à survivre. On ne peut probablement pas sauver toute une ville, mais peut-être une ou deux personnes.

Jan haussa les épaules. Depuis son retour, Tomasz trouvait que Jan vieillissait trop vite. Il commençait à parler en homme alors qu'il venait d'avoir onze ans. Tomasz était inquiet, voyant en lui une bouche trop grande pour un cerveau encore petit. Zofia, elle, pensait que Jan ferait son chemin, entraînant tout le monde dans son sillon. Tomasz essaya de ne pas se troubler et continua à raconter l'histoire de Londres.

— Pour te consoler, Jan, je peux te dire que la Luftwaffe a été si étonnée de la résistance qui lui est parvenue des airs que Hitler aurait reporté l'invasion de l'Angleterre.

En apprenant une meilleure nouvelle, Jan changea d'humeur quelque peu.

— Est-ce qu'il y a des Polonais dans l'aviation anglaise ? Jerzy peut-être ?

Tomasz lui répondit que son frère n'avait pas pu devenir pilote mais que, oui, il y avait des Polonais. Cette histoire de la bataille d'Angleterre rapprocha Jan de son père. Après sa déception de voir le peu d'influence qu'avait son père pour empêcher un bombardement, Jan avait quand même recommencé à être fier de lui. Étrangement, l'estime de Jan augmentait à chaque kilo que Tomasz réussissait à prendre grâce aux courtes visites de M. Porowski. Élisabeth, elle, n'avait pu se pardonner d'avoir ressenti ne fût-ce qu'une once de mépris envers cet homme qui avait survécu là où plusieurs étaient morts.

14

L E mois de septembre s'était terminé presque langoureusement, entre des brises tantôt chaudes, tantôt tièdes avec, parfois, une gifle de fraîcheur venant des Carpates et promettant un hiver hâtif. Tomasz quitta la maison et marcha la moitié du chemin d'un pas allègre. Dans la rue et dans les Planty, il préférait afficher une quasi-insouciance pour ne pas provoquer d'inquiétude chez ses concitoyens. Toutefois, dès qu'il approchait du Wawel, il ralentissait le pas et penchait la tête. Il entrait dans son bureau jamais verrouillé après avoir feint de vouloir saluer les militaires en levant faiblement le bras et en proférant un inaudible « Heil Hitler ». Son salut demeurait toujours sans écho, et Tomasz souriait intérieurement, heureux d'avoir appris à s'effacer.

Ce matin du 1er octobre, Tomasz regarda avec lassitude la chaise bancale, la table râpeuse, l'ampoule nue se balançant au bout d'un fil, et le livre d'histoire, écrit en polonais, grand ouvert devant la chaise. Il était tellement dégoûté d'avoir à le contredire et de prendre ainsi son temps. La journée se comptait en mots et en paragraphes qu'il alignait les uns derrière les autres. Il avait décidé d'améliorer son style, sachant fort bien qu'aussitôt la guerre terminée — ce qui ne saurait tarder, il voulait toujours en être convaincu — tous ses textes iraient gaver les corbeilles à papier avant de mourir dans des feux de joie. Qui, en Pologne, pourrait croire que la victoire des Polonais contre l'armée russe en 1920 avait eu lieu grâce au soutien de l'armée allemande alors que c'était à la France que l'aide avait été demandée ? Tomasz ricana silencieusement avec dépit, triste de voir sa vie à la remorque des intérêts du mensonge alors qu'il n'avait toujours cru qu'en la vérité. Il était déçu de lui-même. Déçu de n'avoir pu refuser de mettre ses connaissances d'historien au service d'un mensonge énorme qui, si l'Allemagne devait gagner la guerre, changerait toute l'histoire d'un siècle.

Le matin distilla des tonnes d'ennui et l'après-midi remplit de vide les estomacs. Tomasz, étonné des incroyables faussetés ampoulées qu'il avait écrites, certaines carrément grotesques, essuyait ses lunettes lorsqu'il entendit une marée de cris, de bruits de talons sur des parquets de plus en plus égratignés. Il pâlit, même s'il s'était juré de ne plus jamais avoir peur pour lui-même. Il arracha presque ses lunettes et se boucha les oreilles, ressentant la terreur de Saschenhausen le vriller juste derrière le nombril. Ses oreilles se firent malheureusement sourdes au silence qu'il aurait voulu leur imposer et les grondements pénétrèrent par tous les pores de sa peau. Il entendit à peine les propos des officiers qui marchaient trop rapidement en passant devant son cagibi, mais il sut qu'un drame secouait l'apparente entente de tous ceux qui levaient le bras devant les portraits omniprésents de Hitler. Il réussit à comprendre que deux opinions s'affrontaient violemment, faisant s'entrechoquer talons et mentons. Certains criaient au scandale en disant que les enfants ne devaient jamais être tués, tandis que d'autres hurlaient à l'hypocrisie, reprochant une morale qui ne tenait plus devant des prépuces circoncis. Tomasz, arraché à sa torpeur, remit rapidement ses verres pour mieux saisir tout ce qui se passait. Le simple mot « enfant » l'avait secoué et il voulait savoir de quels enfants il était question. Devait-il comprendre que des enfants avaient été exécutés ? Tomasz secoua la tête pour effacer cette vision apocalyptique. Pendant que son oreille droite tentait de demeurer attentive, son oreille gauche fut écorchée par une voix plus froide et tranchante.

— Devant l'opprobre international, le haut commandement affirmera que le bombardement de l'*Empress of Britain* a été une erreur.

— Mais qui étaient ces enfants ?

— Des Britanniques en route pour le Canada.

— Des juifs ?

— Nous n'en savons rien.

— Alors nous dirons que c'étaient des juifs.

— Nous ne pouvons quand même pas...

— Le Reich peut tout !

Si Tomasz s'était vu, il aurait constaté que ses épaules étaient secouées de sanglots silencieux.

Un officier allemand pénétra à la hâte dans le bureau et claqua la porte derrière lui. Tomasz sursauta et leva la tête. Il eut la certitude que l'officier ne l'avait pas vu. Ce dernier, planté devant un mur vide, lui tournait le dos. Tomasz le vit se frapper nerveusement les cuisses. Puis il l'entendit grommeler des mots inintelligibles. Enfin, à sa grande surprise, l'officier frappa le mur de ses poings avant de le rouer de coups de pied. Tomasz se sentit soudainement extrêmement vulnérable. Coi, il se laissa glisser sur la chaise le plus possible, en équilibre inconfortable sur ses lombaires. Il vit l'officier se calmer, reprendre son souffle, ouvrir et fermer les poings avant de se redresser et de frotter sa tunique. Il eut un soupir de découragement puis pivota sur les talons. C'est alors qu'il aperçut Tomasz. Les deux hommes cillèrent en même temps et, pendant d'extrêmement lourdes secondes, tinrent leurs regards au garde-à-vous. L'officier toussota et lui jeta un coup d'œil si sévère que Tomasz eut la réelle impression que ce 1er octobre serait le jour de son exécution. L'officier se lima presque les dents sous l'effort qu'il fit pour feindre le calme. Il tourna finalement le dos et sortit rapidement. Tomasz l'entendit claquer des talons devant un supérieur avant de continuer sa marche en direction d'un escalier qu'il monta d'un pas pesant.

Élisabeth se réjouissait. Encore quatre heures et elle aurait treize ans. Depuis trois semaines, sa mère et elle avaient réussi à trouver ce qu'il fallait pour lui faire un vrai repas. L'année précédente, pour ses douze ans, elle n'avait reçu qu'une pomme ratatinée et son anniversaire, arrosé de la tristesse du départ de Jerzy, avait davantage ressemblé à une soirée funèbre même s'ils avaient joué des menuets et des valses. Cette année, elle avait espoir que sa mère lui ait confectionné une nouvelle jupe qu'elle porterait pour le souper. Une jolie jupe imprimée de fleurs roses, peut-être même cousue de dentelles. Élisabeth se regarda dans le miroir de sa chambre, essayant de voir si, de profil, on apercevait le renflement de sa poitrine qui commençait à prendre des formes. Demain, demain elle se redresserait les épaules et le laisserait paraître. À treize ans, on est plus qu'une petite fille, songeait-elle avec fierté. On est une femme. Jan cesserait enfin de se moquer d'elle.

Élisabeth entendit la porte de la maison s'ouvrir et se refermer doucement. Son père venait enfin de rentrer. Sa mère en serait certainement soulagée, parce que, chaque fois qu'il avait un léger retard, comme ce soir, elle était si nerveuse qu'elle et Jan s'isolaient chacun dans sa chambre pour éviter les semonces et les impatiences habituelles. Mais ce soir, Élisabeth le reconnaissait, il entrait vraiment très tard. Peut-être s'était-il arrêté en chemin pour lui trouver un petit quelque chose. La vie était tellement plus facile maintenant qu'il avait un travail pour cacher ses cours clandestins et que M. Jacek essayait de les visiter une fois par mois, apportant avec lui des légumes et parfois de la viande. Demain, pour ses treize ans, elle mangerait du lapin en sauce. Elle ne voulait pas savoir de quelle couleur il avait été, le petit lapin doux qu'elle savourerait. Élisabeth sortit de sa chambre et entra dans celle de Jan. Il était endormi si profondément qu'elle ne réussit pas à l'éveiller. « Heureusement, songea-t-elle, que mon anniversaire n'est que demain, parce que je l'aurais aspergé d'eau froide. » Elle referma la porte et pénétra dans la cuisine, certaine d'y voir enfin sa mère sourire. Ni son père ni sa mère ne souriaient. Sa mère lui demanda même, sans dire s'il vous plaît, de langer Adam et de s'occuper de son biberon. Élisabeth ne posa pas de questions et obéit aussitôt, même si elle avait une faim terrible. Elle envia presque Jan de dormir en cette soirée qui ressemblait étrangement à une soirée de guerre. Les soirées de guerre n'étaient pas trop fréquentes mais elles commençaient toujours de la même façon : par une mauvaise nouvelle. Elle espérait que la mauvaise nouvelle de ce soir ne déteindrait pas sur le premier jour de ses treize ans.

Élisabeth prit Adam et sortit de la cuisine pour n'y revenir qu'une demi-heure plus tard, affamée et la patience à vif, Adam ayant décidé de protester violemment contre les molaires qui lui vrillaient les gencives. Elle s'empressa de s'asseoir après s'être servi une portion qu'elle aurait aimée plus généreuse. Elle avait à peine piqué sa fourchette que son père la regarda de son regard de guerre. Elle savait que la mauvaise nouvelle ne tarderait pas à tomber dans son assiette. Elle eut soudainement une peur à faiblir que Jerzy ait été blessé. Pire, tué. La fourchette lui tomba presque des doigts.

— Ta mère et moi sommes troublés. Nous venons d'apprendre qu'il n'y a vraiment plus un seul coin d'Europe où l'on puisse être en sécurité.

Élisabeth essayait de comprendre ce que son père lui exprimait, mais les mots ne trouvaient aucune résonance.

— Pourquoi est-ce que vous me dites ça ? Est-ce que vous avez reçu des nouvelles de Jerzy ?

— Non, non. Je suis désolé que tu aies pu penser cela. Non, nous avons eu des nouvelles d'Angleterre.

— D'Angleterre ? C'est à l'autre bout du monde.

— Justement. Ton père a appris aujourd'hui que les Allemands avaient coulé un navire, l'*Empress of britain*, qui emmenait des enfants vers le Canada.

Élisabeth fut étonnée de ne plus entendre les cris de son estomac et flattée que ses parents lui fassent partager une réalité d'adultes. Elle jeta un coup d'œil à Zofia qui lui fit un triste sourire de complicité entendue. C'est avec le plus grand sérieux qu'Élisabeth écouta Tomasz raconter que, le jour même, un bateau rempli d'enfants britanniques en route pour le Canada afin d'échapper aux attaques de plus en plus fréquentes avait été coulé par les Allemands et que tous les enfants étaient morts.

— Ils avaient quel âge ?

Tomasz regarda Zofia, dérouté par la question. Il cherchait à faire comprendre à sa fille que la guerre était aussi cruelle même au-delà des frontières de la Pologne et elle lui demandait l'âge des enfants.

— Je n'en sais rien. Probablement tous les âges d'enfants.

— Je vais le dire à Jan. Il faut qu'il comprenne tout ce que peut faire la guerre. Je pense avoir les mots parce que je me souviens très bien comment on se sent quand on est enfant. Mais je ne sais pas comment on se sent quand on est enfant et qu'on sait qu'on va mourir.

Élisabeth avait parlé avec tellement de générosité que Tomasz et Zofia se regardèrent avec fierté. Leur fille venait d'étendre un baume sur la plaie vive qui suintait sur leurs corps. Élisabeth se leva de table et sortit de la cuisine en marchant le dos bien droit, comme une femme. Zofia la regarda aller et sourcilla d'étonnement. Sa fille venait de prendre six centimètres en dix minutes.

Élisabeth tourna en rond dans sa chambre pendant près d'une heure, puis décida d'enfiler sa chemise de nuit. Ainsi vêtue, elle s'installa devant sa fenêtre, dans le noir, et regarda la lune que la nuit affamée avait entamée. Elle attendit patiemment que les aiguilles de sa montre s'embrassent sur le coup de minuit. Elle sortit finalement de sa chambre et, à pas feutrés, se dirigea vers celle de Jan. Y étant entrée, elle s'approcha de lui et s'assit sur le bord du lit. Elle le regarda dormir longuement avant de lui secouer l'épaule en insistant juste assez pour qu'il s'éveille sans être effrayé.

— J'ai quelque chose à te dire, Jan.

— En pleine nuit ?

— Oui.

Elle le regarda en souriant. Son frère était, paraît-il, assez joli pour un garçon. Toutes les filles le lui disaient. Elles déploraient évidemment qu'il n'ait que onze ans. Élisabeth était un peu chagrinée de le voir si réveillé. Elle avait négligé qu'il avait déjà eu plusieurs heures de bon sommeil.

— Maintenant que je suis presque une grande personne...

— Grande personne ?

— Oui, Jan. Depuis cinq minutes, j'ai treize ans.

— Jerzy est devenu une grande personne à dix-sept ans...

— Pour les filles, ce n'est pas pareil... Maintenant que je suis une grande personne, il faut que je m'excuse pour tout le mal que nous faisons parfois aux enfants.

Jan grimaça. Il arrivait à sa sœur de parler d'une façon qui l'énervait au plus haut point.

— Es-tu venue me dire que tu as mangé ma portion de souper ?

Élisabeth haussa les épaules. Son frère était tellement, tellement enfant.

— Non, je peux même te dire que je n'ai pas soupé non plus parce que...

Maintenant elle s'embrouillait dans ses pensées et ses paroles. S'il fallait qu'elle le blesse au lieu de le réconforter !

— Viens regarder la lune avec moi.

Jan la suivit en grognant un peu mais avec toute sa complicité de frère qui savait bien qu'elle n'était pas là pour des fadaises. Elle se mit à parler d'une drôle de façon de cette lune qui était la lumière de la terre pendant la nuit, prenant la relève du soleil. Ce soir, la lune avait été mordue et semblait avoir perdu un morceau. Il leur fallait se consoler parce que l'absence de ce morceau était illusoire, parce qu'il était encore là, invisible mais bien présent.

— Tu sais, Jan, aujourd'hui, il y a des morceaux qui sont partis.

— Des morceaux ?

— Oui. Des petits morceaux d'hommes et de femmes... des enfants.

— Il y a des enfants qui sont partis ?

— Oui. Partis pour le Canada.

— Voir l'ami de papa ?

— Non, je ne pense pas. Voir l'automne, j'imagine. Mais ils ne le verront pas.

Jan n'était pas dupe. Sa sœur feutrait tellement ses mots que toute la conversation se faisait en sourdine. Il soupira.

— Est-ce qu'il y a des enfants qui sont morts !

— Oui...

— Des Polonais ?

— Non. Des Britanniques.

Jan réfléchit quelques instants, l'air on ne peut plus sérieux.

— Ce n'est pas trop grave. Au moins, Jerzy n'est pas mort... Morts comment?

— Bombardés par les Allemands.

Cette fois, Jan accusa le coup. Il côtoyait des Allemands tous les jours. Il aurait compris que les enfants fussent morts dans un incendie ou dans un accident. Mais bombardés par les Allemands...

— Bombardés où?

— Ils étaient sur le bateau qui...

Jan fit signe qu'il avait compris. Il se recoucha doucement, posant sa tête sur l'oreiller. Élisabeth se rassit à ses côtés. Il la regarda et lui fit un sourire triste, qui ne lui découvrit pas les dents.

— Je ne t'en veux pas.

— M'en vouloir?

— Oui. Quand c'est arrivé, tu n'étais pas encore une adulte. Tu n'as pas à t'excuser. Tu étais une enfant quand c'est arrivé.

Élisabeth et Jan ne dormirent presque pas cette nuit-là. Ils parlèrent de la mort et Jan dit qu'il aimerait mieux mourir qu'avoir peur. Ils pensèrent à Jerzy et constatèrent tristement qu'ils avaient presque oublié ses traits. Ils imaginèrent ces arbres que l'automne canadien rougissait et ils terminèrent cette veillée en pensant que l'automne allemand, lui, avait rougi la mer.

15

Zofia sentit quelque chose lui couler sur le mollet. Elle mit la main et heurta la bouche baveuse d'Adam qui, à treize mois, venait de faire ses premiers pas et s'accrochait maintenant à elle.

— Adam! Quelle belle surprise!

Assise et occupée à bien écouter une élève, Zofia ne l'avait pas vu arriver et elle fut ravie d'apercevoir sa frimousse bavante. Elle lui caressa les cheveux dont la blondeur faisait toujours sensation. Dès que son élève partit, elle arracha Adam du sol et l'embrassa goulûment.

— Que c'est gentil d'être venu me faire rire! Tu sais qu'aujourd'hui ton grand frère a dix-neuf ans?

Adam gazouilla du plaisir qu'il avait de se sentir emporté, avant de frétiller pour être reposé sur le plancher afin de continuer la grande aventure qu'il venait d'entreprendre. Zofia lui prit la main et sortit de l'appartement pour se diriger vers la cave, où se trouvaient Tomasz et les enfants. Les escaliers descendus, elle reposa Adam qui trotta allègrement vers Élisabeth. À son tour, celle-ci l'arracha du sol en riant. Tomasz, lui, sourit du plaisir de voir la vie continuer d'habiter sa maison. Quant à Jan, il constata que son frère mettrait encore bien des années à grandir et que ce qu'il avait prédit se réalisait : lui-même serait davantage comme un oncle qu'un grand frère. Ce sont cependant ses craintes pour les portions de nourriture qui l'inquiétaient toujours. Zofia s'installa derrière Tomasz et regarda par-dessus son épaule, une main lui frottant le dos.

— Tu es certain que ça va fonctionner ?

— Oui. Contrairement à ce que je pensais quand l'université a été fermée, il y a encore quelques étudiants qui sont ici. Je pourrais recommencer à travailler... Avec un peu d'aide, je suis prêt à en accueillir quelques-uns même si le risque est grand.

— De toute façon, vivre en Pologne est un grand risque.

— Vivre est un grand risque.

Tomasz regardait Adam qui venait de piquer du nez sur la terre battue et se relevait, pataud mais souriant, encore émerveillé d'avoir réduit l'écart entre ses yeux et ceux des gens devant lui.

Le rêve que Tomasz avait caressé avant son emprisonnement prenait forme. La cave, qui servait occasionnellement de relais postal, ressemblait de plus en plus à une bibliothèque universitaire. Il y avait si peu de survivants de cette horrible nuit d'accueil que ceux qui étaient revenus, les « vieux », demeuraient farouchement déterminés à scolariser les jeunes et moins jeunes qui croyaient encore en l'avenir. Cette simple foi en la venue de lendemains suffisait à Tomasz.

Ils remontèrent à l'appartement et Zofia coucha Adam qui roucoulait toujours les joies de sa journée. Jan fit ses exercices de violon dans sa chambre tandis qu'Élisabeth lut dans la sienne. Tomasz redescendit à la cave avec des piles de notes de cours qu'il avait remises à jour. Il remonta rapidement, s'allongea aux côtés de Zofia et s'endormit aussitôt.

Élisabeth tourna la dernière page de son livre et décida enfin de se dévêtir. Elle suspendit sa nouvelle jupe, celle qu'elle avait reçue pour son anniversaire quatre mois plus tôt. Elle avait tant souhaité une jolie jupe à motifs de fleurs. Sa mère n'avait pas trouvé de tissu mais elle avait fait des merveilles en la lui cousant dans les vêtements que Jerzy n'utiliserait plus. Élisabeth essaya d'imaginer l'air qu'elle aurait eu si la guerre ne les avait pas précipités dans la pauvreté. Elle se reprocha aussitôt cette réflexion, sachant fort bien que sa famille était parmi les chanceuses. Le piano de sa mère, le travail un peu rémunéré quoique odieux de son

102

père, les visites régulières de M. Porowski leur permettaient de se nourrir quotidiennement. Seul Jan ne cessait de répéter qu'il grandissait, que son estomac grandissait encore mais que ses platées, elles, étaient toujours pareilles. Son frère l'étonnait toujours même s'il rouspétait trop souvent. Depuis le départ de Jerzy, il avait mis au point une « stratégie » dont il avait failli parler à M. Porowski pour montrer que lui aussi faisait du travail illégal. Elle l'avait sauvé de justesse.

Élisabeth savait que lorsque Jan quittait la maison en portant les chaussures de Jerzy, il revenait avec des fragments de charbon qu'il déposait dans un vieux sac de jute abandonné par M. Porowski. Ces jours-là, botté comme le Chat du conte, il jouait presque au Petit Poucet, parcourant les rues en ramassant tous les cailloux noirs que les charbonniers avaient laissés tomber. Aussitôt qu'il voyait les reflets vert et bleu d'un petit morceau, il se déchaussait et laissait tomber sa trouvaille dans le soulier trop grand qu'il renfilait immédiatement, feignant d'avoir fait tomber un caillou. Dès que son sac était suffisamment rempli, il disparaissait pour quelques heures. Élisabeth savait qu'il troquait des morceaux contre de la nourriture qu'il rapportait et partageait avec elle. De vrais trésors.

Jan et Élisabeth n'avaient jamais osé révéler leur commerce aux parents ; Élisabeth parce qu'elle craignait qu'ils ne soient accusés de complicité si Jan se faisait coincer, et Jan parce qu'il avait la douloureuse impression de leur enlever le pain de la bouche. Plus le temps passait, plus leur secret leur pesait. Ils s'étaient promis de tout dire à la Noël mais n'en avaient rien fait. La confession avait été remise au jour de l'An... en vain. Jan se sentait doublement fautif puisqu'il n'avait jamais avoué à sa sœur avoir déjà eu, en échange d'un peu de charbon, un morceau de chocolat tellement bon qu'il l'avait tout mangé, seul. Le soir, à table, il en avait été tellement malheureux qu'il n'avait rien pu avaler et, pour le punir de son égoïsme, son estomac avait tout rendu.

Quand Jan rentrait d'une tournée, comme il l'avait fait aujourd'hui, Élisabeth attendait que minuit lui permette

103

d'aller le retrouver pour lui laver les pieds à l'eau fraîche et nettoyer les plaies qu'il s'infligeait. Ce soir, il avait les pieds particulièrement meurtris.

— Tu en ramasses trop. Pourquoi est-ce que tu ne prends pas le risque de t'en mettre dans les poches ?

— Tu le sais. Parce que papa et maman pourraient être soupçonnés de complicité.

Élisabeth eut une moue effrayée. Elle faisait des efforts pour cacher sa peur, se demandant souvent si la complicité de trafic de charbon était punie par la prison ou la mort.

— Penses-tu que papa et maman peuvent deviner que je fais mes exercices de violon assis ?

— Ça n'a pas d'importance. Le son est aussi beau. Ça ne s'entend pas. Les violons d'un orchestre sont assis.

— Je sais, mais je ne suis pas un orchestre.

Il avait le devant des orteils noirci et cloqué.

— Tu as encore exagéré, Jan.

— Non.

Du dessous de son lit, il sortit deux pommes. Élisabeth faillit trahir sa présence par un cri qu'elle retint de justesse.

— Ce n'était pas une bonne journée pour le leur dire. C'était l'anniversaire de Jerzy.

— Je sais. Je me demande pourquoi ils n'en ont pas parlé.

— Probablement parce qu'ils ont décidé qu'il était mort.

— Jan ! Ils n'auraient jamais décidé une chose pareille. Ils prient pour lui tous les jours.

— Pour lui ou pour son âme ?

— Jan ! Tu dis des sacrilèges.

— Pourquoi est-ce qu'ils n'ont pas mentionné son anniversaire ?

— Moi, je n'en ai pas parlé pour ne pas leur faire de peine. Eux aussi, probablement.

— C'est ce que je pense. Et c'est pour la même raison que je pense que nous devons, toute notre vie, ne pas dire que nous avons eu un petit commerce.

— Toute notre vie ?

Jan prit un air sérieux. Il réfléchissait pour être certain d'avoir la bonne réponse.

— Toute notre vie de guerre.

16

Mme Grabska frappa du balai et Tomasz entrouvrit la
porte. Un jeune homme arriva sur le palier, un étui à
violon à la main. Tomasz l'invita à entrer, le fit attendre dans
le salon, pénétra dans son bureau et en ressortit avec deux
livres d'histoire.

— Merci, professeur.

Tomasz regarda Jozef et lui sourit avec fierté.

— Ce n'est pas nécessaire que tu t'exposes toujours. Fais-
moi savoir ce font vous avez besoin. J'essaierai de le trouver
et de vous le faire parvenir.

— Nous manquons de cartes.

— D'Europe ?

— Oui.

— De quelle époque ?

— De toutes les époques. Au siècle dernier, avant la
Première Guerre... Toutes.

Tomasz promit de voir ça et Jozef partit comme il était
venu, discrètement, l'étui transportant deux livres. Tomasz
retourna près d'Élisabeth qui l'attendait patiemment pour
continuer son cours de culture générale. Jan jouait du violon
dans sa chambre. Lui et Élisabeth avaient deux leçons par
semaine et progressaient tous les deux rapidement. Zofia
rêvait d'en faire des violonistes de concert ou des premiers
violons. Elle avait plus d'élèves qu'elle ne pouvait en
prendre. Malgré ses exigences d'admission, sa réputation
l'avait presque forcée d'accueillir les enfants de certains
officiers allemands. Elle avait donc cédé son poste de

première ligne pour être réserviste au courrier clandestin. Tomasz fut soulagé de cette décision.

— Nous jouons un peu trop avec le feu. Tu accueilles tes élèves, dont certains sont allemands, et moi j'ai des étudiants qui doivent me voir. Je crains toujours qu'il n'y ait confusion et qu'un parent allemand ne se heurte à Jozef ou à un autre. Sans parler des risques que nous avons pris. Souviens-toi de l'aventure d'Élisabeth.

Zofia le regarda et esquissa un sourire d'amusement.

Élisabeth, entre les cours de violon et de piano, les exercices, les cours clandestins et ceux de culture générale, écoutait les leçons de musique de Zofia et sortait avec son jeune frère tous les jours. Il lui était arrivé d'avoir à faire une livraison urgente pour sa mère. Elle avait traîné Adam et avait caché la lettre dans sa culotte. Ce facteur de fortune s'était fièrement dandiné le popotin jusqu'à destination. Ce n'est que là qu'on avait remarqué l'odeur qu'il dégageait et Élisabeth avait honteusement remis une lettre complètement souillée à ses destinataires. Tomasz et Zofia avaient bien ri de cette aventure, et ils en riaient encore aujourd'hui.

— C'est quand même incroyable de voir que nous réussissons à rire quand notre fille de quatorze ans risque sa vie et celle de notre bébé de vingt-deux mois.

Zofia s'essuya les yeux et se moucha de plaisir pendant que Tomasz essayait de comprendre toute la situation.

— La guerre nous écorche ici, dit-il en se mettant la main sur le cœur, et nous anesthésie là, continua-t-il en pointant l'index sur sa tête.

— Moi, je pense que la guerre nous rend insouciants, à la limite de l'inconscience.

— Je suis tellement habituée à être hypocrite quand je suis dans la rue, enchaîna Élisabeth, que j'oublie parfois que ce que je fais est risqué.

Finalement, elle était assez fière d'avoir avoué sa petite erreur.

Tomasz libéra Élisabeth et Zofia accueillit un nouvel élève. La guerre faisait parfois des choses étonnantes. Certaines familles de ses élèves préféraient se priver dangereusement de nourriture pour que leur enfant suive des cours. Afin de leur éviter des sacrifices inutiles, Zofia se faisait un devoir de leur dire si leur enfant avait du talent ou non. Une seule famille dont l'enfant n'avait aucun talent avait continué à se saigner à blanc.

— Je vous jure que Janina ne fera jamais une grande carrière. Vous devriez utiliser vos légumes dans la soupe.

— Non. C'est bien de penser à nous, mais nous préférons faire autrement. Le seul héritage que mon mari ait laissé, c'est le piano. Alors ma fille en joue le soir. Je ne veux pas qu'elle soit pianiste de concert, je sais qu'elle n'en a pas le talent. Mais en jouant des petits menuets et des ballades légères, elle fait vivre les notes d'ivoire. Laissez-nous notre plaisir et acceptez nos carottes.

Pour cette élève, Zofia donnait un cours différent, passant rapidement sur la technique et le solfège afin de mettre l'accent sur la quantité de pièces à son répertoire. Elle lui avait même enseigné les airs les plus connus du folklore ou ceux entendus à la radio, consacrant des heures à écrire les partitions qu'elle ne trouvait nulle part.

— Veux-tu me dire, Zofia, pourquoi tu mets tant de temps à écrire cette musique?

— Parce que cette musique fait vivre une famille... malgré ses morts, si je puis dire. Tu parles en orthodoxe qui n'aime que le classique ou le baroque. Parfois l'hérésie a sa place.

— Orthodoxe...

— Regarde-toi faire. Penses-tu n'enseigner que l'histoire? Mais non. Tu leur apprends la résistance, et la résistance, mon cher, est une espèce d'hérésie.

Tomasz haussa les épaules. Zofia confondait toujours tout... pour son plus grand bonheur à lui.

— J'espère que tu n'arriveras jamais en larmes parce que tu aurais perdu Adam quelque part.

— Oh! Jan! Comment peux-tu penser que je pourrais oublier Adam?

— Je ne pense pas ça. Mais Adam court vite. Du vrai vif-argent.

Jan et sa sœur étaient revenus au salon pour embrasser

leurs parents avant d'aller dormir. Élisabeth lui avait raconté les difficultés qu'elle avait eues à le retenir dans les Planty.

— Jan, je ne quitte jamais Adam des yeux. Il est tellement beau que tout le monde se l'arracherait pour lui bécoter les joues.

Tomasz et Zofia se regardaient en sourcillant d'incompréhension. Depuis qu'Élisabeth ne fréquentait plus une école régulière, Jan s'en prenait souvent à elle à propos de tout et de rien. Tomasz pensait qu'il était jaloux des responsabilités qu'elle avait. Zofia, elle, comprenait que Jan n'avait qu'une hâte : avoir presque toutes ses journées à lui.

— Je vais aller à mes cours clandestins, jouer beaucoup de violon, et, pour le reste du temps, je vais me trouver du travail.

— Tu ne viendrais pas à mes cours d'histoire ?

Jan sourcilla avant de répondre qu'il aimait bien l'histoire mais qu'il ne comprenait pas pourquoi elle ne parlait jamais de l'avenir.

— Parce que, par définition, elle parle du passé. Elle est la mémoire de l'humanité. Elle nous explique tout. L'histoire nous montre qui nous sommes.

— Est-ce que l'histoire nous dit quand va se terminer la guerre ?

— Non. Les historiens ne savent pas ça, et les politiciens non plus. L'histoire ne nous dit pas ça, mais elle nous explique pourquoi et comment cette guerre a éclaté.

— C'est pour ça que je n'aime pas tellement l'histoire. J'aimerais mieux savoir ce qui se passera quand je serai grand.

Tomasz faisait de louables effort de retenue. Il avait énormément de difficulté à accepter que son fils n'ait aucune prédisposition à la curiosité historique.

— Au fait, Jan, pourquoi est-ce que tu as cherché les livres que j'avais quand j'allais à l'école ?

— Parce que je savais que quand tu étais petit, tes cours se donnaient en allemand.

— Qui t'a dit ça ?

— Toi.

Tomasz acquiesça de la tête.

— Oui, moi. Mais ce que tu oublies, Jan, c'est que toi tu connaissais un petit morceau de l'histoire de la Pologne.

— De toute façon, papa, les morts ne s'inquiètent pas pour nous.

Zofia, qui assistait au premier affrontement entre Jan et son père, était bouche bée devant la souffrance et la détermination de son fils. Tomasz, lui, regardait Jan l'air complètement désespéré. S'il comprenait l'angoisse de son fils, il était mal à l'aise devant ce propos plus qu'athée.

— Tout ce que j'ai dit, c'est que les historiens ne sont jamais là où se passe l'action. Ils arrivent un siècle plus tard.

Tomasz était catastrophé.

— Ton père est un historien et il participe sérieusement au moulage de l'histoire de la Pologne. En faisant de la résistance, Jan, ton père devient un artisan du présent et de l'avenir.

— Je n'y crois plus, à la résistance. Personne n'a été capable de sauver Londres des bombardements.

Tomasz se leva lentement de table et alla se réfugier dans ses notes de cours pendant qu'Élisabeth tentait de calmer Adam que la faim tenaillait. Jan était rouge d'incompréhension. De voir les épaules soudainement voûtées de son père lui fendit le cœur et il partit rapidement derrière lui pour le rejoindre. Tomasz était assis devant un livre ouvert et semblait absorbé par sa lecture. Il avait toujours le nez à une vingtaine de centimètres de sa page. Jan s'immobilisa et le regarda. Comme il aimait ce père qui, faute d'avoir de bons yeux, avait appris à tout regarder de près ! Une espèce d'horloger qui passait sa vie à observer le mécanisme du temps. Jan s'approcha de Tomasz et accepta sans mot dire que son père le boude et l'ignore pendant cinq minutes et trois éternités. Il restait au garde-à-vous, respirant au même rythme que lui, retenant des larmes de honte. Tomasz laissa enfin tomber son livre et essuya ses lunettes avant de lever les yeux sur son douloureux fils.

— Au camp, je regardais toujours le petit éclat de ma lunette. Je trouvais que ça mettait un peu de soleil dans la grisaille des figures des gens qui souffraient. Aujourd'hui, je t'avoue avoir besoin de le regarder encore.

Jan voulut s'excuser mais il en fut incapable. Il s'approcha de son père, lui prit une main et l'embrassa.

— Cesse de me frapper, Jan. C'est inutile, je ne rendrai jamais les coups.

Tomasz attira son fils par le cou et l'embrassa sur les deux joues.

— J'aime mieux que tu m'embrasses au lieu de me battre, parce que je suis capable de rendre une accolade.

17

Jerzy se demandait quand il pourrait sentir le parfum des fleurs qu'il devinait enfouies sous les monticules de terre déchiquetée par les tonnes et les tonnes de bombes lancées sur l'Italie. Depuis son départ dans la colonne polonaise rassemblée pour suivre le général Anders, il avait vu tant de pays, de l'Iraq et l'Iran à l'Afrique du Nord en passant par la Palestine. La croisade avait duré des mois et des morts, et Jerzy s'était demandé si, à chaque fosse qu'il creusait, il n'enterrait pas aussi ses espoirs de renaître à une vie normale.

Jerzy soupira et se retourna dans ce lit de camp inconfortable qui était son seul meuble. Il lui arrivait parfois de le voir comme un cercueil ; d'autres matins, comme un berceau. Parfois comme une planche de torture ; d'autres soirs, comme une quille de bateau. Jerzy se rasait sans se regarder dans une glace. Il refusait d'utiliser un miroir. Il l'avait fait en posant les pieds en sol italien et il avait eu mal de voir les yeux qui le regardaient, tristes billes bleues dans deux cavités noires. Il savait avoir vingt-deux ans mais le reflet lui en donnait le double. Lunettes en moins, il ressemblait énormément au souvenir qu'il avait conservé de son père.

Depuis que les Alliés tentaient de rallier Rome, ils s'étaient, disait-on, heurtés à un obstacle de taille : un couvent haut perché sur une colline abrupte, occupé par les Allemands. Les soirées étaient remplies d'histoires fabuleuses à propos de ce monastère.

— Il paraît qu'il est si haut qu'il ressemble à un nid d'aigle.

111

— C'est probablement pour ça que ces rapaces d'Allemands s'y sentent bien.

Jerzy écoutait attentivement tout ce qu'on racontait. Les plus croyants voyaient dans la proximité du lieu saint le présage d'un retour à la paix.

— Vous vous rendez compte ? Expédier des Polonais en Italie, tout près de Rome ! C'est ce qui, pour eux, ressemble le plus à la patrie.

— Ou au paradis.

Jerzy avait secoué la tête devant tant de naïveté. Il n'avait jamais accepté de mêler foi et guerre. Sa relation avec Dieu était à lui et il refusait de la partager avec tous les autres. Dieu devait n'entendre qu'un cafouillis de jérémiades et de supplications. Jerzy, lui, préférait lui raconter ce qui se passait. Il ne voulait pas l'ennuyer avec le mal qui déferlait sur les pays en guerre. Il préférait lui décrire un des bons repas qu'il avait pris, plutôt que de lui reparler de la faim dont il avait souffert pendant tant de temps.

Jerzy se retourna encore une fois sur le ventre, s'enfouit la tête et se revit avec le manteau rapiécé et fourré de plumes, additionné d'une peau de mouton lui tombant jusqu'aux fesses ; avec la chapka retenue par une corde, enfoncée par-dessus une écharpe trouée, enturbannée autour de la tête, le front couvert par la visière, les oreilles et le cou par le rabat. Il repensa à son inconfort, la peau des jambes frottant contre le tissu rêche et rigide d'un pantalon recouvert lui-même de deux autres pantalons. Il revit ses pieds autour desquels il avait enroulé toutes les guenilles qu'il avait pu trouver. Des pièces d'écorce de bouleau, ficelées sur le tout, lui servaient de bottes. Pendant deux hivers, il avait travaillé à cinquante degrés au-dessous de zéro, à conduire des chevaux, à abattre des arbres — ô la joie de se réchauffer en bûchant ! —, à arracher l'écorce des troncs. Il avait fait le flottage du bois, temps béni où on avait légèrement augmenté les portions de nourriture. Il avait eu faim et froid, mais la faim avait été plus difficile à supporter. Il avait toujours pu s'emmitoufler davantage, mais avait été dans l'impossibilité d'avoir plus de nourriture qu'on ne lui en avait offert. Il s'était contenté d'un demi-kilo de pain par jour, dont il mangeait un morceau avec une soupe à l'orge le matin ; qu'il trempait dans une tasse d'eau bouillante le midi ; qu'il finissait avec un autre bol de soupe, très diluée, le soir. Faim. Il avait eu faim. Faim jusqu'à la souffrance.

Jerzy sentit son estomac, éveillé par ses réminiscences, se contracter. Il s'assit sur son grabat et se prit le ventre à deux mains.

— Ça ne va pas, Pawulski ?

— Oui, oui. Une crampe, c'est tout.

Jerzy se reconcentra sur Dieu à qui il avait cessé de demander quoi que ce soit parce qu'il n'y avait plus moyen de savoir s'il avait été exaucé. Où en était la vie de sa famille ! Son père et sa mère lui avaient-ils pardonné son départ ? Le croyait-on mort ?

Autour de lui, on discutait avec passion.

— Pensez-vous que la religion empêcherait la guerre d'être cannibale ? Pensez-vous qu'il n'y a pas eu de morts ici parce que c'est l'Italie ? Voyons, il y a toujours eu des guerres de religion.

— Mais il paraît que le pape Pie XII a lancé un appel pour qu'on épargne Rome.

— On a sauvé Paris, pourquoi pas Rome ? Rome est quand même plus importante.

— Ça dépend du point de vue.

— *Camarades ! Notre chère patrie est en danger. La traître Allemagne n'a pas respecté ses accords et nous a attaqués. Des milliers de nos compatriotes et amis ont déjà perdu la vie. Puisque vous n'êtes pas dans notre valeureuse armée, vous devrez travailler encore plus fort. Chaque mètre cube de bois que vous arracherez à la forêt sera un pas vers la victoire contre le Reich. Je suis certain que vous comprenez nos demandes. Vive le camarade Staline ! Vive l'Armée rouge !*

Jerzy et d'autres hommes du camp de travail, assis dans la pièce où on les avait convoqués, n'avaient pas réagi, essayant de comprendre la signification de ce qu'ils venaient d'apprendre. Finalement, un des jeunes ouvriers, embarqué dans la même rafle que Jerzy, s'était levé, avait craché avec dédain et s'était planté devant les autres.

— Je suis bon catholique et bon chrétien, mais je peux bien prier dans mon cœur. J'aurais aimé que la Pologne investisse autant dans son armée que dans son Église. Je me porte volontaire pour combattre dans l'Armée rouge.

— Tu dis des bêtises, Wladek.

— Non, je ne dis pas de bêtises. Combien est-ce qu'il y en a ici qui ont enterré leur famille? Moi, oui. Les Allemands ont fauché mon petit garçon et mes deux petites filles. Leur mère aussi.

Jerzy s'était levé et s'était approché de Wladek pour lui faire une accolade de compassion. Wladek l'avait repoussé et Jerzy était tombé sur les fesses.

— Tu comprends, Saski, je veux les venger et je me fous de la langue et de la religion du commandement. Je me fous de ne manger que du bortsch. Je veux recevoir l'ordre de tuer des Allemands. Je serais satisfait même si je n'en descendais qu'un seul. Je veux en voir mourir un!

Les hommes s'étaient regardés sans parler, pensant à ce que Wladek avait dit. Certains, pour marquer leur désaccord, s'étaient signés. D'autres avaient dit qu'ils y songeraient.

Le travail avait repris le lendemain et ils avaient été contraints de commencer plus tôt, de finir plus tard, et de couper sur les rations de nourriture déjà frugales. La productivité du camp avait donc diminué malgré les harangues quotidiennes.

Le mois d'août 1941 était arrivé et Jerzy s'était heurté au commandant du camp de travail, qui s'agitait comme un papillon de nuit autour d'une ampoule.

— Saski! Va avertir tes camarades que le travail se terminera une heure plus tôt aujourd'hui. Dis-leur de se rendre à la grande salle. Un membre du haut commandement nous honore de sa présence. Grouille!

— *Camarades! J'ai de très bonnes nouvelles pour vous. Nos gouvernements ont signé une entente d'amitié et d'assistance mutuelle. C'est ensemble que Polonais et Soviétiques affronteront ces Allemands qui menacent les libertés de nos patries. Notre premier devoir est de combattre cet envahisseur. Ceux d'entre vous qui le désirent pourront se joindre à l'armée polonaise, qui s'organise pour combattre le Reich. Les autres pourront demeurer avec nous ici. Leur travail sera évidemment vu comme une participation active à l'effort de guerre. J'espère que vous répondrez affirmativement à ma requête.*

Si toutefois vous choisissiez de quitter le camp, vous pourrez aller où vous voudrez en Russie et vous recevrez les papiers nécessaires pour vous déplacer. Citoyens de Pologne, ensemble nous devons vaincre les Allemands! Vive le camarade Lénine! Vive l'Armée rouge! Vive la Pologne!

Jerzy se leva et alla marcher dans le camp avant que les cantiniers ne les appellent pour le souper. Il regarda le coucher de soleil, rassurant et réchauffant bien qu'on fût en février. Il se fit la réflexion que l'hiver italien n'avait rien d'un hiver polonais, encore moins d'un hiver russe. Les hivers étaient à l'image des peuples. Les hivers polonais étaient gris, froids et ombrageux; les hivers russes, bleus, glacials et mordants; les hivers italiens, ocre, tièdes et pleureurs. Jerzy se dirigea vers la cantine, reçut une portion scandaleuse. Il ne put s'empêcher de penser à ces gens que Wladek et lui avaient rencontrés en route pour le lieu de rassemblement.

Wladek lui avait donné un coup de coude et Jerzy s'était éveillé en sursaut. Après quarante-huit heures d'attente, ils avaient finalement réussi à monter dans un train — identique à celui qui les avait emmenés — qui les avait conduits à travers l'ennuyante forêt. Ils avaient dû alimenter le poêle sans interruption même si on n'était qu'en septembre. Wladek et lui-même avaient demandé d'aller à Ufa, une ville du sud-est de la Russie. Ils avaient trouvé plus prudent de sortir de la forêt, en cas de rupture des ententes.

La première grande ville qu'ils avaient rencontrée avait été Vologda. C'est là que Jerzy avait fait la rencontre d'autres Polonais libérés des prisons et des camps de concentration. Le choc avait été si grand qu'il n'avait pu manger pendant deux jours. Les ex-prisonniers avaient l'air de véritables zombis avec leur teint gris, leur corps décharné, leurs dents pourries ou arrachées, leurs cheveux pouilleux.

Ils étaient vêtus de haillons qui donnaient l'impression d'être trop lourds à porter pour leurs frêles épaules voûtées par la faim, l'épuisement ou la maladie. Wladek et Jerzy s'étaient regardés et avaient vu que le camp de travail leur avait épargné une vie qui n'aurait ressemblé qu'à une torturante agonie.

— Où allez-vous ?

— Tenter notre chance pour retourner dans l'armée. On dit qu'on y mange trois repas par jour et qu'on nous fournit des vêtements.

— Eh ! choléra ! On souhaite simplement que les médecins nous déclarent aptes. C'est qu'on a faim, nous.

Jerzy et Wladek s'étaient encore une fois regardés et avaient compris qu'ils seraient parmi les premiers choisis.

Jerzy se fit éveiller par le son du clairon. Une fraction de seconde, il se crut à Cracovie. Mais aussitôt qu'il ouvrit les yeux, il retrouva le décor du camp italien. Il décida de chercher le clairon, certain qu'il était de Cracovie. Il ne le revit pas. Il retourna donc à son quartier et croisa un camion qui venait faire livraison de pommes de terre et de choux.

— Wladek ! Wladek ! Vite ! Suis-moi. Apporte n'importe quel sac vide.

Le train de fret à marchandise humaine s'était immobilisé sur la voie, quelque part entre Jaroslav' et Ivanova. On avait invité les passagers à se dégourdir les jambes. Jerzy était sorti et avait aperçu un champ de pommes de terre dont personne ne semblait vouloir. Wladek sur les talons, il s'y était dirigé en courant, s'était laissé tomber sur les genoux et avait déterré des dizaines de tubercules avec ardeur et impatience. La terre regorgeait de pommes de terre qui commençaient à y pourrir. Ils avaient presque rempli un sac et Wladek était retourné au train en chercher un autre. Le train avait sifflé, dérangeant la calme campagne. Wladek avait crié à Jerzy de revenir mais Jerzy s'était entêté à déterrer quelques légumes de plus. Il avait entendu le crissement des roues et avait mesuré la distance qu'il avait à franchir.

— Sang de chien !

116

Il avait pris ses jambes à cou, s'arrêtant à tout moment pour ramasser les tubercules qui volaient du sac, et était arrivé près de son wagon, avait lancé sa récolte à Wladek et s'était agrippé aux trois mains qu'on lui tendait. Il avait bondi sur le plancher en riant de plaisir malgré les invectives de Wladek qui avait craint que Jerzy, comme cela était arrivé à un autre passager, ne soit contraint de marcher sur la voie en espérant rejoindre le train.

Ils avaient mis trois semaines à se rendre à destination. Wladek et lui avaient été étonnés de voir qu'ils étaient très loin des lieux de rassemblement pour l'armée. Ils avaient décidé de se chercher du travail pour amasser l'argent nécessaire au second déplacement qu'ils devaient effectuer. Wladek avait donc travaillé dans un champ de seigle. Jerzy, lui, avait trouvé un travail qui ne l'avait payé qu'en farine qu'il avait vendue après en avoir utilisé une partie pour se faire des espèces de galettes.

Le printemps de l'année 1942 était arrivé et les vaches malingres, sous-alimentées ou malades, mouraient dans les champs. Jerzy s'était alors approché des cadavres, certains encore chauds, d'autres en putréfaction, et avait commencé à écorcher les bêtes, suant comme un forcené, aiguisant son couteau sur des pierres et retenant parfois son souffle pour éviter de vomir mais n'y réussissant pas toujours. Il avait ensuite traîné les peaux, en échange desquelles on lui avait donné un demi-kilo de farine pour chacune.

Les mois d'avril et de mai avaient accroché des fleurs étonnamment en beauté dans les quelques arbres rachitiques qui avaient échappé au carnage de la campagne militaire d'Italie. Son violon manquait à Jerzy. Il aurait aimé en jouer au milieu des terres, comme il le faisait chez M. Porowski.

Les manœuvres militaires saccageaient ce que le printemps avait restauré et Jerzy se prit à crier à la tête d'un de ses compatriotes qui venait de casser une branche lourde de fleurs simplement pour ne pas faire un pas de côté.

— Idiot! Comment veux-tu que la guerre cesse un jour si des imbéciles comme toi continuent de tuer la nature aussi? Il faut que la vie et la paix reprennent quelque part.

— Ta gueule, espèce de Polonais campagnard ! Je n'ai pas envie de me faire balafrer le visage par une branche remplie d'épines, même s'il y a des fleurs.

Jerzy portait son casque et son arme, étonné d'être de retour sur la scène de la guerre après avoir passé tant de temps dans les coulisses. Le jour où il s'était présenté à Dzalal-Abad pour s'enrôler, il avait pleuré d'émotion, heureux de savoir qu'il avait survécu et qu'il pouvait maintenant se faire pardonner sa couardise et se battre, et pour lui-même et pour le repos de l'âme de Karol. Heureux de se voir remettre des vêtements neufs et des chaussures à sa pointure. Ému de reprendre son nom de Pawulski. C'était celui-là, et non Saski, qui devait, le cas échéant, être gravé sur une petite pierre ou sur un cénotaphe.

Tous les soldats du 2ᵉ corps d'armée polonais, le sien, avaient été regroupés et ils furent enfin conduits près du mont Cassin. Jerzy n'avait plus vraiment envie d'attaquer. Il avait un trac fou, n'ayant aucune envie de risquer de blesser ou tuer des moines, s'il y avait toujours des moines. Pas plus qu'il ne voulait égrener les pierres d'un monastère qui suintait encore le recueillement.

Le matin du 18 mai 1944 arriva sans que le soleil cligne. La marche vers la colline où était niché le monastère s'était enfin terminée et Jerzy, avec ses compagnons, était au garde-à-vous, comme il l'avait été depuis sept jours. Depuis sept jours, ils avaient foncé sept fois vers le mont et, sept fois, les Allemands les avaient repoussés.

Jerzy avait graissé son arme pour être certain de pouvoir se défendre. Wladek, assis à ses côtés, faisait la même chose. Jerzy sentait rétrécir son ventre de minute en minute. Wladek, lui, était fébrile, le doigt prêt à appuyer sur la gâchette.

— Un, juste un, Jerzy.

L'ordre résonna enfin dans toutes les têtes. Le monastère du mont Cassin se mit à vibrer une nouvelle fois.

Le soleil dardait maintenant ses rayons sur les toitures échancrées et sur les casques protégeant des têtes qui chauffaient de plus en plus. Il éclairait en grappes les pierres fragiles et les traits des jeunes soldats polonais, canadiens, marocains, australiens, affolés par l'hécatombe. Jerzy et

Wladek ne firent pas partie de la première vague mais de la deuxième. Jerzy aurait tant aimé apercevoir le général Anders, ne fût-ce que pour avoir plus de courage. Dix-huit fois, cet homme était tombé et avait laissé couler son sang. Jerzy, seul dans cette mer d'uniformes verdâtres qui cliquetait sous le poids lourd de son attirail, avançait en ahanant, autant de fatigue que de peur. Il serra les dents, déterminé à ne pas fuir, regardant droit devant lui, hypnotisé par l'attrait qu'exerçait le mortier des pierres des murailles. Il penchait la tête quand il entendait quelque chose fendre l'air au-dessus de lui. Les heures passaient en pétaradant, et Jerzy se demanda pendant combien de temps encore il escaladerait le rocher. Cette ascension sembla sans fin et sans but tant le monastère lui donnait l'impression de s'éloigner. Il regarda Wladek, suspendu lui aussi. Jerzy sourit malgré la terre et les petites pierres qui craquaient sous ses dents. Une rumeur partit soudain de derrière eux et monta en tonneaux avant de les rejoindre.

— Les Allemands évacuent! Les Allemands battent en retraite! Cessez le feu!

— Non! Laissez-moi en avoir un!

Wladek hurla en escaladant les derniers mètres avec la souplesse d'un alpiniste, comme s'il ne sentait plus le poids de son attirail. Il tira en direction du monastère pendant que Jerzy, qui l'avait rejoint avec beaucoup de difficulté, ne cessait de lui répéter de laisser tomber son arme.

— Pas avant que j'aie vidé tout mon chargeur. J'en veux un, Pawulski, un.

— Ce serait un meurtre, Wladek. Ils battent en retraite.

Jerzy hurlait plus fort que Wladek pour le faire revenir à la raison. Il n'avait jamais pensé qu'un cri pouvait faire aussi mal. Le temps se mit à ralentir et Jerzy eut conscience que Wladek avait cessé de tirer. C'est en pensant « Enfin! » que Jerzy ferma les yeux et qu'il cessa d'entendre. Sur une image de sa famille, il éteignit ses pensées avant de s'endormir lourdement, la bouche en grimace, les yeux, derrière les paupières, tournés vers le haut de la colline.

Il n'entendit jamais le clairon jouer jusqu'à la fin l'air de l'église Notre-Dame de Cracovie.

Deuxième temps

1944-1945

18

L E temps était glacial. Ce début de janvier n'avait apporté qu'un seul événement heureux dans la famille : les quatre ans d'Adam. La routine de guerre s'était douloureusement installée.

Les vêtements s'élimaient, les provisions n'existaient qu'en souvenir, les cloches de Cracovie avaient depuis longtemps été arrachées à leurs clochers et fondues pour réapparaître métamorphosées en armement.

— J'espère, Tomasz, qu'aucun morceau des cloches de Cracovie n'a touché à la chair de nos soldats polonais.

Le ghetto de Cracovie avait été complètement vidé de tous ses Israélites depuis presque un an. Zofia n'en avait pas dormi pendant des nuits.

— Nous avons la réputation d'être antisémites. C'est difficile maintenant de faire croire le contraire.

— À qui veux-tu que nous le disions ? À la France ? Elle a, paraît-il, livré les juifs étrangers aux Allemands et forcé ses ressortissants à porter l'étoile jaune. À qui devons-nous nous expliquer ? Je me le demande.

Ce 10 janvier, donc, était glacial. Zofia était de plus en plus fatiguée, ayant toujours autant d'élèves et servant encore de plus généreuses portions de nourriture à son mari et à ses enfants qu'à elle-même. Depuis le matin, elle enseignait les mains gantées tant elle ne réussissait pas à se réchauffer dans la maison pourtant loin d'être trop froide. Elle aurait voulu, ce matin-là, avoir de l'ouate dans les oreilles parce qu'il lui semblait que ses élèves ne cessaient de faire dissoner le piano.

123

— Pianissimo, bon Dieu. Moins fort ! Toute la maisonnée va penser que tu joues avec tes pieds. Cesse de piétiner les pédales, Seigneur !

Élisabeth avait conduit Adam chez Mme Grabska. Elle remonta à l'appartement en se remémorant le plaisir qu'ils avaient eu avec les jeunes Françaises qui avaient toujours travaillé dans la maison « avant »... Chaque année, une nouvelle jeune femme arrivait, valise et violon sous le bras. Tous les repas se prenaient en français et les soirées étaient toujours occupées à faire de la musique. Avant. Maintenant, ils se voyaient forcés d'avoir recours aux services de Mme Grabska pour veiller sur Adam. Heureusement, elle était la plus gentille des concierges, même si elle ne parlait pas le français et ne savait pas jouer du violon.

Élisabeth revint à la maison ayant elle-même une peur folle de recevoir sa leçon de violon. Sa mère, parfois, cessait d'être exceptionnelle et ressemblait à toutes les mères. Élisabeth s'était isolée dans sa chambre, mais la voix de sa mère parvenait quand même jusqu'à elle. Elle regarda l'heure et se dirigea vers le salon. L'élève qui quittait avait l'air complètement épuisée avec son teint livide et des gouttelettes de nervosité collées sur le front. Elle regarda Élisabeth, heureuse de la voir apparaître.

— Qu'est-ce qu'elle a, ta mère ? Elle m'a fait peur tout le long du cours.

— Ça lui arrive. Moi, je trouve que tu as bien joué. Peut-être avec trop d'insistance sur la pédale, mais bien joué.

Elle raccompagnait la jeune fille lorsqu'on frappa à la porte avec fermeté. La première pensée d'Élisabeth fut que Mme Grabska était probablement sortie avec Adam sinon elle les aurait avisées par ses coups dans le plafond. La seconde fut qu'on venait certainement leur annoncer la mort de Jerzy. Seule la mort pouvait frapper aussi fort. Remplie d'appréhension, elle entrouvrit et se figea sur place. Deux Allemands, dont un officier, lui demandaient d'entrer. Elle leur laissa le passage libre. Zofia, avertie par les voix, était déjà là.

— Messieurs ?

Ils la suivirent au salon, le premier, jeune et fringant, ne faisant preuve d'aucune politesse, le second, de l'âge de Zofia, prenant le temps de les saluer. Ils visitèrent ensuite toutes les pièces de la maison. Le plus jeune y jeta un regard prétentieux de conquérant alors que le second le faisait discrètement, visiblement mal à l'aise.

Pendant la courte absence de sa mère, Élisabeth retrouva son sang-froid pendant quelques secondes. Elle demanda à Janina de partir et d'attendre Mme Grabska pour l'aviser de tirer ses tentures. Elle devait ensuite avertir le propriétaire du bistrot d'empêcher Tomasz et Jan de rentrer.

Janina, que la leçon avait déjà ébranlée, partit d'un pas si peu sûr qu'elle perdit pied sur la première marche de l'escalier et eut tout juste le temps de se retenir à la rampe pour ne pas tomber.

Le plus jeune des Allemands urina dans le cabinet sans en demander la permission. Zofia tiqua mais tenta de cacher son désagrément. Le jeune soldat ressortit en se boutonnant la braguette, ce qui, elle l'aurait juré, indisposa l'officier.

— Les professeurs sont vraiment bien logés. Tous ceux qui ont pu habiter dans des résidences de professeurs ont eu de la chance. C'est à votre tour, monsieur.

Il ricana sa réplique en regardant son supérieur qui demeura impassible.

— Bon, ajouta le jeune homme en se raclant la gorge, je crois que je vais aller fumer une cigarette dehors.

Élisabeth le raccompagna à la porte, puis revint vers sa mère. L'officier ne cessait de poser des questions. Élisabeth resta un peu éloignée et ne broncha pas. Elle trouvait que les mots de l'Allemand ressemblaient plus au claquement d'un fouet qu'à une conversation. Elle se sentit s'engourdir de peur de la tête aux pieds. Zofia se tenait devant elle, à la droite de l'officier, plus pâle qu'une pleine lune d'hiver, et lui fit comprendre, d'un discret battement de cils, de ne pas parler.

— C'est bien vous le professeur de musique?

— Oui, pourquoi?

— Vous avez bonne réputation.

Zofia reçut le compliment sans remercier. Elle se demandait s'ils avaient fiché toute la population de Cracovie. Un silence terriblement inconfortable s'installait dans la maison lorsque la porte s'ouvrit toute grande et qu'Adam arriva au grand galop, échappant à l'autorité de Mme Grabska qu'on entendait chuinter de mécontentement. Élisabeth tenta d'intercepter son frère mais il lui fila entre les doigts pour se diriger résolument vers l'officier. Il se précipita sur son étui à fusil. Mme Grabska, voyant qu'elle avait perdu la partie, s'éclipsa en douceur après avoir fait un signe pour tenter de rassurer Zofia.

— Adam ! Reviens ici tout de suite !

Étonnée, Élisabeth chercha d'où venait cette voix qu'elle venait d'entendre et qui ressemblait tant à la sienne. L'officier, d'un geste étonnamment patient, sortit son arme, la vida et la remit à Adam qui sourit de fierté. Zofia, horrifiée, la lui arracha des mains. D'une main toujours gantée, elle rendit l'arme avec dédain et jeta un regard furieux à Adam qui comprit qu'il avait commis un impair. Il retourna derrière sa sœur mais, d'un œil alerte, ne manqua rien de ce qui se passait dans la pièce. Élisabeth, elle, entendait sa poitrine craquer de peur.

— Le soir, nous mangeons assez tôt parce que nous faisons de la musique en famille. Dès que mon mari est de retour. Tous les soirs. Nous faisons cela depuis toujours.

Zofia essayait de lancer des appels au calme à Élisabeth qui semblait de plus en plus terrifiée par le silence froid et poli de l'Allemand. Zofia, elle, était à peu près impassible, mais Élisabeth, bien qu'à deux mètres d'elle, sentait la transpiration de plus en plus âcre de sa mère. Elle pensa que la peur avait une odeur.

— Nous vous installerons confortablement.

Élisabeth sursauta intérieurement, du moins l'espérait-elle. Ainsi donc la guerre venait de prendre leur maison d'assaut. Pendant près de quatre ans, ils avaient été continuellement ennuyés, mais jamais réquisitionnés, à leur grand étonnement d'ailleurs. Elle regarda l'officier qui avait recommencé à examiner la chambre de ses parents et elle frissonna. Depuis le début de la guerre, elle avait souvent eu peur.

Maintenant, elle était paniquée. Jan allait crever de faim et son père certainement mourir de chagrin. Cet officier allait tous les tuer. Elle sentit Adam lui pincer les fesses et, de la main droite, lui fit quelques signes d'impatience. Adam se mit à ricaner. L'officier le regarda, jeta un coup d'œil à Élisabeth, et parla encore.

— Nous avons été forcés, *Frau*, de réquisitionner votre chambre. J'ai dû céder l'appartement que j'occupais à un supérieur. Croyez-moi, rien ne me déplaît davantage. J'aime les soirées calmes, et trois enfants...

Zofia ne le laissa pas terminer, craignant qu'il ne veuille les éloigner.

— Ils sont ici chez eux !

— Comme je disais avant que vous ne m'interrompiez, j'aime les soirées calmes comme celles que vous semblez avoir. Et trois enfants bien élevés ne devraient pas être un problème.

Zofia baissa les yeux. Tomasz lui aurait reproché son manque de pondération.

— Quand apporterez-vous votre bagage ?

— Dans une heure. Au fait, *Frau*, mon nom est Schneider.

Élisabeth n'avait pas eu le temps de réagir que déjà l'officier franchissait d'un pas rapide le seuil de la porte.

— Maman, est-ce que nous sommes obligés de dire oui ?

— La pièce est réquisitionnée, Élisabeth, pas louée. Ils en sont les propriétaires.

— Eux ?

— D'une certaine façon, oui. Jusqu'à nouvel ordre. Vite, il faut déménager toutes nos affaires dans la chambre de Jerzy. Je vais installer l'officier dans la nôtre.

— Dans la vôtre ? C'est révoltant et dégoûtant.

— C'est la plus grande, elle a sa propre salle de bains avec les toilettes, sa fenêtre donne sur la rue...

— Tu parles comme une propriétaire d'hôtel.

— C'est un peu ce que nous devenons aujourd'hui, Dieu nous bénisse et nous pardonne. Allez, grouille.

Zofia mit un violon dans les mains d'Adam et lui recommanda d'en jouer pendant plus de dix minutes. Elle s'empressa ensuite de vider les commodes et chiffonniers de sa chambre pendant qu'Élisabeth faisait de même dans celle de Jerzy. Zofia essaya de garder son calme. De la pensée, elle ne cessait de chercher Tomasz. Il avait certainement bien compris les signaux puisqu'il n'était pas encore rentré. Elle se pencha à la fenêtre et vit que la sentinelle du lieu était toujours là, au coin de la rue Sainte-Croix. Quelle merveilleuse organisation que la résistance! Cet officier Schneider ne devait pas être trop important parce qu'il n'avait même pas demandé à rencontrer son mari. S'il y avait un Dieu pour tout le monde, il avait quand même pris le temps, aujourd'hui, de voler au secours de leur famille.

Jan arriva au moment où sa sœur et sa mère replaçaient le dessus-de-lit très usé sur la couverture.

— Au moins, il est propre.

— Qui? L'Allemand ou le lit?

Mère et fille sursautèrent comme si elles avaient entendu un violent coup de tonnerre.

— Jan! C'est terrible. Je ne dormirai plus de ma vie. Penser que cet homme-là va être dans leur lit et que...

— Cesse donc, Élisabeth. Nous n'avons pas de temps pour des jérémiades. Il nous faut mettre au point une stratégie pour continuer à vivre comme hier.

Zofia regarda son fils et, malgré le fait que la famille subissait un cataclysme, elle prit le temps de savourer sa fierté. Quel homme il devenait! Petit d'âge, grand de taille et de cœur. Tous les jours, sans se plaindre, il travaillait à la brasserie que les Allemands avaient ouverte au Wawel, à se tremper les bras jusqu'aux coudes et à s'arracher les ongles à récurer, sans abrasif ni brosse, des casseroles et des poêlons noircis. En hiver, le travail était tolérable, mais en été la chaleur déjà opprimante de la ville ne faisait qu'épaissir celle qui l'étouffait dans ses éviers inondés d'eau à quelques degrés d'être bouillante.

— J'ai dit que nous faisions de la musique tous les soirs.

— Tous les soirs?

— Je sais, je sais, c'est une erreur. Il va falloir que nous le fassions. Je ne peux vraiment pas me contredire.

Ils passèrent tous les trois dans la chambre de Jerzy et commencèrent à l'organiser assez fébrilement.

— Oui, tu peux. Si tu expliques que tu étais nerveuse, trop impressionnée. Que les bons nerfs, c'est pour les hommes, pas pour les femmes qui ne sortent jamais. Tu peux préciser que nous ne faisons de la musique qu'un soir sur deux.

— Et nous faisons quoi les autres soirs ?

— Je ne sais pas. Il va falloir que j'y réfléchisse mais papa aura probablement une bonne idée.

L'officier revint près de deux heures après son départ, portant trois valises. Zofia et les enfants avaient mangé et Adam avait accepté d'aller dormir tandis que Jan et Élisabeth, après avoir frotté leurs archets sur le peu d'arcanson qui leur restait, s'étaient installés au salon pour s'exercer en attendant que leur mère les rejoigne. L'officier entra dans sa chambre et ils ne le revirent que quelques minutes lorsqu'il vint s'asseoir pour les entendre jouer. Aussitôt qu'ils eurent posé leurs instruments, il s'approcha de Zofia et lui tendit des tickets de rationnement.

— J'aime bien manger.

Zofia fut absolument furieuse contre elle-même de s'entendre le remercier avec une réelle reconnaissance. Comment pouvait-elle dire de tels mots alors qu'elle était morte d'inquiétude pour Tomasz ? Pour se donner une contenance, elle retourna s'asseoir au piano. Elle avait le cœur à la musique comme un sourd-muet aurait eu envie de chanter mais elle se plia à la discipline musicale pour ne pas pleurer. Les tickets brûlaient sa poche.

Les mains de Zofia dansaient mécaniquement sur le clavier pendant que son cœur suivait le cortège funèbre de ses pensées. Il n'était pas normal que Tomasz ne fût pas encore rentré. Elle avait d'abord eu un léger agacement, puis un inconfort certain. Après plusieurs minutes passées à scander son malaise, elle avait fini par être effrayée du pressentiment qui persistait. Les Allemands avaient-ils encore enlevé son mari ? Elle ne pouvait s'empêcher de comprendre que c'était pour cette raison que cet officier trop poli était installé chez eux. Il était là pour les espionner, elle en avait maintenant la certitude. Schneider, elle en frissonna, l'écoutait certainement derrière la porte de sa chambre. Tantôt, il n'était pas venu s'asseoir pour les entendre mais bien pour lui remettre des tickets. La charité. Il leur avait fait la charité. Zofia finit sa pièce et posa ses mains sur ses cuisses.

— Il pleurait, maman, je te le jure.

— Quand ?

— Quand on a joué.

— Vraiment ? Qu'est-ce que tu veux que ça me fasse, un amateur de musique à l'œil humide, quand je veux savoir où est ton père ? Il devrait être là.

Zofia avait la voix brisée par l'inquiétude. Jan se sentit obligé d'intervenir.

— Je pense que nous devons agir comme si tout était normal. Je vais dans ma chambre, et toi, Élisabeth, fais la même chose.

Vingt-deux heures avaient sonné et résonné dans la maison quand Zofia entendit Tomasz ouvrir la porte d'entrée. Elle se pressa à sa rencontre et lui fit signe de se taire, ayant remarqué qu'aucune lumière ne se glissait sous la porte de leur « occupant ».

Ils passèrent à la cuisine et fermèrent la porte mais n'en chuchotèrent pas moins.

— Veux-tu me dire où tu étais ? Si tu savais ce qui se passe ici !

— Je sais. J'ai observé la maison longtemps. J'ai vu l'automobile, puis un jeune soldat descendre et fumer une cigarette. Quelle horreur, Zofia ! Qu'allons-nous faire ?

— Maintenant que tu es rentré, la seule chose à laquelle je pense, c'est que nous devons dormir. Tout cela m'a épuisée.

Tomasz, que la fin de leur sécurisante intimité avait secoué plus qu'il ne voulut l'admettre, s'endormit en serrant Zofia dans ses bras comme s'il n'y aurait plus jamais de lendemains mais que des jours d'hui.

Tomasz s'éveilla à l'aube et se vêtit à la hâte. Il entendit qu'on actionnait la chasse des W.-C. de sa chambre et secoua la tête pour s'empêcher d'imaginer l'homme qui s'était éveillé sous son toit. Il entra dans la seconde salle de bains, fit une toilette rapide et pénétra dans la cuisine où Zofia s'affairait à préparer le petit déjeuner de l' « occupant ».

— Tu ne vas quand même pas le bichonner ?

— Je ne veux pas m'en faire un ami, Tomasz. Mais je ne veux pas m'en faire un ennemi.

— *C'est* un ennemi.

— Quand l'ennemi tousse à côté de toi et qu'il pleure en écoutant la musique, il a un visage. C'est ça mon problème. J'aurais sincèrement préféré qu'il soit masqué.

— Les Allemands ne se font pas autant de scrupules avec nos figures, crois-moi. Je les vois tous les jours et je les ai vus au camp.

— Je préfère quand même alléger l'atmosphère de la maison. Nous avons trois enfants qui y vivent ce qui est censé être les belles années de leur vie. Tu te rends compte ? On vient de leur expédier le pire, ou presque.

Jan et Élisabeth entrèrent et Tomasz vit les cernes d'insomnie sous les yeux de sa fille. Il lui tapota le dos au niveau des reins pour la réconforter. Jan, lui, voyant sa sœur au bord de la crise, claqua les talons et s'approcha de sa mère.

— Je *f*ous demanderais de toujours a*f*oir des croissants français et de la marmelade anglaise. Je *f*oudrais aussi du saucisson allemand, le saucisson polonais étant trop gros et trop gras, beaucoup trop gras. Nous, les Allemands, nous faisons très attention à notre foie. — À votre voix ? demanda-t-il en changeant de timbre. — Non, à notre foie. — Ah !

Malgré l'horreur de l'amusante saynète, toute la famille ricana, mue par la nervosité, certes, mais aussi par la joie de constater que la vie continuait même si tous avaient l'impression qu'un garde-chiourme les surveillait maintenant en permanence. Tomasz essuya ses lunettes qu'il avait embuées.

— Tu as autant de talent que ton frère. Vous souvenez-vous de ce poème qu'il nous avait récité en imitant ses confrères ?

> *Que t'importe après tout que cet ordre barbare*
> *T'enchaîne loin des bords qui furent ton berceau ?*

— Attends, attends, je m'en souviens...

Jan frétillait, le cerveau en ébullition.

— Oui, ça me revient...

Que t'importe... en quels endroits... non... *lieux le destin te prépare*
Un glorieux tombeau ?

Jan voulut se taper la cuisse et éclater de rire mais il
s'étrangla aussitôt en voyant que l'officier allemand avait
ouvert la porte à l'instant même où il disait « tombeau »
d'une voix apeurante.

Tomasz pâlit et se leva, le regard suspendu aux cils de
l'Allemand qui tiqua légèrement en le voyant. Ce fut à son
tour de s'accrocher aux lunettes de Tomasz. Le face à face
dura une éternité. L'officier détourna le regard le premier, et
s'approcha de Zofia à qui il demanda de goûter à ce qu'elle
lui avait préparé. Elle le fit sans le quitter des yeux,
comprenant qu'il avait peur qu'elle ne l'empoisonne. Il lui
demanda ensuite de porter son plateau dans sa chambre. Il
la suivit et s'installa à la coiffeuse.

— Je mangerai toujours dans cette pièce, *Frau*. Et vous
goûterez à tous mes plats. Ce soir, je ne rentrerai pas pour le
souper.

Zofia revint dans la cuisine et vit que Tomasz avait
toujours son regard incrédule. Jan fut le premier à se
ressaisir.

— Tu le connais, papa ?

— Je l'ai déjà rencontré.

Il se tourna vers sa femme.

— Zofia, c'est l'officier qui est venu faire une colère dans
mon cagibi. C'est un homme violent, j'en suis certain. Mais il
se contrôle, il se contrôle.

— Il est important ?

— Je crois, oui. Je me demande comment il se fait qu'il
soit ici.

Tomasz espérait que son ton fût rassurant. S'il avait fallu
que Zofia et les enfants comprennent qu'ils étaient espionnés
— il en était certain —, ils en auraient fait une maladie. Il lui
fallait absolument trouver des solutions rapides pour protéger ceux qu'il aimait, sa famille, ses collègues et ses
étudiants. Il s'interrogeait et tentait de rassembler ses
pensées à une vitesse affolante.

— Élisabeth, sans prendre de risques, peux-tu aller porter mon violoncelle chez Mme Grabska ? Mais laisse l'étui ici.

— Quoi ?

— Il y a deux sentinelles et deux gardes du corps qui nous surveilleront. Je vais leur remettre mon étui rempli de papiers que je dois absolument faire parvenir aux étudiants.

Tomasz tenta une dernière fois de montrer que tout allait bien dans cette maison qui venait discrètement de se changer en prison.

— À quelle heure, le violon ?

— Sept heures et demie ?

— Parfait.

Confiant son violoncelle à Élisabeth, Tomasz prit l'étui et passa dans son bureau. Il le remplit de livres et de notes de cours et descendit l'escalier d'un pas alourdi. Zofia le regarda partir et se précipita à la fenêtre. Elle le vit marcher dans la rue Nicolas et entrer par une porte cochère pour en ressortir délesté. Un homme tenant un étui à violoncelle en sortit quelques minutes plus tard. Elle se retourna en souriant.

— Ils ont réussi l'échange.

Surtout, continuer la routine comme si rien n'avait changé. Elle demanda à Élisabeth de laver Adam, qui protesta vivement, et elle pria Jan de se hâter afin de ne pas être en retard au travail.

— Tu connais le premier principe...

Élisabeth, qui négociait avec Adam, et Jan, qui s'apprêtait à franchir la porte, se regardèrent et répondirent en chœur :

— Premier commandement de Dieu Pawulski : sachez disparaître même quand vous êtes là ! Deuxième commandement : ne regardez jamais un soldat plus haut que le genou. Troisième commandement : répondez par oui ou par non, ne discutez jamais. Quatrième commandement...

— Ça suffit, vous deux. Vous êtes décourageants.

— Oui, *oui !*

— Il me semble que vous devriez vieillir un peu...

— Non, *non*, non !

— Adam ! Ne te mêle pas de cela. Va commencer ta toilette tout de suite.

Adam s'en alla en dérapant sur le plancher pendant que sa mère le regardait, complètement découragée.

— Cessez donc vos imbécillités. Ce n'est pas un exemple pour votre frère...

— Oui, *non !*

Ils éclatèrent tous de rire. Zofia aimait tant voir que ses enfants, quoique meurtris par cette guerre qui n'en finissait plus de les blesser, avaient toujours plein de tendresse pour leur famille. Tomasz et Jan s'entendaient enfin comme larrons en foire tandis que sa fille et elle-même faisaient une douce paire d'amies. Étonnante, cette vie qui les privait aux limites de la tolérance et leur permettait en même temps de se gaver.

— Vite, Jan. Tu devras courir d'ici au Wawel si tu ne veux pas être en retard.

Jan grimaça en prenant connaissance de l'heure et partit au galop.

Zofia accueillit son premier élève le sourire aux lèvres juste avant qu'Adam n'accoure fesses nues avec Élisabeth à ses trousses. L'élève, un Allemand qui n'avait pas plus de neuf ans, haussa les épaules et passa un sec commentaire signifiant que ça ne faisait pas très sérieux de voir un « enfant » se promener nu pendant un cours. Zofia, l'œil moqueur et la voix faussement sévère, répliqua que le pauvre enfant habitait cette maison et qu'évidemment, s'il l'avait pu, il se serait empressé d'aller ailleurs. Elle supplia son élève d'avoir de l'indulgence, promettant qu'un si terrible spectacle ne se produirait plus dès qu'Adam entrerait à l'école, dans deux ans. Elle gronda quand même Adam, pour la frime, jetant un regard entendu à Élisabeth qui se contenta de tenir son frère par la main avant de le traîner pour l'habiller et le conduire chez Mme Grabska. Élisabeth revint pour suivre son propre cours et joua assez bien sous l'œil perçant et l'oreille aiguisée de sa mère.

— Élisabeth, je pense que tu pourrais obtenir ton diplôme aussitôt la guerre terminée.

Élisabeth éclata de rire. Sa mère était parfois tellement naïve. Aussitôt la guerre finie, pensa-t-elle. Quelle âge aurait-elle alors ? Elle allait avoir dix-sept ans. Bientôt elle ne pourrait même plus rattraper le temps perdu et s'inscrire au Conservatoire. Elle aurait dix-sept ans, aucun diplôme et aucun avenir. Si seulement elle avait pu être assez qualifiée pour enseigner la musique, elle aurait peut-être pu en vivre. Zofia avait suivi le fil des pensées de sa fille.

— Je sais à quoi tu penses. Je t'assure que tu es très en avance et que tu pourras enseigner la musique. Crois-en l'expérience de ta mère. Si tu ne me crois pas, tu demanderas l'opinion de M. Jacek la prochaine fois qu'il viendra nous voir.

Zofia avait dit la chose comme si elle allait de soi, mais elle savait bien que M. Porowski n'était pas venu depuis le mois de décembre. Elle s'en inquiétait mais disait toujours qu'il avait probablement eu une récolte moins généreuse qu'ils ne l'avaient tous pensé. Intérieurement, elle craignait que son âge n'ait réussi à venir à bout de sa vie. Elle espérait quand même qu'il arrive, tout sourire, quoique craignant sa réaction devant leur « occupant ». Zofia appréhendait cette rencontre. Schneider effaroucherait certainement leur fidèle et très cher ami, fournisseur de nourriture.

19

M. Porowski, venu les visiter après une longue absence, était attablé avec la famille, le regard bavard. Schneider était dans la cuisine, regardant Zofia servir et goûter les plats. Son assiette emplie, il suivit Zofia jusqu'à sa chambre. Il leur avait demandé de ne plus l'appeler par son grade, préférant *Herr*. Schneider était sous leur toit depuis bientôt six mois et il n'avait jamais fait un seul commentaire sur leurs allées et venues. Tomasz se méfiait toujours de lui alors que Zofia avait plutôt tendance à lui faire confiance. Jan se tenait à distance alors qu'Élisabeth acceptait de l'entendre lui parler de l'Allemagne, plus particulièrement de sa Bavière natale. Quant à Adam, il était devenu le petit ami de M. Schneider qui lui apportait des friandises et parfois un crayon de couleur rouge. Adam l'adorait et Schneider ne semblait pas se lasser de cette admiration. Tomasz en prenait parfois ombrage mais Zofia tentait de l'éclairer en lui rappelant qu'il était préférable pour leur fils de grandir dans un climat de fragile sérénité plutôt que de le faire dans la peur. Tomasz concédait à contrecœur qu'elle avait probablement raison. Zofia était revenue s'asseoir devant un Porowski incapable d'avaler.

— J'ai vu un colis dans sa chambre. Il ne l'avait pas encore déballé.

Zofia avait lancé sa nouvelle sans s'en formaliser. Seul Porowski avait réagi.

— Vous m'excuserez, mes amis, mais j'ai l'impression qu'on me tient la nuque en joue.

— On s'habitue.

Jan avait répondu tout en mordant avec joie dans les premières pousses de laitue fraîche que M. Porowski leur avait apportées. Tomasz regarda l'heure et fit signe qu'il leur fallait accélérer. Les Pawulscy s'étaient habitués à ce second langage. Leurs bouches parlaient de tout et de rien pendant que leurs corps faisaient comprendre d'autres propos.

— Nous faisons du violon tous les deux soirs depuis qu'il est arrivé ?

— Un soir sur deux ?

Porowski venait enfin de retomber dans la réalité et il était impressionné.

— Vous allez devenir de grands artistes.

Il regardait Jan et Élisabeth.

— Mais ils le sont déjà. Le mois dernier, j'ai dit à Élisabeth qu'elle devrait vous jouer quelques morceaux. Vous allez entendre et voir qu'elle a tout ce qu'il faut pour être professeur.

Porowski tenta de sourire mais il savait fort bien qu'elle ne pourrait pas enseigner si elle n'avait pas ses diplômes. Il lui fallait la reconnaissance écrite de ses capacités et de son talent.

— J'espère ne pas vous avoir inquiétés en ne venant pas pendant plus de cinq mois.

— Nous avons été terriblement inquiets.

— C'est que ma santé commence à me penser vieux. C'est aussi parce que la surveillance des gares s'est accrue. J'ai vu deux ou trois arrestations quand j'ai essayé de venir en février, en mars et en avril. Les Allemands tirent non pas sur le gibier mais sur ceux qui en transportent.

Il s'interrompit net, conscient qu'il avait trop parlé. Tomasz se leva et se dirigea vers la porte pour écouter. Il l'ouvrit et la referma.

— Il est dans sa chambre.

Porowski respira profondément. Adam mâchouillait sans problèmes pendant que Jan dodelinait de la tête. Ce jeu de cache-cache l'irritait.

— Je ne suis pas certain de pouvoir venir aussi souvent

que l'an dernier. C'est dommage, parce que j'ai semé davantage que les autres années...

— Avez-vous planté les pommes de terre?

— Oui, et j'ai pensé à vous, surtout à Jerzy, à chaque morceau.

Élisabeth sourit tristement et se dirigea vers la chambre de M. Schneider. Elle en revint toute rose et Zofia, l'espace d'une seconde, crut que Schneider avait cessé d'être poli. Elle se durcit aussitôt et lui demanda s'il avait fait quelque chose pour l'incommoder.

— C'est incroyable! Il a déballé son colis. Voulez-vous savoir ce qu'il y avait dedans?

Zofia se calma devant le sourire de sa fille.

— Quoi?

— Une flûte! Avant la guerre, M. Schneider était flûtiste. J'ai certainement mal compris mais je pense qu'il a dit avoir déjà joué à quelques reprises avec l'orchestre symphonique de Munich.

Toutes les bouches, même celles qui étaient pleines, s'ouvrirent d'étonnement. Zofia fut la première à réagir.

— Mon Dieu! Tous les soirs, il est venu entendre des amateurs...

— Voyons, Zofia! Vous êtes aussi professionnelle que lui.

L'onde de choc passée, ils s'empressèrent de terminer le repas, rangèrent la cuisine et passèrent au salon. Pour célébrer le retour de Porowski, Zofia lui tendit le violon de Jerzy et le pria de se joindre à eux. Porowski avoua se sentir incapable de jouer tant ses mains tremblaient. Il chuchota à l'oreille de Zofia qu'il ne pourrait jamais distraire un Allemand.

— Cet homme m'effraie, Zofia, et ce serait presque de la trahison.

Tomasz l'entendit et sentit une sourde colère lui naître dans la poitrine, tout près du cœur.

— Malgré tout le respect et l'amitié que j'ai pour vous, je vous interdis de penser comme vous le faites.

La voix qu'il devait étouffer lui sortait de la bouche en cascades grondantes.

— Nous n'avons rien choisi, monsieur Porowski. Nous subissons, comme les autres, et nous n'avons pas cessé nos activités, si vous comprenez ce que je veux dire. Si vous comprenez ce que je veux dire.

Il appuya sur chacun des mots qu'il répétait, les scandant un à un comme s'ils pouvaient disperser la méfiance qui venait de s'infiltrer dans tous les cœurs. Porowski cilla à chaque mot, comme si Tomasz l'avait giflé. Jan buvait avec admiration les paroles de son père pendant qu'Élisabeth se tenait près de Zofia, prête à la soutenir si elle devait défaillir, ce qui ne lui ressemblait guère. Sa mère idolâtrait son maître de musique.

— Je dis quand même qu'à mon âge il y a des choses qu'on ne peut plus faire. Il y a surtout des choses qu'on ne peut plus apprendre.

— Vous devriez nous plaindre au lieu de nous...

Tomasz s'interrompit. Le souffle clair d'une flûte venait d'entrer dans la maison. L'effet de surprise estompé, Tomasz enleva ses lunettes pour mieux écouter alors que Porowski se laissa tomber sur un des fauteuils du salon. Élisabeth partit à la suite d'Adam qui se dirigeait vers la porte de Schneider tandis que Jan prit le bras de sa mère et y exerça une légère pression de tendresse. Ils écoutèrent le solo pendant près d'une demi-heure que même Adam ne meubla pas de sa voix aigrelette. La flûte se tut.

Porowski regardait la porte de la chambre de Schneider, espérant secrètement qu'elle s'ouvre afin qu'il puisse mieux examiner le Prussien au souffle génial. Son attente ne fut pas vaine. Elle s'ouvrit et Schneider, ayant abandonné son uniforme, en sortit. Il les salua de la tête et regarda Zofia.

— Je suis un peu rouillé, mais si vous me faisiez l'honneur de m'accepter, j'aimerais me joindre à vous. Je sais qu'il n'est pas logique qu'une flûte joue avec votre ensemble mais, à part quelques notes et en adaptant un peu, je pourrais facilement suivre les partitions du violon.

Porowski marmonna qu'il n'était pas logique non plus que les Polonais acceptent de jouer avec lui.

— S'il vous plaît.

Personne, chez les Pawulscy, ne répondit. Ils prirent tous

leur place et M. Porowski, tête basse, sortit finalement l'alto de Jerzy.

— Si ma présence vous indispose, *Meister* **Porowski**, je peux reporter mon initiative à un autre jour.

Zofia se contenta d'indiquer une chaise à Schneider. Adam s'installa près de son père et, la menotte sur la main de ce dernier, il se laissa bercer par les mouvements de l'archet qui commença ses caresses aussitôt que Zofia eut fini de donner la mesure. Porowski joua comme il l'avait toujours fait, avec une émotion à fleur d'archet. Mais, ce soir-là, il lui arriva de sauter quelques mesures pour entendre gémir une flûte qui inventait des notes toutes plus déchirantes les unes que les autres.

La soirée musicale terminée, Porowski accepta de dormir à Cracovie, le couvre-feu lui interdisant de sortir. Zofia voulut l'installer dans la chambre de Jan mais Porowski refusa.

— Non, Zofia. Je préfère m'étendre sur un des divans du salon. Avec un peu de chance, les murs vont encore vibrer d'émotion et je pourrai entendre l'écho de notre belle soirée. Demain, je veux parler à Élisabeth. J'aurais aimé dire à... l'Allemand qu'il joue admirablement bien, mais j'en suis incapable. Transmets-lui le message. Et précise que c'est en toute sincérité que je le lui dis. Demande-lui s'il accepterait que je me joigne à vous plus fréquemment ou que je me contente de vous écouter. Maintenant que le potager commence à être généreux, je vais venir plus souvent.

— Je suis heureuse de vous l'entendre dire, monsieur Jacek.

Zofia lui installa un lit de fortune et lui souhaita de bien dormir. Elle alla rejoindre Tomasz qu'elle trouva agenouillé à côté du lit.

— Depuis quand est-ce que tu pries à genoux, Tomasz?

— Je ne prie pas, Zofia. Je suis troublé, oscillant entre l'extase et le désespoir. Je cherche le souffle qui m'aidera à travailler pour les Allemands, les yeux mi-clos derrière mes lunettes, tout en sachant que j'ai dû confier à d'autres la responsabilité de porter mes notes de cours. Des jeunes. Ils sont héroïques. Tu te rends compte, Zofia? Il y en a qui vont avoir leur diplôme. Et ce soir, je me demande comment je vais faire pour cacher le plaisir que nous avons à faire de la musique avec un Allemand. Je me sens traître jusque dans l'âme.

— Pas moi. La clé de *sol* n'a pas de nationalité. La clé de *fa* non plus. Nous nous plaisons à jouer, c'est tout. Rien de plus, Tomasz. Il n'y a pas de traîtrise à aimer la musique. Il n'y a pas de mal à avoir quelques heures de paix dans ce monde en guerre depuis presque cinq ans.

— Il y a de la folie à aimer son bourreau.

— *Herr* Schneider n'est pas un bourreau.

— Tu ne peux pas le savoir, Zofia.

— Non, Tomasz, je ne peux pas le savoir. Mais je sais que je ne l'aimerai jamais.

Si le 5 juin 1944 fut mémorable chez les Pawulscy, il le fut davantage chez les Alliés, qui venaient de rater leur débarquement en Normandie à cause du mauvais temps. Ce n'est que le lendemain qu'ils envahirent les côtes normandes. Les Allemands, à ce que comprit Tomasz, croyaient à une diversion. Ils les attendaient ailleurs et étaient fiers de ne pas tomber dans leur piège. Cependant, pendant trois bonnes semaines, Schneider vint très régulièrement manger ou dormir. Il n'eut que de rares occasions de se joindre à eux pour jouer mais prit quand même le temps de le faire. Ce geste les étonna.

— Pourquoi est-ce qu'il fait cela, Zofia?

— Je pense que c'est parce qu'il a les nerfs complètement épuisés. Depuis cette victoire des Alliés au mont Cassin, je ne suis pas certaine que tout aille bien pour l'Allemagne. En tout cas, son comportement me fait croire cela, et les rumeurs aussi. J'ai l'impression que Jerzy va bientôt rentrer.

Tomasz la regarda, esquissant un sourire triste. Il lui passa une main sur la joue.

— Nous travaillons fort à éviter le sujet, Zofia. Mais j'ai vraiment l'impression que Jerzy est mort. En fait, j'en suis certain, Zofia.

Zofia détourna les yeux, irritée. Tomasz devait avoir beaucoup changé pour penser que la mort pouvait toucher leur famille. Comment pouvait-il dire que Jerzy était mort alors que son ventre à elle n'avait pas cessé de sentir battre son cœur ? Tomasz devait avoir une énorme et secrète désillusion de savoir que ses fils ne feraient jamais partie de l'élite cracovienne. Zofia s'en voulut aussitôt de laisser de si honteuses pensées enfumer son cerveau. N'éprouvait-elle pas elle-même parfois une rageuse déception en voyant le talent d'Élisabeth risquer de passer inaperçu ? Elle se dirigea vers la salle de bains et se brossa les cheveux avec tant de vigueur que son cuir chevelu en souffrit. Elle se parla à haute voix, se regardant en face dans le miroir.

— Qu'est-ce que la guerre a fait de toi, Zofia Pawulska ? Qu'est-ce que la guerre a fait de nous ? Comment pouvons-nous être déçus quand nos enfants respirent, vivent ?

Elle revint dans la chambre, plus calme, et regarda Tomasz avant de se coller la tête en bataille contre son épaule.

— Il est vraiment temps que la guerre se termine, Tomasz. Parce qu'il est urgent que nos pensées s'humanisent. Nous avons perdu tout sens de la mesure.

Tomasz comprit ce que sa femme essayait de lui dire, baissa le front et se sentit profondément humilié d'avoir des pensées aussi tortues, lui qui avait la prétention de se croire intelligent, presque infaillible.

20

Tomasz transpirait la canicule de la fin de juillet assis à sa table de travail. Les livres d'histoire avaient perdu leur « craquant » et les pages, ramollies, collaient les unes aux autres. Depuis des mois et des mois, il calquait sur du papier pelure toutes les cartes qu'il pouvait trouver et acheminait son travail par l'intermédiaire de Jozef ou d'autres étudiants qui arrivaient à la maison un étui à violon sous le bras. Il était extrêmement rare qu'on vienne vérifier son travail, aussi s'était-il réconcilié avec sa présence quotidienne au Wawel à écrire des hérésies. En revanche, il prenait de plus en plus de risques.

Une soudaine clameur s'éleva de partout et Tomasz entendit des cris et des pas de course dans les couloirs et les escaliers. Le charivari lui fit penser à sa première rencontre avec Schneider, après le bombardement de l'*Empress of Britain*. Aujourd'hui, par contre, les Allemands avaient certainement essuyé une cuisante défaite parce que tous les sons allaient en crescendo. Il tendait l'oreille le plus possible lorsque Schneider pénétra de nouveau dans son cagibi et referma la porte. Il se planta droit devant Tomasz, les mains posées sur les cartes que celui-ci venait de terminer, et commença à gueuler si fort que Tomasz eut terriblement peur de lui, se demandant comment il pouvait être sans méfiance quand ils tenaient des instruments de musique et combien cette entente disparaissait aussitôt que Schneider était armé et que lui-même n'avait dans les mains qu'un tout petit crayon à l'extrémité rognée. Tomasz sut qu'il transpi-

143

rait sa peur à infimes gouttelettes, mais c'était davantage en regardant les cartes froissées par Schneider.

— Vous vous rendez compte, *Herr* Pawulski? On a tenté d'assassiner Hitler! Qu'est-ce que vous pensez qui arriverait si une telle chose se produisait? Mais ce serait la fin de tout, *Herr* Pawulski, rien de moins. La fin de tout. Est-ce que c'est clair?

Tomasz se força à ne rien dire. Schneider était cramoisi et il voyait dans son œil injecté toute la puissance des conquérants qui lui rappelait trop ses mois d'emprisonnement. Il tenta de s'enfoncer dans sa chaise en pensant combien la maison deviendrait infernale maintenant qu'il réapprenait que l'agneau qui dormait chez lui pouvait se changer en loup. Schneider alla se placer devant le mur à l'endroit même où il l'avait fait quatre ans plus tôt et recommença à le marteler à coups de poing tout en frappant les plinthes à coups de pied. Tomasz le vit se ressaisir et se retourner. Mais, cette fois, Schneider sourit un peu.

— Il faut que les officiers laissent sortir la vapeur à l'occasion, surtout quand le soleil surchauffe tout. J'espère ne pas vous avoir trop affolé.

Tomasz sentit que sa lèvre supérieure venait de se soulever en un rictus asymétrique. D'une voix de fausset, il répondit qu'il avait évidemment été un peu incommodé. Schneider éclata d'un rire si discret que seul Tomasz l'entendit.

— Je vous observe depuis quelque temps, *Herr* Pawulski. Avez-vous aussi suivi des cours pour être comédien? Je trouve votre numéro du petit Polonais gris et misérable assez réussi.

Là-dessus, il se dirigea vers la porte, qu'il ouvrit. Mais il revint sur ses pas.

— Au fait, ces cartes que vous dessinez sur du papier pelure, c'est pour votre travail, j'espère...

— Évidemment.

Schneider claqua les talons et partit s'enfoncer dans le tumulte. Tomasz ferma les yeux, enleva ses lunettes, passa ses mains glacées sur sa figure, soupira et se demanda encore ce que cet officier était venu faire dans sa maison. Depuis sept mois qu'il était là, le militaire avait été dangereusement aveugle, étrangement sourd et particulièrement discret. Tomasz frissonna. Vivement que cette guerre prenne fin et que tous les Schneider du monde soient à leur tour annihilés pour que les Polonais puissent enfin tricoter avec des pelotes formées de leurs nerfs ! Tomasz s'encouragea en pensant à ses étudiants.

M. Porowski arriva, les bras chargés de légumes.

— Une année exceptionnelle. On dirait que la terre a repris confiance et qu'elle n'a plus peur qu'on lui arrache ses fruits avant qu'ils soient mûrs. Viens m'aider, Jan.

La demande était redondante, Jan étant déjà affairé à boucler ses lacets pleins de nœuds tant ils étaient effilochés. Porowski baissa le ton et pointa le menton vers la chambre.

— Est-ce qu'il est là ?

— Pas encore, mais il devrait arriver sous peu.

Porowski en profita pour parler rapidement des problèmes qu'il avait rencontrés pour entrer dans la ville. Les soldats étaient partout dans les gares et dans les rues, surtout aux intersections.

— Je trouve, Tomasz, qu'il y en a beaucoup dans votre quartier et on dirait qu'ils sont devenus fous. J'en ai vu un tuer un chat. On m'a arrêté trois fois ce matin : dans la gare, devant l'hôtel Polonia et dans les Planty. J'ai dû montrer mes papiers les trois fois. On m'a presque emmené, m'accusant de travailler au noir. Il a fallu que je ratatine encore davantage mon âge pour les attendrir. Mais, à vrai dire, j'ai eu l'impression que cela les irritait plus qu'autre chose. Je ne suis pas certain de pouvoir subir longtemps ce petit régime. Je ne sais pas pourquoi mais je trouve que les Allemands sont de plus en plus belliqueux. Penses-tu qu'ils sont en train de perdre la guerre ?

— Ils s'acharnent beaucoup sur Londres.

— Londres ?

— C'est ce que j'ai entendu au Wawel.

Jan, qui était rentré les bras chargés, déposa le tout sur la table. Zofia gronda M. Jacek d'en apporter trop. Jan descendait pour chercher le dernier carton de M. Porowski lorsqu'il fut forcé de remonter l'escalier à reculons, Schneider montant avec le carton. Il le plaça sur une table du salon sous le regard étonné de Jan.

— *Meister* Porowski n'est pas prudent. J'ai vu des voyous reluquer ses provisions dans le hall de la maison.

— Des voyous dans le hall ?

— Ils ont dû vous suivre, *Meister*.

Là-dessus, devant un Jan muet d'étonnement, il entra dans sa chambre et referma la porte doucement comme il le faisait toujours. Ce soir-là, Tomasz et Zofia parlèrent de l'événement.

— Qu'est-ce que tu penses qu'il voulait dire quand il a sous-entendu qu'il n'était pas prudent ?

— Rien d'autre que ça. C'est vrai qu'il y a beaucoup de gens qui aimeraient mettre la main sur ce qu'il nous apporte.

— Tu es trop confiante, Zofia.

— Et toi, tu es trop méfiant.

La discussion ne s'acheva que lorsque Zofia s'endormit entre deux phrases. Elle était lasse de la peur et préférait chercher des raisons de l'ignorer, alors que Tomasz, lui, avait de plus en plus peur. Il avait les nerfs à bout de passer vingt-quatre heures par jour en compagnie d'Allemands. Malgré cela, il trouvait quand même le moyen de tenir des rencontres avec les autres conspirateurs de l'université clandestine et de superviser l'expédition de matériel aux étudiants.

Tomasz eut énormément de mal à trouver le sommeil. Ses craintes étaient aussi énormes que ses responsabilités. Il y parvint pourtant, même s'il se désolait en pensant que ses cinquante-quatre ans commençaient à peser sur toutes ses résistances.

21

Jerzy regardait approcher l'infirmière. Encore l'heure des médicaments et du changement de pansements. Encore l'heure du martyre et de la pénicilline brûlante. Il tourna la tête pour observer le mur pas trop propre et dont il connaissait toutes les fissures. Depuis des mois, comme un enfant, il inventait et réinventait une histoire pour chacun des dessins faits par les éclaboussures de sang. Il avait vu des nuages et des animaux, des aliments et des instruments de musique. Il avait même tenté de retrouver les traits de gens qu'il aimait. En vain. Les murs demeuraient tachés de ce sang qui fonçait de jour en jour. Jerzy ferma les yeux et tenta de se dissimuler le plus grand de ses maux. Il n'avait plus envie de se battre pour vivre. Il était las de cette mortelle routine qui n'avait qu'une seule parente, celle du rituel funéraire. Ici, toutefois, on n'enterrait pas les morts. On les soignait et on leur faisait croire qu'ils étaient vivants. On les aspergeait d'encouragements tous plus mièvres les uns que les autres. On les encensait de fumée de cigarettes américaines. On ne les avait pas cloués sur une croix mais sur un lit. Heureusement qu'il avait un tout petit espoir de quitter ce semblant de caveau qu'ils appelaient hôpital. Il rouvrit les yeux et regarda son voisin de lit, qui semblait ne pas être mieux que lui. Jerzy lui sourit.

— Ça va ?
— Oui. Et toi, ça va ?
— Merveilleusement bien. Et encore mieux quand je pense que demain les douleurs vont être moins aiguës et qu'avec un peu de chance j'irai au concert.

147

Jerzy ne savait pas pourquoi il disait toujours que les choses allaient bien quand il se sentait mal à mourir et que la vie était belle uniquement quand il fermait les yeux pour ne pas la voir. Il ne voulait pas être déprimant à côtoyer. Il pleurait donc sa douleur la nuit, et la couvrait de rires le jour.

Le changement de pansements avait duré des minutes et des minutes de souffrance que les trois comparses avaient transpirée abondamment, les mâchoires « serrées comme des cuisses de vierge », disaient-ils.

— Allez, allez, messieurs, le pire est fait. Il est seize heures et c'est l'heure de la pénicilline.

Jerzy fit un large sourire et offrit d'être le dernier à recevoir son injection, ses amis, brillants héros australiens, méritant de déguster la cuvée en premier.

— Je peux me fier à eux. Ils pourront me dire si c'est un grand cru.

— Non, non, la Pologne d'abord. Surtout son élite cracovienne.

Jerzy s'inclina et, fesses nues, reçut une injection en grimaçant.

— C'est un cru extraordinaire. Piquant à souhait, et qui nous arrose jusqu'à la plante des pieds.

Ils éclatèrent tous de rire, Jerzy le premier.

— Aouhhh ! C'est que ça chauffe. Je crois que c'est le cru des crus !

L'infirmière ricanait. Ces trois patients souffraient les pires douleurs en silence et feignaient l'agonie dès que les traitements commençaient. Elle piqua la fesse du premier Australien, qui se mit à copier le hurlement du chien. Jerzy et le deuxième Australien l'imitèrent à l'unisson.

— Cessez donc, demanda l'infirmière. Il y en a qui pourraient penser qu'ils entendent des hurlements de mort.

— C'est ce que c'est. Vous nous tuez à petite dose tous les jours ! Aouhhh !

Le choral de braillements reprit de plus belle pendant que l'infirmière s'éloignait avec son plateau couvert de mèches, de gazes et d'ouates hydrophiles rougies.

— Hé ! Charles. Dommage que les dingos ne hurlent pas. Parce qu'on pourrait hurler sans accent ! Ha, ha, ha !

— Ouais ! Vive les dingos !

— Toi, le Polak, est-ce que tu as de la famille ?

— Je crois que oui mais je ne sais plus.

— Si tu n'as plus de famille, viens en Australie avec nous. Viens te joindre aux dingos. On accepte n'importe qui, en Australie.

— N'importe qui ? Même les Polonais ?

— Même les Polonais. Tu te rends compte à quel point on a besoin de peupler nos immensités !

— Même les Polonais qui ont ouvert le passage pour aller à Rome en prenant le monastère du mont Cassin ?

— Même les catholiques fanatiques comme ça. Entre nous, si la bataille d'Italie a coûté si cher, c'est parce que le commandement militaire a fait venir ses héros de loin.

— Ouais. Le commandement anglais a expédié ses Canadiens, ses Irlandais, ses Écossais et ses Australiens.

— Et pour les récompenser d'avoir eu la couenne impénétrable, ils ont invité les Polonais.

Les trois jeunes militaires continuèrent à s'épuiser en riant du mieux qu'ils pouvaient. Pour Jerzy, le rire était une torture qui lui tailladait toutes les chairs. Depuis l'attaque du mont Cassin, dont il était miraculeusement sorti vivant, contrairement à Wladek, il avait vécu comme un mort en sursis, surprenant tout le personnel médical par sa résistance. Il avait eu conscience de presque tout sauf du calendrier. Il n'avait pas cru bon d'ouvrir les yeux, n'ayant aucune envie de regarder la vie et encore moins de voir à quoi il ressemblait. À travers les décharges d'armes qui continuaient de lui brûler les chairs, il savait son corps en profonde mutation. Il sentait qu'une de ses jambes travaillait à se ressouder et qu'un de ses orteils ne cessait de lui élancer et d'avoir froid. Non, il n'avait pas cru bon d'ouvrir les yeux parce qu'il en avait un recouvert de bandages qui lui enrobaient aussi une joue et une partie de la tête. Lorsqu'il entendit parler de la possibilité pour certains blessés d'être transportés en Angleterre maintenant que les bombardiers allemands avaient fini d'y fabriquer des ruines, Jerzy décida qu'il avait envie de voir la tour de Londres ou ce qu'il en

149

restait. Une demi-tour peut-être puisqu'il ne la verrait probablement que d'un œil. L'idée d'être déplacé de nouveau lui avait soudainement donné l'impression que quelqu'un pensait à lui. Si on l'expédiait en Angleterre, ce n'était certainement pas pour l'y enterrer. Alors il ouvrit les yeux, ce qui provoqua tout un émoi. En moins de deux mois, on décida qu'il pourrait voyager. Quant à lui, il n'avait qu'un seul objectif : entendre chanter la messe de minuit en anglais, à Londres. Il apprit la victoire des Alliés à Stalingrad, en Afrique du Nord et en Italie. Il sut même que Paris venait d'être libéré. L'Allemagne, qui subissait une perpétuelle saignée, ne cessait de s'anémier de jour en jour. Jerzy ferma les yeux en souhaitant que tous les soldats alliés se métamorphosent en sangsues.

Lentement, très lentement, Jerzy a recommencé à rire. Maintenant, lui et ses compagnons australiens attendaient les brancardiers.

— S'ils n'arrivent pas tout de suite, nous allons marcher pour nous rendre en Angleterre. Ce n'est pas ce qu'on nous avait promis.

— Ouais. On nous a fait croire que les Anglais nous traiteraient comme si on était de la famille royale. Est-ce qu'on ne pensait pas plutôt aux employés de la famille royale ?

Épuisé, Jerzy se laissa retomber sur la civière, entendant vaguement ses copains parler de son manque d'énergie. Leurs voix s'estompèrent rapidement et il plongea dans un rêve qui le mena à Cracovie. Il en fut arraché rapidement par deux brancardiers qui, en lui souriant de toutes leurs dents presque blanches, le hissèrent dans l'avion de la Croix-Rouge, où il rejoignit ses deux compères.

— Toute une première classe ! Tu te rends compte ? Quelle veine !

— Heureusement que cette veine-là, on ne nous l'a pas ouverte...

Jerzy se hissa sur les coudes et regarda le paysage italien prendre la fuite derrière les hublots sales. Dès que l'appareil décolla dans le tonnerre des moteurs et le cliquètement causé par les vibrations, Jerzy ressentit une terrible envie de vivre.

22

M. Porowski, mordu par le froid, avait choisi, au sortir de la gare, de prendre le tramway pour se rendre jusqu'à la rue Nicolas. Il fut forcé d'en descendre au premier arrêt, trop de passagers reluquant dangereusement ses provisions. Les regards affamés lui faisaient presque regretter sa promesse d'apporter, le dimanche 10 décembre, quelques provisions dont une belle et grasse volaille et un lapin. Rarement, depuis le début de la guerre, s'était-il aventuré sur les routes pendant les mois de froid et d'humidité. Cette année, cinq ans après le début des hostilités, il avait envie de voir ses amis pour souligner l'Immaculée-Conception, l'Avent et les fêtes, uniquement pour dire avec eux un *Deo gratias* à la magie de la survie.

Les Pawulscy ne cessaient de lui répéter qu'ils devaient le plus gros de leur santé à ses extraordinaires sacs de nourriture. Il avait plutôt l'impression que c'était leur générosité qui lui avait permis de continuer seul depuis le décès de sa femme. Pour eux, il semait, sarclait et récoltait, et, grâce à eux, il n'était jamais seul et faisait de la musique.

Il s'engagea dans les Planty, marchant comme un repris de justice craignant d'être reconnu. Tantôt il boitillait en regardant droit devant lui, tantôt il se retournait pour voir si on l'observait. Le parc était gris et triste, les murs gris et tristes, les uniformes gris et terrifiants. Porowski se força à ne penser qu'à ce qui l'attendait. Ses hôtes et lui mangeraient en riant et feraient de la musique en compagnie de cet Allemand qui ne parlait jamais, se contentant de donner du souffle à sa

151

flûte. Il savait qu'avec le ventre plein de nourriture et le cœur rempli de musique il n'aurait plus aucun regret d'être venu à Cracovie un soir d'hiver. Le froid lui mordait les mains : Porowski pensa que même celui-ci avait senti l'odeur de la volaille.

Il parvint enfin au trottoir intérieur des jardins. Comme il le faisait toujours, il se reposa sur un banc. Le siège était si froid qu'il se releva avant d'avoir pu retrouver son souffle. Il marcha dos au vent et n'aperçut pas la patrouille qui venait de tourner le coin de rue derrière lui. Les soldats avançaient à grandes enjambées et Porowski ne put s'empêcher de marquer le rythme, constatant que lui-même marchait à contretemps. Les pas se rapprochaient de lui et il entendait qu'ils pesaient lourd du talon. Depuis la multiplication des défaites militaires pour l'Allemagne, depuis la tentative d'assassinat de Hitler, depuis surtout le suicide de Rommel en octobre — ce Rommel qui, disait-on, avait ourdi le meurtre du Führer —, les Allemands étaient devenus très nerveux. Tomasz lui avait expliqué qu'il y avait eu un soulèvement à Varsovie et que les Allemands en poste à Cracovie craignaient eux aussi une révolte même s'il n'y avait plus de Polonais assez forts pour attaquer et mordre. M. Porowski se demanda comment ses amis étaient capables d'endurer la présence, voire l'odeur quotidienne d'un ennemi.

M. Porowski entendit des cris mais ne se retourna pas. Les cris étaient devenus la ponctuation des trottoirs de Cracovie. Il continua son chemin, toujours dos au vent, une bourrasque plus cinglante lui fouettant la nuque. Il frissonna et souffla un peu trop. Il décida donc de s'arrêter quelques secondes avant de reprendre sa course. Il déposa ses sacs et s'appuya contre une porte cochère pour alléger le poids de sa fatigue. Il ferma les yeux mais les rouvrit rapidement en entendant une détonation. Un de ses sacs venait d'exploser. Il vit son poulet mourir une seconde fois et le lapin disparaître en mille éclats. Une nouvelle détonation fit sauter le deuxième sac. Un chou et des carottes éclaboussèrent le mur à côté de lui. Il pensa à ce souper qu'ils n'auraient plus. Pendant ces instants, il ne chercha pas à voir qui assassinait ses provisions, mais se désola pour Zofia. Il ne songea pas non plus à sa vie. M. Porowski n'entendit que la moitié de la troisième détonation, son écho résonnant dans les oreilles d'un mort.

— Jan, va donc voir s'il arrive.

— Je viens de rentrer, maman, et je ne l'ai pas vu.

Zofia n'était pas vraiment inquiète. M. Porowski avait peut-être reporté sa visite au dimanche suivant à cause du mauvais temps. Elle s'installa pour coudre, lui donnant néanmoins jusqu'au couvre-feu pour arriver et se joindre à eux. Tomasz, lui, marcha jusqu'à la gare et rentra en haussant les épaules. Il s'assit dans le salon et prit un livre. Il feignit de lire, ses pensées étant toutes occupées à préparer les examens de ses étudiants qui, il en mourait de fierté, auraient tous leur diplôme. Jan s'installa dans sa chambre et enleva ses chaussures disproportionnées — il avait depuis longtemps élimé celles de son frère et en avait par hasard trouvé d'immenses qui avaient dû appartenir à un géant. Il se fit tremper les pieds qui, quoique couverts de corne, n'en continuaient pas moins de suer le sang de leur transport de charbon. Il avait déposé un morceau de gâteau sous le lit d'Élisabeth. Celle-ci s'installa avec son violon et berça l'air de la maison pendant qu'Adam faisait une patience à deux avec Schneider.

Ce dernier se leva enfin et se dirigea vers sa chambre dont il ressortit en tenant un appareil photo. Il s'approcha de Tomasz et, s'excusant de le déranger, lui proposa de faire un ou deux clichés de la famille avant l'arrivée de M. Porowski. Tomasz fut immédiatement sur ses gardes.

— Pourquoi des clichés?

— Pour emporter avec moi à Munich quand la guerre sera terminée.

— Vous pensez vraiment que la guerre va mourir?

— Je ne pense rien. Je sais simplement, comme tout le monde, que celle-ci est déjà plus longue que la guerre de 14.

Adam s'était saisi de l'appareil et rigolait de voir son père la tête à l'envers.

— Tu es pendu par les pieds, papa.

Tomasz ferma les yeux. Cette innocente phrase venait d'assommer le plaisir qu'il avait eu dans ses pensées. Schneider le regardait toujours.

— Puis-je alors faire un cliché des enfants?

Zofia leva les yeux, regarda Tomasz et fit oui de la tête pendant que Tomasz, lui, disait non.

— Vous me pardonnerez, *Herr* Schneider, mais je n'en vois pas l'utilité.

— Moi, j'aimerais ça, papa. À part une mèche de cheveux, je n'ai aucun souvenir de moi pendant la guerre.

Élisabeth avait parlé en douceur pour ne pas excéder son père. En vain.

— Les souvenirs du cœur, ma fille, ne sont-ils pas suffisants?

Schneider reprit l'appareil qu'il avait emprunté au quartier général et le rapporta dans sa chambre. Il en ressortit, l'air un peu chagrin.

— À quelle heure ferons-nous de la musique?

Jan venait de sortir de sa chambre et n'avait pas manqué un mot de la conversation. Il tendit une main en direction de sa mère pour lui montrer à quel point elle avait été écorchée par l'eau de vaisselle et par le récurage.

— Ce soir, je ne peux pas jouer. J'ai lavé trop de couverts et frotté trop de casseroles.

Jan se retourna en direction de Schneider et lui demanda sèchement si les Allemands prévoyaient de faire d'autres réceptions.

— J'aimerais le savoir parce que je ne pourrai pas jouer à Noël si tout ça continue.

— À mon avis, vous ne jouerez pas à Noël.

Tomasz bondit sur ses pieds tandis que Zofia s'enfonça une aiguille dans le pouce. Élisabeth se figea et Adam, qui s'était enfui en direction de la chambre de l'Allemand, en ressortit avec l'appareil. D'une voix blanche, Tomasz demanda des précisions sur ce que venait de dire Schneider.

— J'ai simplement dit que le personnel des cuisines devra travailler pendant de longues heures.

Adam, ne sentant même pas qu'un courant d'air froid venait de pénétrer dans le salon, s'esclaffa de nouveau en regardant sa mère. Il appuya par mégarde sur le bouton déclencheur.

— Adam ! Rends cet appareil immédiatement !

Tomasz se dirigeait vers son fils qui alla se réfugier derrière Schneider, au grand désespoir et à la grande honte de toute la famille. Schneider saisit Adam par un bras et le ramena devant lui.

— Je n'aime pas les jeunes garçons qui n'obéissent pas au commandement de leur supérieur.

Adam était heurté dans sa fierté. Le bout d'homme déjà bien installé en lui était en révolte. Il détestait être brusqué de la sorte.

— Mon père n'est pas mon supérieur. Mon père est un professeur ! Un professeur d'histoire !

Schneider regarda Tomasz dans les yeux. Tomasz soutint son regard. Élisabeth, elle, se rapprocha discrètement de sa mère pendant que Jan faisait des efforts pour ne pas étrangler son jeune frère. Schneider fit signe à Adam de s'approcher de lui. Il s'accroupit et se plaça à son niveau.

— Professeur d'histoire, Adam ?

— Oui. Et ma mère, professeur de piano. Mes deux parents sont des professeurs.

— Ton père n'est plus professeur. Il travaille pour nous.

— Je sais, mais il est encore professeur.

Le silence s'éternisa pendant des secondes qu'Adam regardait passer sans comprendre pourquoi tous les regards, comme des vampires, s'étaient accrochés à sa chevelure et à son cou. Peut-être devait-il expliciter sa pensée.

— Mon père est un professeur plus sérieux que ma mère.

— Et pourquoi est-il un professeur plus sérieux, Adam ?

— Parce que ses élèves sont plus vieux.

Zofia sortit du salon et entra dans sa chambre. Élisabeth la suivit et s'accrocha à elle.

— C'est fini, Élisabeth. Adam nous a vendus. D'une certaine façon, je suis presque soulagée. Ces cinq années de batailles m'ont complètement épuisée.

Élisabeth plaça les cheveux ternes et voletants autour du visage de sa mère et l'embrassa.

— J'imagine qu'on viendra nous chercher demain.

155

Élisabeth tremblait de la tête aux pieds.

— Penses-tu qu'on va nous emmener aussi?

— Je voudrais dire non, mais je crois que toute la famille va les suivre.

Élisabeth avait le menton ondulé des efforts qu'elle faisait pour ne pas pleurer. Elle baissa les yeux et sortit rejoindre Jan qui, lui, s'était placé en bouclier devant un Tomasz que la vie venait de dénuder. Schneider avait repris son appareil et était retourné dans sa chambre dont il avait fermé la porte tout doucement.

— Allez chercher votre mère. Je crois que nous devrions nous recueillir.

Jan ne voulait pas courber l'échine. Il lui fallait absolument alléger l'atmosphère trop funèbre.

— Pas tout de suite, papa. Ce n'est pas parce que la guillotine vient de tomber que nous devons perdre la tête.

Tomasz fut complètement découragé par la remarque de son fils alors qu'Élisabeth éclata d'un rire nerveux et se pressa d'aller chercher sa mère pour lui raconter la plaisanterie de son frère. Zofia se demanda si elle devait rire ou se désoler de leur innocence. Elle rejoignit son mari. Ils se permirent tous les deux de sourire de la réflexion de Jan. Seul Adam, se sentant exclu du clan, bouda. Schneider sortit de nouveau de la chambre, hésita quelques secondes devant leur trouble puis leur tendit l'appareil.

— Faites les clichés vous-mêmes et conservez la pellicule. Vous ne pouvez pas vous priver de revoir vos rires et vos sourires. Il est si rare que vous puissiez vous distraire.

Jan tenta de le frapper et Tomasz blêmit au point de s'évanouir. Il craignit que Schneider n'utilise son arme mais celui-ci retint le bras de Jan avec une poigne d'acier.

— Si vous préférez, je peux les faire moi-même. Vous serez tous les cinq ensemble.

— Non.

Schneider disparut de nouveau. Jamais Tomasz n'avait autant détesté un homme. Jamais. Ils récitèrent trois modestes Ave devant l'icône de la Vierge noire et, avant de se quitter pour la nuit, ils s'embrassèrent chaleureusement.

— Qu'est-ce qui se passe, maman?

— Nous commençons nos réjouissances de Noël, Adam.

Zofia prit Adam dans ses bras et l'embrassa en le mordillant pour le faire rire. Tomasz la regardait faire, attendri. Il avait épousé la meilleure femme, qui était devenue la meilleure mère pour leurs enfants.

— C'est heureux que Jerzy soit déjà parti...

— Pourquoi dis-tu cela, Tomasz?

— Tu le sais... C'est heureux que M. Porowski ne soit pas venu. Il n'aurait pu supporter de nous voir emmener.

— Qui va nous emmener où, papa?

Le matin caressa les fenêtres et Tomasz, le visage grisâtre d'une nuit sans sommeil, écrasa une larme sur la joue qui n'était pas collée sur celle de Zofia.

— Quel dommage de voir notre avenir disparaître par une si belle journée! Zofia, je vais quand même me rendre au travail.

— Il le faut, Tomasz, sinon, ils arriveraient encore plus vite.

Tomasz se rasa si nerveusement qu'il s'écorcha à trois endroits. Il entendait couler l'eau dans la salle de bains de Schneider et se révoltait de l'insouciance probable de celui-ci. Il y avait quelque chose chez les officiers qui l'irritait profondément. Ils semblaient toujours planer au-dessus de tout le monde, même quand les nouvelles de guerre étaient mauvaises. Tomasz ne put manger tant il était chagrin en regardant ses enfants, trop jeunes pour mourir. Adam, qui avait l'innocence pour lui, mangea toute son assiettée et put terminer celle des autres. Ce matin du 11 décembre lui plaisait. Zofia partit chercher le plateau de l'Allemand et le rapporta inentamé.

— Il dit qu'il n'a pas faim.

Jan haussa les épaules. Il avait horreur de la prison dans laquelle ils avaient tous été enfermés.

— Pas étonnant. Peut-être qu'il a un cœur qui fait une crise de culpabilité.

Élisabeth regarda son frère et comprit que son cerveau roulait à toute vitesse. Elle était certaine qu'il trouverait un meilleur plan que le sien pour les sauver. Jan avait tant d'imagination. Tomasz se leva le premier et demanda à Zofia de le suivre dans leur chambre. Il lui répéta toute sa tendresse et son amour. Ils se promirent de s'attendre devant la porte de l'au-delà.

— Penses-tu que Jerzy soit arrivé le premier, Tomasz?

— Oui, Zofia.

Il sortit accompagné de toute sa famille, qu'il embrassa une dernière fois, et fut doublé par Schneider sur le pas de la porte. L'Allemand, les yeux interrogateurs, les regarda et leur sourit imperceptiblement.

— *Frau* vous a fait mon message?

Jan et Tomasz regardèrent Zofia.

— Quel message, maman?

Zofia balaya la question du revers de la main. Non, elle n'avait pas voulu répéter des propos aussi cruels. Elle s'était bien trompée sur cet homme dont la gentillesse cachait une incommensurable cruauté. Elle regarda Schneider s'éloigner et se diriger vers son automobile. Elle attendit qu'il parte avant de se retourner vers Tomasz.

— Rien d'important. Je ne comprends pas pourquoi il insiste. J'avais presque oublié.

— Quel message, Zofia?

Zofia approcha Adam de sa cuisse et, tout en lui caressant les cheveux, elle répéta les propos de Schneider.

— Je ne croyais pas utile de vous le répéter... Enfin... Il a dit que nous ne devrions pas nous priver de manger.

Élisabeth se retourna vers Jan qui venait de donner un violent coup de poing sur le chambranle de la porte encore entrouverte.

— Sadique! Au moins, avec lui, j'aurai appris à haïr.

Adam éclata en sanglots.

— Moi, je ne le hais pas. C'est ma seule grande personne amie.

Sur ces trop déchirantes paroles, Tomasz et Jan partirent pour le travail et saluèrent à plusieurs reprises les trois autres restés derrière. Ils savaient tous qu'ils ne se reverraient plus.

Le jour s'obscurcissait quand résonnèrent les coups au plafond de Mme Grabska puis les coups frappés à la porte, sans délicatesse. Zofia ferma les yeux et serra la main d'Élisabeth qui était à ses côtés à préparer le souper. Elles enlevèrent leurs tabliers et se dirigèrent vers la porte, telles des agnelles prêtes à être sacrifiées. Zofia respira profondément avant d'ouvrir. Elle se trouva face à face avec le chauffeur de Schneider, qui l'informa que ce dernier avait été appelé à l'extérieur de Cracovie pour quelques jours et qu'il lui avait demandé de venir chercher ses effets. Zofia le laissa entrer, méfiante, mais le militaire fit exactement ce qu'il avait dit. Il ressortit, beaucoup plus poliment qu'il ne l'avait fait le jour de l'arrivée de Schneider.

La journée de travail était presque terminée lorsque, n'y tenant plus, Zofia demanda à Élisabeth de se rendre au Wawel voir si son père et son frère y étaient toujours.

— Sous quel prétexte, maman ? Je ne peux quand même pas arriver au Wawel et chercher mon frère et mon père. Je ne sais même pas où ils travaillent.

— Ton père nous l'a expliqué des centaines de fois, Élisabeth. Quant au prétexte, frappe aux portes et demande à ceux que tu vois s'ils ne veulent pas un ensemble à cordes pour Noël. Jusqu'à ce qu'on t'expulse.

— Jamais, maman. Je n'ai absolument pas l'intention de jouer pour eux à Noël. Quand même... !

— Ce n'est pas une question d'intention, ni de goût, ni d'envie. C'est une question de savoir si ton père et ton frère ont été arrêtés ou non.

Zofia avait parlé sur un ton qui n'admettait plus aucune réplique. Élisabeth la fixa longtemps avant de disparaître dans sa chambre en claquant la porte. Adam, étonné, la suivit.

— Pourquoi est-ce que tu cries, Élisabeth ?

— Je ne crie pas, je fais des vocalises.

— Je ne te crois pas. Des vocalises, c'est comme ça.

Il commença à chantonner des « ah » de plus en plus stridents. Agacée et à bout de nerfs par la nuit blanche et la journée noire qu'elle avait vécues, Élisabeth se tourna et le talocha. Adam demeura bouche bée et regarda sa sœur comme s'il la voyait pour la première fois. Il ne

159

pleura pas et ne poussa pas de cri non plus. Élisabeth le prit aussitôt dans ses bras et le bécota en lui demandant mille pardons.

— J'aime mieux les grandes personnes comme papa, maman et *Herr* Schneider. Au moins, lui, il n'est pas impatient.

— Ton *Herr* Schneider veut nous faire tuer !

Élisabeth se repentit aussitôt d'avoir dit une telle chose à un enfant si petit. Cette fois, Adam avala un sanglot et ne se gêna nullement pour défendre son ami.

— Tu as raison, Adam. Il est vraiment très, très gentil, *Herr* Schneider.

Zofia entra dans sa chambre et lui demanda si elle avait fini de se préparer.

— Je veux que tu partes tout de suite, Élisabeth.

— Mais, maman, je n'ai vraiment rien à faire là-bas.

Zofia demeurait imperturbable. Élisabeth, furieuse de voir que sa propre mère ne craignait pas de l'exposer à l'ennemi, enfila un lainage plus qu'usé puis un manteau élimé et s'apprêtait à sortir lorsque la porte s'ouvrit brusquement devant Jan, à bout de souffle. Il regarda sa mère, sa sœur et son frère et se laissa glisser d'épuisement le long du mur. Élisabeth s'empressa d'aller lui chercher un verre d'eau, qu'il but à petites gorgées tant sa gorge était serrée par la crainte et l'émotion. Dès que Jan eut réussi à se calmer, Tomasz arriva à son tour et éclata en sanglots en apercevant Zofia, qui fit la même chose en lui tombant dans les bras.

— J'ai eu tellement peur, Tomasz. Nous saurons quoi dire à Dieu à la messe de Noël.

Tomasz demeura muet. Sa frousse ne s'était pas encore estompée. Les Allemands travaillaient en furie et leur crainte de perdre la guerre les rendait de plus en plus imprudents et de plus en plus terrifiants pour les Polonais. Ce soir-là, Adam fut encore le seul à pouvoir avaler une bouchée, les autres membres de la famille étant tous tapis dans leur frayeur non digérée.

Le soir du 16 décembre, peu avant le couvre-feu, quelqu'un frappa à la porte sans avoir été annoncé par

Mme Grabska, qui devait s'être assoupie. Tomasz décida d'ouvrir et ordonna aux autres membres de sa famille de s'éloigner. Si on tirait des coups de feu, il préférait les recevoir tous. Tout en pensant ainsi, il savait bien que personne ne tirerait, la porte n'ayant pas été défoncée. Il se trouva devant une personne qu'il avait déjà croisée dans la rue.

— Professeur Pawulski?

La conversation fut tristement brève. On les avait longuement cherchés parce qu'il semblait qu'ils recevaient souvent un vieux paysan qui, tout l'été, s'était déplacé en portant des sacs. Cet homme avait été assassiné en pleine rue, le dimanche précédent.

— Par qui?

— Par des soldats en uniforme.

— Est-ce parce qu'il transportait de la nourriture?

— Peut-être. Il n'en restait plus rien, les mitraillettes se sont servies les premières.

Tomasz fut néanmoins soulagé d'apprendre que Porowski n'avait pas poussé un seul cri et qu'il n'avait pas souffert. Les Pawulscy se sentirent responsables de la mort de leur ami et pleurèrent, inconsolables, Tomasz au travail, Zofia à la maison. Jan dans les cuisines, frottant consciencieusement les assiettes des Allemands avant d'y cracher copieusement et de laisser sécher son crachat. Quant à Élisabeth, elle prit le violon de Jerzy, celui qu'utilisait M. Porowski, pour en jouer pendant une partie de la journée. Adam, lui, ne cessa de poser des questions et, voyant qu'elles demeuraient sans réponses, alla se réfugier chez Mme Grabska, qui lui servit, plaisir suprême, tout un verre de lait. Avant le souper, ils se réunirent tous à Notre-Dame pour y réciter une prière.

Schneider revint très tôt le matin du 20 décembre. Sans regarder ses hôtes, il pénétra dans sa chambre. Tomasz et sa famille entendirent couler l'eau de la baignoire et s'interrogèrent du regard. Adam tenta d'aller frapper à la porte mais sa mère le retint. Schneider sortit enfin, propre et presque souriant, un colis sous le bras.

— Si vous n'avez pas d'objection, *Frau,* avant de partir

pour le travail, j'aurais un petit quelque chose pour Adam. Il me le demande depuis longtemps et j'ai réussi à me le procurer.

Zofia et Tomasz eurent un mouvement de recul. Accepter un présent ne signifiait-il pas que l'on fraternisait avec l'ennemi ? Remercier un des assassins de Porowski ? Jan préféra se retirer dans sa chambre. Quant à Élisabeth, elle s'isola dans la cuisine et commença à agiter les casseroles. Schneider remit alors le colis à Adam qui s'empressa d'en déchirer l'emballage sommaire. Le paquet contenait un tout petit uniforme allemand sur lequel rien ne manquait, ni les médailles ni les rubans. Adam jubila. Tomasz et Zofia, bouche bée, étaient en état de choc.

— Jamais, Adam. Remets ça à M. Schneider.

Tomasz arracha l'uniforme des mains de son fils qui se mit à percer l'air de son immense déception. Il n'en fallut pas plus pour que Jan et Élisabeth accourent. Schneider semblait terriblement agacé. Il tendit la main pour reprendre le présent mais Adam hurla encore plus.

— Cesse de crier, mon chéri. Il faut que tu apprennes à devenir un homme pour remplacer Jerzy.

Adam hoquetait tant qu'il n'avait presque plus de souffle pour répondre à sa mère.

— Je ne crie pas, je fais des vocalises.

Élisabeth rougit jusqu'à la racine des cheveux tandis que Tomasz, Zofia et Schneider se regardèrent, étonnés. Adam en profita pour arracher l'uniforme des mains de son père et s'enferma dans la salle de bains.

— Je suis désolé, mais il faut vous dire qu'il m'avait demandé un uniforme polonais. Je n'ai pu lui en procurer un. Il m'avait dit qu'en désespoir de cause il prendrait un uniforme allemand.

Schneider alla frapper à la porte de la salle de bains, demandant à Adam de lui rendre son présent.

— Non !

— Je vais essayer de vous en trouver un autre. Un uniforme de l'armée polonaise. Peut-être que je n'ai pas assez cherché.

— Non !

Adam était si déterminé que Zofia céda.

— Je ne vous aime pas, *Herr* Schneider, encore moins maintenant que je sais ce qui a été fait à M. Porowski, mais j'apprécie quand même le respect que vous avez pour mon fils. Pour aujourd'hui et aujourdhui seulement, je lui permets de le porter. Uniquement dans la maison, il va sans dire.

Schneider était sans voix. Qu'était-il arrivé à M. Porowski, ce si grand musicien ?

— Qu'est-ce qu'on lui a fait, à *Meister* Porowski ?

— Vous l'avez assassiné. Il y a dix jours.

Schneider fut si ébranlé qu'il dut s'asseoir. Zofia se dirigea vers la porte et permit à Adam de sortir de la salle de bains, habillé de l'uniforme, s'il le voulait. Adam mit cinq bonnes minutes à obtempérer. Ils entendirent tous le loquet glisser et Adam pénétra lentement dans le salon. Il avait l'air timide de se voir en pareille tenue. Tomasz et Zofia firent un effort plus que louable pour sourire tandis qu'Élisabeth éclata de rire.

— Fais une photographie de moi avec *Herr* Schneider, Jan.

Jan, l'air renfrogné, interrogea ses parents du regard, mais, voyant le plaisir qu'ils avaient à regarder la joie d'Adam, il accepta. Schneider fut on ne peut plus touché, malgré le visible agacement de Tomasz. Un cliché des deux « Allemands » fut pris rapidement et Schneider les remercia tous. Adam se dévêtit et alla lui-même rendre l'uniforme.

— C'était un beau cadeau, *Herr* Schneider.

— Vous pouvez le conserver si vous promettez de ne plus jamais le porter.

— Je peux ?

— Seulement si vos parents sont d'accord.

Zofia et Tomasz lui donnèrent la permission à la condition que l'uniforme soit caché au fond de la cour et qu'ils ne le revoient plus avant la fin de la guerre. Jan le ficela dans une vieille nappe cirée et, emmenant Adam, alla le porter à l'extérieur, l'enterrant comme on l'avait demandé.

— Je n'y penserai plus jamais dans ma vie, Jan.

— Tu peux y penser, mais ne pas en parler.

Jan partit travailler en courant. Le froid mordant annonçait un Noël trop aiguisé pour les corps amaigris des Cracoviens. En chemin, il rejoignit son père qui avait abandonné sa démarche habituelle pour adopter celle de son « misérable » Polonais.

Noël 1944 fut très triste. Les miroirs avaient été recouverts et les violons sortis de leurs étuis et posés sur la table en souvenir de Jacek Porowski. Toute la journée, les violons et le piano furent contraints au silence. Zofia ne pénétra pas dans la chambre de Schneider. Elle ne vit donc pas qu'il avait, lui aussi, sorti sa flûte en hommage au grand musicien qui l'avait souventes fois ému.

23

JERZY était heureux. Le nouvel an avait débuté avec un peu d'espoir. Les Allemands avaient craché leurs dernières bombes et tout le peuple anglais travaillait à la reconstruction du pays. En moins d'un mois, Jerzy avait réussi à laisser tomber ses béquilles et il se déplaçait avec deux cannes heureusement d'égale hauteur, ce qui était assez exceptionnel. Son commandement anglais était relativement compatissant mais ses compagnons et lui préféraient se faire le plus discrets possible, sentant bien que les Anglais avaient autre chose à faire que d'écouter les jérémiades des soldats polonais, australiens et canadiens.

L'odeur de roussi qui avait habité sa vie de façon quotidienne s'était enfin dissipée au profit du parfum des bougies qui avait empli ses narines atrophiées. Lui qui avait contribué à la libération de Rome avait dû attendre le premier de l'an 1945, à Londres, pour humer sa première messe récitée par un prêtre en habit blanc et or. Il n'avait pas souvenance d'avoir tant aimé la mélopée du latin.

Ce matin du 7 janvier, il avait le sourire au cœur même si ses jambes, lui avait-on dit, ne redeviendraient jamais plus comme elles avaient été. Il claudiquerait pour le reste de ses jours, mais il pensait que c'était moins pire que la mort qui avait frappé Wladek et ses compagnons du mont Cassin.

Jerzy écoutait les sons presque rassurants du jour. Le soleil s'était montré pendant quelques minutes, question d'égayer le moral des convalescents. Jerzy était demeuré couché sur le dos, souriant encore et toujours à l'idée qu'il aurait bientôt vingt-trois ans. Il ignorait que son jeune frère, encore niché dans les replis du ventre de sa mère le jour de son départ de Cracovie, avait cinq ans ce jour-là. Il avait la conviction que la guerre avait commencé à s'étrangler. Lorsqu'il avait appris que l'Armée rouge avait envahi Varsovie, il avait compris l'ampleur de la débâcle allemande. Bientôt, il en était certain, il rentrerait à la maison, y retrouverait sa famille et demanderait pardon à son père, tout en espérant que ce dernier aurait entendu parler de la bataille du mont Cassin, que certains qualifiaient d'historique. Il lui faudrait aussi annoncer qu'il abandonnait ses études de lettres pour entrer à la faculté d'agriculture afin d'éventuellement travailler chez M. Porowski. Son père en souffrirait probablement, mais il lui faudrait s'habituer au fait que son fils n'avait rien d'un intellectuel sauf peut-être son amour du violon. Jerzy savait qu'il serait si efficace que M. Porowski lui proposerait sa ferme en héritage. Il accepterait et prendrait soin et de lui et de sa femme jusqu'à ce que l'âge les aspire vers le néant.

Jerzy fronça les sourcils. L'annonce de sa défection de la faculté des lettres serait certes un moment difficile à passer mais son père devrait comprendre qu'il était trop vieux pour continuer ses études là où il les avait laissées. Il devrait accepter que la guerre l'avait changé et qu'il avait davantage envie de pétrir la terre que de se réfugier dans les livres. Il avait vu la terre violée, bombardée, gavée de morts. Il avait depuis longtemps décidé qu'il terminerait sa vie à la panser et à la dorloter. Il voulait trouver une femme qu'il aimerait, et ensemble ils auraient des tas d'enfants. La Pologne pouvait se consoler, Jerzy Pawulski reviendrait pour la soigner et l'aimer.

Jerzy sentit une légère agitation envahir la salle dans laquelle il logeait. Il ne s'en occupa pas, trop absorbé à rêver son proche avenir. Ses pensées étaient cent fois plus agréables à contempler que toutes les raisons qui pouvaient agiter ses copains.

— Jerzy ?

La voix de son infirmière de jour le fit chuter sur terre. Il avait souvent pensé à elle, se demandant si elle aimerait vivre sur une ferme de Wezerow, en Pologne. Souvent, dans ses rêves les plus fous, il la voyait dans le potager des Porowscy. Elle plantait les pommes de terre ou sarclait les rangs d'oignons tout en lui parlant. S'ils prenaient un peu de répit, elle l'écoutait jouer du violon comme il le faisait avec M. Porowski.

— Jerzy ? Est-ce que vous dormez ?

Comment lui faire croire qu'il pouvait dormir par une journée si importante ? Le matin où il avait enfin décidé de son avenir.

— Non.

L'infirmière se pencha et lui mit une main sur le front pour sentir s'il était encore fiévreux. Jerzy ferma les yeux le temps d'un battement, et imagina qu'elle aussi était amoureuse.

— Je crois que vous êtes revenu des limbes pour rester avec nous.

Elle lui tourna le dos et sortit de la salle pour y revenir presque aussitôt, cachant difficilement quelque chose derrière son dos. Jerzy commença à sourire. Quelle délicate attention elle avait eu de lui apporter des fleurs ! Parce qu'elle tenait des fleurs, il en était certain. Oui, elle était amoureuse.

— J'ai pensé que vous pourriez vous désennuyer avec ceci.

Elle lui tendit un violon. Jerzy en oublia les pétales tant il était stupéfait. Il parvint enfin à s'asseoir et il commença à accorder l'instrument, du mieux qu'il put. C'était un instrument au son affreux et dont la seule qualité était la patine des essences de bois. Jerzy était si touché qu'il versa une larme fort incommodante devant ses deux copains qui, tous les deux, regardaient le sol pour lui permettre de se ressaisir. L'infirmière, Pamela, était radieuse et elle insista pour qu'il joue quelque chose.

— Je suis trop rouillé.

— Ouais. Tu es peut-être rouillé des jambes mais tu ne joues pas avec tes pieds, enfin, j'espère.

— Jouez, s'il vous plaît.

Jerzy demanda à Pamela de l'aider à se lever. Il se mit debout et, les reins appuyés contre le lit, il produisit quelques notes un peu grinçantes non pas à cause de lui mais surtout à cause de la piètre qualité de l'instrument. D'entendre le violon pleurer de plaisir l'émut au plus haut point et il voulut embrasser Pamela, qui le repoussa gentiment.

— Ce violon a appartenu à mon grand-père.

— Il était violoniste ?

— Ce serait plus juste de dire « violoneux ». Vous pouvez vous en servir tout le temps que vous serez ici.

Jerzy fut chagriné. Il avait cru qu'elle lui avait offert le violon et non prêté, mais il se ressaisit rapidement. Pamela ne pouvait quand même pas lui donner ses souvenirs.

24

Tomasz et Zofia n'arrivaient pas à dormir. Schneider était rentré dans la soirée et leur avait dit qu'il était préférable qu'ils quittent Cracovie par le premier train le lendemain matin. Il avait ajouté, sans donner d'explications, que lui-même laisserait bientôt la chambre.

Tomasz détestait toujours autant cet homme qui ne dévoilait jamais le fond de sa pensée et passait la moitié de son temps à les inquiéter. Flairant un piège, il lui avait demandé par trois fois la raison de cette requête, mais jamais il n'avait obtenu de réponse. Il s'était donc couché près de Zofia, et ni l'un ni l'autre ne réussissait à dormir. Ils entendaient marcher Schneider dans sa chambre.

— Cet homme me glace le dos, Zofia. J'ai hâte de ne plus le voir.

— Moi, il me laisse perplexe. Il n'a jamais fait quoi que ce soit...

— Cesse de l'excuser, Zofia. Il est allemand, il a réquisitionné une chambre chez nous...

— Est-ce que tu as compris pourquoi ?

— Non. Jamais. La seule raison plus qu'improbable que j'aie pu trouver, c'est qu'il voulait faire de la musique.

— Ça m'a aussi effleuré l'esprit mais je me suis dit qu'il devait y avoir plusieurs Allemands avec lesquels il aurait pu jouer.

— La vraie réponse, à mon avis, c'est que c'était pour surveiller de près notre réseau de correspondance que nous

169

avons heureusment confié à d'autres. Quant à l'université, je ne pense pas qu'il ait jamais remarqué...

— Adam a tout dit, Tomasz.

— J'y ai repensé, Zofia. Adam n'a rien dit que Schneider ne savait pas. C'est bien connu que je suis un professeur d'histoire. J'ai fait de la prison pour ça et j'ai été embauché par les Allemands pour ça.

Ils passèrent la nuit à spéculer. Le matin n'arriva pas à dissiper la fatigue de leurs visages. Zofia accusait dangereusement ses quarante-quatre ans tandis que Tomasz semblait tutoyer la soixantaine, lui qui avait eu cinquante-quatre ans en décembre.

Schneider entra dans la cuisine et fut étonné de voir toute la famille.

— Mais qu'est-ce que vous faites ici, *Frau* Pawulska ?

— Le repas.

— Je pensais que nous étions convenus que vous alliez à la campagne.

Zofia fronça les sourcils. Schneider, agacé, ressortit et elle lui apporta son plateau. Adam se tenait près de la porte de Schneider, épiant ses moindres mouvements.

— Adam, bon Dieu, veux-tu le laisser en paix deux minutes.

Tomasz s'était impatienté et Adam, reconnaissant l'imminence d'une correction, courut rapidement vers la cuisine pour manger avec les autres. Zofia revint de la chambre.

— Il a mauvaise mine.

— Pas étonnant, il n'a pas dormi de la nuit.

Tomasz se tut et repassa en esprit tout ce que Schneider leur avait dit. S'il leur avait demandé de quitter Cracovie, se pouvait-il que les Allemands se soient préparés à l'évacuer et à la bombarder ? Tomasz avait cessé de manger et il repensait aux grandes défaites de l'histoire. Un dénominateur commun : les armées battues saccageaient tout sur leur passage, ne voulant rien laisser derrière elles, et bombardaient les villes intactes. Il bondit de sa chaise au grand étonnement de Zofia et se dirigea vers la chambre de Schneider. Il frappa à la porte, entra sans en être prié et referma derrière lui. Schneider semblait l'attendre.

— Je crois avoir compris, Schneider. L'histoire est un excellent professeur. Est-ce pour aujourd'hui ?

Les regards des deux hommes se soudèrent. C'était la troisième fois qu'ils avaient un tel tête-à-tête. Schneider, finalement, décrocha et soupira avant de regarder le plancher. Il fit un signe d'assentiment et d'impuissance. Il s'approcha même de Tomasz pour lui faire l'accolade. Tomasz pensa qu'il y avait peut-être une parcelle de bonté dans cet homme. Il le remercia et rejoignit sa famille.

— Vite, nous devons avoir vidé les lieux dans cinq minutes. Les enfants, partez devant. Si nous ne réussissons pas à prendre le même train, rendez-vous à Wezerow, à la ferme des Porowscy.

— Je préférerais que nous emmenions Adam avec nous, Tomasz.

— Je ne sais pas...

Schneider vint les retrouver et leur demanda nerveusement de se presser. Zofia courut à la cuisine prendre tout ce qui restait de nourriture, qu'elle fourra dans un couffin pendant que Tomasz empaquetait des vêtements sous les yeux étonnés des enfants, leur répétant, telle une litanie, l'itinéraire qu'ils devaient suivre.

— Jan, je te confie ta sœur et ton frère.

— Je ne veux pas ! Je veux rester avec toi et maman.

— Adam, ce n'est pas le moment de faire des caprices. Tu pars avec ton frère et ta sœur.

Zofia les rejoignit dans le salon.

— Mais qu'est-ce qui se passe, papa ? Si je ne vais pas travailler, les Allemands vont...

— Fais-moi confiance. Les Allemands ne verront pas que tu n'es pas là.

Schneider arriva derrière Zofia.

— *Schnell !*

Ils se figèrent tous devant son expression et son air si allemand. Tomasz hésita une fraction de seconde. Était-ce prudent de laisser partir ses enfants seuls ?

— *Schnell !* Vite !

Jan, Élisabeth et Adam sortirent de la maison, adoptant leur « pas de résistance », à savoir un pas modéré et désinvolte.

171

Schneider partit quelques minutes plus tard pour le Wawel. Seul Adam traînait la patte, n'aimant pas marcher avec son frère qui avançait beaucoup trop rapidement.

— Je veux retourner et attendre papa et maman.

— Pas question.

Ils accélérèrent, au grand désespoir d'Adam qui commença à rouspéter et à freiner.

— Adam, s'il te plaît...

— Non. Je veux être avec maman.

Il commença à pleurnicher franchement. Jan et Élisabeth s'arrêtèrent. Élisabeth se pencha et lui parla très sèchement.

— Adam, tu dois venir avec nous. Ni Jan ni moi ne savons pourquoi, mais nous devons nous rendre à la campagne. C'est ce que veulent papa et maman, et peut-être même *Herr* Schneider.

— Je n'ai pas dit au revoir à *Herr* Schneider !

— Ce n'est pas grave. Nous allons le revoir bientôt.

— Je veux dire au revoir à *Herr* Schneider.

Élisabeth consulta Jan des yeux. Il haussa les épaules. Elle décida donc qu'Adam serait effectivement mieux avec leurs parents.

— Adam, tu es vraiment impossible. Retourne à la maison. Mais ne cours pas.

— Je ne veux pas marcher tout seul.

— Ah ! Adam ! Ce que tu es poison quand tu veux ! Tu sais très bien où est la maison.

Adam lui fit une grimace et partit enfin au pas de course, au grand désespoir de sa sœur. Jan et Élisabeth continuèrent leur chemin. Ils virent une automobile de la Gestapo tourner et se diriger vers la rue Nicolas. Ils ralentirent, pour ne pas attirer les regards. Une autre automobile et une camionnette suivirent. Ils s'immobilisèrent sous l'effet de la peur. Une rafle, encore une rafle.

— Ils doivent se diriger vers le marché.

Ils se regardèrent et comprirent. Rebroussant chemin, ils aperçurent Adam un peu devant eux. Élisabeth commença à courir, suivie de Jan, alourdi par le bagage.

— Je veux crier, Jan.

— Non, ne crie pas.

Ils continuèrent à courir et arrivèrent à l'intersection, à deux portes de leur maison. Les véhicules étaient devant celle-ci, sans passagers.

— Adam vient d'entrer.

— Ne bouge pas, Élisabeth. N'y va pas.

— Mais, Jan, si c'est une rafle, Adam...

Elle partit au galop et entra dans le hall. Jan la rejoignit au moment où elle s'apprêtait à monter l'escalier. Il lui agrippa le bras et l'entraîna vers l'arrière. Ils se ruèrent dans la cour sans voir, à l'angle de la rue Sainte-Croix, arriver la voiture de Schneider. Jan se jeta par terre dans le coin qui était le moins visible de la maison et tira Élisabeth contre lui. Il se hâta de la bâillonner de la main. Ils entendirent des pas dans l'escalier puis des voix allemandes. Par-dessus ce murmure, un cri de Tomasz qui suppliait de ne pas toucher à sa femme. Ce fut suivi d'un hurlement de Zofia qui venait, déduirent-ils, de voir Adam sur le palier.

— Adam ! Oh non !

— Maman, maman !

Des bruits de bousculade et de protestation descendirent, puis s'éloignèrent jusqu'à leur parvenir de la rue. Élisabeth hurlait dans le cou de Jan qui l'étouffait presque en augmentant la pression de la main sur sa bouche. Un craquement résonna dans la rue.

— Non ! Pas ma femme, pas mon f...

— Adam, *Heil* Hitler, *Heil* Hit...

Ils entendirent les mitraillettes fendre l'air. Même les oiseaux de la rue se turent. Les mitraillettes crépitèrent encore une fois et Élisabeth sursauta à plusieurs reprises comme si elle avait été touchée. Mais seule son âme avait été atteinte. Elle et Jan ne bougèrent pas pendant ce qui leur parut être des heures. Ils entendirent démarrer les automobiles, puis la camionnette, mais restèrent encore immobiles. La rue n'était plus habitée que par le froid, les cris et les pleurs des voisins. Jan et Élisabeth se levèrent avec peine et, abasourdis, entrèrent dans la maison. Jan réagit le premier.

— Monte vite, Élisabeth, nous n'avons pas beaucoup de temps. Ramasse tout ce que tu peux.

Il courut vers la rue et vit fondre la neige sous le sang

chaud. Les Allemands avaient enlevé les corps, mais n'avaient rien nettoyé. Il eut un haut-le-cœur et, une main sur la bouche pour taire son dégoût, s'approcha du lieu de l'exécution. Il aperçut un morceau de broche et se pencha pour le ramasser. Les lunettes de son père étaient couvertes de neige et de sang. Jan les essuya, faisant de grands efforts pour ne pas regarder un petit morceau de cervelle. En vomissant enfin de toutes ses tripes, Jan se demanda en pleurant quelle avait été la dernière pensée de ce cerveau.

Troisième temps

1945-1947

25

LA fuite de Cracovie s'était faite à la vitesse d'un mauvais rêve. Jan avait rejoint Élisabeth et ils avaient ajouté deux sacs de vêtements chauds aux provisions du matin. Ils s'étaient âprement disputés pour savoir s'ils devaient ou non emporter les violons. Jan avait dit qu'ils ne pouvaient se permettre de traîner tout ce bagage. Élisabeth, elle, les voulait tous. Jan avait pensé, en enveloppant tendrement les lunettes de son père dans un mouchoir râpé, qu'elles seraient le seul lien qu'ils conserveraient avec leur passé. Mais Élisabeth avait bercé le violon de sa mère avec tellement d'amour que Jan s'était ravisé et lui avait dit qu'ils pouvaient l'emporter. Élisabeth refusa d'abandonner celui de Jerzy : « J'ai promis, Jan, promis de le lui rendre », avait-elle sangloté. Jan, encore une fois, avait cédé. Élisabeth était allée porter son violon devant la porte de Mme Grabska.

— Je suis certaine que Jerzy va revenir, Jan. S'il trouve mon violon ici, il saura que le sien est avec moi.

Mme Grabska était absente et ne savait encore rien des événements. Affolé, Jan avait supplié Élisabeth de se hâter. Elle était rentrée dans la maison pendant que Jan enlevait les cordes du violoncelle de son père.

— Ce sera plus facile à transporter.

Élisabeth avait acquiescé en sanglotant. Ils avaient fait un rapide tour de l'appartement et en étaient sortis sans prendre la peine de refermer la porte derrière eux. Ce chien de Schneider serait ravi de tout avoir pour lui. Ils s'étaient regardés rapidement mais ce fut suffisant pour qu'ils voient

177

tous les deux le chagrin leur embruner les yeux et la terreur leur perler au front. Apeurés et épuisés, ils étaient sortis avant huit heures. Au milieu de l'escalier, Jan était remonté à la course. Élisabeth l'avait attendu sans broncher. Il l'avait rejointe, transportant son violon à lui. Il était reparti en vitesse en direction de la cour pour en revenir avec les mains salies de terre dont il avait bourré une de ses poches. Il s'était engagé le premier dans la rue, réussissant à obstruer la vue de sa sœur en passant près des taches rougeâtres qui avaient presque fini de sécher.

Jan avait été étonné de la facilité avec laquelle ils avaient pu sortir de la ville. Soit que les Allemands n'avaient rien vu, soit qu'ils n'avaient pas voulu les voir, soit que leurs parents veillaient déjà sur eux. Le premier soir, par contre, leur était tombé dessus comme s'ils avaient été aspirés dans une caverne froide, pleine de stalactites et de stalagmites, de vampires effrayants et de vermine. La terreur ne leur faussait plus compagnie et leurs corps transis avaient pris le rythme de leurs tressaillements. C'est même en claquant de peur, le nez coulant et les joues blanchies, qu'ils avaient réussi à dormir sur des bûches humides dans un abri derrière une église.

Le réveil du lendemain avait été une souffrance que ni Jan ni Élisabeth n'avaient crue possible. Les spectres de la veille s'étaient agités et Élisabeth avait sangloté à fendre l'âme de Jan.

Le premier mois de fuite ressembla à l'idée que Jan se faisait de l'enfer : un inconsolable triple deuil, de violentes poussées de rage et de haine, une faim affaiblissante, un froid qui dénichait chaque repli de chair qui aurait pu les réchauffer, et, surtout, des douleurs dans tous les os de plus en plus saillants de son corps. Élisabeth l'avait en quelque sorte abandonné, préférant trouver refuge dans une espèce d'engourdissante folie. Après la première nuit, Jan avait décidé qu'ils dormiraient le jour, quand le soleil pouvait les réchauffer, et qu'ils marcheraient la nuit pour défier le froid tout en étant moins exposés et moins visibles.

Élisabeth marchait donc à la trace derrière Jan. Au petit matin, quand la longue marche prenait fin, ils se laissaient tomber en abandonnant toute méfiance pendant quelques minutes, le temps de délacer leurs chaussures qui se faisaient de plus en plus torturantes. Élisabeth avait des pieds glacés et sanguinolents que Jan tentait de soulager, comme elle l'avait fait tant de fois quand il rapportait des morceaux de charbon bien cachés dans ses chaussures. Aussitôt qu'il touchait une chair cloquée, elle gémissait légèrement, n'ayant plus la force de crier. Dès que Jan avait terminé de soigner les pieds de sa sœur, il se déchaussait et Élisabeth lui rendait les traitements qu'elle avait reçus. Ce travail leur prenait une heure tous les matins. Comme pansements, ils utilisaient les morceaux d'un drap volé. Ils dormaient ensuite, tour à tour, chacun veillant sur le sommeil de l'autre, les pieds bandés comme ceux de petites Chinoises. Élisabeth avait un sommeil que Jan redoutait et détestait voir. Elle s'agitait, pleurait, donnait des coups de pied, ou, au contraire, se pelotonnait, ses mains jointes lui servant d'oreiller. Jan regardait alors une larme sans fin lui baigner la joue, comme si elle coulait d'une source intarissable. Depuis la mort de leur famille, Jan se sentait responsable de sa sœur aînée et avait juré que plus personne ne lui ferait de mal, dût-il tuer pour la protéger.

La fin de février les soulagea peu. La traversée des Carpates était éprouvante, l'ascension des montagnes, un véritable calvaire. Ils marchaient dans une neige qui les ralentissait et les glaçait. Les branches se changeaient en fouets ou en lames acérées, leur mangeant les chairs partout où elles frappaient. Leurs mollets, quoique protégés par tout ce qu'ils avaient pu décrocher des cordes à linge, étaient meurtris. Leurs muscles, travaillant à les garder en équilibre, contestaient parfois le mauvais traitement qui leur était infligé en cessant de fonctionner le temps de crampes paralysantes. Jan regardait sa sœur forcer, suer, souffrir pour le suivre. Il tentait toujours de la rasséréner. Le pire de ce mois fut la faim, qu'ils ne parvenaient pas encore à apprivoiser. Jan en devenait tellement enragé qu'Élisabeth

179

apprit rapidement à fermer les yeux sur les vols qu'il faisait dans les fermes et les chaumières qui avaient le malheur d'être sur leur passage. Ils n'eurent que deux fois la chance de pouvoir pénétrer dans de petites églises de bois dont on avait laissé les portes ouvertes. Ils en profitèrent pour changer de vêtements, ne sachant plus comment s'attifer pour dissimuler vêtements effilochés sous vêtements troués.

Si mars fut accompagné de chaleur, il apportait aussi quelques petits animaux non aguerris contre les prédateurs qu'ils étaient devenus. Deux prédateurs émaciés qui ressemblaient à des squelettes chevelus. Jan et Élisabeth se demandaient quand prendrait fin cette marche. Ils ne parlaient presque plus du drame de janvier, qui semblait enfoui dans les profondeurs de leur souvenir. Si Élisabeth faisait moins de cauchemars, elle avait tenté de ne plus prononcer le nom d'Adam. La simple idée qu'il aurait dû être avec eux la torturait. Elle était certaine que son impatience avait assassiné son frère.

— Moi, je ne pense pas, Élisabeth. Il était si petit qu'il serait déjà mort s'il avait été avec nous. Il n'aurait jamais pu perdre autant de poids que nous.

Quand le mois d'avril se pointa, Jan réussit à voler une poule qu'il était en train de vider lorsqu'il en sortit un œuf tout mou. Il hésita avant de décider de le laisser durcir et fit quand même rôtir la poule avec une joie exubérante pour souligner l'arrivée de ses seize ans.

La nuit avait été exceptionnellement calme. Élisabeth et Jan n'avaient rencontré personne et leurs nerfs avaient pu se reposer un peu. À l'aube, ils avaient trouvé une charmante rivière. Ils s'y trempèrent les pieds avec ravissement. La douleur, parfois, devenait supportable.

— J'aime mieux que l'eau m'arrache les chairs. J'ai l'impression que c'est beaucoup plus facile à endurer.

— C'est parce que l'eau prend le temps de t'engourdir un peu la peau.

— Quelle gentille infirmière elle fait !

Élisabeth décida de ne pas refaire ses bandages immédiatement et se contenta de humer le printemps et de sourire.

Elle recommençait à chercher un sens à sa vie hachurée par un lourd destin. Jan la regarda avec ravissement.

— Penses-tu vraiment qu'avril achève, Jan ?

— Oui. D'après mes calculs, on serait le 25.

— Tu as un cerveau pour les chiffres.

— Tais-toi ! Je ne veux pas...

Il allait dire qu'il ne voulait plus entendre le mot « cerveau ».

— Je ne veux pas entendre parler de chiffres. Je suis un artiste, moi !

Élisabeth le regarda, étonnée de l'ampleur de sa saute d'humeur. Ce matin était pourtant leur premier matin aussi ravissant. Ils étaient presque sans peur, avec juste un tintement de frousse dans le ventre pour ne pas endormir leur vigilance. Elle détourna le regard pour fixer l'eau qui l'apaisa au point qu'elle pensa s'endormir.

— Je peux dormir la première ?

— Vas-y. Je fais le guet.

Élisabeth ne se fit pas prier et s'endormit, pelotonnée. Jan fut surpris de ne voir aucune larme sur sa joue. Il soupira. Le chagrin de sa sœur avait apparemment commencé à guérir. À eux deux, ils avaient maintenant la certitude qu'ils survivraient à cette guerre qui n'en finissait plus. Il profita de la proximité de l'eau pour laver quelques vêtements et les pansements, qu'il fit sécher à même le sol. Élisabeth dormit pendant deux heures, ne s'éveillant qu'une fois après avoir appelé Adam en criant. Jan la consola et elle se rendormit en hoquetant comme un enfant qui vient d'avoir une immense peine.

Jan aperçut des gens sur l'autre rive. Il se tapit dans un bosquet, félin à l'affût, et attendit qu'ils disparaissent tout en surveillant Élisabeth afin qu'elle ne se lève pas. Les gens descendirent sur le rivage et se baignèrent. Jan reconnut le parler tchèque et en fut presque soulagé. Élisabeth et lui devaient être sortis de Pologne depuis longtemps et, si ses calculs étaient bons, approcher de la Hongrie ou, s'ils y étaient déjà, filer vers la Roumanie. Les baigneurs, qui riaient, semblaient sans méfiance. Les rives étaient si calmes que Jan se demandait s'il y avait encore des combats. À

Cracovie, on avait parlé de conflits qui secouaient tous les pays autour d'eux.

Jan commençait à s'ankyloser lorsque Élisabeth ouvrit les yeux. Il lui fit signe de se taire. Elle avala trois respirations et rampa jusqu'à lui. Il répondit à son regard interrogateur en montrant du doigt les baigneurs. Elle comprit aussitôt et se tapit près de lui.

— Couche-toi quand même, Jan. Si je vois qu'ils veulent traverser, je te réveille.

Jan voulut protester mais céda, usé de fatigue. Élisabeth demeura aux aguets. Les baigneurs partirent enfin et elle soupira de soulagement. Son frère reposait toujours. Elle se releva pour se dégourdir. C'est alors qu'elle entendit un craquement quelque part derrière elle. Tous les poils de son corps se hérissèrent et elle crut qu'après avoir frappé quelques bons coups son cœur s'était arrêté de battre. Elle avança un peu. On la suivait, elle en était certaine. Elle jeta un rapide coup d'œil en direction de Jan, qui dormait profondément. Elle continua de marcher vers la rivière. Cette fois, un caillou la rejoignit. Pieds nus, elle avança dans l'eau et se retourna brusquement. Elle eut le temps de voir une silhouette disparaître derrière un bosquet d'arbrisseaux. Jan dormait encore. En un éclair, elle décida qu'il lui fallait absolument attirer la personne vers elle pour protéger son frère. Alors, elle choisit de se jeter dans la gueule du loup et, feignant la nonchalance, marcha en direction du buisson. « Encore dix secondes et je suis morte, pensa-t-elle. Neuf... huit... sept... » Elle poussa un grand cri au même moment qu'un jeune homme devant elle. Ils tentèrent tous les deux de déguerpir comme des lapins, mais chacun resta paralysé devant la peur de l'autre.

Jan avait bondi sur ses pieds, les poings fermés, prêt à tuer. Il comprit qu'il n'avait pas été vu et rampa avant de marcher voûté sur la pointe de ses pieds nus, s'approchant du jeune homme par-derrière. Il fouilla dans ses poches de pantalon, y trouva les cordes du violoncelle de son père et enroula autour de ses mains la corde du *do*, la plus grosse et la plus forte. Il avait toujours pensé qu'elle pourrait lui servir d'arme.

Jan ne quittait pas l'ennemi des yeux. Il vit que l'autre n'était pas armé d'un fusil mais semblait avoir un couteau. Élisabeth ne cillait pas, résignée ou terrorisée. Elle avait aperçu Jan mais n'avait pas bronché. C'était la première fois qu'elle voyait le danger de si près. Elle sentit ses genoux s'entrechoquer sous de violents tremblements. Son corps n'avait pas vécu une telle turbulence depuis l'assassinat de sa famille. Elle ne bougea pas pendant que de lourdes secondes s'écoulaient au rythme emballé de son cœur.

Pendant qu'Élisabeth devenait de plus en plus livide, Jan s'approcha derrière le jeune homme, qui l'entendit et tourna la tête au moment où il bondissait sur lui en hurlant, lui enserrant le cou avec sa corde métallique. Élisabeth cria elle aussi, mais c'était davantage parce qu'elle n'avait pas envie de voir la mort triompher devant elle. Elle ferma les yeux. Le jeune homme commença à se débattre mais Jan tint bon. Ce dernier avait fermé la bouche si fermement que sa lèvre inférieure s'était mise à saigner. Élisabeth rouvrit les yeux, le temps de constater que le jeune homme rougissait sous l'effort qu'il faisait pour faire lâcher prise à Jan. Elle entendait ses gargouillis et elle se boucha les oreilles. Était-ce son imagination ou un cri réel ? Elle entendit des supplications en polonais. Elle ouvrit les yeux et, pour la première fois depuis l'attaque de Jan, saisit le regard de la proie.

— Jan ! Jan ! Il étouffe.

Jan fit un signe de tête pour lui faire comprendre qu'il était à peu près temps, les forces commençant à lui manquer.

— Jan ! Je crois qu'il est polonais.

Jan relâcha son emprise de quelques millimètres et le jeune homme commença à tousser et à cracher. Ils le virent faire un effort pour parler et l'entendirent distinctement dire qu'il venait de Varsovie.

Ces mots électrisèrent Élisabeth et son frère. Jan lâcha tout et l'étranger tomba à ses pieds, étouffé, les mains sur sa gorge qu'il essayait de soulager de la douleur aiguë qui lui avait presque écrasé la pomme d'Adam après avoir mordu dans les chairs.

Élisabeth se ressaisit et courut en boitillant vers la rivière, attrapa deux morceaux de drap que Jan avait mis à sécher, les trempa dans l'eau fraîche et revint vers les deux garçons qui se roulaient par terre. Jan de peur et d'épuisement, l'autre de peur et de douleur.

Élisabeth prit d'abord soin de son frère, lui tamponnant la lèvre avec le coton et essuyant le sang mêlé de salive qui lui coulait jusque sous le menton. Elle se dirigea ensuite vers le jeune homme, qui respirait péniblement tout en les regardant encore d'un œil incrédule et affolé. Elle se mit à genoux à ses côtés, lui demanda de pencher la tête vers l'arrière et lui essuya le cou le plus doucement possible, le simple effleurement de ses mains semblant causer une douleur atroce.

— Je suis désolée.

Il la regarda et tenta un malhabile sourire avant de répondre d'une voix rauque qu'elle ne pouvait l'être autant que lui. Jan les observait, et les nerfs complètement déroulés, éclata de rire, au grand étonnement d'Élisabeth.

— Qu'est-ce qu'il y a de si drôle, Jan ?

— Tout ça. Je n'ai jamais eu aussi peur. Et pour rien.

Le jeune homme haussa les épaules, hésitant à trouver cela drôle. Il avait la fatigue de tant et tant de jours et de nuits de marche. S'il avait réussi à glaner quelques heures de sommeil ici et là, il n'avait jamais pu fermer les yeux sans se demander si quelqu'un n'en profiterait pas pour lui enfoncer un couteau dans le cœur ou lui tirer une balle dans la tête.

— Mon nom est Marek. Je marche seul depuis Varsovie.

Jan parvint à se relever et se dirigea vers la rivière pour s'y tremper toute la figure. Élisabeth le suivit et rinça les morceaux de drap souillés.

— Et si ma sœur et moi nous vous offrions de dormir toute la journée ? Nous ferions le guet.

Marek les regarda tour à tour et se demanda s'il pouvait leur faire confiance.

— Je ne sais pas. Avec votre broche qui...

— Ma corde...

— Une corde ?

— Une corde de violoncelle. Plus précisément la corde du *do*.

— Vous jouez du violoncelle ?

— Non, de l'alto.

184

Marek avait la voix de plus en plus éraillée et il se tut. Il s'abandonna enfin et ferma les yeux. Élisabeth partit dans les sous-bois chercher son violon. Jan la regarda en grimaçant.

— Penses-tu que ce soit une bonne idée ?

— Il me semble que ce garçon mérite un peu de musique. Nous l'avons presque tué, Jan.

— Nous venons de lui sauver la vie. Nous n'allons pas attirer l'attention avec du violon, Élisabeth.

— Une fois !

— Non. D'autant plus qu'il pourrait penser que nous l'avons tué et qu'il entend la musique des anges.

— Cesse de dire des idioties. Moi, je pense à Jerzy. Ils doivent avoir le même âge.

Jan regarda le jeune homme de nouveau et eut de la difficulté à penser que son frère pouvait être devenu si vieux.

Marek dormit comme un enfant, surveillé d'abord par Élisabeth armée d'un étui à violon, et ensuite par Jan. Élisabeth s'était elle-même allongée et ils ne s'éveillèrent que lorsque la faim les tenailla au point de les empêcher de dormir. Dès qu'Élisabeth ouvrit les yeux, elle aperçut Marek et, pour la première fois de sa nouvelle vie, alla à la rivière pour regarder son reflet, tenta de se peigner et ajusta ses vêtements du mieux qu'elle put. Jan l'avait regardée faire en hochant la tête, se demandant si sa sœur, tout à coup, ne se prenait pas pour une femme. Ils mirent beaucoup de temps à refaire leurs bandages et ils enfilèrent leurs chaussures en grimaçant.

Quand, à son tour, Marek s'était levé, il avait plongé dans la rivière, au grand étonnement d'Élisabeth.

— Peut-être que je pourrais faire comme une baleine et attraper quelques poissons entre mes dents. Je meurs de faim.

Marek parlait d'une voix terriblement écorchée. Ils partirent à la recherche de nourriture et trouvèrent quelques baies sauvages avant de découvrir une fermette, sa porcherie et son poulailler. Ils estimèrent qu'ils ne pouvaient attendre la tombée de la nuit, à cause des risques que représentait un feu. Il leur fallait manger immédiatement. Marek et Jan

185

restèrent là pendant qu'Élisabeth s'empressait de ramasser des brindilles de bois sec pour faire un feu. Elle les attendit pendant ce qui lui sembla être une éternité. Ils arrivèrent enfin en courant à perdre haleine et, elle n'en crut pas ses oreilles, en riant. Jan tenait deux poules caquetantes, de peur et Marek, un cochonnet qui ne cessait de grogner. Tous les deux avaient été souillés par les excréments de leurs prises.

— C'est que vous puez, tous les deux.

— Nous le savons.

— Et qu'est-ce que vous pensez que nous allons faire avec deux poulets et un cochon ?

Marek et Jan se regardèrent, roulèrent les yeux et répondirent en même temps :

— Manger !

Élisabeth envia un peu la complicité spontanée qui, grâce à un larcin, s'était établie entre les deux. Marek saigna le cochon et Jan égorgea les poules. Ils avaient grimacé à la mort du porcin qui, ils l'auraient juré, avait senti sa fin prochaine car il avait grogné et s'était débattu atrocement. Ils firent un feu sur le rivage et, pendant qu'Élisabeth cuisait les animaux, ils plongèrent de nouveau dans la rivière pour laver leurs vêtements tachés d'excréments et de sang. Leur toilette terminée, ils mangèrent tous les trois autant qu'ils le purent. Jan et Marek entrèrent dans une vive discussion quant à l'endroit où ils étaient, Jan étant certain d'approcher de la Hongrie alors que Marek jurait qu'ils étaient à quelques kilomètres à peine de la frontière autrichienne. Il ébranla Jan dans ses convictions quand il lui dit qu'il n'avait rien déduit mais que c'était quelqu'un rencontré dans sa fuite qui l'en avait informé.

— Il m'a aussi dit que la radio avait annoncé que Mussolini avait été pendu par les pieds.

— Mussolini ?

— Oui. Il paraît. On m'a dit aussi que personne ne savait si l'Armée rouge était encore dans Varsovie.

— L'Armée rouge dans Varsovie ?

— Oui, depuis janvier. C'est pour ça que je suis parti. Je n'avais pas envie de parler russe.

Jan et Élisabeth laissèrent s'écouler beaucoup de temps avant d'oser demander s'il avait des nouvelles de Cracovie.

— Non. Pas vraiment. Sauf que j'ai entendu dire que le Wawel avait été évacué.

Jan et Élisabeth ne parlèrent plus. Le souvenir de leur dernier jour à Cracovie refaisait rapidement surface, toujours aussi douloureux. Élisabeth se leva, ramassa ses effets, même ceux qui n'étaient pas encore tout à fait secs, remplit son baluchon et leur demanda s'ils étaient prêts à partir. Jan et Marek l'imitèrent et, moins de dix minutes plus tard, le trio avait repris sa marche avec une nouvelle assurance. Marek parce qu'il ne se sentait plus seul, Jan parce qu'il avait une autre personne pour partager la lourde responsabilité de la survie, Élisabeth parce que la simple vue de Marek lui donnait un frisson qui ne ressemblait en rien à ses chairs de poule d'effroi.

26

LA fête battait son plein. Jerzy regarda Pamela sourire à
tous les soldats. Depuis ce 8 mai où la guerre avait
déserté les pays d'Europe pour se contenter d'irriter le
Pacifique, tout était prétexte à réjouissances. Jerzy n'avait
cessé de jouer du violon. Tantôt il en jouait avec une
langueur qui lui rappelait douloureusement sa famille.
Tantôt, pour plaire à Pamela, il empruntait les airs et la
manière des violoneux pour faire revivre les notes que le
grand-père avait dû toucher. Ce 22 mai, Jerzy s'était levé
avec la ferme décision de demander Pamela en mariage, ou à
tout le moins de la convaincre de quitter Londres et ses
ruines pour vivre dans une Cracovie qui, il le savait, n'avait
pas été bombardée.

La fête battait encore son plein et les convalescents se
remettaient au fur et à mesure que les réjouissances les
forçaient à veiller tard et à faire de réels projets. Depuis le
8 mai, Jerzy, lui, avait enfin construit son avenir sur du
solide. Maintenant qu'il savait qu'il rentrerait sous peu, il ne
craignait plus de chagriner ses parents par sa décision. Il ne
voulait plus revenir sur ses réflexions de grabat, préférant
nettement penser qu'il pourrait peut-être arriver pour faire
quelques semis, tardifs certes, mais quelques semis tout de
même.

Ce soir-là, il choisit minutieusement son répertoire, ne
voulant pas risquer de perdre l'attention de Pamela. Le soleil
était couché et personne ne remarqua la nuit se charbonner
de nuages qui éclatèrent sur le coup de vingt-trois heures. Le

tonnerre y alla d'un duo. Quelques vétérans chez qui la paix récente n'avait pas réussi à effacer les réminiscences d'horreur confondirent leurs souvenirs, les grondements et les éclairs et commencèrent à hurler. Jerzy cessa de jouer et vit Pamela accourir près de ceux chez qui la fête venait de mourir dans un cri de désespoir. Il déposa son violon, empoigna ses béquilles et trotta vers Pamela pour lui prêter main-forte. Il lui fit comprendre qu'il s'occuperait d'un patient plus agité que les autres.

— Je le connais. Il était au mont Cassin. Nous avons été blessés en même temps.

Minuit avait déjà sonné lorsqu'il regagna sa chambre. Pamela, qui aurait dû être partie depuis longtemps, rôdait encore dans les parages. Jerzy sourit. Elle n'aurait jamais pu gagner un championnat de discrétion. Elle était si extraordinaire qu'elle n'avait jamais montré de préférence devant les autres patients, mais elle et lui s'amusaient depuis des mois à parler le langage du cœur, ponctué de quelques légers frôlements mais surtout de regards remplis de mots qui ne demandaient qu'à prendre une autre voie que celle des yeux.

— Pamela, est-ce que je pourrais vous parler ?

Elle regarda sa montre, soupira pour la forme et lui demanda de la suivre dans le petit réduit qui servait de cuisine aux infirmières. Jerzy volait au-dessus de ses béquilles. Elle lui servit un thé, sans dire un seul mot, et s'assit devant lui. Il était tellement nerveux qu'il ne remarqua pas qu'elle avait l'air lasse, pas plus qu'il ne lut un certain chagrin imprimé sur son front. Il prit une profonde inspiration et lui parla de son rêve de l'épouser et de l'emmener à Cracovie d'abord, puis à Wezerow où ils auraient une extraordinaire fermette. Il passa une heure à dépeindre de nouveau sa famille : son père et l'université, sa mère et la musique, sa sœur et son frère et le nouveau bébé — il hésita et compta les années —, le benjamin ou la benjamine de la famille, qui avait maintenant plus de cinq ans.

— Si c'est un garçon, il doit s'appeler Adam. C'est ma mère qui a choisi ce nom en disant qu'il symboliserait, en quelque sorte, la renaissance de la Pologne. Si c'est une fille, elle s'appelle Zofia, comme ma mère. Ça, c'est la décision de mon père. Je suis heureux qu'ils aient choisi les prénoms avant que je les quitte. Mes pensées étaient baptisées.

Pamela l'écoutait sans dire un mot. Jerzy vit qu'elle frémissait. Il en fut enhardi. Il lui prit la main et la porta tout doucement à ses lèvres. Jamais elles n'avaient effleuré une chose aussi douce que la peau de Pamela, sauf peut-être lorsqu'il avait goûté un pétale de rose. Pamela sursauta, ferma les yeux quelques instants avant de les rouvrir pour le fixer, en versant une larme qui le chamboula. Il lui répéta alors combien il l'aimait et que c'était grâce à elle s'il avait pu reprendre goût à la vie. Pamela détourna le regard et lui demanda de la suivre. Elle se leva et marcha dans un couloir qui n'en finissait plus.

— Êtes-vous assez en forme pour monter deux étages ?

Jerzy fit signe que oui.

— Le bon pied vers le ciel, le mauvais en enfer.

Ils montèrent, elle derrière lui, une main prête à le retenir s'il perdait l'équilibre. Ils arrivèrent enfin au dernier étage de l'hôpital. Jerzy n'aurait pas su expliquer pour quelle raison il sentait sa poitrine vibrer. Pamela marchait d'un pas qu'il trouva hésitant. Elle s'arrêta enfin devant une porte qu'elle poussa. Il la suivit dans une chambre qui ne comptait que quatre blessés. Elle s'immobilisa enfin devant un corps qui ne semblait tenir à la vie que par les fils des bandages et les câbles des palans. Jerzy le regarda et haussa les épaules. Il savait que ce genre de malade, comateux et émietté, ne vivait jamais très longtemps.

— Je ne peux le quitter, Jerzy.

Jerzy fut attendri par cette révélation. La générosité de Pamela était complètement démesurée. Puis il se rembrunit. Devait-il comprendre qu'elle refusait sa demande ? Elle s'en retourna vers le couloir et il la suivit, ses béquilles pesant soudainement très lourd.

— Jerzy, c'est mon mari.

Jerzy vacilla un peu. Pamela le remarqua et s'empressa

190

de lui trouver une chaise. Elle le fit asseoir à un bout du couloir et s'assit à ses côtés, le regard tourné vers une fenêtre.

— Il a été blessé au premier bombardement de Londres. Il n'a jamais repris conscience.

Maintenant, ils étaient deux à pleurer. Elle expliqua son trouble et son malaise de savoir tout l'attrait qu'elle avait pour lui alors que son mari végétait deux étages au-dessus. Elle avoua qu'elle avait déjà souhaité qu'il cesse de respirer pour qu'elle puisse redevenir femme. Être la femme d'un Polonais boiteux qui cultiverait une terre elle-même mutilée ; la mère d'une ribambelle d'enfants blonds aux yeux bleus ; la belle-fille d'un professeur qui lui expliquerait ce qui venait de se passer dans le monde abandonné à la folie pendant près de six ans. Être la bru d'une femme qui parlait en musique et la belle-sœur d'une fille aussi habile avec l'archet qu'avec son cœur, d'un garçon aussi retors et malin que drôle, d'un gamin ou d'une gamine qui apprenait déjà à lire.

Elle s'était levée pour se coller le visage à la fenêtre. Jerzy se leva à son tour et, oubliant de prendre ses béquilles, sautilla jusqu'à elle en prenant appui le long du mur. Profitant de l'absence du personnel, du calme de l'étage et de la noirceur, Jerzy l'attira vers lui et, essayant de faire croire à sa conscience qu'elle pouvait dormir, l'embrassa comme un affamé. Pamela le suivit et c'est avec appétit qu'elle s'offrit tout entière même si Jerzy ne pouvait goûter qu'à ses lèvres salées.

Depuis cette soirée que Jerzy qualifiait de maléfique, ils ne s'étaient presque plus adressé la parole et Jerzy avait rangé le violon dans son étui.

— Le violon, Pamela, il appartenait vraiment à votre grand-père ?

— Disons qu'il a déjà appartenu à mon grand-père... par alliance.

Jerzy n'avait plus posé de questions. Le violon, il le savait, ne jouerait plus. Jerzy était remonté dans cette chambre du dernier étage. Il y avait pénétré pour y déposer l'instrument au chevet de ce garçon à peine plus âgé que lui. Son intention n'avait été que de lui rendre l'instrument mais il s'était finalement assis quelques minutes, le temps de lui chuchoter combien il aimait Pamela et combien il aurait voulu l'emmener en Pologne. C'est la tête posée près de celle d'une loque disloquée au visage hirsute qu'il avait pleuré sa déception amoureuse, ne cessant de lui répéter combien il l'enviait d'être encore aimé d'une femme exceptionnelle.

— Tu es un homme chanceux.

Il regretta aussitôt cette remarque, voyant que l'homme qui se trouvait devant lui n'avait plus d'homme que le nom.

Les médecins décidèrent que Jerzy pouvait sortir de l'hôpital et se chercher une chambre ailleurs, pas trop éloignée de l'institution afin qu'il puisse y revenir régulièrement. Jerzy paniqua, d'abord parce qu'il savait qu'il ne reverrait plus Pamela, ensuite parce qu'il se demandait s'il aurait la force physique de travailler à la reconstruction du pays. Tous ces prétextes lui cachaient assez bien qu'il ne voulait s'avouer sa crainte de s'assumer totalement, ce qu'il n'avait jamais fait de sa vie. Sa mère avait été remplacée par Mme Saska, Mme Saska par le camp, le camp par l'armée polonaise, l'armée par les hôpitaux. Cette décision, qu'on lui imposait, de le rendre indépendant l'empêcha de trouver le sommeil. Ce n'est que quelques semaines plus tard qu'il se présenta devant son ancien commandement militaire.

— Il est bien exact, major, que l'Angleterre nous offre de rentrer en Pologne ?

Jerzy s'était présenté en uniforme, sans béquilles. Il s'habituait à son boitillement.

— Oui. Il y a déjà un groupe qui va être rapatrié de Lübeck le mois prochain ou en juillet au plus tard.

— Mon problème, major, c'est que je voudrais rentrer.

— Mais alors ? Jusque-là, il n'y a pas de problème.

— Mais je ne sais pas du tout si je vais être capable de m'adapter à un gouvernement russe. Disons que dans ma famille on se méfie un peu des Russes. Est-ce que j'aurais d'autres possibilités ?

Le major regarda Jerzy avec amusement. Il n'y avait qu'un Polonais pour négocier les conditions de son rapatriement. Il connaissait bien celui-là, qui avait joué du violon pour aider compatriotes et compagnons d'infortune à survivre à une guerre qui n'avait plus aucune signification pour eux, sauf des anecdotes douloureuses de plus en plus oxydées.

— Vous avez de la famille en Pologne?

— Sûrement. Je viens de Cracovie.

— Il y a de bonnes chances.

Le major hésita.

— Mais, le cas échéant, vous pourriez toujours opter pour un pays du Commonwealth.

Jerzy hocha la tête. Il aurait à prendre une décision à l'aveuglette. Comment pouvait-il jouer à colin-maillard avec sa vie alors qu'il ne savait plus rien, qu'il ne savait même pas s'il avait encore quelque chose?

— J'ai jusqu'à quand pour me décider, major?

— Prenez le temps dont vous avez besoin.

Cette rencontre l'avait profondément déprimé. Jamais soldat ne s'était senti aussi désarmé. Il n'en retenait que la question : « Vous y avez de la famille? » Il en ressentit d'abord un léger malaise, puis une inquiétude adhérant à ses insomnies. Quand son inquiétude se métamorphosa en angoisse, il décida enfin de réagir.

Jerzy entra dans le bureau de la Croix-Rouge et fut forcé d'attendre pendant des heures que son tour vienne. Contraint à l'immobilité, il ne put empêcher ses pensées de s'activer. Il laissa ses yeux errer autour de la pièce et reconnut sur les visages des émotions calquées sur les siennes. Tous recherchaient quelqu'un ou espéraient être retrouvés. Les mains attirèrent son regard et il remarqua qu'elles étaient presque toutes nerveuses. Les visages demeuraient impassibles mais les mains trahissaient le désarroi. Jerzy eut soudainement peur que personne ne l'attende. Il regarda ses mains qui venaient d'être prises de peur.

Son tour vint enfin et l'employé de la Croix-Rouge prit note de toutes les coordonnées.

— Je ne suis pas très optimiste. Nous ne retrouvons presque personne, surtout chez les Polonais.

— Mais ma famille est de Cracovie...

— Ce n'est pas parce que nous n'essayons pas, mais nous

commençons à nous organiser et nous n'avons pas assez de personnel. Il faudrait qu'à chaque demande une personne se déplace et aille enquêter sur les lieux. Enfin, nous allons faire de notre mieux. Ne perdez pas courage. Vous avez raison quant à Cracovie.

Jerzy erra dans les rues. Il n'avait pas envie de retourner à sa chambre, encore plus déprimante que l'hôpital. Il lui fallait agir, trouver une direction à prendre. Il avait évidemment écrit aux siens, mais sa lettre était demeurée sans réponse. Il en accusa les lenteurs de la reconstruction des pays.

La mi-juin passa et il n'avait reçu aucun encouragement de la Croix-Rouge. Il pensa aux semis qui mourraient avant même d'avoir pu germer. Alors, il décida de mettre son orgueil en veilleuse et de demander l'aide de Pamela. Il alla la voir à l'hôpital et l'invita à le rencontrer dans un pub de Sloane Square. Elle hésita avant d'accepter.

Pamela était déjà assise et sirotait un thé glacé en attendant Jerzy. Avant d'entrer dans le pub, il la regarda longuement par un carreau d'une fenêtre et retint son chagrin pour ne pas diluer son courage. Il s'approcha enfin et eut presque mal de voir le visage de Pamela s'illuminer de plaisir. Il s'assit un peu gauchement, n'ayant pas encore réussi à contrôler la douleur de son dos lorsqu'il changeait de position.

— Je m'excuse d'être forcé de vous demander ce que je vais vous demander.

Pamela continuait de sourire, mais soudain son sourire était moins assuré. Alors Jerzy y alla franchement. Pouvait-elle lui prêter l'uniforme de son mari afin qu'il puisse aller à Cracovie sous les traits d'un Anglais, voir ce qui l'y attendait et décider de son avenir sous un meilleur éclairage ?

Pamela détourna le regard. Il craignit son refus pendant tout le temps que dura sa réflexion.

— Je vais vous rendre l'uniforme, c'est promis.

Il se sentit ridicule, sachant fort bien que l'uniforme n'avait rien à voir avec sa requête.

— Et si on vous arrête ? Si on veut voir vos papiers ?

— Je ne pense pas que les Russes demanderont les papiers d'un Anglais. Nous sommes alliés... Enfin, je suis prêt à prendre le risque. Tout le monde connaît l'efficacité des bureaucrates... Quant à celle des Russes, je suis prêt à en faire l'expérience s'il le faut.

Ils demeurèrent silencieux pendant près d'une demi-heure, Pamela ayant un regard fuyant et trouble, Jerzy une poitrine toute prête à éclater. Elle avala une dernière gorgée de thé et se leva. Ils sortirent du pub et marchèrent jusqu'à ce qu'ils atteignent une petite rue presque épargnée par les bombardements. Jerzy était gêné de regarder la maison vers laquelle Pamela s'était dirigée, ayant l'impression de la dépouiller de son intimité. Il jeta un regard furtif vers les bow-windows, la brique rouge et les corniches. Il aperçut le numéro « 14 » et décréta que c'était certainement un chiffre porte-bonheur. Pamela habitait un sous-sol où ne pénétrait la lumière du soleil que l'après-midi. Il la suivit dans l'unique pièce de la maison et resta debout, ne sachant pas si elle l'avait invité à s'asseoir. Elle ouvrit l'armoire et en sortit un uniforme presque neuf.

— Il va certainement vous aller. Vous êtes tous les deux de la même taille ou presque.

Jerzy passa dans la salle de bains et se dévêtit pour endosser l'uniforme. Il sortit et se retrouva devant Pamela qui le regardait d'une façon trouble. Il ne bougea pas, pantois et mal à l'aise. Elle se leva et se dirigea vers lui, le serra dans ses bras avant de l'entraîner dans le lit. Jerzy tenta faiblement de résister, ne sachant où, dans ses croyances, il était écrit qu'on pouvait aimer une femme encore mariée mais presque veuve. Il n'attendit aucune réponse et se laissa emporter par la tornade rousse de Pamela.

27

— **D**EVANT la lune et les étoiles filantes, devant Dieu, devant papa, maman et Adam dont les âmes nous ont accompagnés tous les jours, je vous prononce mari et femme.

Jan fit un signe de croix pour bénir Élisabeth et Marek. Élisabeth, mariée couverte de haillons, sanglota de bonheur pendant que Marek, une épaule émergeant par l'échancrure d'un vieux lainage, lui enfilait un jonc de bois. Il la prit ensuite dans ses bras avant de lui enlever tout doucement la couronne de fleurs des champs qu'elle avait patiemment tressée et posée sur sa chevelure terne et teigneuse. Elle avait utilisé en guise de rubans de longues feuilles fines et vertes. Marek déposa la coiffe sur l'eau d'un tout petit ruisseau qui harmonisa son roucoulement avec le leur. Jan se pencha pour prendre son violon et leur ordonna de s'asseoir. Élisabeth se demanda pourquoi, tout à coup, il prenait le risque de jouer, mais ne discuta pas. Elle cessa de craindre quand elle le vit jouer en silence, les doigts placés sur le manche mais l'archet demeurant dans l'étui. Elle se leva et alla chercher le violon de sa mère, puis se plaça aux côtés de son frère et observa son doigté. Elle reconnut la pièce, sourit et commença à déplacer ses doigts aussi, mimant le mouvement de l'archet. Après quelques minutes de ce jeu qui hypnotisait complètement Marek, ils chantonnèrent les airs qu'ils attaquaient. Jan demanda ensuite à sa sœur de poser son instrument et joua une varsovienne. Élisabeth se releva pour virevolter en chantonnant devant son mari. Jan s'éloigna discrètement des nouveaux mariés.

Ce mariage leur avait causé à tous les trois des heures et des heures de discussions. Pouvaient-ils se marier devant Dieu en attendant de rencontrer un prêtre ? Jan avait finalement décrété que oui.

— Si un père ou une mère peut baptiser un nouveau-né en danger et qu'un soldat peut prononcer le Requiem, je pense qu'un frère peut bénir le mariage de sa sœur, lui servant à la fois de père, de prêtre et de témoin.

Jan les avait regardés malicieusement avant de déclarer que ce choix, si boiteux fût-il, était probablement préférable à tout autre choix, n'en déplaise à Dieu. Il n'avait osé avouer qu'il aurait été mal à l'aise de voir sa sœur dans les bras d'un homme qui n'aurait pas été son mari.

Ce raisonnement avait vaincu toutes les résistances. Ils s'épousèrent le jour de la Saint-Jean-Baptiste, fête du saint patron de Jan et fête du feu. C'est par cette nuit ravissante qu'ils avaient échangé leurs promesses.

Exceptionnellement, ils se permirent une nuit de repos. Marek invita Élisabeth à se rendre sur la douche d'herbes et de feuillage qu'il avait préparée et elle le suivit. Elle se recroquevilla dans les bras de son mari et chantonna dans son oreille, rythmant sa symphonie sur celle des grillons, des crapauds et des chauves-souris. En s'assoupissant, Élisabeth regretta simplement de ne pas voir de champs recouverts de *babielato*, cette immense dentelle dont les araignées, Pénélopes nocturnes, recouvraient les champs de Pologne en automne. Elle aurait compris que son mariage était béni de tous, la nature lui ayant offert un immense voile blanc en guise de cadeau.

Jan fut le dernier à faire le guet. La journée avait été des plus accablantes et il avait hâte que la nuit vienne enfin les rafraîchir. Au moment où le soleil allait se coucher et où il pensait qu'il était temps qu'Élisabeth et Marek s'éveillent, il aperçut quatre silhouettes d'hommes marcher dans sa direction, d'un pas lent et vacillant. L'un des hommes tomba et ne se releva jamais. Jan demeura tapi derrière des buissons, la corde de violoncelle bien en main. Il retenait sa respiration lorsqu'il entendit haleter juste derrière lui. Il se plaqua au sol, espérant qu'Élisabeth et Marek n'étaient pas en pleins ébats amoureux. Six bottes percées passèrent à un mètre de son nez qu'il s'empressa d'enfouir dans les herbages. Il releva doucement la tête et remarqua que les uniformes étaient râpés. La pénombre ne l'empêcha pas de reconnaître des uniformes allemands — ils avaient dû être identiques à celui que le chien avait donné à Adam — dont il ne restait que des guenilles. Deux des soldats décidèrent de se reposer, au grand désespoir de Jan qui ne trouvait aucun moyen d'avertir ou de protéger sa sœur et son beau-frère. Il ferma les yeux pour essayer de faire taire sa frayeur. Il serait incapable de venir à bout de deux soldats, même défaillants, encore moins de trois si l'éclaireur revenait sur ses pas.

Il resta là à essayer de les entendre mais les quelques bribes qui lui parvenaient étaient inintelligibles, le reste étant étouffé soit par la distance, soit par la faiblesse des deux hommes qui n'avaient peut-être plus la force de parler. Jan commença à s'interroger sérieusement sur l'état de l'armée allemande. Quelque chose dans leur attitude l'intriguait. Il tenta de relever la tête mais la sentinelle pressa une semelle trouée contre sa nuque. Il tenta de bondir sur ses pieds afin de montrer qu'il n'était pas armé — il avait laissé tomber sa corde — mais l'Allemand l'en empêcha, invitant ses camarades à le rejoindre et ordonnant sèchement à Jan de se relever. Il le fit en priant à vive allure pour qu'on ne l'abatte pas et fut rapidement fouillé. Les Allemands sortirent les trois autres cordes de violoncelle de ses poches et lui demandèrent des explications. Jan répondit, à leur satisfaction. Puis le plus maigre des trois, celui qui avait un visage crasseux et creusé, lui demanda s'il avait de la nourriture. Jan en fut décontenancé.

— Oui, nous en avons. En voulez-vous?

Élisabeth et Marek venaient de sortir de leur cachette. Élisabeth tendait la main dans laquelle il y avait les restes d'un lièvre trop cuit et elle avait parlé avec une assurance qui étonna et Jan et Marek.

— Pourquoi n'avez-vous qu'un seul fusil?

Jan comprit ce qui l'avait intrigué. Élisabeth était extraordinaire : elle avait remarqué qu'ils n'étaient pas armés. Tout en arrachant l'un après l'autre les lambeaux de chair roussie accrochés aux os, les Allemands expliquèrent succinctement leur présence. Jan, Élisabeth et Marek apprirent que l'armée allemande avait été battue, que Hitler s'était suicidé deux jours après la mort de Mussolini et que depuis ce temps plus personne n'avait repris le commandement. Ils avaient été écrasés de partout. Des traités de paix auraient été signés pour l'Europe. Seuls les Américains étaient encore en guerre avec le Japon. Quant à eux, ils n'avaient qu'une envie : rentrer à la maison, prendre un bain, manger à en dégobiller et baiser. Cette dernière phrase fit sourire Élisabeth. Aucun de ces trois soldats n'avait plus de vingt ans. Les seules femmes qui devaient les attendre étaient certainement leurs mères.

Pendant que Jan récupérait la corde du *do*, les trois soldats enterrèrent sommairement celui qui était tombé et repartirent en traînant les pieds, sans dire au revoir, sans remercier. Jan, Élisabeth et Marek demeurèrent là, muets, assommés, incapables de comprendre que leurs vies entraient dans une nouvelle ère. Jan fut le premier à finalement réagir.

— Où allons-nous ?

Élisabeth prit son temps avant de répondre.

— Où allions-nous ?

Ils mirent des heures à chercher une réponse. Ils s'assirent et décidèrent de ne pas marcher mais de dormir pendant la nuit, tous les trois, ce qu'ils n'avaient jamais fait. Ils allumèrent un feu et le regardèrent brûler avec joie, au lieu de craindre que les lueurs et les pétillements n'attirent l'attention. Ils se couchèrent, donnant libre cours à leurs pleurs de soulagement et de désespoir.

Ils consacrèrent la semaine suivante à réapprendre à vivre sans avoir peur de rencontrer la mort aux carrefours et dans les sentiers. Un paysan les informa qu'il y avait déjà des camps de réfugiés où ils pouvaient se rendre. Élisabeth se réjouit de savoir qu'elle deviendrait officiellement la femme de Marek. Marek sut qu'il deviendrait responsable d'elle pour le meilleur, le pire étant derrière eux. Jan, cependant, ne cessait de se demander où il irait. Il venait de comprendre que, depuis la mort de ses parents, il n'était allé nulle part, la survie n'ayant jamais été une destination mais la seule façon de vivre qu'il connaissait.

Les bivouacs de nuit devinrent le moment qu'ils privilégiaient. Ils purent faire le point, discuter et rediscuter de leur avenir.

— Pour vous deux, c'est simple : vous êtes déjà une famille. Moi, je suis seul.

— Mais non, Jan. Tu sais très bien qu'Élisabeth et moi nous allons toujours être avec toi.

Parfois, Jan sortait son violon et en jouait, au grand plaisir d'Élisabeth et de Marek. Un de ces soirs chargés d'humidité, il s'amusa à jouer l'air d'une chanson que leur avait apprise l'ami de leur père. Le prêtre.

— Comment est-ce qu'il appelait ça, Jan ?

— Le *Pot-pourri*. Je m'en souviens parce que je m'étais demandé si c'était un pot de confitures ou un pot de fleurs.

Élisabeth ricana et commença à chantonner l'air du *Canadien errant*. Et voilà qu'au même moment elle et son frère s'immobilisèrent, se regardèrent et comprirent.

— Son nom, Élisabeth, tu te souviens de son nom ?

— François.

— Oui, oui ! C'est ça : François. François qui ? Ça fait si longtemps !

Les deux étaient si énervés que Marek les regardait comme s'ils étaient atteints de folie. Il n'avait jamais entendu parler de ce curé.

— Nous ne l'avons pas tellement connu parce qu'il venait surtout le soir et que nous nous étions couchés, mais c'était un grand ami de notre père. Ils s'étaient rencontrés à l'université. Une fois, il avait fait les semis avec nous à Wezerow.

— Et il nous avait appris la chanson.

— Mais nous l'avons connu assez pour lui écrire...

— Et lui demander de nous aider...

— Et peut-être même le rejoindre au Canada...

— Peut-être même...

L'euphorie retomba rapidement, ni l'un ni l'autre ne réussissant à retrouver son nom de famille.

— Élisabeth, fais un effort. Tu avais onze ans la dernière fois que nous l'avons vu. À onze ans, on a de la mémoire.

— À dix ans aussi, Jan. Ne me rends pas responsable d'un trou de mémoire que tu as autant que moi.

— Comme nous aurons l'air intelligents ! « Excusez-nous, mais nous cherchons un prêtre canadien qui s'appelle François. »

Ils se couchèrent sans se parler. Jan vivait un profond découragement et pensait qu'ils pourraient peut-être le retrouver si seulement il arrivait à se souvenir de l'ordre auquel il appartenait. Élisabeth se rongeait les sangs, ayant l'impression que la vie leur avait ouvert une brèche dans laquelle ils étaient incapables de se faufiler. Jan parvint finalement à trouver le sommeil alors qu'Élisabeth promenait le doigt autour du nombril d'un Marek endormi, les yeux tournés vers ses souvenirs. Le trou de mémoire était si profond qu'elle ne parvenait pas à en voir le fond. Si seulement elle avait eu de l'argent, un tout petit zloty, elle l'aurait avalé pour avoir une idée de la profondeur du gouffre de sa mémoire.

Puis le nom lui revint comme un éclair. VILLENEUVE. Elle le hurla si fort que Marek, s'éveillant en sursaut, hurla lui aussi comme il l'avait fait le jour de leur rencontre. Jan bondit sur ses pieds et se frappa la tête en répétant le nom pour l'imprimer à jamais dans ses souvenirs. En quelques secondes, les trois faisaient la farandole autour des braises du feu. Puis Jan commença à pousser des petits cris d'Amérindien, faisant « aaaaa » de la bouche et saccadant le son en appliquant à répétition sa main sur ses lèvres, comme au cinéma, ce qui fit rire Marek qui ne l'avait jamais vu aussi déchaîné.

— Un Canadien errant, Marek ! Est-ce que ça te plairait d'être un Canadien errant ?

— Penses-tu vraiment, Jan, que nous sommes assez errants pour avoir le titre ?

— On ne peut pas nous en demander plus.

Le sommeil ne revint plus de la nuit. Ils avaient un but : rallier un camp de réfugiés en Allemagne et retrouver les traces de François Villeneuve.

201

Alors que pendant des mois ils avaient souffert du froid, de la faim et de milliers de blessures infligées à leurs corps par les rochers râpeux, les roches pointues et les branches acérées, ils devaient réapprendre à demander au lieu de voler. Jan fut celui qui eut le plus de difficulté à le faire.

— En volant, je n'avais pas l'impression d'être un saltimbanque errant qui joue des airs de violon sur un instrument blessé qui n'a plus que trois cordes.

— Tu peux en prendre une sur le violon de Jerzy. Tu fais exprès d'avoir l'air misérable.

Jan enchaîna, comme s'il n'avait rien entendu :

— Je volais en me disant que je me confesserais aussitôt la guerre terminée. Maintenant, je n'ai plus d'excuses.

— Mais, Jan, les gens sont tous gentils.

— Regarde-nous. Nous avons l'air de trois squelettes en équilibre au bord d'une fosse. Les gens nous méprisent ou nous prennent en pitié, Élisabeth, c'est tout. As-tu déjà connu des Allemands qui ne méprisaient pas les Polonais ? Combien de fois est-ce qu'ils nous ont invités à partager leur repas ? Jamais. Même si nous sommes dans la zone américaine. La guerre est finie. Et nous sommes presque encore des enfants. Oui, ils nous donnent de la nourriture, mais nous devons nous éloigner pour la manger. Nous sommes dégoûtants et ils ont du dédain pour nous. Nous, nous leur avons donné à manger, à leurs soldats puants. Et nous n'avons pas hésité. Sans parler du galeux de chien sale de Cracovie.

Élisabeth le laissa décolérer avant d'enchaîner.

— Nous mangeons quand même mieux que pendant la guerre, Jan.

— Jamais assez, Élisabeth. Jamais assez.

Élisabeth reconnaissait bien là son frère, qui avait toujours eu l'estomac au centre de ses pensées. Mais Marek l'occupait davantage que les enfantillages de Jan, qui n'avait pas offert cinq minutes de son temps pour remercier la vie de ne pas les avoir abandonnés.

Marek, lui, était si différent. Depuis qu'ils étaient mariés, pas une seule fois il n'avait exigé d'elle qu'elle lui offre son corps. Il s'était toujours contenté de la caresser et de la cajoler, devinant que son désir naîtrait quand son corps aurait cessé d'avoir faim.

Il avait aussi accepté de les suivre au Canada, s'ils retrouvaient Villeneuve et si celui-ci voulait bien les accueillir, et il ne cessait de faire des rêves qu'Élisabeth pouvait confortablement habiter. Il pourrait être professeur de langues — il en parlait quatre : le polonais, le français, le russe et l'allemand — et elle, enseigner le violon. Quant à Jan, ils verraient à ce qu'il termine ses études et exerce la profession de son choix.

— Mes parents seraient découragés de savoir que leur fils de seize ans n'a même pas terminé son lycée.

Élisabeth était enfin capable de parler de Tomasz et de Zofia sans pleurer. Elle pouvait avoir les yeux humides, mais les sanglots ne l'étouffaient plus. La présence de Marek la réconfortait énormément. Sa vie aurait enfin un sens, même s'ils ne retrouvaient pas Villeneuve. À défaut du Canada, ils choisiraient peut-être la France. Toutes les jeunes servantes au pair qu'ils avaient eues à la maison jusqu'au début des hostilités leur avaient appris la langue et l'amour de ce pays.

— Je pense, Marek, que la France serait moins accueillante. Elle a été passablement malmenée et j'imagine que les Français n'ont pas vraiment envie d'apprendre l'allemand. Enfin, pas cette année.

— Oui, mais si je me mettais au japonais, nous pourrions aller aux États-Unis.

Marek dédramatisait toujours tout et faisait rire sa femme presque de l'aube au couchant. Le soir venu, ses propos changeaient. Ils n'avaient plus l'éclat du soleil mais le chatoiement de la lune. Il enlaçait alors Élisabeth en l'assurance de son éternelle fidélité et de sa sempiternelle reconnaissance qu'elle lui ait sauvé la vie. Élisabeth se laissait câliner avec délice, se demandant toujours pour quelle raison la vie était quand même si bonne avec elle.

Le soleil se levait lentement, et ils s'encourageaient en pensant tous les trois que dans peu de temps ils seraient à Amberg, ce camp de réfugiés dont on leur avait dit qu'ils pourraient y trouver des représentants canadiens. Marek flânait, chatouillant gentiment la nuque d'Élisabeth.

Ils s'étaient logés dans un bâtiment abandonné et les rayons du soleil les taquinaient. Jan sortit le premier. Il était toujours le premier levé et le dernier couché. D'une certaine façon, il n'avait jamais perdu l'habitude de veiller sur sa sœur.

Marek regarda Élisabeth et l'attira contre lui pour la bercer comme une enfant. Parce qu'elle était une enfant. Son corps décharné n'avait rien d'un corps de femme, mais son visage, quoique émacié, était si joli qu'il serait retourné à Varsovie, à genoux s'il l'avait fallu, pour la rejoindre. Il lui lissait les cheveux, essayant de les dénouer doucement lorsque ses doigts restaient coincés.

— Est-ce que tu vas me tenir dans tes bras quand nous serons au Canada, Marek?

Pour toute réponse, Marek lui promena sur les lèvres un doigt léger comme une plume. Élisabeth savait que Marek aurait voulu qu'elle soit sa femme entièrement, mais son corps n'avait, pour le moment, besoin que de tendresse. Il ne la brusquait jamais, se contentant de lui dire qu'il avait hâte de voir son vrai visage, celui qui avait des joues et des fossettes, des yeux pétillants et un teint rose pâle.

— Est-ce que nous aurons des enfants, au Canada?

— Quand tu le voudras, ma douce.

— Si nous avons un garçon, est-ce que nous pourrons l'appeler Adam?

Élisabeth ressassait souvent cette histoire mais Marek l'écoutait toujours comme si elle en parlait pour la première fois.

— Si j'avais eu plus de patience, Adam serait avec nous, j'en suis certaine.

Quant à Jan, il lui avait déjà dit qu'il ne voulait plus en entendre parler. Elle était certaine que c'était parce que toute cette journée de janvier le faisait trop souffrir et que lui-même n'avait pas insisté pour qu'Adam demeure avec eux. Marek connaissait tous les détails de la malheureuse histoire d'Adam. En son for intérieur, il trouvait que ce prénom aurait pu porter malheur. Mais Élisabeth le prononçait déjà avec tellement de douceur qu'il savait qu'il la laisserait choisir. Tout ce que faisait Élisabeth était doux. Elle parlait d'une façon qui l'envoûtait. Elle chantait d'une voix un peu rauque et séduisante, usée par la fatigue, pensait-il. Elle le touchait en appuyant les doigts comme si elle voyait d'invisibles cordes tendues sur son dos ou sur sa poitrine. Il l'aimait. Il l'aimait tant, et elle le savait.

Élisabeth gloussait encore de plaisir lorsque Jan poussa des cris de joie.

— Marek! Élisabeth! Venez voir ce que j'ai trouvé. Vite!

Ils sortirent tous les deux et virent Jan arriver au pas de course, tenant les pans de sa chemise. Des petits fruits rouges sautillaient au même rythme que lui.

— Pas du premier cru, mais des fraises! Des milliers de fraises qui attendent d'être cueillies.

Elisabeth savait que Jan les avait probablement volées, mais elles étaient si appétissantes que sa salive noya les tiraillements de sa conscience. Jan avait suivi ses pensées.

— Non, Élisabeth, je ne les ai pas volées. Je n'ai pas aperçu une seule personne, même pas une maison, à des kilomètres à la ronde.

— À des kilomètres?

— Enfin, près du champ de fraises. Deux ou trois barbelés, rien de plus.

Il relâcha sa chemise et les fraises tombèrent sur les pieds d'Élisabeth qui s'accroupit aussitôt pour s'en empiffrer. Marek la regarda faire et donna un coup de coude à Jan.

— Au rythme où elle les mange, il ne nous en restera plus. Je viens avec toi. Nous allons en cueillir d'autres.

Ils partirent à toute vitesse l'un derrière l'autre et Élisabeth se hâta de manger tout ce qu'elle put, histoire de faire enrager Jan. Elle avait les joues rougies par les fruits et les dents complètement obstruées par les petits grains jaunes. Marek et Jan ne mirent pas plus de cinq minutes à refaire les provisions et à revenir. Ils éclatèrent de rire en voyant qu'elle avait tout mangé. Jan feignit une sainte colère parce qu'elle ne lui avait rien laissé.

— Est-ce que madame la princesse pense que nous allons

courir tout l'avant-midi pour aller lui chercher des fruits? Pourquoi pas un bain de fraises pendant que tu y es?

Marek riait de voir sa femme aussi radieuse. C'était la première fois qu'il avait l'occasion de la voir se tacher de nourriture. Ils n'en avaient jamais eu assez.

— Restez tous les deux ici, je reviens.

— Pas question. À deux, on en rapporte plus.

Les beaux-frères repartirent en courant. Jan se retourna pour crier à Élisabeth de ne pas tout manger. Elle répondit que jamais un vol n'avait été aussi sucré. Marek éclata de rire, se retournant à son tour pour lui reprocher d'avoir une morale qui s'étirait au même rythme que son estomac. C'est à ce moment que Jan entendit et qu'Élisabeth vit l'explosion. Jan se retourna et aperçut Marek qui retombait après avoir été propulsé et déchiqueté dans les airs. Une mine! Ils étaient dans un champ de mines! Ce constat ne prit qu'un micron de sa pensée qui filait maintenant vers Élisabeth. Elle s'était relevée et hurlait la mort évidente de Marek. Elle tenta de rejoindre le corps de Marek mais Jan la supplia de n'en rien faire.

— Non, non! Reste où tu es, Élisabeth. Ne bouge pas.

— Je l'ai tué! Je l'ai tué, Jan! Comme j'ai tué Adam! Attends-moi, Jan! J'arrive!

— Non! Reste où tu es!

— Je veux mourir!

Elle avança dans le champ et Jan paniqua. Sa sœur voulait mourir. Il sentit que ses genoux allaient l'abandonner. Il vit Élisabeth se rapprocher du cadavre de Marek. Il commença donc à courir dans sa direction, tâchant de mettre les pieds dans ses propres pas. Il croisa le cadavre avant elle et détourna le regard, n'ayant aperçu qu'un amas de tripes rouges qui sortaient de ce qui avait été un ventre. Quant à la tête, il la devina non loin d'Élisabeth. Il lui fallait absolument faire une diversion pour qu'elle ne la voie pas. Il commença alors à lui demander de l'aide pour sortir de ce champ.

— Viens de ce côté, Élisabeth. Aide-moi à trouver où me diriger. Dis-moi où je dois aller.

Élisabeth arrêta de marcher, regarda le désespoir et la

peur de son frère et, comme hypnotisée, se dirigea vers lui. Jan soupira. Puis elle s'immobilisa de nouveau et regarda vers le corps de Marek.

— Il est mort, Élisabeth. Je l'ai vu de plus près que toi. Il est mort. Il ne peut plus t'entendre.

Élisabeth se mit alors à hurler de ce hurlement qui avait fait si mal à son frère quand les mitraillettes s'étaient attaquées à la chair de leurs parents. Sauf que, cette fois, Jan ne pouvait la bâillonner, pas plus qu'il ne pouvait la consoler. Abandonnant toute prudence, il se précipita vers elle et l'attrapa au moment où elle tombait de chagrin.

— Laisse-moi marcher dans le champ, Jan. Laisse-moi marcher. Je veux mourir.

Jan pleurait maintenant autant qu'elle. Il était étonné de la force qu'elle avait. Il tenta de la retenir mais elle se débattit en le mordant et en lui donnant des coups de pied. Elle réussit presque à lui échapper. Alors, ne sachant que faire, il lui donna un coup de poing en pleine figure. Elle le regarda de ses yeux noyés avant de s'évanouir devant lui. Il la porta jusqu'au bâtiment, sanglotant de désespoir. Après l'avoir installée sur le sol, il s'agenouilla à côté d'elle, lui baisant une main en berçant son avant-bras.

— Je ne veux pas que tu meures, moi. Je n'ai que toi, Élisabeth. Je ne veux pas que tu meures. Qu'est-ce qui m'arriverait ? Qui m'aimerait ? Je ne veux pas que tu meures, moi.

Il s'allongea à côté d'elle, la couvrant de toute sa peur et de tout son amour, et continua de sangloter douloureusement, la tête nichée dans l'angle de son coude droit replié, la main gauche refermée fébrilement sur les lunettes de son père.

28

En apparence, rien n'avait changé, et pourtant plus rien n'était pareil. Jerzy était planté devant la maison de la rue Nicolas, les mains moites et le cœur en cavale. Il espérait voir sortir sa sœur ou son frère, ou même ce petit dernier qu'il était certain de pouvoir reconnaître. Depuis son arrivée à Cracovie, il n'avait pas vu plus d'une dizaine de visages familiers mais personne ne l'avait remarqué. On ne regardait plus les têtes qui ballottaient au-dessus des uniformes boiteux, fussent-ils anglais.

Il avança en hésitant, frappa à la loge de Mme Grabska, et, n'obtenant aucune réponse, monta l'escalier d'un pas qu'il aurait voulu léger mais que sa blessure et son angoisse alourdissaient. Il s'arrêta devant la porte de l'appartement de ses parents et ne bougea plus. Il avait espéré entendre le piano ou le violon mais seuls des pleurs de bébé et la voix d'une mère qui tentait de le calmer passaient sous la porte. Il fronça les sourcils d'incompréhension. Puis il comprit. Élisabeth, qui avait maintenant dix-huit ans, avait eu un bébé. Il n'y avait pas d'autre explication. Rassuré, il frappa avec une hésitation à peine perceptible. La porte s'ouvrit et il se trouva devant une inconnue aux dents pourries, aux cheveux cotonneux et à l'haleine fétide. Jerzy se figea, se demanda où il était arrivé, se croyant, pendant quelques instants, tombé directement aux enfers. L'apparition était repoussante, et il recula d'un pas.

— Je m'excuse, je croyais être chez les Pawulscy.
— Les qui ?

— Pawulscy.

— Connais pas. Moi, je suis ici avec mon bébé depuis cinq mois. Connais pas vos Pawulscy.

Le bébé recommença ses hurlements. La mère haussa les épaules, gémit contre le fait qu'elle était complètement tarie et qu'elle n'avait pas d'argent pour acheter du lait, quand il y en avait évidemment.

— Vous, les Anglais, vous ne pouvez pas comprendre. Mais nous, les Polonais, on ne peut pas dire que la guerre nous ait épargnés.

— Les Anglais non plus n'ont pas été épargnés.

— Ouais. Mais ils doivent manger. Avec les Russes, c'est pas pareil.

Sur ces paroles, ne s'étonnant même pas qu'un soldat anglais lui ait parlé en polonais, elle referma la porte. Jerzy avait à peine eu le temps d'apercevoir quelques morceaux de mobilier, dont son lit, tiré dans le salon. Il se secoua pour se convaincre qu'il ne rêvait pas. Alors, il redescendit et frappa de nouveau chez Mme Grabska. Il entendit craquer le plancher.

— Qui est là ?

Il respira en reconnaissant sa voix.

— Jerzy, Jerzy Pawulski, madame Grabska.

Le cliquetis des chaînes, le frottement des ferrures et le bruit de la clé dans la serrure ne durèrent que quelques instants. La porte s'ouvrit toute grande et il vit apparaître Mme Grabska, qui ressemblait à son souvenir, sauf qu'elle semblait déguisée en sa propre mère. Après un moment d'hésitation devant l'uniforme, elle se précipita dans les bras de Jerzy en gémissant et en sanglotant d'émotion.

— Jerzy, Jerzy Pawulski... Je te croyais mort.

Un terrible silence suivit cette remarque et Mme Grabska attira Jerzy à l'intérieur. Il se laissa tirer. Ici aussi, presque rien n'avait changé mais tout était différent. Il avait imaginé la loge beaucoup plus grande. Mais elle était minuscule. Mme Grabska sortit une théière, mit de l'eau à bouillir sur son petit réchaud à gaz et chercha ses plus jolies tasses. Jerzy, inquiet à la limite de l'affolement, s'impatientait. À la voir cacher sa nervosité par un rictus tremblotant, il comprit qu'elle n'avait certainement rien d'agréable à lui communiquer. Elle s'arrêta enfin face à lui, hocha la tête d'incrédulité, soupira profondément et se dirigea finalement vers le lit.

— Je cherche comment te raconter ce qui s'est passé ici, mais je n'ai plus de mots, Jerzy. Uniquement du chagrin.

Elle prit l'étui à violon sous le lit et le lui tendit.

— C'est le violon d'Élisabeth.

— Possible. Je ne savais pas auquel de vous il appartenait.

Jerzy sentit un oiseau emprisonné dans sa poitrine, et qui ne cessait de battre des ailes et de donner des coups de bec. Alors, Mme Grabska vint s'asseoir à côté de lui et lui raconta la guerre que sa famille avait vécue. Il ne l'interrompit pas, se contentant de lui faire signe de ralentir son débit, les mots et les images prenant parfois du temps à trouver le chemin de sa compréhension. À la fin du récit, il ne demanda que quelques confirmations.

— C'était un petit garçon...

— Oui. Un magnifique petit garçon, taquin et très intelligent. Il venait chercher ses gâteries ici, ta famille n'en ayant pas.

— Adam pour le premier homme de la nouvelle Pologne...

Jerzy s'était parlé à lui-même et Mme Grabska n'insista pas. Elle regarda son visage, si semblable à celui de son père et de son frère.

— Et Jan et Élisabeth?

— Comme je t'ai dit, personne ne les a revus. Je les ai longtemps attendus. Je les ai même cherchés partout, les appelant tout doucement comme on appelle un chat égaré qu'on ne veut pas effaroucher. Rien. Maintenant, j'ai la certitude qu'ils ont été tués eux aussi. Tu sais, quand les Allemands ont battu en retraite, ils tiraient sur tout ce qui bougeait. La seule personne que j'ai aperçue a été cet officier Schneider qui est revenu le soir du massacre et a emporté plein de choses. Il a même essayé de venir me parler mais je ne lui ai pas ouvert. Je ne l'ai plus jamais revu lui non plus. C'était une sinistre individu, je crois. Il n'y avait que le petit qui semblait bien l'aimer. Et ta mère, peut-être, qui lui trouvait un peu de bon.

Jerzy faisait des efforts magistraux pour être digne de l'uniforme qu'il portait, quoique emprunté. Mais il se promit de commencer son deuil aussitôt dévêtu.

— Qui sont ces gens qui habitent chez nous ?

— Je ne sais pas. Ils sont arrivés comme ça. Je n'ai rien dit. À cause du bébé. Vous aviez... ta mère avait conservé le couffin d'Adam. Je n'ai rien dit. Penses-tu que j'ai bien fait ? Il y a tellement de Polonais qui n'ont plus de toit.

Jerzy accepta de dormir sur le divan. Au petit jour, il était si opprimé qu'il se leva, s'habilla et sortit sur la pointe des pieds pour aller marcher dans les rues. Il se rendit jusqu'à l'université, dont les murs étaient revêtus de papiers et d'affiches. Certains, presque arrachés par le temps et les intempéries, dataient de quatre ans. Il marcha ensuite jusqu'au Wawel, là où les Allemands avaient pensé régner en rois et maîtres pour l'éternité. Puis il revint vers le Grand Marché, contourna le marché aux draps, traversa la place et pénétra dans l'église Notre-Dame. Il avait entendu le clairon mais pas les cloches. Le clocher était toujours vide. Un prêtre, avec aube et chasuble, récitait une messe de l'aurore. Jerzy n'osa pas aller communier, craignant que ses amours avec Pamela ne le précipitent en enfer. Il n'entendit plus rien du reste de la messe, ses pensées étant retournées à Londres. À l'*Ite missa est,* il avait décidé qu'il ne reviendrait pas à Cracovie. Plus personne ne l'y attendait. Il désirait pourtant viscéralement revivre ici. En se signant une dernière fois au sortir de la cathédrale, il se jura qu'il rentrerait quand la Pologne aurait recommencé à guérir, pour la millième fois de son histoire, et que lui-même pourrait y greffer une nouvelle famille.

Le trajet de retour fut pénible. Les jours s'allongeaient indûment et les nuits languissaient effrontément. Jerzy avait tout le corps qui lui démangeait sous l'uniforme de laine mais pas autant que les yeux qui ne cessaient de s'humecter et qu'il ne pouvait que tamponner en attendant d'être rendu chez Pamela pour pleurer dans ses bras. Il avait tant besoin de bras pour le réconforter.

Londres lui apparut lugubre, cent fois plus triste que

Cracovie. Seul le logement de Pamela sembla sourire un peu quand il y entra. Pamela n'y était pas. Il regarda sa montre et sut qu'elle serait à l'hôpital pendant encore de nombreuses heures. Il déposa religieusement le violon d'Élisabeth avant d'enlever l'uniforme et de le suspendre dans l'armoire, là où il avait été pendant des années.

Jerzy se laissa choir dans le seul fauteuil de la pièce. Ce n'est qu'à ce moment que tout son voyage lui assaillit le cœur. Il commença par verser une larme discrète. Une deuxième suivit. La digue de son chagrin s'ouvrit enfin et toute l'eau de son corps se déversa sur sa figure, coulant ensuite sur sa poitrine avant de se réfugier dans l'aine. Quelques gouttes pourtant s'agglutinèrent dans le trou du nombril pour lui rappeler qu'il serait toujours le fils de Zofia et de Tomasz.

29

Depuis la mort accidentelle de Marek un an plus tôt, Élisabeth n'avait pas vraiment retrouvé ses esprits. Elle mangeait en silence, dormait peu, ne pleurait jamais. Elle avait suivi Jan jusqu'à Amberg, n'avait pas réagi au camp de réfugiés, n'avait pas souri quand un Américain, la trouvant malgré tout encore jolie, avait voulu faire une photographie d'elle. Elle avait regardé filer deux automnes sans un frisson et avait grelotté à l'arrivée des hivers, recroquevillée sur ses genoux cagneux pour se réchauffer. Jan faisait seul les démarches pour retrouver le père François Villeneuve. Quelques jours avant Noël 1946, il s'était souvenu qu'il était oblat, ce qui avait encouragé le représentant de l'immigration canadienne.

Les soldats américains étaient assez généreux. Quand Jan jouait du violon, ce qu'il faisait tous les jours pour travailler, ils ne manquaient pas de lui donner quelques *cents*, parfois des *dimes* ou des *quarters*. Jan s'empressait de les cacher dans l'étui à violon de leur mère, à côté d'un sac contenant la terre dont il avait empli ses poches le jour de leur départ. Les Américains lui fournissaient aussi des cigarettes, qu'il ne fumait pas mais vendait aux jeunes Allemands habitant à proximité du camp, et du chocolat dont il donnait les trois quarts à sa sœur. Il n'avait jamais pensé qu'une personne pouvait réellement mourir de chagrin. Il espérait que le chocolat la maintiendrait en vie.

Quand le désespoir lui collait de trop près à la peau, Jan sortait les lunettes de son père et leur parlait.

213

— Aide-moi à comprendre, papa. Si ton ami ne nous fait pas venir, je ne sais absolument pas comment je vais réussir à vivre et à m'occuper d'Élisabeth. On dirait qu'elle se laisse pourrir, papa. Pas mourir, pourrir. Si seulement elle me croyait quand je lui dis qu'elle n'a pas tué Adam et que son mari est mort dans un accident bête. Mais elle ne me croit pas. Aide-moi à comprendre, papa, pourquoi la vie est si difficile... Dis bonjour à maman.

Jan fut seul à exulter quand, à l'été 1947, on lui annonça qu'on avait retrouvé le père Villeneuve. Il courut à perdre haleine pour rejoindre sa sœur. Elle le regarda jubiler, ne sourit même pas, mais se leva et, au grand étonnement de Jan, elle tenta de défroisser sa jupe.

— Quand partons-nous ?

Jan se précipita vers elle, l'étreignit dans ses bras, ne cessant de lui bécoter les mains et les joues et de la faire sautiller.

— Élisabeth, Élisabeth, que c'est bon d'entendre ta voix ! Que c'est extraordinaire de t'entendre ! Je ne sais pas quand nous allons partir, mais c'est bientôt. Il faut attendre les papiers, c'est tout.

Si Jan fut heureux de retrouver sa sœur, l'euphorie fut brève. Élisabeth retomba rapidement dans son absence, au grand désespoir de son frère qui se demandait s'ils pourraient passer l'examen médical requis par les services de l'immigration. Il tenta d'en parler à sa sœur sans la brusquer. Élisabeth se contenta de tourner la tête dans sa direction, sans réagir. Mais Jan sut qu'elle l'avait entendu, parce que ses paupières avaient cillé régulièrement au lieu de demeurer accrochées vers le haut de l'arcade sourcilière, ne glissant qu'occasionnellement pour humecter le globe.

Le voyage jusqu'au port se fit par train et Élisabeth se comporta parfaitement bien, traînant ses deux étuis à violon, abandonnant le reste à Jan. Ils s'embarquèrent avec des centaines d'autres réfugiés qui se disaient émigrants et des centaines de soldats canadiens qui rentraient tardivement au pays. Jan et Élisabeth ne furent pas dirigés vers les mêmes locaux, mais Élisabeth suivit les femmes sans dire un mot.

Jan la regarda partir, tenant fermement les lunettes de son père dans sa poche, le suppliant de veiller à ce que tout se déroule correctement durant cette première séparation.

Quand il la rejoignit, elle monta sur un des ponts, le seul auquel elle avait accès, et s'approcha du bastingage. Jan la suivit et lui prit la main lorsque les amarres furent larguées et que le bateau soupira un grand gémissement qui effraya un peu Élisabeth. Elle se rapprocha de son frère. Jan aurait voulu crier de joie, d'allégresse, d'euphorie en ce jour de départ, mais il se retint, sa sœur semblant préoccupée par un bâtiment qui, beaucoup plus petit que le leur, les précédait. Le pont était noir de monde qui regardait disparaître les côtes, qui en larmes, qui en exclamations de plaisir. Plus de deux heures après le départ, le pont s'était un peu vidé mais Élisabeth semblait collée au bastingage métallique, n'ayant d'yeux que pour les vagues et le petit bâtiment qui les précédait toujours. Jan ne cessait de décrire tout ce qu'ils voyaient, se demandant quelles côtes ils longeaient. Tout à coup, Élisabeth poussa un cri si strident que Jan en défaillit presque de peur. Élisabeth se boucha les yeux et se laissa tomber en hurlant. Jan regarda autour de lui. Tous les yeux étaient tournés vers eux. S'il en était terriblement gêné, il en était davantage troublé. Il s'accroupit aux côtés de sa sœur et tenta de comprendre ce soudain éclat. Alors, avant même qu'il n'ai pu lui poser une seule question, elle commença à parler, d'une voix apeurée, haletante et presque éteinte.

— Tu te souviens, Jan? Tu te souviens de l'*Empress of Britain*?

— *Empress of Britain*? Non.

— Jan! C'est le bateau plein d'enfants que les Allemands ont coulé. Voyons! C'est le bateau qui devait les emmener au Canada.

— Je ne m'en souviens pas...

— Jan, tu sais ce que c'est, ce bateau qui nous escorte?

— Non, pas vraiment, mais c'est probablement pour qu'on évite les récifs.

Jan était renversé par la cohérence des propos de sa sœur et par l'immensité de sa peur. Elle se redressa d'un seul élan.

— Je veux descendre, Jan, je veux descendre! Je veux

215

retourner sur la terre ferme ! Vite, Jan, sinon nous allons mourir ! Il faut que tu me suives ! Il faut que nous partions d'ici !

Jan tenta de la rassurer, lui expliquant qu'ils ne pouvaient plus rebrousser chemin. Élisabeth avait les yeux exorbités et cherchait son souffle.

— Nous allons mourir, Jan ! Je le sais ! Et tu devrais le savoir aussi !

Elle le supplia de plus en plus fort de l'emmener loin du bateau. Jan ne savait plus que faire. Elle était si terrorisée qu'elle commença à grimper sur le garde-fou. Jan appela des passagers à son secours et ils étaient trois à la retenir quand un membre de l'équipage arriva et ordonna à Élisabeth de descendre.

— Non, je ne veux pas mourir !

— Vous n'allez pas mourir.

— Oui !

L'officier lui prit le bras tellement sèchement que Jan faillit le frapper. Élisabeth se tut et le suivit en sanglotant et en tentant de se dégager comme si elle avait été conduite à la guillotine. Jan marcha derrière eux, sous le regard pétrifié ou attristé des autres passagers. Ils montèrent jusqu'à la timonerie. Là, Élisabeth fut assise sur une chaise et elle se figea. Jan demeura à l'écart.

— Si on vous sort d'Europe, mademoiselle, ce n'est certainement pas pour vous faire tuer.

Élisabeth se releva d'un bond et montra du doigt le bateau qui les précédait, criant qu'elle savait qu'il n'était pas là pour les escorter mais qu'il cherchait les mines flottantes.

— Est-ce que vous avez déjà vu quelqu'un mourir parce qu'il a marché sur une mine ?

Jan comprit tout. Le souvenir de ce bateau coulé et sa peur des mines l'avaient tellement terrorisée qu'elle venait de reprendre contact avec la réalité.

— Calmez-vous, mademoiselle. Nous avons des radars et le dragueur de mines aussi. Il n'y a aucun danger. Si on en repérait une, il l'éloignerait et la ferait exploser plus loin, beaucoup plus loin. Loin des enfants. Loin des gens. Loin de vous.

216

Jan entraîna sa sœur hors de la timonerie et trouva un coin paisible, entre deux chaloupes de sauvetage.

— Pleure, Élisabeth. Pleure. Maman disait toujours qu'il fallait arroser nos peines. Allez, pleure ici.

Il avait indiqué le creux de son épaule et Élisabeth s'y réfugia. Elle sanglota pendant tout le jour. Elle sanglotait encore pendant que le soleil se couchait.

— Notre escorte nous a quittés, Élisabeth. Il n'y a plus de mines.

Elle pleura alors de soulagement et s'endormit dans les bras de son frère. Lorsque Jan la vit détendue, bouffie mais détendue, il se permit quelques épanchements de joie. Élisabeth avait réussi à renaître.

30

JERZY transpirait abondamment en transportant un lot de briques. Depuis son retour de Cracovie, il avait décidé de quitter l'armée tout en demeurant réserviste. Il avait aussi mis ses rêves en veilleuse, acceptant de travailler dans les chantiers. Pamela n'avait pas discuté sa décision, semblant assez heureuse de voir qu'il ne la laisserait pas.

Le mois d'août 1947 avait été exceptionnellement chaud et Jerzy eut énormément de difficulté à supporter l'humidité grise de Londres. Il ne cessait de rêver aux champs qui devaient se mordorer en attendant la moisson. Pendant que les briques étaient enchâssées dans le mortier, il se demandait si les choux étaient gras, s'ils étaient petits ou si les vers les avaient rongés. Quand les béliers faisait tomber les vestiges de murs bombardés et que la poussière de plâtre lui collait à la peau, il rêvait d'une rivière coulant le long d'un immense potager. Quand il s'arrêtait quelques minutes pour se sustenter et qu'il se lavait les mains poudrées et blanches de ciment, il n'avait qu'une envie, les revoir noires de terre.

Pamela sentait bien que Jerzy n'était pas heureux. Elle savait qu'il avait espéré davantage pour sa nouvelle vie. Elle faisait tout son possible pour adoucir son existence, lui chauffant de lourds bacs d'eau pour son bain, lui massant de ses doigts habiles d'infirmière son dos ankylosé et sa jambe toujours enflée, raidie et douloureuse.

Le mois de septembre passa, moins chaud, aussi gris, aussi monotone. Tous les soirs, Jerzy rentrait en se disant que le lendemain il se produirait quelque chose qui changerait sa vie. Mais les lendemains passaient et sa vie se faisait de plus en plus terne, de plus en plus insatisfaisante. Même Pamela souriait rarement. Il savait qu'il en était responsable, mais il ne se sentait plus l'énergie de jouer à l'éternel fiancé, son amante ne pouvant devenir sa femme. Aucun des rêves dans lesquels il l'avait invitée ne s'était réalisé. Si elle avait eu sur lui un effet presque miraculeux, il avait maintenant l'impression que, pour elle, il passerait sa vie dans la saleté sans jamais avoir la possibilité de voir le soleil autrement que derrière des gazes de poussière. Sa conscience de Polonais catholique commençait à lui parler de plus en plus fort, l'éveillant même dans la nuit, et il se demandait si son malheur — qu'est-ce qu'il détestait le reconnaître! — n'était pas une punition pour son libertinage. Ces pensées le faisaient frissonner. Il avait du dédain pour cette religion qui rendait timoré, mais il se sentait néanmoins de plus en plus mal à l'aise, délaissant le corps de Pamela pour essayer de se donner un peu d'air.

Le mois de septembre tirait à sa fin quand, à l'insu de Pamela, il se retrouva dans les bureaux de l'armée anglaise, expliquant qu'il accepterait de partir pour l'Australie s'il en avait encore la possibilité.

— Peut-on vous demander pour quelle raison vous choisiriez l'Australie?

— Parce que j'y ai des compagnons d'armes qui m'ont invité à y habiter.

— Et qu'est-ce que vous voudriez faire comme travail?

— M'acheter une immense ferme et... avoir des dingos.

Jerzy éclata de rire, imité par l'officier. Le simple fait de penser à quitter Londres lui redonnait le goût de rire.

— Je vais voir ce que je peux faire pour vous faciliter les contacts. Auriez-vous un deuxième choix?

Jerzy haussa les épaules. Il y avait le Canada, mais il s'était juré, après son séjour en Russie, que jamais il ne mettrait les pieds dans un pays dont les hivers pouvaient être plus froids que ceux de Cracovie.

— En désespoir de cause?

— Si vous voulez.

— Peut-être le Canada, mais ce serait vraiment si l'Aus-

219

tralie ne voulait pas de moi. Mes amis m'ont bien dit qu'ils prenaient tous les dingos, même les dingos polonais.

Encore une fois, ils éclatèrent de rire, et Jerzy se releva, retenant son habituelle grimace de douleur. L'officier l'accompagna à la porte et lui tendit la main.

— Je crois que la prochaine convocation vous parviendra de l'un ou l'autre des bureaux d'immigration. Bonne chance !

Jerzy le remercia et ouvrit la porte.

— Monsieur Pawulski, puis-je vous demander où vous avez été blessé ?

— Au mont Cassin, monsieur.

— Toutes mes félicitations et tous mes remerciements. Cette bataille a été déterminante pour la victoire des Alliés.

— Croyez-vous vraiment que cela a été une bataille historique ?

— Il n'y a pas de doute.

Jerzy fut ému par ces paroles. Jamais personne ne l'avait remercié pour les trois années qu'il avait données à la paix. Il haussa timidement les épaules, quitta les bureaux militaires et rentra chez lui, où l'attendait un billet de Pamela l'avertissant qu'elle arriverait tard.

31

JAN regardait la mer, l'estomac enfin raccroché dans la cage thoracique après y avoir roulé entre les côtes et le sternum pendant toute la traversée. Il avait ressenti une angoisse soudaine mais secrète en perdant de vue le continent, et une grande douleur à la pensée que les corps de presque toute sa famille y devenaient cendres. Le tangage incessant du bateau l'avait écœuré et il avait, à son grand désespoir, reconnu la nausée de ses longs mois de marche. Une nausée à l'arrière-goût de mort : celle de sa famille et celle de Marek. Mais il avait maintenant la vie devant lui, un océan derrière, Moïse des temps modernes qui avait traversé la mer pour réapprivoiser la liberté.

Était-ce l'air salin ou la promesse d'un avenir ? Toujours est-il qu'Élisabeth avait recommencé à sourire. Une nuit, elle avait pris le violon de sa mère et celui de Jerzy, les avait sortis sur le pont et leur avait parlé après avoir précisé, au grand attendrissement des quelques personnes qui avaient assisté à la scène, qu'il fallait que ses violons voient la beauté du paysage.

— Regardez la lune quand elle paillette les vagues de vert tendre. C'est extraordinairement beau. Maman, c'est encore plus beau qu'un nocturne de Chopin. C'est tout dire.

Prenant le violon de sa mère, elle avait joué une complainte, au grand bonheur des amateurs de nocturnes qui, comme elle, avaient tenu à communier avec l'immensité marine et noire.

Jan et Élisabeth s'apprêtaient maintenant à quitter le bateau d'un pas presque léger malgré l'ankylose de leurs jambes. Pendant des mois, ils avaient marché et usé leurs semelles, qui n'avaient pu résister aux cailloux, aux champs boueux et aux routes. Pendant près de deux ans, Jan avait presque perdu espoir de retrouver Villeneuve. Puis, tout à coup, leur vie s'était immobilisée sur un pont de navire et leurs corps s'étaient métamorphosés en statues de sel, fixées au bastingage, les yeux tournés vers l'avenir en forme de continent.

Un fantomatique et fictif timonier cria « Terre ! » et Jan et Élisabeth s'agrippèrent d'émoi, de joie, d'appréhension et de peur en voyant les côtes de l'Amérique venir à leur rencontre. Ils filèrent chacun de son côté pour aller chercher leur bagage effiloché et se retrouvèrent sur le pont, en rangs un peu zigzagants, perdus dans la colonne d'immigrants.

— Tu vois ces femmes, Jan ?

— Oui.

— Je dormais avec elles. Elles pensent que leurs maris... elles espèrent que les pères de leurs enfants vont les attendre. Elles ont terriblement peur. Moi, à leur place, je craindrais d'avoir un souvenir de guerre de mauvais goût.

Jan regarda les femmes, qui se tenaient en grappes, véritables petits raisins arrachés à la vigne, prêts à être écrasés.

— Les femmes françaises ou belges avaient moins de nourriture que les Anglaises. Les Anglaises avaient du lait pour leurs bébés. Pas les autres.

— Tu exagères toujours un peu, Élisabeth.

— Non. Je l'ai vu. Je sais aussi qu'il y en a qui se croyaient fiancées et qui sont arrivées au Canada pour découvrir non seulement que leurs futurs maris n'étaient pas là, mais qu'ils avaient déjà une femme et des enfants. Ça, par contre, il n'y a pas que les Françaises qui l'ont connu.

Jan regarda tous ces petits enfants auxquels on raconterait qu'ils étaient des orphelins de guerre et qui ignoreraient durant toute leur vie qu'ils n'étaient pas des orphelins comme les autres.

La colonne reflua pour laisser passer les militaires, un

222

peu trop fiers au goût de Jan, un peu trop arrogants au goût d'Élisabeth. Ils marchèrent devant eux sans vergogne, prenant à peine le temps de les saluer alors que pendant près de deux semaines ils avaient partagé la même musique, les mêmes histoires et le même horizon. Les soldats ne marchaient plus au pas mais couraient au-devant de bras tendus ou de cuisses frémissantes. Élisabeth remarqua que certains, toutefois, avaient l'œil aux aguets et l'oreille affaissée, fanée d'attendre en vain que quelqu'un les interpelle. Élisabeth leur trouva une vague ressemblance avec ceux qui, comme elle et son frère, n'avaient personne à rechercher.

— *Have your papers ready and please get rid of everything you're not allowed to bring in Canada. Make it easier for everybody, keep the formalities as simple as possible.* Sors vos *papers, please,* et jette tout ce que vous pouvoir pas entrer en Canada.

Un agent de l'Immigration du Canada était monté à bord pour les préparer à passer à la douane et à l'immigration. Élisabeth regarda son frère, le front plissé, et toussota pour attirer son attention, le plus discrètement possible. Elle se pencha à son oreille, lui chuchota quelque chose et Jan acquiesça si discrètement que seule sa sœur complice put percevoir le signe. Ils sortirent leurs violons de leurs étuis et, profitant de la lenteur de la marche des voyageurs, commencèrent à les épousseter, à serrer les cordes, à bander les archets. Ils mirent beaucoup de temps à préparer leurs instruments. Tout doucement, ils entrèrent enfin dans le hangar de la douane.

Jan tiqua. Pendant quelques minutes, il eut l'impression que leur choix avait été une erreur ; que la fin de la guerre était une illusion et qu'ils venaient d'entrer dans un camp comme ceux dont ils avaient entendu parler à Amberg.

— Élisabeth, je pense que j'ai peur.

Pour la première fois depuis son départ de Cracovie, il aurait craqué, n'eût été l'intervention de sa sœur qui lui frôla tout doucement la joue du revers de sa main.

Jan réussit à se ressaisir et se dirigea vers l'agent d'immigration qui semblait parler le français. Devant lui, un couple de juifs pleurait et gesticulait de désespoir, ne voulant pas se départir de saucissons secs, précieusement cachés durant toute la traversée.

— Mais, lieutenant, cette viande est cascher ! Il n'y a rien de mauvais là-dedans !

— D'abord, je ne suis pas lieutenant, et, on vous l'a déjà dit, vous ne pouvez pas apporter de viande au Canada.

— Mais elle est cascher et c'est pour offrir en cadeau à nos frères qui nous attendent !

— Ils habitent ici depuis longtemps ?

— Depuis avant la guerre, major.

— Je ne suis pas major... S'ils habitent ici depuis si longtemps, ils ont certainement de la viande cascher, croyez-moi.

— Mais, colonel, cette viande est la meilleure d'Europe et...

— Je ne suis pas colonel et il y a des gens qui attendent. S'il vous plaît, déposez toutes vos saucisses sans discuter.

Le couple juif soupira sa désillusion, et l'homme, qui probablement pour la première fois depuis des années sentit qu'il pouvait quand même parler, grimaça en adressant un piquant reproche au pauvre agent d'immigration, qui commençait à s'impatienter.

— Je croyais que le Canada était un grand pays de liberté !

— C'est vrai. C'est pour ça que vous avez le droit d'en douter, et même de le dire, monsieur. Bienvenue, et je ne suis pas militaire.

Il tamponna les papiers, sourit vraiment gentiment, pour la plus grande fascination de Jan, qui cessa de trembler et de se croire dans un camp de la mort dont il avait entendu parler par les militaires, terrible illusion causée par ceux qui l'avaient précédé à table.

— Vous parlez le français ?

— Oui.

Jan exhiba tout son bagage, voyant dans l'œil de l'agent davantage de fatigue et de compassion que de désir de chercher noise. L'agent lui demanda de vider ses poches et l'interrogea sur les lunettes qu'il trouva recroquevillées dans un mouchoir moribond.

224

— Ce sont les lunettes de mon père.

L'agent lui demanda ensuite pourquoi il apportait du fil de fer.

— Ce n'est pas du fil de fer, monsieur. Ce sont les cordes du violoncelle de mon père. Nous n'avons pas pu l'apporter avec nous parce que c'était trop encombrant.

L'agent lut la tristesse du jeune devant lui et s'empressa de changer de sujet en désignant l'étui à violon. Jan l'ouvrit et montra l'instrument rutilant de propreté.

— J'en ai joué partout depuis que je suis parti de Cracovie. Il me manque une corde. Mais, si vous voulez, je peux prendre le violon de mon frère, et ma sœur et moi nous pourrions vous jouer un petit morceau. Voulez-vous?

— Non, mais c'est bien parce que nous n'avons pas le temps. Mais pourquoi trois étuis?

— Parce qu'il y a celui de notre mère, c'est celui que ma sœur utilise, et celui de mon frère, au cas où nous le retrouverions un jour.

L'agent comprit que ces enfants avaient emporté toute l'histoire de leur famille dans trois étuis, quatre cordes et un mouchoir. Son travail lui pesa soudainement beaucoup. Heureusement, il n'y avait rien d'illégal dans leurs bagages. Il aurait eu horreur de les en priver.

— Vous avez de l'argent?

Jan sortit les quelques dollars américains qu'il avait gagnés à Amberg. L'officier d'immigration fit un sourire apitoyé et lui dit qu'il pouvait quand même les utiliser au Canada.

Jan et Élisabeth marchèrent en suivant les autres immigrants jusqu'à la gare, où ils déposèrent leurs bagages dans le train. Un contrôleur s'assura qu'ils avaient tous leur laissez-passer et ils eurent la permission de sortir pour visiter la ville de Halifax, habituée à reconnaître les yeux incrédules et reconnaissants des nouveaux arrivants.

— J'ai eu tellement peur, Jan. C'est que tu en mettais!

— Il fallait que j'attire son attention sur les violons. On ne sait jamais, il aurait pu voir que ma casquette avait l'air bizarre.

— C'est là qu'est la terre?

225

— Oui.

Jan la souleva et sortit le sac pour l'enfouir dans ses poches.

— La terre, je suis certain que ce n'est pas légal. On nous l'aurait confisquée. Heureusement que tu y as pensé, Élisabeth.

— Heureusement que tu es habile, Jan.

Ils allèrent un peu dans la ville, virent des autobus à museau de chien pékinois, et revinrent vers le port et la mer.

— Pour l'instant, c'est tout ce qui me rassure, constata Jan. Il va falloir que je réapprenne à vivre dans les villes.

Élisabeth acquiesça et ils se promenèrent lentement sur les quais, Élisabeth collant aux talons de Jan comme une ombre. Ils descendirent sur un rocher et Jan s'approcha prudemment de l'eau qui léchait la roche patiemment, eau gourmande du goût de sel qui y collait davantage à chaque lampée. Il fixa l'horizon lointain, à peine couvert de quelques nuages gris-blanc qui annonçaient que l'automne était encore roi en attendant d'abdiquer devant l'hiver.

— C'est bien que nous arrivions en automne, parce que bientôt nous allons voir la neige. Il paraît qu'il y en a plus qu'en Pologne.

— Moi, j'aurais aimé arriver ici au printemps. Commencer par le recommencement. Il paraît que les saisons d'ici sont toutes violentes, impossibles à confondre l'une avec l'autre comme en Europe.

Élisabeth lança quelques cailloux dans la mer qui les avala. Jan se pencha sur l'eau et en prit dans ses mains, disposées en écuelle. Il recommença son manège trois et quatre fois jusqu'à ce qu'il n'en puisse plus.

— J'ai cherché, cherché et cherché, Élisabeth, et dans l'eau je n'ai pas vu une seule goutte de sang. Pas une. L'iode de la mer a tout purifié.

— Si seulement Marek avait pu voir tout ça avec nous...

Jan l'invita à sécher son chagrin en offrant son visage à la brise du large.

La locomotive noire crachotait son trop-plein de vapeur et de suie. Jan et Élisabeth s'installèrent enfin et furent

226

renversés par le confort qui leur était offert : trois repas par jour servis dans le wagon-restaurant, un lit par personne sauf pour les jeunes enfants, et un *porter* pour les aider. Le train s'ébranla enfin. Jan s'était placé pour voir venir tous les paysages, tous les tableaux.

Jan et Élisabeth eurent beaucoup de difficulté à croire que le Saint-Laurent n'était pas une mer, que les rivières n'étaient pas des fleuves et que le jour et la nuit qu'ils avaient vus de leur fenêtre ne s'étaient assoupis sur aucune frontière. Les arrêts ne se faisaient que pour dégourdir les jambes, remplir les soutes de charbon, huiler les amortisseurs, vérifier les freins et abreuver les bidons d'eau.

Jan fut le premier à apercevoir le cap Diamant, la citadelle de Québec et le château Frontenac.

— Élisabeth, Élisabeth, regarde ! Nous venons d'arriver dans un conte de fées !

— C'est peut-être là que Churchill et Roosevelt sont venus en 44.

— Churchill ? Ici ?

— Tu ne te souviens pas que papa nous en avait parlé ? Bizarre de penser que Churchill a dormi là pendant que nous autres nous étions à Cracovie à espérer trouver de la nourriture. Qui sait ? Jerzy s'est peut-être battu pour Churchill pendant que lui regardait ce fleuve le matin avant de prendre un bon petit déjeuner...

— Ça suffit, Élisabeth. Je n'ai pas envie de traîner toutes ces images aujourd'hui. Je n'ai pas envie de faire baver le passé sur le présent.

Élisabeth se tut, désolée de sa tirade, se leva pour défroisser sa robe maladivement irrécupérable, se rassit aux côtés de son frère cette fois et ajusta son regard parallèlement au sien. Tous les deux n'ouvrirent plus la bouche jusqu'à ce qu'ils aperçoivent le pont de Québec, véritable carcasse de monstre marin, endormi au-dessus de l'eau.

— Quel drôle de pays ! fit Jan. Tout est trop grand : les falaises, les forêts, les rivières, les fermes et les ponts. Même les branches des arbres ont l'air trop grandes... et squelettiques. Toutes les feuilles sont tombées.

Jan sourit en pensant aux chaussures trop grandes qu'il

avait portées depuis le début de la guerre. Ici, elles auraient peut-être été adéquates. Le train s'engagea prudemment sur les rails du pont, côtoyant les automobiles dont les passagers saluaient ceux du train. Élisabeth se demanda si ces gens pouvaient voir qu'ils avaient survécu à la guerre. S'ils savaient qu'ils avaient eu faim. S'ils devinaient qu'ils étaient orphelins. S'ils étaient au courant de la mort de plusieurs Marek. Elle pencha la tête en pensant au plaisir qu'auraient eu Tomasz et Zofia de les regarder arriver dans cette Amérique tant de fois vantée par le père Villeneuve. Elle ferma les yeux pour empêcher son émotion d'en couler et de désoler son frère encore une fois. Oui, Zofia et Tomasz auraient été fiers de les savoir en sécurité, de les voir vivants.

Le train entra en gare, le temps de laisser descendre ceux qui voulaient poser leurs valises de vies sur les quais de la gare du Palais. Jan et Élisabeth en profitèrent pour marcher un peu, étonnés de voir les vieilles maisons, tellement européennes, de la basse ville.

— Je ne me sens pas trop dépaysé.

Élisabeth regarda son frère, lui souriant de toutes ses dents. Jan lui rendit son regard, radieux d'abord puis un peu triste.

— Dès que j'aurai de l'argent, Élisabeth, je t'envoie chez le dentiste.

Élisabeth cessa immédiatement de sourire, soudainement gênée, consciente qu'elle projetait probablement une image qu'elle n'avait jamais aimée. Elle avait toujours abhorré les sourires ternes ou édentés ; elle détestait même les sourires aux dents dorées.

— Est-ce que mes dents sont affreuses à voir ?

Jan regretta aussitôt sa remarque. La fierté de sa sœur était à peu près tout ce qui lui restait depuis la mort de Marek.

— Non, pas affreuses. Changées... Épaissies. Je suis certain qu'un bon dentiste va les rendre aussi belles qu'avant.

Ils remontèrent dans le train et Jan s'en voulut amèrement quand il vit qu'Élisabeth ne souriait plus que la main sur la bouche. Il avait vu tant de gens faire ce geste durant la

228

guerre, pour cacher leurs dents, certes, mais aussi par honte de ressentir parfois un bref plaisir ou une joie furtive. Et voilà qu'il venait de forcer sa sœur à bâillonner son bonheur.

Les arbres changèrent rapidement et, le temps du trajet entre Québec et Drummondville, se parèrent de rubis, de tourmalines, d'émeraudes et de saphirs.

— Tu as vu ça, Élisabeth ? Ce n'est pas plus beau que le printemps, ça ?

— Je n'ai jamais pensé que l'automne pouvait avoir l'air d'un bouquet. J'ai l'impression d'être tombée dans un coffret rempli de bijoux.

Les falaises s'affaissèrent peu à peu et le paysage, à part quelques montagnes égarées du troupeau appalachien, se tenait à plat ventre pour s'abreuver dans le fleuve. Trois heures après avoir quitté Québec, le train enfila un ponceau au-dessus du Richelieu et, quoique essoufflé, sembla reprendre courage pour franchir la dernière demi-heure qui le séparait de la gare Centrale. Élisabeth et Jan n'avaient pas attendu que le porteur noir à la casquette rouge traîne leur bagage. Ils se tenaient fin prêts, les fesses sur le bord de la banquette, le manteau sur le dos, les étuis à violon serrés sur leurs poitrines, les yeux rivés sur le fleuve qui apparaissait de nouveau comme un obstacle facilement franchissable par le pont Victoria. Ils firent encore une fois des gestes de la main aux passagers des automobiles, mais aussi à ceux des tramways, à ceux d'un camion à chevaux et aux piétons qui s'arrêtaient quelques secondes de marcher, pour les saluer, certes, mais aussi pour reprendre leur souffle.

— Quels pays ! renchérit Jan. Des ponts qui n'en finissent plus et qui sont presque aussi encombrés que la place du marché de Cracovie.

Élisabeth éclata de rire, ramassant rapidement les tessons de cet éclat d'une main qui avait accepté cette nouvelle habitude.

Le train arriva à Montréal et longea un abattoir malodorant. Jan aperçut une vache morte, couchée sur le dos, les pis flasques, à côté d'autres animaux qui meuglaient en se dirigeant vers un ponceau couvert, blanc et vert, qui menait directement aux bourreaux de la Canada Packers.

— Je ne sais pas pourquoi, mais tout ceci me fait aussi penser à ce que racontaient papa et les soldats.

Jan haussa les épaules, regarda sa sœur d'un regard appuyé, répétant des yeux qu'il ne voulait pas mêler trop de passé au présent. Pas aujourd'hui. Le train enjamba le canal de Lachine et rampa comme un ver le long de la voie, suivant une courbe à gauche, une courbe à droite. Jan n'avait pas les yeux assez grands pour y accueillir tout ce qu'il voyait. Tantôt il regardait cette montagne de couleurs surmontée d'une croix presque arrogante, tantôt il apercevait les arrière-cours où jouaient des enfants rieurs et insouciants. Il venait à peine d'apercevoir un gratte-ciel quand la gare entra dans son champ de vision. Le train pouffa une dernière fois avant de se taire.

Jan et Élisabeth sortirent sur les quais et refusèrent de laisser leur bagage derrière eux, craignant qu'il ne disparaisse pendant ce jour qu'ils passeraient à Montréal. Ils suivirent la foule, leurs sacs bondissant sur leurs genoux.

La gare sentait l'haleine des trains et la transpiration des porteurs. Elle sentait aussi la peur qui, encore une fois, venait de s'emparer de Jan. À Halifax, sa peur s'était appelée peur de tout ce qui évoquait l'uniforme. À Montréal, sa peur s'appelait peur de l'inconnu. Ils prirent l'escalier mécanique et pénétrèrent dans la gare. Ils aperçurent devant eux un groupe de personnes tenant des pancartes. Sur l'une d'elles, ils lurent : PAWULSCY. Étonnés, ils se dirigèrent vers un monsieur rondelet, rougeaud et souriant. L'homme remarqua leur craintive hésitation et c'est avec des yeux plissés par l'expectative qu'il accueillit Jan. Ce dernier, instinctivement, s'était placé en bouclier devant sa sœur. Il n'avait même pas eu le temps de parler que déjà l'homme abaissait sa pancarte et les regardait en arborant un sourire si chaud que Jan se sentit fondre d'une admiration instantanée.

— Êtes-vous Élisabeth et Jan ?

Ils firent un discret signe d'assentiment.

— Bienvenue à Montréal ! Bienvenue dans la province de Québec ! Bienvenue au Canada ! Bienvenue en Amérique !

Voilà que cet homme leur parlait polonais. Jan lui sourit et, avant même d'avoir pu dire un mot, il fut arraché de terre par des bras vigoureux, enlacé et embrassé comme s'il avait été une connaissance de longue date ou un enfant prodigue, comme s'il avait eu deux ans et un immense besoin d'être cajolé. Ses dix-huit ans voulaient nier qu'un tout petit garçon venait de cesser d'avoir peur. Il abandonna sa tête sur l'épaule de l'homme qui lui posa une main derrière la nuque et lui frotta celle-ci énergiquement avant de le laisser et de concentrer ses effusions sur une Élisabeth raidie par tant d'épanchement et dont le corps de femme était moins malléable dans les bras d'un étranger. Les embrassades terminées, l'homme joufflu leur présenta les autres personnes présentes qui, elles aussi, accueillaient des passagers polonais, avec tout autant d'émoi que l'avait fait leur mentor.

— Mon nom, c'était Wawrow. Mais ici on m'appelle Favreau. C'est plus facile à retenir.

Après quelques minutes durant lesquelles ils firent la connaissance de tous les néo-Canadiens d'origine polonaise venus accueillir les nouveaux arrivants, Favreau les entraîna à l'extérieur et les conduisit à son automobile. Il plaça leur bagage dans le coffre, les fit monter, vint s'asseoir à l'avant, appuya sur le démarreur et lança le moteur dans une pétarade que Jan trouva aussi joyeuse qu'une fête. Ils montèrent la rue Peel, et Favreau, parfait cicérone, leur décrivit tout ce qu'ils voyaient : la gare Windsor, le boulevard Dorchester, l'édifice de la *Sun Life* — le gratte-ciel que Jan avait aperçu plus tôt — et l'hôtel Windsor. Ils virent le mont Royal de plus près et Élisabeth s'extasia encore sur les couleurs.

— Te souviens-tu de ton herbier, Jan ? Tu en aurais eu, des feuilles rouges !

— Mon herbier ? Vaguement...

— Si on a le temps, on ira cet après-midi. Vous pourrez vous choisir des feuilles parfaites et les apporter dans vos bagages. Je vous donnerai un livre pour que vous les fassiez sécher. Mais d'ici là, on a beaucoup de choses à faire.

Ils cahotèrent sur les rails de tramway, tournèrent dans la rue Sainte-Catherine et filèrent vers l'est jusqu'à la rue Saint-Denis que M. Favreau décida de monter.

— Ici, ça a longtemps été la rue du Quartier latin. Maintenant, c'est différent.

— Est-ce qu'il y a une université ?

— Dans le quartier, des bribes : médecine, architecture, génie. Les autres facultés sont là-haut, sur la montagne.

— Notre père aurait aimé ça.

Favreau les regarda mais ne posa aucune question. Depuis trois mois qu'il faisait du bénévolat en accueillant des réfugiés qui arrivaient au pays et qui n'avaient pas encore atteint l'âge de vingt et un ans, il avait rapidement appris à ne pas poser toutes les questions qui lui passaient par l'esprit. Il avait remarqué que les jeunes essayaient d'être si courageux qu'ils taisaient leurs plus grands chagrins. Ce jeune Pawulski avait parlé de son père au passé. Favreau devait donc comprendre qu'il l'avait perdu. Ils arrivèrent à la rue Sherbrooke et Élisabeth fut fascinée par la largeur de l'artère.

— Attends d'en connaître la longueur. Elle fait plus de vingt milles.

— Vingt milles ?

Favreau éclata de rire. Il aimait faire le coup à tous ceux qu'il ramenait. Il s'amusait toujours de leur déconfiture devant les mesures anglaises.

— C'est long ?

— Un kilomètre, c'est à peu près six dixièmes de mille.

Jan ferma les yeux et compta rapidement.

— Donc, vingt milles, c'est plus de trente kilomètres. C'est long.

Favreau regarda Jan et ricana de nouveau. Ils arrivèrent à l'avenue du Mont-Royal et Favreau tourna à droite, roulant vers l'est jusqu'à la rue Saint-André, qu'il emprunta ensuite en direction nord. Il stationna presque aussitôt. Jan s'empressa de passer à l'arrière pour ramasser leur bagage.

— C'est ici que j'habite. Mme Favreau doit nous attendre.

Ils pénétrèrent dans une épicerie et Élisabeth ouvrit grand les yeux, mais pas autant que Jan dont l'estomac parlait toujours le langage de la faim.

— C'est tout à vous, la nourriture ?

— Tout !

Favreau rit encore et passa derrière le comptoir. Il salua un ami qui venait le remplacer lorsqu'il s'absentait, ce qui arrivait très rarement. Il lui présenta ses protégés. Jan prit avec vigueur la main qu'on lui tendait alors qu'Élisabeth la tint mollement, protégeant sa bouche de la main gauche. Jan en fut chagriné.

Ils passèrent derrière le comptoir et montèrent à l'étage.

— Installation idéale. Je peux sortir par le magasin ou utiliser cette porte-ci qui monte directement chez moi. C'est pratique en hiver. Je n'aimerais pas voir Mme Favreau monter et descendre les escaliers glacés. Et puis je peux sentir les repas qu'elle me prépare.

Ils arrivèrent dans la cuisine, où la table avait été mise simplement. Mme Favreau apparut enfin, les regarda en souriant et leur ouvrit les bras pour les embrasser. Jan était un peu gêné, Mme Favreau étant quand même une femme, alors qu'Élisabeth, cette fois, s'abandonna volontiers dans les bras vêtus d'un lainage moelleux de couleur marron.

— Le repas est presque prêt et j'ai pensé que vous aimeriez prendre un bon bain. Je suis certaine que la douche vous a manqué dans le train.

Jan et Élisabeth se regardèrent, étonnés, et acquiescèrent. Élisabeth fut la première à s'exécuter et Jan l'attendit, sagement assis à table, regardant partout autour de lui, un sourire suspendu entre les deux oreilles. M. Favreau avait quitté la cuisine. Tout à coup, Jan l'entendit l'appeler. Il se dirigea vers l'endroit d'où venait la voix après avoir fait une petite courbette devant Mme Favreau qui lui fit un petit signe de tête d'encouragement. Jan pénétra dans le salon et vit un amoncellement de vêtements, étendus sur deux fauteuils.

— Choisis donc, Jan, tout ce que tu as envie de prendre.

Jan, incrédule, regarda les vêtements. Ils lui semblaient tous plus beaux les uns que les autres même si, de toute évidence, ils avaient déjà été portés.

— Je les prends tous, monsieur Favreau.

Encore une fois, Favreau éclata de rire et lui suggéra de les essayer avant d'arrêter son choix. Il sortit discrètement pour que Jan ne soit pas mal à l'aise et redescendit à l'épicerie. Élisabeth, elle, était maintenant dans la cuisine, la tête trempant dans l'évier. Mme Favreau lui savonnait énergiquement la chevelure qu'elle avait fort longue et bouclée.

— Tes cheveux sont extraordinaires. Est-ce que cela te dérangerait beaucoup si, après les avoir lavés, je les enroulais pendant une vingtaine de minutes dans une serviette qui sent bon le thé des bois ?

Élisabeth fit comprendre que cela ne la dérangeait pas.

Mme Favreau lui enturbannait la tête quand Jan revint, une pile de vêtements dans les bras. Il ne remarqua même pas la tête de sa sœur tant il était excité.

— Je peux prendre ceux-ci ?

— Bien sûr. J'espère que tu as pensé aux sous-vêtements et aux chaussettes. Est-ce que tu as remarqué qu'il y avait une valise à côté du divan ? Il faudrait que tu commences à la remplir.

Jan allait d'étonnement en étonnement. Il n'y avait qu'une explication à ce qui lui arrivait : il venait d'avoir la permission de jeter un coup d'œil dans le paradis. L'enfer était définitivement derrière lui.

Jan entra dans le bain et poussa un soupir de bien-être. L'eau chaude le caressait jusqu'au cou. Il se savonna généreusement et ne remarqua pas la couleur de l'eau, qui fonçait au fur et à mesure qu'il y trempait son gant de toilette. Il se trouvait tellement bien dans le bain qu'il ne cessait d'ouvrir le robinet pour réchauffer l'eau. Quand il vit qu'il avait la peau des doigts complètement ratatinée, il se résigna à tirer sur le bouchon. Lorsqu'il arriva dans la cuisine, Mme Favreau lui suggéra de se relaver les cheveux dans l'évier.

— Une petite gâterie de plus, Jan. Je lave en grattant derrière les oreilles.

Jan se plia à ce caprice par politesse. À son âge, on aimait bien faire ces choses seul. Il remarqua alors le turban sur la tête de sa sœur au moment où elle les quittait pour se choisir à son tour une garde-robe.

— Qu'est-ce qu'elle sent, ma sœur ?

— Le thé des bois. C'est un merveilleux traitement pour nourrir les cheveux, régénérer le cuir chevelu et redonner de la brillance.

— Vous n'allez quand même pas...

— Oui, monsieur. Si tu ne veux pas commencer à perdre tes cheveux à vingt ans...

Jan la laissa faire mais il détesta se voir en fakir. Heureusement, le martyre fut de courte durée. Déjà Élisabeth était de retour à l'évier pour faire rincer sa lourde chevelure dans de l'eau vinaigrée. Mme Favreau l'accompagna ensuite au salon pour vérifier si elle avait fait un choix judicieux.

— Quand on est jolie comme toi, Élisabeth, on ne peut pas vraiment se permettre de le cacher.

La main sur la bouche, Élisabeth sourit de plaisir.

— J'ai besoin de ton aide, Élisabeth. Il va falloir que je te démêle les cheveux et ils sont terriblement longs. Qu'est-ce que tu dirais si je les coupais... disons... ici?

Elle avait indiqué un endroit, à trois centimètres au-dessous de la nuque. Élisabeth fronça les sourcils, mais, faute de trouver comment refuser, elle acquiesça. Cela la chagrinait énormément. Marek lui avait toujours dit qu'il aimait sa chevelure même si elle avait parfois perdu d'innombrables mèches de cheveux. Toutefois, depuis qu'elle et Jan avaient atteint le camp de réfugiés et qu'ils avaient recommencé à manger à leur faim, ses cheveux avaient cessé de tomber et sa tête s'ornait maintenant d'une nouvelle toison.

Mme Favreau prit les ciseaux et coupa avec application une première mèche bouclée.

— Oh non! Je ne peux pas croire! Quel genre de monde est-ce qu'il y avait dans le bateau avec toi, Élisabeth?

— Je ne sais pas, moi. Toute sorte de monde.

— C'est bien ce que je craignais.

Jan ne perdit pas un mot de la conversation. Il eut l'impression que Mme Favreau leur cachait quelque chose.

— C'est dommage, Élisabeth, mais il va me falloir couper un peu plus. Parce que ce genre de monde t'a refilé des parasites! Quel manque d'hygiène! Mais je m'en occupe. J'ai un peigne fin dans ma pharmacie.

Jan grimaça et Élisabeth frissonna. Elle eut terriblement honte que cette femme lui ait lavé la tête et joué dans les cheveux. Quant à Jan, il se demandait si elle en trouverait aussi dans ses cheveux.

Élisabeth regarda ses boucles tomber sur une feuille de journal. De temps en temps, elle jetait un coup d'œil à Jan pour savoir si elle était toujours jolie. Jan souriait pour l'encourager. Les cheveux courts lui allaient très bien. Elle endura le peigne fin sans broncher, frissonnant quand elle apercevrait un cadavre de pou coincé entre les dents.

— Ils sont tous morts ?

— D'après moi, ils n'ont pas toléré le thé des bois et l'eau vinaigrée. Quelle merveille !

Le tour de Jan vint et elle lui coupa les cheveux à lui aussi.

— Peut-être que j'aurais dû vous dire qu'avant mon mariage je travaillais comme coiffeuse.

Jan fut rassuré mais il n'avait pas vraiment eu besoin de l'être, la tête de sa sœur étant tout à fait réussie. Élisabeth revint du salon portant une robe marine imprimée de minuscules fleurs rouges, jaunes, bleu pâle et blanches. Elle tourna devant Jan qui la trouva ravissante. Mme Favreau, elle, fut impressionnée par la métamorphose.

— Tu es belle à croquer, Élisabeth.

M. Favreau remonta de l'épicerie avec son tablier sali par le travail et s'exclama devant le changement.

— Ma foi, si je ne vous avais pas laissés ici moi-même, c'est à peine si je vous aurais reconnus. Est-ce qu'on mange ? Parce que moi je veux promener mes amis un peu dans Montréal avant de les reconduire à la gare.

Mme Favreau souleva le couvercle d'une casserole et convia tout le monde à table. Jan ne se fit pas prier et Élisabeth s'assit elle aussi, étonnée de voir qu'il n'y avait pas de serviettes de table. Elle mangea avec appétit un bouilli de légumes fait avec du chou, des pommes de terre, des carottes, de l'oignon et de la volaille, mais Jan, lui, dévora. Les Favreau jetaient de discrets coups d'œil dans sa direction, levant parfois les épaules de tristesse.

— Ce chou est excellent. Tous les étés, nous allions à Wezerow pour la récolte de choux. La récolte des pommes de terre aussi. Ces choux-ci sont gras. Comme je les aime.

— Et de quelle ville venez-vous ?

Jan répondit volontiers, se contentant de résumer l'histoire de sa famille, omettant les détails scabreux qui auraient pu rouvrir ses plaies et celles de sa sœur. Les Favreau opinaient parfois du chef, ne posant aucune question, ne faisant aucun commentaire. Le repas se termina sur une tarte aux pommes servie avec de la glace à la vanille. M. Favreau se leva enfin et les invita à faire un tour de Montréal.

— Un tour, c'est vite dit. Disons : un clin d'œil.

Élisabeth accepta avec empressement alors que Jan lambina, regarda sans cesse en direction de l'escalier conduisant au magasin. Il osa enfin demander la permission d'y retourner, ce qui enchanta M. Favreau.

— Certainement. J'y vais avec toi.

Jan le suivit, absolument ravi. Comble de joie, M. Favreau prit le temps de lui prêter un tablier et Jan eut la permission de servir un client. Il réussit à ouvrir la caisse enregistreuse, mais, lorsqu'il eut à rendre la monnaie, il regarda M. Favreau, désespéré. Ce dernier éclata de rire et le remplaça. Élisabeth les rejoignit et Jan, avec elle, commença à se promener dans les allées, regardant la quantité de produits étalés devant eux. Jan jubilait, Élisabeth déprimait.

— Tu te rends compte, Élisabeth ? Il y aurait eu assez de nourriture dans ce magasin pour nous nourrir pendant deux ans, peut-être plus.

— On dirait qu'ici la guerre n'a jamais existé.

Le client était sorti et M. Favreau demanda discrètement à son ami de le laisser seul avec ses protégés. Il s'approcha d'eux et prit Jan par l'épaule. Jan ne se rebiffa pas.

— Quand je suis arrivé de Pologne, je t'avoue, Jan, que je ne savais pas du tout ce que je ferais. Je suis ici depuis plus de vingt-cinq ans et je ne l'ai jamais regretté. Peut-être des petites choses, mais pas plus. Il faut dire que Mme Favreau m'a toujours rendu la vie agréable.

Élisabeth s'était arrêtée devant le comptoir de fruits. Jan eut soudainement peur qu'elle n'y aperçoive des fraises; aussi s'approcha-t-il d'elle le plus rapidement possible. Il n'en vit pas. M. Favreau les rejoignit et, pensant bien faire, commença à leur dire que pendant la guerre ils n'avaient pas eu de grosses difficultés d'approvisionnement, leurs produits étant tous cultivés en Amérique.

— Mais ce n'était quand même pas facile. Même ici, on a eu du rationnement.

Personne n'avait remarqué qu'Élisabeth changeait d'expression à chaque phrase de M. Favreau.

— Nous, à la fin de la guerre, nous n'avons plus eu de rationnement.

Élisabeth avait lancé sa réplique d'un ton si sec que Jan la regarda sans comprendre.

— Savez-vous pourquoi nous n'avons plus eu de rationnement ? Parce que nous n'avions plus rien à rationner. Non, je mens. Nous nous sommes rationnés sur nos laitues quand il y avait des laitues. Une feuille par deux heures.

Elle avait commencé à marcher en parlant, passant de l'étalage de fruits et légumes à l'étal de boucherie.

— Nous nous sommes rationnés aussi sur la viande. Trois bouchées de lièvre par repas. Pas plus. Et un lièvre, c'était toujours par chance qu'on en attrapait. C'est vrai.

Jan la regarda, allant d'étonnement en étonnement. Sa sœur, habituellement si pondérée, pouvait se changer en une espèce de furie incontrôlable. Elle restait plantée devant les fruits et Jan comprit qu'elle y était pour s'assurer qu'il n'y avait vraiment pas de fraises.

— Vous êtes très gentil, monsieur Favreau, mais ne me faites pas pleurer avec un peu de rationnement. Parce que la guerre, ce n'est pas ça. La guerre, c'est dormir d'un œil le jour et marcher la nuit. La guerre, c'est avoir peur sans arrêt. La guerre, c'est mourir par amour en voulant cueillir des fraises pour sa femme. La guerre, c'est avoir tellement mal qu'on perd la notion du jour et de la nuit, du temps et de la vie. La guerre, c'est vouloir mourir parce qu'on se sent coupable d'avoir survécu.

Elle avait parlé si rapidement et avec tant d'intensité qu'elle en étouffa. Jan la prit dans ses bras, faisant comprendre à M. Favreau qu'il était doublement désolé, et pour elle et pour lui. M. Favreau s'approcha d'elle mais elle le repoussa. Il monta chez lui afin de préparer leur bagage pour le départ, les laissant seuls. L'ami, qui n'avait pas manqué un son de l'esclandre tout en n'y comprenant rien car Élisabeth avait terminé sa tirade en polonais, préféra se réfugier dans la glacière à viande après avoir enfilé un épais lainage.

— Excuse-moi, Jan.

— Tu lui as fait de la peine.

— Je sais.

Elle s'essuya les yeux et monta derrière M. Favreau. Au moment où elle approchait du salon, elle l'entendit dire à sa femme qu'il les aimait, elle et son frère Jan.

— De tous ceux qu'on a rencontrés, ils sont les plus touchants. Les plus courageux aussi. Je n'ai pas osé lui répondre, à elle, que j'avais connu et souffert la Première Guerre. Pour l'instant, toute la douleur du monde lui appartient. Un jour, elle pourra voir qu'elle est loin d'en être l'unique propriétaire.

Élisabeth fut émue jusqu'à la moelle. Elle entra dans le salon et se dirigea vers l'étui à violon de sa mère. Jan arriva à son tour et, sans dire un mot, prit celui de Jerzy. Ils prièrent les Favreau de s'asseoir et, pour les remercier de leur accueil et se faire pardonner la maladresse d'Élisabeth, jouèrent un duo qu'ils réussirent comme s'ils n'avaient pas négligé une seule journée d'exercice. Les Favreau leur en furent reconnaissants mais Mme Favreau put rire d'étonnement lorsque, après avoir joué un classique de Schubert, ils enchaînèrent avec le *Pot-pourri*.

— Qui vous a montré ça ?

— Le père Villeneuve qui nous attend au Manitoba.

Ils quittèrent Mme Favreau, qui restait à l'épicerie, et partirent en direction du boulevard Saint-Joseph. De là, M. Favreau les conduisit sur le mont Royal. Jan y ramassa des feuilles rouges qu'il mit dans le livre que M. Favreau n'avait pas oublié d'apporter.

— Je viens de me souvenir de mon herbier, Élisabeth. Je l'ai eu l'été où la guerre a éclaté.

— Je m'en souviens très bien aussi. On ne doit jamais se lasser de voir des automnes comme ça.

— Non. Si on est attentif, on remarque que les feuilles

changent de couleur chaque année, selon les gelées. Parfois elles sont roses, parfois orange, parfois bourgogne, parfois jaunâtres. Tu as raison, Élisabeth, on ne s'en lasse jamais.

Ils redescendirent de la montagne du côté de l'oratoire Saint-Joseph.

— Ça vous plairait d'y aller ?

Ils acceptèrent, mais, une fois à l'intérieur, Favreau vit que leur ferveur n'était pas trop vive. Il avait oublié que le culte a un décor et que cet oratoire froid et moderne ne ressemblait en rien à ce qu'ils connaissaient. Par contre, de retour à l'extérieur, ils s'empressèrent de regarder le carillonneur sonner harmonieusement les cloches à grands coups de poing sur le clavier.

M. Favreau décida d'aller chercher Mme Favreau pour qu'elle soit à la gare elle aussi. Ils revinrent donc chez lui et Mme Favreau s'assit devant, répétant sans cesse que, franchement, il aurait pu lui en parler avant, qu'elle n'avait pas de robe propre et que ses cheveux étaient tout ébouriffés. M. Favreau se moquait d'elle tout en cherchant un regard approbateur chez ses passagers. Il fit un détour par le parc LaFontaine et s'arrêta devant un édifice de brique brune.

— Ça, c'est une salle de musique. Il y a aussi des cours. En tout cas, moi, je ne connais pas ça, mais je pense qu'il y a souvent des concerts.

Élisabeth sembla impressionnée.

— Est-ce que c'est un conservatoire ?

— Je ne pense pas, mais je ne connais rien là-dedans.

Il prit ensuite la rue Cherrier et tourna dans la rue Saint-Denis, où il stationna.

— Tout le monde me suit.

Ils entrèrent dans le magasin de M. Jacques Bernard, marchand de chaussures. M. Favreau leur en acheta chacun une paire, que Mme Favreau les aida à choisir. Jan et Élisabeth en demeurèrent bouche bée.

— Il était temps de donner congé à votre mal de pieds. Vous êtes trop jeunes pour avoir des cors.

La séparation, à la gare, fut étonnante, tant pour eux que pour M. Favreau.

— Je sais que vous allez être très bien là où vous allez,

240

mais si jamais vous voulez revenir, Mme Favreau et moi on sera là. J'aurai toujours besoin de quelqu'un pour m'aider dans le commerce.

Il n'ajouta plus rien, les embrassant à tour de rôle à deux reprises. Élisabeth, cette fois, ne se rebiffa pas. La nervosité et la tristesse du départ la firent s'excuser quelques instants, le temps d'aller au petit coin. Mme Favreau décida de l'accompagner. Pendant leur absence, M. Favreau remit à Jan une feuille de papier sur laquelle il avait inscrit son nom, son adresse et son numéro de téléphone. Jan sortit de ses poches les lunettes de son père et commença à dérouler le mouchoir, maintenant retenu par un élastique. M. Favreau le regarda faire et aperçut les verres.

— C'est tout ce que j'ai trouvé après le meurtre. C'étaient les lunettes de notre père.

Jan eut un sourire attendri.

— Il était affreusement myope.

M. Favreau mit sa main dans sa poche et en ressortit un mouchoir propre et repassé qu'il tendit à Jan.

— Il est temps qu'elles soient protégées dans un mouchoir propre. Des lunettes de père, il faut que ça voie clair.

Jan accepta l'échange et lui remit sa guenille. Presque religieusement, il enroula le mouchoir autour des lunettes et du bout de papier que M. Favreau lui avait remis. Favreau glissa le mouchoir de Jan dans sa poche.

32

Jᴇʀᴢʏ regardait la pluie tomber sur les échafaudages et les hommes ruisseler sous l'attaque violente des gouttes, aussi agaçantes que des aiguilles d'infirmière. Il essayait de freiner sa nostalgie en se rappelant les odeurs extraordinaires qu'exhalait la terre après ces douches revigorantes. C'est surtout l'odeur des tomates qui embaumait son souvenir.

À deux reprises, il était retourné voir où en était son dossier d'émigration et, les deux fois, on lui avait dit que tout suivait son cours. Il avait finalement mis Pamela au courant de ses démarches et elle avait soupiré, comme si elle venait de recevoir un coup de grâce à la fois douloureux et apaisant.

— Ça me chagrine, Jerzy, mais j'aime autant te savoir heureux ailleurs que te voir malheureux ici tous les jours de ta vie.

Il en avait été soulagé, préférant penser qu'elle était sincère plutôt que d'essayer de comprendre pour quelles raisons elle le laisserait partir sans dire un mot. L'incroyable passion qu'il avait eue pour elle s'était changée en admiration. Jamais une femme ne pourrait lui apporter autant qu'elle l'avait fait. Toute sa vie, il lui en saurait gré.

La lettre fut livrée le 12 octobre 1947. Pamela, rentrée la première, attendit Jerzy, anxieuse d'en connaître le contenu. Il arriva enfin, blanc de poussière.

— Des jours comme aujourd'hui, j'aime autant qu'il ne pleuve pas, parce que j'ai l'impression que je serais changé en statue de plâtre. Ce serait merveilleux, non ? Moi en monument grandeur nature, commémorant la reconstruc-

242

tion de Londres. Une statue intitulée : *Polonais en exil qui se construit une patrie.*

Il rit de bon cœur et Pamela aussi. Jerzy était toujours imprévisible. Hier, il se serait plaint sans arrêt d'avoir du plâtre dans le nez, les yeux et les oreilles, et aujourd'hui il s'en moquait.

— Jerzy, tu as reçu quelque chose des bureaux d'immigration canadiens.

— Canadiens ?

— Il fit un énorme effort pour cacher sa déception. Il aurait été inconvenant de lui montrer qu'encore une fois il était insatisfait de son sort. Pamela ne fut cependant pas dupe.

— Ouvre. Peut-être qu'on t'informe que tu es refusé.

Jerzy la regarda, presque insulté qu'on pense qu'il était possible qu'on ne veuille pas de lui. Il déchira l'enveloppe et lut rapidement la lettre. Assommé, il s'assit dans le fauteuil. Pamela craignit subitement un refus. Jerzy avait trop souffert pour essuyer une rebuffade, elle le savait. Il demeura coi longtemps, relisant la lettre deux autres fois.

— Je suis convoqué en entrevue dans deux jours.

Soulagée, Pamela lui sourit en lui demandant ce qu'il comptait faire.

— Y aller ! Je ne peux quand même pas me désister pour une entrevue !

Ce soir-là, Jerzy s'endormit en faisant la moue. Quelque chose s'acharnait contre lui. Chaque fois qu'il se faisait une promesse, la vie le forçait à la briser. Le lendemain, veille de sa rencontre, il fut littéralement torturé de recevoir une lettre de l'immigration australienne. Il trembla de tous ses membres en l'ouvrant. Ce n'était finalement qu'un accusé de réception qui semblait reporter à 1948 l'étude de sa demande d'immigration. Il jeta la lettre avant que Pamela n'entre, marcha de long en large dans la pièce exiguë, traînant toujours la jambe droite, et se fit la réflexion que, de toute façon, il n'était plus un choix de première classe, étant donné son handicap. Il se planta alors devant le miroir de l'armoire, examina sa physionomie pendant de longues minutes et décida que c'était toujours sa tête qu'il devait vendre. S'il ne raffolait pas de ses traits, il était quand même heureux d'y reconnaître un Pawulski, comme il l'avait fait la première fois qu'il avait osé se regarder, en Italie. Les Pawulscy, il le savait, avaient l'honnêteté inscrite sur le front. Plus tard, dans quelques années, quand il aurait réussi dans ce pays qui accepterait peut-être sa candidature, il pourrait aller les voir, ces dingos dont il avait tant entendu parler.

L'entrevue se déroula extraordinairement bien. Il avait l'humour à la bouche du début à la fin, blaguant parfois en polonais pour dérouter son interlocuteur.

— Que connaissez-vous du Canada ?

— Les bisons de l'Ouest et les immenses plaines couvertes de blé. Je sais quelques bribes d'histoire, entre autres celle des missionnaires et celle de la bataille des plaines d'Abraham. Je connais assez bien le régime politique et le nom des neuf provinces. J'ai déjà entendu parler de Laurier et de King, évidemment.

— Vous dites que vous voulez être cultivateur, mais que faisait votre père ?

— Il était professeur d'histoire à l'université de Cracovie, et ma mère, maître de musique.

L'agent d'immigration enleva ses lunettes pour mieux le regarder.

— Vous pourriez enseigner, vous aussi, non ?

— Non. J'avais dix-sept ans quand la guerre a éclaté. Je n'ai pas de diplôme.

— Qu'en ont dit vos parents ?

Jerzy fut étonné par cette question. Il avait vingt-quatre ans et, depuis des années, personne n'avait parlé de lui comme étant l'enfant de ses parents. Il ne savait pas comment ses parents avaient réagi à son départ. Il devait se fier aux impressions de Mme Grabska.

— Je crois que mon père était fier, parce qu'un homme est toujours fier d'un fils qui défend sa patrie...

— Avez-vous par hasard fait partie de la cavalerie qui, raconte-t-on, s'est défendue contre les tanks ?

— Non.

Jerzy songeait toujours à l'autre question qui lui avait été posée. Depuis huit ans, il n'avait fait qu'imaginer la réaction de ses parents. Il espérait avoir bien dépeint le sentiment de son père.

— Ma mère, elle, m'a simplement supplié de ne pas me laisser engloutir par la terre. Ni vivant ni mort.

L'agent d'immigration prit quelques notes. Il leva encore les yeux pour l'examiner, perplexe.

— Combien de langues parlez-vous ?

— Trois. Le polonais, le français...

— Le français aussi ?

— Oui. Nous avions toujours des jeunes Françaises qui travaillaient au pair à la maison. Toutes ces demoiselles étaient musiciennes. C'était un critère d'embauche et ma mère leur donnait aussi des cours. Habituellement, elles venaient pour une année.

— Vous ne voulez vraiment pas essayer d'obtenir un diplôme ?

— Non, merci. Je n'ai qu'une seule envie, cultiver ma propre terre.

L'agent le toisa encore une fois et Jerzy, qui en eut conscience, essaya de donner à son expression le plus de Pawulski possible.

— Seriez-vous prêt à partir le 22 novembre ? Passé cette date, la mer est désagréable à naviguer.

— Je suis prêt à partir hier.

Jerzy marcha lentement, essayant de préparer les phrases qu'il devrait dire à Pamela pour lui annoncer la nouvelle. Il s'arrêta au pub de Sloane Square pour prendre une bonne bière brune et froide. Il en prit plus d'une, pour se donner du courage. Après ce qu'il décida être sa dernière chope, il se sentit prêt à tout lui dire. Boitillant doublement, il rentra à la maison. Pamela n'était pas là et il ne trouva aucune note explicative. Il en fut franchement attristé, car, ce soir, il se sentait plus près d'elle qu'il ne l'avait été depuis longtemps. Était-ce parce que tout à coup il avait pris conscience qu'elle pourrait lui manquer ou était-ce parce qu'il regrettait un peu, un tout petit peu, qu'elle le laisse partir sans tenter de le retenir ?

33

JAN et Élisabeth étaient assis devant le père Villeneuve, impressionnés par la salle dans laquelle il les avait conduits. Les fougères étaient d'un vert quasi comestible et pas un seul grain de poussière ne venait, en tombant, salir le silence de la pièce. Le père Villeneuve les avait attendus sur le quai de la gare Union et Jan avait bien reconnu dans ses yeux la crainte que pouvait ressentir un pasteur d'avoir perdu ses brebis. Le père Villeneuve avait agité la main en les apercevant, à la surprise d'Élisabeth qui le trouva extraordinaire de les avoir reconnus. Il avoua plus tard que c'était parce qu'ils tenaient des violons.

Jan regarda la toiture, faite de planches non peintes retenues par des poutres d'acier ajouré. Il trouva cette gare beaucoup moins belle que la gare Centrale de Montréal. Ils descendirent une dizaine de marches et le père Villeneuve ouvrit une porte. Cette fois, ils pénétrèrent dans la vraie gare et Jan se trouva un peu stupide de ne pas avoir remarqué qu'ils étaient sur des quais extérieurs et couverts.

Le regard de Jan fut attiré par la lumière qui coulait du plafond. Il demeura bouche bée devant la hauteur et l'immensité du dôme central, presque aussi impressionnant que celui de l'oratoire Saint-Joseph. Il se dit que le dôme semblait couver les passagers, comme si l'architecte avait pensé que la gare pourrait accueillir des gens apeurés. Élisabeth, elle, découvrit un cercle découpé dans le granit du plancher, où elle vit, incrustées, des feuilles d'érable en bronze. La dorure du bronze lui rappela les couleurs des arbres du Québec. Le père Villeneuve ne cessait de les regarder, semblant chaque fois se pincer secrètement pour se convaincre qu'il n'était pas victime d'une hallucination. Jan lui jetait occasionnellement un furtif coup d'œil, le cherchant dans ses souvenirs les plus lointains. Tout ce qu'il revoyait, c'était le plaisir qui se lisait dans les visages de Villeneuve et de ses parents quand ils étaient ensemble. Il avait vaguement souvenir d'un souper, la veille de son départ. Quant à Élisabeth, elle se demandait comment un homme aussi séduisant avait pu choisir la prêtrise. Elle balaya ces pensées sacrilèges en se souvenant que les prêtres polonais étaient les plus beaux hommes que la patrie ait produits.

En route pour le presbytère de la paroisse Sacré-Cœur, située dans Winnipeg même, le père Villeneuve tenta quelques questions. Jan et Élisabeth comprirent tous les deux qu'il souhaitait les entendre raconter les huit dernières années mais ni l'un ni l'autre n'avait envie d'en parler. Devant son air mortifié, Jan se sentit terriblement méchant et il lui promit de le faire un jour. Il s'empressa cependant de le rassurer en lui disant que ses parents avaient eu peur pendant peut-être dix minutes, sans souffrances autres que morales, avant une agonie qui les avait propulsés vers la mort à la vitesse de l'éclair. Le père Villeneuve écrasa une larme dans le coin de son œil, ce qui provoqua de petits hoquets de tristesse chez Élisabeth.

— Dans le fond, c'est presque pour Adam que c'est le plus triste.

— Qui ?

Jan et Élisabeth se regardèrent.

— Adam, notre petit frère.

Le père Villeneuve eut la surprise de sa vie d'apprendre que ses amis avaient eu un autre enfant et se tut pour le reste du trajet. Leur arrivée au presbytère créa tout un émoi. Les religieuses se précipitèrent pour les accueillir, les délester de leur bagage et les conduire à leurs chambres. Jan et Élisabeth se sentirent entraînés dans un remous de compassion, les « Pauvres petits ! », « Pauvres enfants ! » et « Pauvres orphelins ! » se succédant à une vitesse étourdissante.

Du coup, Jan eut le fou rire, causé tant par l'excitation de l'arrivée que par la quantité de formules sympathiques dont on l'arrosait. Ils se rejoigirent tous les trois au parloir.

— Vous m'excuserez de reparler de la mort de Tomasz et de Zofia, et d'Adam, évidemment, mais j'ai pensé chanter une messe de Requiem. Pour Adam, je pourrais même ajouter un extrait de la messe des Anges. Qu'est-ce que vous en dites ?

Jan et Élisabeth se regardèrent. Ils venaient de prendre conscience que leurs parents, Adam, Jerzy et Marek avaient probablement tous été enterrés dans des sols non consacrés et qu'aucun prêtre ne les avait bénis. L'offre du père Villeneuve leur fit chaud à l'âme.

Ils passèrent à table et Jan commença à parler un peu plus, surtout de leur exode puis de leur exil volontaire, mais jamais il ne mentionna le nom de Marek. Le père Villeneuve ne cessait de hocher la tête, les regardant, encore incrédule, souffrant de les entendre.

— La guerre crée toujours des héros. Il y a ceux dont on parle dans les journaux et les livres et qui sont immortalisés par des plaques vissées aux édifices ou par des noms de rues, et il y a les autres, les petits, que personne ne connaît mais qui, à eux seuls, donnent un sens au sacrifice de tant de vies.

Élisabeth était mal à l'aise devant cet éloge mais Jan s'en porta assez bien, puisqu'il avait la conviction que son entêtement l'avait secouru, jour après jour. Il fut reconnaissant que le père Villeneuve le lui dise, même s'il n'allait pas jusqu'à penser qu'il avait été un héros. Il était simplement assez content de lui-même d'avoir soutenu sa sœur lorsque la souffrance lui avait coupé le souffle de vie.

— Et Jerzy ?

— C'est comme on vous l'a dit. Il est parti un soir. J'avais à peine douze ans quand il est parti et j'étais convaincue qu'il reviendrait pour Noël. Je ne sais rien d'autre.

— À Amberg, j'ai pris des renseignements à la Croix-Rouge du camp de réfugiés. Son nom n'était nulle part.

Jan et Élisabeth dormirent profondément, chacun dans un lit au drap empesé et sentant le calme parfum des religieuses plutôt que la vapeur du train. Le lendemain matin, ils mangèrent en tête à tête dans un réfectoire, une religieuse ne cessant de bourdonner autour d'eux. Le père Villeneuve les rejoignit enfin et il leur offrit de leur montrer le paysage manitobain.

— Nous ferions bien d'apporter une petite valise avec un nécessaire au cas où nous passerions la nuit à l'extérieur.

Jan feignit un immense plaisir alors qu'il n'avait qu'une seule envie : défaire cette valise en un endroit qu'il pourrait appeler « chez lui ». Quant à Élisabeth, l'idée lui plut davantage parce qu'elle avait envie d'ouvrir sa valise, ne fût-ce que pour en sortir autre chose qu'une chemise de nuit. Ils partirent donc dans une confortable Packard noire et longèrent une rivière, tantôt l'Assiniboine, tantôt la Rouge. La campagne était différente de la campagne européenne par l'immensité des terres planes qui embrassaient l'horizon. Différente aussi de ce qu'ils avaient vu de la campagne québécoise, plus taquine et vallonneuse, plus ombragée aussi. Le père Villeneuve conduisait distraitement, saluant à gauche et à droite, désignant une maison ou une ferme.

— Est-ce que notre campagne te plaît, jeune homme ?
— Oui, beaucoup.
— C'est parce qu'elle est très généreuse.

Ils roulèrent pendant quelques heures le long de la rivière, passant d'un village à l'autre, ne s'arrêtant qu'à l'heure du repas, qu'ils prirent dans un champ, assis sur une couverture. L'idée était de Villeneuve et Jan la trouva de mauvais goût, l'été étant depuis longtemps parti et l'automne manitobain étant plutôt frisquet. Il aurait préféré s'enrouler dans la couverture plutôt que d'y dresser un couvert. Les religieuses leur avaient préparé un goûter fait de rôti de bœuf froid que Jan dévora mais qu'Élisabeth n'aima pas du tout, mordant à chaque bouchée dans des nerfs coriaces. Ils burent du café chaud dans une immense bouteille Thermos chrome et vert foncé, mais rouillée à la base. Villeneuve se leva en se tapotant les bras pour se réchauffer.

— Ça m'a fait un bien inouï. Je prends rarement le

temps de respirer le bon air. On dirait que je suis toujours entre quatre murs. Maintenant, armez-vous de patience parce que je vous emmène sur les rives de notre mer sans sel.

Ils roulèrent presque jusqu'au coucher du soleil et arrivèrent au lac Winnipeg. Jan et Élisabeth furent impressionnés par l'immensité de cette mer intérieure. Ils marchèrent sur le rivage, les pélicans volant au-dessus de leurs têtes, insouciants.

— Ils vont bientôt partir pour les mers du Sud, plus accueillantes que ce lac durant les mois d'hiver.

Ils dormirent dans un petit hôtel et, le lendemain matin, Jan sortit pour marcher sur le rivage. Il aperçut Élisabeth, loin devant lui. Il accéléra le pas et parvint à sa hauteur.

— Qu'est-ce que tu fais ici de si bonne heure?

— Je pense. Ici non plus, Jan, il n'y a pas de sang dans l'eau.

Ils marchèrent côte à côte sans dire un mot, accordant leurs pas et leurs souffles pendant plus d'une demi-heure avant de rebrousser chemin. Élisabeth rompit enfin le silence.

— Je pense à Marek. Il aurait tellement aimé être ici avec nous.

— Je pensais à peu près la même chose. Qu'est-ce que tu dirais, Élisabeth, si on demandait au père Villeneuve de célébrer sa messe de funérailles le 5 décembre?

— Le jour de l'anniversaire de papa?

Il acquiesça. Élisabeth n'y vit aucune objection. Le père Villeneuve était aux abois quand il les vit arriver.

— Nous vous avons cherchés partout. Pourquoi ne m'avez-vous pas laissé un message, jeune fille?

— Je m'excuse. J'ai pensé que vous en profiteriez pour dormir.

— Dormir? Il faut que je sois à Winnipeg pour onze heures.

Déconfits, Jan et Élisabeth montèrent dans l'automobile sans prendre le temps de manger. Élisabeth n'en souffrit pas mais Jan crut devenir fou. Il ressentait toujours les appels de son estomac comme une insoutenable douleur.

Ils rentrèrent rapidement à Winnipeg, mais, malgré sa

hâte, le père Villeneuve prenait le temps de s'extasier devant les silos à grain.

— Je frissonne à l'idée que derrière ces murs se trouve le blé qui servira à fabriquer le bon pain du boulanger ou le pain de l'hostie.

Jan et Élisabeth se regardèrent en souriant. À chaque silo qu'ils croisaient, le père Villeneuve disait la même chose mais dans des termes différents.

Chaque fois aussi, l'automobile faisait une embardée. Ce n'est que lorsqu'ils aperçurent le clocher de la cathédrale de Saint-Boniface que le père Villeneuve leur annonça qu'il leur présenterait de bonnes gens.

— J'ai pensé, Élisabeth, que tu aimerais travailler chez une famille de Saint-Boniface. Ils s'appellent Dussault. Lui est médecin et ils ont deux enfants. C'est une famille charmante qui, détail non négligeable, possède un piano.

Élisabeth savait que le père Villeneuve faisait tout ce qu'il pouvait pour les rendre heureux. Elle savait aussi qu'il lui était impossible de les garder avec lui. C'était probablement aussi grâce à des gens comme les Dussault qu'il avait pu les parrainer. Elle était cependant affolée parce qu'il n'avait pas mentionné que Jan serait avec elle.

— Tu pourras poursuivre tes études de musique, Élisabeth, à l'académie Saint-Joseph. Les sœurs des Saints Noms de Jésus et de Marie sont d'excellents professeurs.

Élisabeth grimaça. Elle avait terminé ses études pour être professeur elle-même. Du moins, c'est ce que lui avait affirmé sa mère. Elle savait aussi qu'elle ne serait jamais concertiste, vu son âge. Elle avait davantage envie d'enseigner tout de suite. Jan la regardait fixement. Elle crut comprendre qu'il était aussi troublé qu'elle à l'idée qu'ils puissent être séparés.

— Je peux y penser ?

Le père Villeneuve fut étonné de sa réponse.

— Évidemment. Mais à quoi au juste est-ce que tu veux réfléchir ?

— Je ne pense pas vouloir suivre de cours. J'aimerais mieux en donner.

Le père Villeneuve la regarda, surpris. Ce faisant, il fit évidemment une embardée et éclata de rire.

251

— J'ai l'impression que Zofia a travaillé très fort.

— Élisabeth aussi.

Jan avait répliqué du tac au tac. Il savait combien sa sœur avait passé d'heures, recluse dans sa chambre, à s'exercer interminablement, ne s'arrêtant que pour sillonner les rues de Cracovie à la recherche de l'appartement où elle recevrait un cours; pour s'occuper d'Adam; pour assister sa mère auprès de ses élèves; pour suivre les leçons de musique de sa mère ou de culture générale de son père. Le père Villeneuve s'excusa de sa maladresse avant de lui faire savoir que, si elle voulait enseigner, il lui faudrait passer un examen. C'était ainsi que se faisaient les choses. Élisabeth lui répondit qu'elle n'avait aucune objection. Le père Villeneuve annonça ensuite à Jan qu'il l'avait inscrit comme pensionnaire au collège de Saint-Boniface.

— Tu accuses beaucoup de retard mais je sais aussi que tu peux te rattraper rapidement et facilement.

Jan se pinça les lèvres, semblant davantage préoccupé par ses ongles que par la conversation. Le père Villeneuve ne comprenait rien.

— Je ne veux pas.

Cette fois, ce fut la réaction d'Élisabeth qui ne se fit pas attendre.

— Voyons, Jan, il faut que tu retournes aux études. Tu sais très bien que c'est ce qu'auraient voulu papa et maman.

— Je sais, mais je ne veux pas.

Le père Villeneuve était absolument dérouté. Il avait été tellement heureux de pouvoir l'inscrire malgré son retard académique et l'année scolaire déjà entamée.

— Admettons que je te laisse choisir, qu'est-ce que tu ferais?

Jan prit une profonde inspiration. Il regarda sa sœur, comprenant mal qu'elle ne devine pas ses raisons.

— Je travaillerais dans une ferme.

— Dans une ferme!

Élisabeth fut stupéfaite. Jamais elle n'aurait pensé une telle chose. Jan était un musicien extraordinaire et il n'avait jamais eu d'aptitude pour devenir cultivateur. Le meilleur de la famille, celui dont les mains pouvaient se changer en binette, en truelle, en râteau ou en pelle, c'était Jerzy et non Jan.

— Mais pourquoi, Jan ?

— Parce que.

Il se tut et le père Villeneuve lui tapota gentiment l'épaule, voulant lui signifier qu'ils en reparleraient.

Élisabeth s'était imaginé que les Dussault seraient âgés. Elle fut surprise de voir qu'ils n'avaient aucun cheveu blanc, aucune ride et que leur âge devait se situer entre trente et quarante ans. Elle avait du mal à mettre un âge sur les têtes canadiennes. La rencontre fut cordiale et les Dussault parurent enchantés malgré la surprise de Mme Dussault en apercevant Élisabeth. Après avoir échangé quelques politesses, les Dussault entrèrent dans le vif du sujet. Ils attendaient d'elle qu'elle réponde à la porte aux heures de consultation du médecin, entretienne la maison et s'occupe de leurs deux enfants durant l'absence de leur mère.

— Je travaille à toutes sortes d'heures. Parfois même la nuit.

— Que mon mari soit là ou non, nous soupons à six heures.

— Est-ce que je dois faire les repas ?

— Non, à moins que vous ne le vouliez. Je pourrai quand même vous demander de m'aider à l'occasion et de faire quelques achats. Quant aux enfants, ils doivent être couchés au plus tard à sept heures pour le plus jeune et à sept heures et demie pour l'autre.

Élisabeth s'enquit de leur âge.

— Philippe a sept ans et Grégoire, cinq.

Philippe était à peine plus âgé que ne l'aurait été Adam. Élisabeth en fut extrêmement chavirée, aussi s'excusa-t-elle avant de sortir du parloir et de se diriger vers la salle de bains où elle se trempa la figure dans l'eau glacée autant pour noyer le choc que pour se redonner un peu de vie. Les Dussault furent étonnés par son départ précipité mais le père Villeneuve les calma d'un petit signe de la main.

— Ces jeunes ont vécu des choses que nous pouvons à peine imaginer. Élisabeth et son frère ont marché pendant plus de six mois avant de retrouver un semblant de liberté. Ils ont tout perdu, vous savez.

Le docteur Dussault s'inquiéta des séquelles possibles d'un tel périple sur la santé d'Élisabeth alors que Mme Dussault hochait la tête, se demandant si elle-même aurait pu faire une telle chose.

— Ces Européens sont si différents de nous. Vous vous rendez compte ? Une jeune fille de dix-sept ans qui vit nuit et jour sans vrai repos et à la merci d'animaux sauvages, de bestioles...

— ... et de soldats.

Le père Villeneuve avait interrompu Mme Dussault gentiment, sentant qu'elle tournait autour de sa vraie pensée. Intimidée, Mme Dussault se tut et regarda en direction de la porte, espérant presque y voir apparaître Élisabeth. Celle-ci revint quelques minutes plus tard, masquant mal la peine qu'elle avait ressentie. Elle s'assit et demanda s'il était possible que son frère habite lui aussi chez les Dussault.

— Il pourrait étudier au collège de Saint-Boniface, comme vous le voulez, mon père.

Villeneuve toussota alors que les Dussault manifestèrent un léger embarras. Ce fut le médecin qui se ressaisit le premier.

— Je crains que non, mais puisque vous aurez congé tous les dimanches, nous aurons plaisir à l'accueillir chez nous.

Cette solution rasséréna un peu Élisabeth, mais elle savait qu'elle aurait énormément de difficulté à se passer de la présence quotidienne de son frère. Il avait toujours été là pour la calmer et la protéger, pour la comprendre et la choyer. Il était la seule personne sur terre à savoir toutes les blessures que la vie lui avait infligées.

— Vous auriez besoin de moi à partir de quand ?

Mme Dussault répondit qu'elle pouvait venir avec eux si elle le désirait.

— Non, pas aujourd'hui. Si j'arrivais dimanche, dans trois jours, est-ce que ça vous irait ? Mon frère pourra alors m'accompagner et m'aider à m'installer.

Les Dussault acquiescèrent sans hésitation et Élisabeth

leur promit qu'elle ferait tout pour qu'ils soient fiers d'elle et ne regrettent jamais leur décision.

Le lendemain de cette rencontre, le père Villeneuve conduisit Jan et Élisabeth à une ferme située à un mille environ de Saint-Adolphe.

— Je n'ai jamais rencontré le propriétaire mais il se nomme Bergeron et emploie quelques néo-Canadiens.

Le père Villeneuve jeta un coup d'œil en direction de Jan qui ne broncha qu'au mot « néo-Canadiens ». Villeneuve avait espéré qu'il réagisse au fait qu'on y employait des immigrés mais Jan avait les yeux résolument tournés vers la rivière Rouge.

— Elle est moins impressionnante que le fleuve Saint-Laurent.

— Peut-être, mais elle est à peu près de la même taille que les fleuves européens.

— C'est vrai mais nous ne sommes plus en Europe. Vous l'avez dit vous-même, nous sommes des néo-Canadiens.

Jan avait parlé sur un ton assez désagréable, rythmant sa réplique sur celle du père Villeneuve. Élisabeth lui donna un coup de coude. Jan ne desserra plus les mâchoires. Élisabeth essaya de le faire rire ou à tout le moins sourire, se moquant allègrement de sa décision de travailler dans une ferme. Lorsque l'automobile s'immobilisa devant une maison de ferme un peu délabrée et qu'ils en descendirent, Jan l'entraîna à l'écart et perdit complètement son sang-froid.

— Élisabeth ! Il me semble que c'est toi qui aurais dû le mieux comprendre mon choix. Si tu n'es pas heureuse chez les Dussault, qu'est-ce qui va t'arriver ? Il va falloir que je m'occupe de toi. Ce n'est pas en étudiant que je vais pouvoir subvenir à nos besoins. En travaillant dans une ferme, je vais mettre assez d'argent de côté, sans crever de faim, Élisabeth, sans crever de faim, pour être prêt à toute éventualité.

Élisabeth le regarda, bouche bée.

— Mais, Jan, je suis assez vieille pour prendre soin de moi !

— Ce n'est pas vrai, Élisabeth. Quand tu avais mon âge, tu étais assez vieille pour le faire, mais tu n'as jamais pu le

255

faire. C'est moi, Élisabeth, qui ai pris soin de toi. Pendant des mois, Élisabeth.

Jan avait la gorge complètement nouée et sa voix ressemblait à une voix en mue. Élisabeth se tordait les mains, se demandant comment elle arriverait, un jour, à consoler ce frère à qui, sans vraiment le vouloir, elle avait trop demandé.

— Dès que la vie te fait mal, tu baisses les bras au lieu de relever la tête. Tu es comme ça, toi. Nous avons tous notre façon. Alors, laisse-moi faire comme je l'entends. Je ne veux plus jamais, tu m'entends, jamais discuter de mes choix.

Le père Villeneuve les rejoignit en souriant, accompagné d'un homme à la salopette sale et à la tête grise que Jan détesta au premier coup d'œil.

Le 5 décembre était une journée magnifique, froide à fêler l'émail des dents et bleue à déteindre sur la neige blanche. Villeneuve quitta Winnipeg très tôt pour aller chercher Jan afin que celui-ci assiste à la messe de Requiem qu'il avait demandé de célébrer pour sa famille. Il le trouva dans un coin de bâtiment faisant office d'abattoir, les pieds dans le sang, un couteau effilé à la main, le visage taché d'éclaboussures.

— Mais qu'est-ce que tu fais là, Jan?

Jan persifla qu'il ne faisait que son travail. Le père Villeneuve sembla complètement dépassé par les événements. Il y avait quelque chose dans le regard de Jan qui lui faisait presque peur.

— Mais c'est la messe, ce matin! C'est toi-même qui as demandé qu'on la célèbre le 5 décembre!

— Je sais. Vous auriez pu en parler avec Bergeron mais il est parti faire des courses. Moi, il m'a interdit de quitter la ferme aujourd'hui. Il a besoin de son « Poulinais » pour faire boucherie.

Jan avait prononcé le mot « Poulinais » sur un ton qui fit rire les autres jeunes hommes qui travaillaient avec lui. Villeneuve, lui, ne rit pas du tout.

— Tu vas aller te laver et t'habiller. Élisabeth nous attend.

Villeneuve se demanda s'il n'avait pas vu de la crainte

dans les yeux de Jan. Il cligna pour effacer cette pensée qu'il trouvait trop désagréable. Jan fit non de la tête.

— Je ne peux pas. Je risquerais de perdre mon job.

— Quoi ? Perdre ton emploi parce que tu vas visiter ta sœur que tu n'es pas venu voir une seule fois ? Être congédié pour un Requiem ?

Le visage de Villeneuve, qui faisait très attention pour ne pas baigner l'ourlet de sa soutane dans le sang, venait de s'empourprer.

— Va !

Jan hésita puis piqua rageusement son couteau dans le corps mort d'un cochon, ce qui dégoûta le père et fit rire de nouveau ses compagnons de travail. Villeneuve le suivit dans la maison des employés, qu'il trouva plutôt fraîche. Jan marcha vers le recoin qui lui servait de chambre et revint le torse nu. Il se dirigea vers la pompe et remplit un bol d'eau forcément glacée. Il s'y plongea la tête puis se savonna partout avant de se rincer de nouveau. Le père Villeneuve ne le quitta pas des yeux. Il était impossible que Jan ne fût pas complètement frigorifié, mais il ne sourcilla pas. Le prêtre hocha la tête. Il avait peine à reconnaître le Jan qui était arrivé à Winnipeg un peu plus d'un mois auparavant, l'œil éclatant et le sourire au cœur. Ils partirent et Jan, les yeux rivés à la fenêtre givrée, n'ouvrit presque pas la bouche du trajet.

— Je n'ai jamais rien vu d'aussi ennuyant que ces plaines quand elles sont blanches.

— C'est étonnant. Moi, je trouve qu'elles ressemblent à une palette qui attend que le Créateur y mette de la couleur.

Jan eut un petit sourire de dépit, le père Villeneuve étant vraiment trop candide. Ce dernier saisit quand même cet air quasi méprisant et en fut troublé. Il tenta de n'en rien laisser paraître.

— Au fait, Jan, j'ai reçu une longue lettre d'Élisabeth.

— Comment ? Élisabeth ne va pas vous voir tous les dimanches ?

— Quand elle en a envie, oui.

Jan replongea son regard dans le givre. Il commençait à se détendre un peu. Villeneuve, lui, se demanda pourquoi il n'avait pas posé de question quant au contenu de la lettre qu'il venait de mentionner. Il accéléra un peu, faisant déraper le véhicule qui zigzagua avant qu'il en reprenne le contrôle.

— Je ne suis pas sûr que j'aime conduire quand les routes sont des patinoires.

— Voulez-vous que je prenne le volant ?

Villeneuve le regarda, un sourcil levé d'étonnement.

— Saurais-tu conduire, maintenant ?

— Très bien. Surtout les tracteurs...

Jan eut un petit rire moqueur, ce qui soulagea un peu l'angoisse de Villeneuve.

Ils entrèrent dans la chapelle, où quelques religieuses venues assister à la cérémonie étaient déjà assises. Villeneuve leur dit, avec une douceur étonnante, que les Pawulscy et lui-même préféraient que cette messe soit célébrée dans la plus stricte intimité. Jan, qui avait pris place à l'avant, tiqua. Les religieuses sortirent en douceur dans un froissement de robes. Le père Villeneuve passa à la sacristie pour revêtir les ornements sacerdotaux et en ressortit quelques minutes plus tard, Élisabeth à ses côtés. Elle était vêtue d'une robe blanche et rose et portait une couronne de fleurs dans les cheveux. Jan comprit, se leva et alla rejoindre sa sœur. Villeneuve prit la parole au moment où Élisabeth serrait la main de son frère.

— Élisabeth m'a écrit pour me demander de bénir son mariage. Elle m'a dit que si on pouvait baptiser un bébé mort-né, prononcer un Requiem bien après le départ des âmes, il m'était certainement possible de bénir un mariage d'amour déjà célébré. J'ai longuement réfléchi. Je me suis dit que si Élisabeth avait porté un enfant de son mari, on lui aurait reconnu l'existence d'un père. On lui aurait même donné son nom.

Le père Villeneuve était visiblement ému. Jan plongea la main dans sa poche et étreignit les lunettes de son père.

— Un instant.

Jan mit les verres sur la balustrade, posés dans le mouchoir de Favreau, le souvenir du regard de Tomasz dirigé vers son ami et ses enfants. Villeneuve les reconnut et toussota, ne tentant pas de cacher son chagrin. Il reprit son petit discours. Élisabeth, elle, pleurait à chaudes larmes, mais ses larmes, justement, étaient chaudes et bonnes. Il n'y avait que Jan qui semblait ne pas avoir le cœur à l'émotion.

— Jan, Élisabeth m'a demandé dans sa lettre de reprendre la formule que tu avais prononcée pour bénir leur mariage. Alors, je le fais. « Devant la lune et les étoiles filantes, devant Dieu, devant Tomasz, Zofia et Adam », acceptes-tu toujours, Élisabeth, de prendre Marek pour époux et de l'aimer jusqu'à ta mort avant d'aller le retrouver ?

— Oui.

— Je te bénis.

Élisabeth réenfila l'alliance de bois que Marek lui avait glissée au doigt et la baisa tout doucement. Jan semblait un peu perplexe, trouvant que sa sœur avait une drôle de façon de montrer qu'elle s'était remise de la mort de Marek, mais il ne put que constater qu'elle n'avait jamais été aussi jolie qu'en veuve blanche.

— Maintenant, nous allons entendre la messe de Requiem pour le repos des âmes de Tomasz, de Zofia, de Jerzy, d'Adam et de Marek.

— Et de M. Porowski.

— C'est vrai. Il doit être heureux de voir que vous ne l'avez pas oublié.

Le père toussota encore avant de continuer un semblant d'homélie.

— Même si j'ai, moi aussi, de la dificulté à comprendre les intentions de Dieu quand je prononce tous ces noms, il faut que je me réjouisse de vous savoir avec moi. C'est là le dessein de Dieu.

Si le vent avait soufflé plus fort, peut-être auraient-ils tous entendu Jerzy demander à la jeune fille assise devant lui dans le train reliant Halifax à Montréal si elle lui jurait que l'air allait se réchauffer, que la neige allait fondre, que sous la glace il y avait un fleuve et que la verdure allait cacher la nudité des arbres et recouvrir les champs.

Quatrième temps

1947-1949

34

L E train avait quitté Montréal depuis longtemps lorsque
Jerzy apprit qu'il était rendu en Ontario. Il regarda
maintenant la blancheur avec plus d'intérêt, ayant choisi,
avant son départ d'Europe, le sud de cette province pour
s'établir. On lui avait dit qu'on y pratiquait la culture des
arbres fruitiers, surtout des pêchers. Il avait longuement
réfléchi avant de prendre sa décision. Il n'avait pas voulu des
Maritimes, ne connaissant rien à la pêche ni aux poissons. Il
n'y avait eu que la culture de la pomme de terre qui l'avait
attiré, mais il n'avait pas eu envie de se sentir dans la
périphérie d'un pays aussi grand. Il n'avait pas non plus
retenu le Québec, malgré ses services pour immigrants
catholiques, malgré aussi la possibilité d'avoir une belle terre
noire et fertile entre Montréal et les États-Unis. N'eût été son
immersion dans la culture anglo-saxonne durant les trois
dernières années, il aurait peut-être aimé s'installer près du
fleuve, mais maintenant il ne s'y serait pas senti à l'aise. La
côte du Pacifique l'avait attiré sérieusement, mais de penser
qu'il aurait été à un demi-tour de terre de Cracovie lui avait
fait craindre de perdre pied et de ne jamais se retrouver.
Alors, il avait choisi le sud de l'Ontario, sachant qu'il aurait
des lacs immenses à proximité, que ces lacs étaient soudés au
fleuve et que le fleuve serait une espèce de cordon le reliant
directement au continent européen en déversant son eau
dans l'Atlantique. Il avait donc longuement réfléchi avant
d'arrêter son choix, mais, s'il s'était enfin décidé, ce n'était
que par pure gourmandise : il raffolait des pêches. Jamais il

n'aurait osé avouer le peu de sérieux qui l'avait finalement motivé. En revanche, à l'immigration canadienne, on l'avait congratulé pour sa clairvoyance.

— Il y a peu d'endroits assez chauds au Canada pour permettre cette culture de façon massive. Vous devriez avoir beaucoup de succès.

Jerzy s'était félicité en apprenant que le sud de l'Ontario avait un microclimat. Il détestait toujours autant le froid et savait que celui-ci et lui seraient ennemis jusqu'à la fin de ses jours.

Durant toute sa traversée de l'Atlantique, il avait été ému et ravi de se sentir grand aventurier. Son arrivée à Halifax avait été extrêmement agréable et, l'espace de deux battements d'yeux, il avait regretté de n'avoir pas choisi Les Maritimes. Il avait fait un tour de ville dans ces immenses bus bicolores au museau écrasé. En prenant finalement le train, il avait fait la rencontre de deux Polonaises, la première venant comme lui de débarquer, et la seconde habitant au Manitoba.

— Vous êtes polonaise ?

— Non. Mes parents le sont. Moi, je suis née ici.

— Mais vous êtes quand même polonaise ?

— Non. Je suis d'origine polonaise.

Elle avait insisté sur le mot « origine », ce qui avait fait sourire Jerzy. Elle était entêtée comme une Polonaise. Et il n'y avait qu'une Polonaise pour traverser la moitié du pays pour escorter jusqu'à Winnipeg une lointaine cousine inconnue, en route pour Vancouver.

— Pourquoi êtes-vous venue ? J'imagine que vous êtes étudiante et que vous aviez des cours.

— Oui, j'avais des cours. Mais mon père m'a offert ce voyage parce que cette cousine avait besoin d'aide.

— Elle aurait pu vous rejoindre là-bas.

— Elle ne parle que le polonais. Il fallait l'aider, c'est tout.

Anna, parce qu'elle s'appelait Anna, avait une façon de trancher les discussions comme si les propos de Jerzy avaient été du saucisson. Ses cheveux étaient aussi dorés que ceux de sa sœur, Élisabeth. Elle avait les yeux bleus presque marine comme ceux de sa mère, Zofia, une fossette au menton et des dents presque toutes droites, sauf la canine droite, qui chevauchait légèrement l'incisive, prête à mordre. Mais, surtout, elle avait la peau des mains complètement rêche. Jerzy était certain qu'elle se plongeait souvent les mains dans la terre. Il n'y avait que la terre pour s'agripper aux pulpes des doigts afin de les teinter ; pour s'infiltrer sous la peau délicate des ongles, celle qui recouvre les lunules, et où même les brosses les plus fines ne pouvaient s'immiscer. Jerzy avait la certitude qu'Anna avait eu les mains dans la terre tout l'été et que, s'il avait osé lui caresser un genou, il aurait touché là aussi une peau texturée comme une toile de lin et non soyeuse comme du satin.

Anna et sa cousine, assises sur la banquette de l'autre côté du couloir, faisaient connaissance et Jerzy, qui avait pris place de façon à voir Anna de face, s'intéressait à leurs propos. Anna parlait du Manitoba comme d'une espèce d'Eldorado et la cousine ouvrait grand les yeux, visiblement impressionnée par l'assurance d'Anna et par l'univers qu'elle dépeignait.

— Et Vancouver ?

— Je n'y suis jamais allée.

Jerzy était quand même agacé par le manque de tact d'Anna, trop insensible à son goût au fait que sa cousine avait connu six années de misère, à proximité de Varsovie. Il profita de l'absence de cette dernière pour en glisser un mot à Anna.

— Est-ce que c'est parce que la guerre s'est passée de l'autre côté de l'Atlantique que la douleur ne vous atteint pas ?

Anna avait rougi. C'était une première.

— J'ai travaillé tout le temps pour la Pologne. Depuis que la guerre est terminée, j'ai expédié des couvertures et de la nourriture. J'ai même accepté de correspondre avec des soldats qui se sont trouvés orphelins à leur retour. Ceux qui venaient des villes où...

— ... où était passé le front.

Jerzy l'avait interrompue, franchement agacé par le ton de

ses propos. Tout à coup, il l'avait trouvée moins jolie et moins attirante, moins polonaise, et son accent, si charmant au premier abord, était dissonant. Il n'avait plus envie de lui parler dans sa langue tant aimée, tout en chuintements et chuchotements qui lui caressaient l'âme. Anna, constata-t-il, la colorait d'un soupçon d'intonations anglaises. Il continua donc la conversation dans cette langue.

La cousine était revenue et il les avait laissées toutes les deux, préférant aller dans l'*observation car* examiner les têtes des autres voyageurs. Il repensa aux reproches qu'il venait de faire à cette fille qui n'avait eu que deux torts. Le premier, celui d'avoir été dans le même train que lui, et le second — le pire, pensa-t-il —, celui de n'avoir posé aucune question à son sujet. Elle ne lui avait même pas demandé pour quelle raison il était venu au Canada. Elle était d'une discrétion absolument irritante, presque aussi choquante que celle des Anglaises. Une réserve qui, il fallut qu'il se l'avoue, frôlait l'indifférence. Il regarda défiler le paysage pendant plus d'une heure, le trouvant peut-être un peu trop gris. Le ciel se chargea de le métamorphoser en expédiant des tonnes de neige qui tombèrent en trombe sur le train et dans les champs, blanchissant tout à une vitesse folle. Jerzy en eut le cœur crevé. Jamais, depuis la Russie, il n'avait vu autant de neige. Il eut l'impression que la neige lui enlevait toute liberté. Il en frissonna presque d'horreur. Il ne pourrait jamais aimer ce pays s'il s'y sentait prisonnier. Une tempête comme celle-ci empêchait certainement les gens de circuler. Jerzy avait les yeux rivés à la fenêtre, souhaitant pouvoir se débiner devant cet enfer blanc, quand Anna, assise devant lui dans un gros fauteuil de cuir noir fixé au plancher, le sortit de sa torpeur.

— Je n'ai pas aimé vos propos.

Il avait été si hypnotisé par ses souvenirs du camp de travail qu'il ne l'avait même pas vue. Il la regarda donc froidement, regrettant tout à coup Pamela qui n'aurait jamais osé rallumer sa mauvaise humeur.

— Je n'ai pas aimé les vôtres non plus.

Anna haussa les épaules et lui sourit. Jerzy trouva tout à coup sa canine détestable et il tourna lentement la tête vers la fenêtre.

266

— Cette tempête est absolument magnifique. Quand tout est blanchi en moins d'une heure, comme c'est le cas, on sait qu'on va avoir au moins un pied de neige.

Si Anna voulait se rendre intéressante, elle avait mal choisi son sujet. Jerzy la dévisagea, un léger dégoût ourlant sa lèvre supérieure.

— Je déteste la neige.

Anna avait éclaté de rire. Cette fois, sa canine l'agaça profondément. En d'autres temps, il aurait trouvé cela charmant, mais aujourd'hui il pensa que c'était franchement laid. Il eut soudainement hâte que le train arrive à Montréal pour qu'on le scinde en deux, expédiant une partie des wagons à Toronto et l'autre à Vancouver.

— Est-ce que vous allez vous joindre à nous pour le souper ?

Jerzy ne répondit pas. Elle l'avait regardé, attendant une réponse.

— En fait, c'est ma cousine qui a insisté pour que je vous le demande. Moi, je préfère attendre qu'on m'invite.

Il la regarda en clignant des yeux lentement. Elle était vraiment intolérable. Il eut peur, tout à coup, de ne pas avoir d'affinités avec les Canadiennes. Si une quasi-Polonaise était irritante, il pouvait s'attendre à tout des autres. Il se réfugia de nouveau dans son mutisme et Anna se leva. Elle allait partir lorsque le train attaqua une courbe, ce qui la fit trébucher. Jerzy ne fit rien pour la retenir et elle dut s'appuyer sur son épaule pour ne pas tomber.

— Franchement, vous auriez pu m'aider.

— Vous vous êtes fort bien débrouillée sans moi.

— Quand vous aurez appris la politesse, vous aurez commencé à avoir un peu de bon sens. Parce que ici, au Canada, on trouve que les Polonais sont ivrognes, batailleurs, soupe au lait, arrogants et fiers. Beaucoup trop fiers.

Jerzy la dévisagea, avant de la regarder lui frotter l'épaule, là où elle avait été forcée de s'appuyer.

— On ne sait jamais, j'aurais pu vous salir.

— Est-ce que votre charmante description s'applique aussi aux Polonaises ?

Sans un mot, elle tourna les talons et rejoignit son wagon.

Jerzy entra dans le wagon-restaurant en se demandant encore s'il allait ou non exposer à d'autres douches froides sa fierté d'être polonais. Cette Anna avait vraiment tout renié de ses origines et il en était extrêmement mal à son aise. Il fit des yeux le tour des tables et vit la cousine agiter une main. D'Anna, il ne vit que le dos. Elle ne daigna pas se retourner. Il demeura planté au beau milieu du wagon, se demandant encore ce qu'il devait faire. Et puis il le sut. À son tour, il fit un signe de reconnaissance à la cousine et se choisit une place à une autre table, leur tournant le dos pour être certain de ne pas consacrer tout son repas à observer leurs faits et gestes. À son grand bonheur, il s'était attablé avec des gens qui, comme lui, aimaient rire, et la moitié du repas fut un grand éclat. Au café, Anna et sa cousine passèrent à côté de lui, le gratifiant d'un aimable sourire. Jerzy fit de même et trempa ensuite ses lèvres dans le café. Il retint un cri d'horreur, se contentant de cligner des yeux et d'avaler goutte à goutte une gorgée bouillante. L'incident n'échappa pas à Anna qui sourit encore davantage de sa canine crochue.

— Tiens, j'ai hâte de voir quel effet peut avoir l'eau bouillante sur un cerveau polonais.

Jerzy revint au wagon-lit et s'assit à côté des cousines, pestant contre le hasard qui lui avait assigné cette place. Anna était absorbée dans la lecture d'un magazine dont la une était consacrée à une certaine Barbara Ann Scott. Jerzy commença à échanger quelques mots de politesse avec la cousine. Même s'il l'avait voulu, il aurait été incapable de parler de son expérience passée, car il savait qu'Anna ne perdait pas un mot et elle lui avait déjà fait comprendre que cela ne l'intéressait en rien. Il déplora le fait que la nuit noire avait caché tout le paysage même si la neige était à peu près tout ce qu'il aurait pu voir. Le *porter* vint les aviser qu'il devait faire les lits. Jerzy se glissa sur la banquette de velours et s'approcha péniblement de la fenêtre. La cousine annonça son intention d'aller à l'*observation car*. Quant à Anna, elle ne dit pas un mot mais, le nez maintenant enfoui dans un livre, elle s'assit devant Jerzy, ne prenant même pas la peine de lever les yeux en s'excusant lorsqu'elle lui écrasa un pied.

Jerzy demeura assis, l'air maussade, les yeux rivés sur le noir de la fenêtre, observant le reflet du *porter* qui sortit sa grosse clé et fit descendre la couchette du haut. Il le vit ensuite laisser tomber des rideaux lourds et bruns, retenus par des boutons-pression, chantonnant et sifflant sans interruption.

— *My mamma done tol'me... When I was in kneepants... My mamma done tol'me... Hon!... a woman'll sweet talk... and give ya the big eye... but when the sweet talkin's done...*

Jerzy l'observait encore lorsque, les deux pieds sur les accoudoirs qui encadraient maintenant un lit fait des sièges et des dossiers tirés des banquettes, il étendit les draps puis les couvertures du lit du haut.

— *... a woman's a two face... a worrisome thing who'll leave ya t'sing the blues in the night...*

Le *porter* tapota l'oreiller avant de le mettre en place et d'allumer une petite lampe de chevet. Jerzy le regarda ensuite descendre et étendre un matelas mousse sur ce qui avait été les banquettes, le recouvrant de draps frais lavés et de couvertures beige pâle. Là aussi, après avoir tiré le store, il alluma la petite lampe de chevet. Il chantonnait toujours l'air que Jerzy ne connaissait pas.

— *... hear the train a callin' whoo-ee... hear dat lonesome whistle blowin'...*

Le *porter* appuya sur les derniers boutons-pression avant de refermer le cocon qui allait devenir le lit d'Anna et de fixer une échelle pour que sa cousine puisse monter dans le sien.

— *... a whoo-ee-duh-whoo-ee... Ol' click-e-ty clack's a echoin' back the blues... in the night...*

Jerzy et Anna furent invités à changer de place de nouveau. Anna partit retrouver sa cousine tandis que Jerzy resta dans le wagon à regarder le *porter* recommencer son rituel de la soirée, faisant pénétrer sa grosse clé dans le trou d'une autre serrure. Sa mélopée ne cessait jamais et Jerzy, mentalement, commença à chantonner avec lui. Le *porter*, voyant qu'il restait assis, le visage résolument collé à la fenêtre, décida de ne pas le déranger. Il s'en alla à l'autre bout du couloir, ne révélant sa présence que par ses chansons et ses sifflements. La cousine d'Anna revint en bâillant et annonça à Jerzy qu'elle allait dormir. Elle se réfugia derrière les rideaux et en ressortit en tenant entre son coude et ses côtes des vêtements de nuit et des articles de toilette qu'Anna lui avait certainement apportés. Elle se dirigea vers les toilettes des dames. Jerzy lui sourit et attendit son retour. La chemise de nuit devait certainement appartenir à Anna et Jerzy plissa les yeux pour imaginer l'allure qu'aurait eue cette dernière. La cousine appuya sur la sonnette pour faire venir le *porter* et lui demander de rapporter l'échelle qui avait été déplacée au profit d'autres passagers. Le *porter* arriva promptement et pria Jerzy de bien vouloir le laisser terminer son dernier lit.

— *If y'a got the blues, go and see people. Don't stay here.*

Jerzy se leva et voulut retourner à l'*observation car* mais il se dirigea vers la cousine.

— Je n'aime pas l'idée qu'une jeune fille comme vous descende une échelle en pleine nuit. Aussitôt qu'il aura terminé, je voudrais que vous preniez mon lit. Vous serez juste à côté d'Anna.

— Je vous remercie, ce ne sera pas nécessaire. *Prosze.*

— J'insiste.

La cousine le regarda bien en face, crut comprendre quelque chose et accepta. Le *porter* terminait son travail au moment où Jerzy se dirigea vers l'autre wagon. La cousine se glissa dans les draps frais, éteignit et s'endormit presque aussitôt.

Jerzy observa Anna. Elle avait la tête qui ballottait au rythme du train, qui n'avait pas ralenti son allure malgré la neige. Elle avait déposé son livre sur ses cuisses et avait les yeux mi-clos, ignorant les rires des gens de la table d'à côté qui jouaient une partie de canasta. Elle ne remarqua pas la dame qui tricotait une chaussette, pas plus que l'autre qui avait pris place à une petite table de chêne et rédigeait sa correspondance. Un homme assombrissait l'air d'un nuage de fumée de cigare qui empestait plus qu'il ne parfumait. Jerzy s'approcha d'Anna qui sursauta en l'apercevant, s'empressant de reprendre son livre. Il s'assit lentement dans le fauteuil à côté d'elle, puis se pencha pour prendre le livre et tourner les pages jusqu'au signet.

— Je pense que vous étiez rendue ici.

Anna eut un sourire à la fois contrit et moqueur et Jerzy trouva que sa canine, finalement, pouvait être jolie.

— Votre cousine est couchée dans mon lit.

Anna sursauta mais, avant de parler, attendit une explication. Jerzy fut assez content de l'effet produit par son entrée en matière.

— Je vais donc dormir dans la couchette au-dessus de la vôtre. J'espère que vous ne ronflez pas.

— Je n'en sais rien. Et vous ?

— Oui. Il paraît que je fais autant de bruit qu'un moteur d'avion.

— Qui vous a dit ça ?

Jerzy ne répondit pas tout de suite. Il se demandait s'il devait dire « mes compagnons d'infortune du camp de travail », ou « mes compagnons d'armes » ou « mes camarades d'hôpital » ou bien « Pamela ».

— Ma mère.

Un serveur s'approcha d'eux et Jerzy commanda une vodka alors qu'Anna se contenta d'un soda au gingembre et de bretzels.

— Elle est restée en Pologne ?

— Elle n'a pas eu le choix. Les Allemands l'ont assassinée moins de six mois avant la fin de la guerre.

Anna ne répondit rien, se contentant de baisser la tête comme elle le faisait à l'église au moment de l'offrande du sacrifice.

— Vous m'excuserez, mais je ne sais jamais quoi dire quand on me parle de ces choses-là.

— Je n'ai pas besoin de vous excuser. Moi, je ne sais pas encore comment les dire.

Ils payèrent chacun le verre qu'on leur apportait et Jerzy brossa un rapide tableau, sans entrer dans les détails, de ses huit dernières années. Anna avait perdu son air moqueur, souriant uniquement quand il souriait, riant uniquement quand il riait, regardant dehors quand il avait la vue

271

embrouillée par un souvenir trop aveuglant. Le wagon s'était vidé et le serveur vint leur offrir de prendre un dernier verre. Jerzy accepta mais Anna refusa. Elle regarda l'heure.

— Je crois que je devrais aller dormir. Demain, je visite Montréal avec ma cousine. Mais vous, vous partirez assez tôt pour Toronto.

Jerzy acquiesça avant de faire cul sec. Il la précéda et lui ouvrit les portes, qui étaient toujours extrêmement lourdes. Ils entrèrent dans leur wagon et se dirigèrent vers leurs lits. Anna ouvrit le rideau et se glissa sur le sien pendant que Jerzy installait l'échelle pour monter.

— *Dobranoc !* Anna.

— *Dobranoc !* Jerzy.

Jerzy savoura ce chuchotement qui avait été doublement doux à entendre. Doux parce qu'il le rapprochait d'Anna, faisant d'elle une espèce de complice, et encore plus doux parce qu'il avait été dit en polonais.

Jerzy regardait maintenant cet Ontario d'un œil qui se voulait intéressé, mais ses pensées étaient demeurées accrochées à la gare de Montréal, là où on avait séparé le train. Ils étaient tous les trois montés à la salle d'attente et la cousine les avait quittés quelques minutes. Elle était allée saluer un groupe de Polonais venus accueillir des jeunes, seuls comme elle l'aurait été si Anna n'avait pas eu la gentillesse de venir à sa rencontre. Jerzy avait été tenté de la suivre mais l'envie d'être avec Anna, ne fût-ce que quelques minutes, l'emporta sur celle de rencontrer des Polonais établis à Montréal. Aussi est-ce seule que la cousine s'était dirigée vers un homme rondelet, rougeaud et souriant qui avait jeté un regard sympathique au violon que tenait Jerzy.

Anna et Jerzy n'avaient plus retrouvé le ton et l'intimité de la veille. La canine détestable d'Anna avait presque repoussé, mais Jerzy avait rapidement appris à en rire, au grand désespoir d'Anna qui essayait de mettre une distance entre elle et lui. Jerzy vit dans cet acharnement une gentille façon d'avouer qu'elle n'appréciait pas nécessairement le fait que leurs chemins se séparent.

— Où pensez-vous aller, en Ontario ?

— D'abord à Toronto, ensuite à St. Catharines.

— Ça ne sera pas facile de trouver du travail chez un cultivateur au mois de décembre.

— On ne sait jamais...

La cousine vint les retrouver, une larme d'émotion coincée dans les cils.

— Ces gens sont extraordinaires.

Ils pénétrèrent tous les trois dans un restaurant pour prendre un café.

— Qu'allez-vous faire pendant la journée ?

— Visiter Montréal.

Anna avait répondu d'un ton qu'elle voulait agacé. La feinte était si drôle que Jerzy s'étouffa de rire avec sa gorgée, ce qui les amusa tous. Ils marchèrent ensuite un peu rue Sainte-Catherine avant que Jerzy ne les quitte pour retourner à la gare afin de prendre le train de Toronto. La cousine se concentra devant une vitrine décorée pour Noël, avec des bonshommes mécaniques, un village miniature, un train, des fées et des centaines de présents. Jerzy et Anna s'éloignèrent un peu. Ils ne parlèrent pas, craignant de dire des choses qui pouvaient disparaître dès le lendemain. Plus le silence s'étirait, plus leur gêne grandissait. Ce fut Anna qui réussit à parler.

— Vous connaissez mon adresse. Si jamais vous avez des problèmes...

— Je n'aurai pas de problèmes.

Anna fit un petit signe de tête comme quoi elle comprenait ce qu'il essayait de lui dire.

— Par contre, si je vois que l'Ontario et moi nous ne faisons pas bon ménage, je pourrais peut-être traîner ma jambe ailleurs.

Anna sourit de plaisir.

— Est-ce que je peux vous écrire même si je n'ai pas de problèmes ? J'aurai peut-être des difficultés. Mais les problèmes, je crois les avoir déjà eus.

Anna fit un signe d'assentiment. Ils revinrent vers la cousine, toujours en fascination ou en état de choc — Jerzy ne le savait pas — devant la vitrine. Jerzy se plaça à ses côtés pour regarder les pantins s'animer. Il leur trouva un air de

273

famille, avec des jambes raides, à peine articulées, mais s'abstint d'en parler. Il se concentra sur le trajet sans fin que faisait le petit train, espérant que son train à lui s'arrêterait quelque part. Il se décida enfin à partir, embrassant gentiment la cousine et serrant la main d'Anna.

— Passez de joyeuses fêtes, Anna.

— Vous aussi, Jerzy.

La silhouette de Toronto se dessinait au loin et Jerzy n'avait d'yeux que pour l'immensité du lac Ontario et de pensées que pour Anna. Il s'en voulait amèrement de ne pas avoir tiré d'elle plus qu'une ombre de regret de le voir partir. Il s'en voulait aussi de n'avoir rien trouvé d'intelligent ou de percutant à lui dire. « Passez de joyeuses fêtes. » Quelle formule édulcorée ! Il aurait pu ajouter une tendresse, comme « je penserai à vous », ou un espoir, comme « à bientôt peut-être ». Non. Il n'avait rien dit de beau. Il avait été balourd et malhabile.

La ville lui apparaissait maintenant de plus en plus grande et il sentit sa poitrine se rétrécir d'inconfort devant cette immensité de béton. Il avait bien connu Londres, mais une Londres blessée. Toronto, soudainement, lui sembla hostile et affolant. Le train se glissa dans la gare et Jerzy se demanda où il allait dormir cette nuit. Déjà le soleil bâillait et Jerzy compta son argent. Il ne croyait pas pouvoir se payer l'hôtel.

Jerzy sortit de la gare, regarda à droite et à gauche comme s'il avait su où se diriger. En fait, il se demandait s'il préférait le ciel de droite ou celui de gauche. Il opta pour la droite et commença à marcher, n'ayant pour tout bagage qu'une valise et un étui à violon. Il erra pendant plus d'une heure avant de se ressaisir et de s'informer sur les endroits où il pourrait nicher. Après avoir marché dans le froid qui ne cessait de le narguer, il arriva au *YMCA*, prit une douche et tomba sur un lit un peu moins confortable que celui du train mais infiniment supérieur aux paillasses de guerre.

Le lendemain matin, il prit un petit déjeuner qu'il trouva fort semblable à ceux que lui préparait Pamela, et, une fois l'estomac rempli, sortit découvrir cette ville d'Amérique, n'apportant avec lui que le violon d'Élisabeth.

Il marcha longuement, chaque pas le faisant souffrir davantage. L'essence de sa vie venait de lui empester l'âme. Il était seul, éminemment seul, dans des rues aux trottoirs mortellement glissants avec personne pour se soucier de son bien-être, personne non plus pour reconnaître son existence ou même pour rechercher sa présence. La rue lui apparut douloureusement joyeuse, avec ses saint Nicolas à longue barbe qui sonnaient des clochettes pour demander un peu d'argent. Il fut finalement attiré par une vendeuse de sapins qui criait aussi fort qu'un camelot londonien annonçant la fin de la guerre. Il s'approcha et tourna autour des arbres, tâtant les épines, en arrachant quelques-uns pour les humer avant de les mâchouiller, comme il l'avait fait en Russie.

— *Do you want a tree?*

Jerzy fut tellement surpris d'être ainsi pris en flagrant délit qu'il ne sut quelle contenance adopter.

— Non, je regardais.

— Vous voulez dire que vous goûtiez.

Jerzy cessa de mâchouiller et sourit. La femme emmitouflée et édentée qui se tenait devant lui avait des petits yeux rieurs et une fierté belle à voir. Elle fixait l'étui à violon.

— Vous en jouez, de votre instrument?

— Parfois.

Jerzy regarda les quelques rares flocons qui tombaient, pensant tristement que même dans le sud de cette province, où on lui avait assuré que le climat était clément, la neige était au rendez-vous.

— On m'a dit qu'il y avait peu de neige ici.

La vieille dame haussa les épaules pour lui faire comprendre qu'elle n'avait rien à voir avec les chutes de neige et se dirigea vers un client qui ne cessait de secouer tous les sapins pour mieux en voir la forme. Elle cria encore, assez fort pour attirer l'attention du client et lui ordonner sèchement de ne pas toucher aux branches.

— C'est plus qu'un arbre, ça, monsieur. Quand c'est gelé, c'est fragile comme du cristal.

Jerzy la trouva amusante. Il la suivit discrètement et écouta la conversation qu'elle tenait. Tantôt elle vantait la symétrie des branches et la hauteur de l'arbre, tantôt elle parlait de l'odeur d'un arbre récemment abattu ou de la sécurité par rapport au feu. Jerzy mâchouillait encore ses aiguilles. Il passa l'index sur un tronc et l'enduisit de résine. Il téta le bout de son doigt comme un enfant ravi colle sa langue sur une sucette. Le client avait disparu sans acheter et la vieille dame replaça ses arbres en grommelant.

— C'est rare que je me trompe. J'aurais juré qu'il en voulait un.

Sans même réfléchir, Jerzy posa son étui sur le capot de la vieille camionnette de la dame et l'aida à replacer les arbres.

— Ancien militaire ?

Jerzy sourit de nouveau. Cette vieille femme lui faisait penser à la fois à Mme Saska et à Mme Grabska, mais encore plus vieille que celle qu'il avait revue à Cracovie. Il fit oui de la tête et continua à placer les arbres, prenant garde de ne pas abîmer les branches.

— J'aime penser que mes arbres vont devenir importants. Ils ont l'air presque morts, mais, avec deux petites lumières et une étoile, ils ressuscitent.

Jerzy la regarda, étonné. Eût-il été enfant, il aurait pu penser qu'elle était un mélange de sorcière, de fée et d'ange. Il lui sourit encore, replaçant avec précaution le dernier arbre qu'il tenait. Il se réchauffa les doigts et ramassa le violon, prêt à partir.

— Est-ce que vous cherchez du travail ?

La vieille dame avait posé la question sur le même ton que si elle lui avait offert une tasse de café.

— Non, pas vraiment. Je vais à St. Catharines travailler dans les vergers de pêches.

— Dommage pour moi.

Jerzy était absolument estomaqué. Il avait l'impression qu'elle le suppliait presque. Elle le regarda bien en face et tenta d'aspirer son essoufflement.

— J'aurais accepté votre aide.

Du coup, Jerzy n'eut qu'une seule envie, offrir la force de ses bras pour soulager ceux de la vieille dame, qui lui semblaient plus aptes à transporter de légers fagots. Elle désigna en souriant une femme qui tournoyait autour d'un pin, un enfant excité accroché à sa manche. D'un signe de tête, elle demanda à Jerzy de lui répondre. Il sourit, posa son violon sur la banquette avant de la camionnette et s'approcha aussi rapidement qu'il le put de sa première cliente.

— Le pin est le meilleur choix parce qu'il nécessite moins de décorations. C'est un choix économique qui vous permettra d'acheter un présent de plus pour votre enfant.

Il jeta un coup d'œil en direction de la vieille pour s'assurer qu'il n'avait pas exagéré. La jeune mère le regarda bien en face, sans ciller.

— J'ai toujours choisi le pin.

Sans s'occuper de Jerzy, elle attrapa l'arbre d'une poigne solide et se dirigea vers la vieille en souriant.

— Bonjour, madame Mulligan. Votre fils n'est pas là cette année ?

Jerzy continua de loger au *YMCA* mais il se présentait tôt le matin pour aider Mme Mulligan. Il apprit qu'elle était veuve, sut que son fils était malade et entendit ses doléances parce que la Ville avait retiré les derniers chevaux qui tiraient les camions des éboueurs.

— Si ça continue, les gens de la campagne ne se reconnaîtront pas en ville. Même dans le dépotoir, il va y avoir des camions.

Elle lui avoua qu'elle aimerait bien qu'il lui joue du violon de temps à autre et qu'elle lui donnerait un salaire raisonnable. Pas extraordinaire, mais raisonnable.

Le mercredi 24 décembre arriva. Les arbres étaient presque tous vendus et ceux qui restaient semblaient plutôt malingres. Jerzy faisait des pieds et des mains pour les refiler aux retardataires. À vingt et une heures, une neige folle commença à saupoudrer les quelques arbres qui n'avaient pas réussi à décrocher le premier rôle de la nuit de Noël. Jerzy en fut presque triste, pensant au temps qu'ils avaient mis à pousser, à la sueur du bûcheron qui les avait abattus, au chagrin des enfants qui ne les verraient pas.

— C'est quand même un peu dommage, non ?

— Oui, mais je vais dire à mon fils que nous les avons tous vendus. C'est en les abattant qu'il a attrapé une pneumonie.

Jerzy ne sut que répondre. Il ramassa les quelques dizaines de carcasses et les empila sans rudesse dans la boîte du camion. La vieille Mulligan, elle, compta et lui remit son dû.

— Votre fils va voir qu'il reste des arbres.

— Non, parce que vous venez avec moi et nous allons les porter au dépotoir. Ensuite, vous me jouerez un petit air sur votre violon. Si vous n'avez pas les doigts raides, évidemment.

Jerzy ne put refuser et il s'assit à côté d'elle. Elle embraya dans un grincement de transmission gelée et ils roulèrent assez longtemps pour que Jerzy s'inquiète de son retour au *YMCA*. Mme Mulligan freina enfin en dérapant et s'immobilisa.

— C'est ici.

Jerzy sauta à terre et commença à reprendre les sapins un à un. Par respect pour celui qui les avait abattus, il les piqua soigneusement dans la neige plutôt que de les lancer à bout de bras dans ce qui serait devenu une fosse commune. Mme Mulligan le regarda faire sans poser de questions, sans s'impatienter. Son travail achevé, Jerzy remonta dans la camionnette.

— Comme ça, ils vont mourir une deuxième fois, la tête haute.

Ils s'éloignèrent, laissant derrière eux un faux boisé d'arbres malingres, sentinelles veillant sur des carcasses de glacières, des bidons, des chaises amputées et des ressorts rouillés.

35

Élisabeth avait revêtu la robe de velours noir offerte par Mme Dussault. La robe n'était pas neuve mais Élisabeth ne s'en était pas formalisée, n'ayant jamais eu de robe de velours. Elle était dans la salle à manger à vérifier les derniers préparatifs du repas de Noël. Mme Dussault avait insisté pour faire un centre de table en sapinage, y piquant des bougies tellement nombreuses et tellement hautes qu'Élisabeth était certaine que les convives ne se verraient pas, ayant la vue obstruée par une forêt naine.

La nourriture préparée par Mme Dussault n'était pas familière à Élisabeth, mais celle-ci s'était promis de tout manger sauf en cas d'indigestion. Les Dussault recevaient leurs parents et amis et Élisabeth savait que pour elle ce serait un jour déterminant. Il lui fallait absolument être appréciée car, chaque matin depuis son arrivée dans cette maison, elle avait eu peur d'être forcée de partir, voire de fuir. Même si elle mangeait trois repas par jour, pas toujours bons au goût de ses papilles polonaises, même si elle n'avait pas de difficultés avec les enfants, même si elle effectuait correctement son travail à la clinique du médecin, elle avait la crainte quotidienne que tout ne s'effondre, que son château ne fût de sable. Trois fois déjà, elle avait eu sa vie retournée comme une vieille chaussette élimée, et elle avait maintenant les pieds frileux. Plus jamais elle ne voulait avoir à tout recommencer. La nouveauté l'effrayait.

Élisabeth entendit Mme Dussault l'appeler. Elle s'empressa de la rejoindre, frappa à la porte de la chambre et fut priée d'entrer.

— Je ne suis pas capable de monter ma fermeture.

Mme Dussault était irritable et nerveuse. Élisabeth ne mit qu'une seconde à décoincer un bout de dentelle de jupon et à fermer la robe. Elle voulut complimenter Mme Dussault sur sa toilette mais fut sèchement priée de retourner près des enfants. Elle se retira donc de la chambre le plus discrètement possible et redescendit dans la salle à manger pour s'assurer une dernière fois que tout était parfait. Les enfants étaient sagement assis dans le salon, chacun un livre dans les mains. Élisabeth pensa tristement que jamais Adam n'aurait pu tolérer d'être si raisonnable quand, sous un sapin illuminé, il y avait un amoncellement de cadeaux.

Élisabeth s'approcha de la fenêtre du salon, tira le rideau et soupira en regardant la neige tomber lourdement. Elle était partagée entre la fascination qu'exerçait la beauté de cette nuit de conte de fées, assaillie par des paillettes translucides, et l'angoisse que le vent un peu trop zélé n'empêche Jan et le père Villeneuve de franchir la distance de Saint-Adolphe à Saint-Boniface.

Élisabeth laissa retomber le voilage et passa à la cuisine, enfila un tablier et vérifia la quantité de crudités qui baignaient dans l'eau remplie de glaçons pour s'épanouir en fleurs ou friser en boudins. Satisfaite, elle ouvrit la porte du tambour pour regarder les piles de pâtés à la viande et les casseroles de ragoût de boulettes de porc. Elle n'avait jamais goûté à ces mets et se demandait si elle les aimerait. Elle les aurait volontiers baignés de crème sure.

Élisabeth ôta le couvercle d'une boîte de fer-blanc remplie de beignets saupoudrés de sucre et résista mal à la tentation d'en manger un. Elle revint dans la cuisine et arrosa la dinde. Mme Dussault lui avait demandé de le faire toutes les quinze minutes. Elle regarda l'heure et se demanda quand arriveraient les premiers invités. Elle ne cessait de penser à son frère qu'elle n'avait pas revu depuis la messe du 5 décembre. Depuis ce jour, elle avait la lancinante certitude que son Jan était malheureux.

La neige du trottoir crissa et l'escalier extérieur vibra sous les pas des premiers arrivés. Grégoire et Philippe se collèrent le nez à la fenêtre pour les voir et, dès qu'ils les reconnurent, ils se mirent à sautiller sur place telles des marionnettes dont le manipulateur n'aurait cessé de tirer les ficelles de bas en haut.

Le carillon de la porte d'entrée résonna et Élisabeth enleva son tablier pour être plus présentable. Elle jeta un coup d'œil dans la glace du couloir, replaça une mèche et vit que les Dussault descendaient l'escalier, la mine réjouie. La tension de Mme Dussault avait probablement disparu au premier coup de sonnette.

Les invités, souriants, étaient arrivés à la queue leu leu, secouant la neige de plus en plus lourde qui leur écrasait les épaules. Il ne manquait que Jan et le père Villeneuve et Élisabeth s'en inquiéta et s'en attrista, profitant de chaque seconde libre pour regarder la rue, oubliant même, une fois, d'arroser la dinde. Le temps fuyait et les Dussault se demandaient s'ils ne devaient pas faire la distribution des cadeaux.

— Vous devriez. Le père Villeneuve et mon frère seraient certainement tristes de savoir que leur retard fait mourir les enfants d'impatience.

Les enfants Dussault lui firent un sourire de remerciement alors que les autres cousins et amis se contentèrent de crier la fin du supplice avant de s'écraser devant le sapin et d'ajouter la brillance de leurs yeux à l'éclat des lumignons électriques fixés aux branches.

Le père Villeneuve chantonnait le *Minuit chrétien* lorsque, malhabile comme toujours, il dérapa et aboutit dans un champ. Il ne put se dégager seul, s'enfonçant davantage à chaque tentative, et il se résigna à marcher jusqu'à la maison la plus proche. La neige attaquait violemment sa figure et son col romain et il s'en voulut de n'avoir pas apporté de foulard ni des gants mieux fourrés. Il revint sur ses pas, calant dans la neige jusqu'aux mollets. Il soupira en pensant que ses jambes de pantalon auraient l'air de deux tuyaux de poêle et que ses chaussures, si bien cirées par les religieuses, seraient ternies. Le Seigneur trouvait toujours une façon humiliante de le punir de son trop grand amour-propre. Les cils soudés par des flocons fondus, il s'approcha de la maison aperçue quelques minutes plus tôt mais, à son grand désespoir, ne vit aucune lumière. Il continua son chemin et tenta de trouver un autre refuge.

La neige s'alourdissait et le vent semblait vouloir se mettre de la partie. Il lui fallait absolument joindre Jan pour lui éviter toute inquiétude. La deuxième maison était habitée et il entendait de la musique sortir par toutes les ouvertures mal calfeutrées. Plus il s'approchait, plus il discernait les pas de danse des fêtards. Intimidé, il fut forcé de frapper trois fois, le bruit assourdissant tous ses coups trop discrets. On lui ouvrit enfin et il fut accueilli à bras ouverts, comme si son nom avait été sur la liste des invités. Il pensa, l'instant d'une fierté mal placée qu'il tenta de camoufler pour que le Seigneur ne la voie pas, que le col romain était vraiment un passe-partout. On le força à boire une eau-de-vie qui brûla sa gorge gelée par le froid. On le fit asseoir en promettant d'aller le dépanner dans quelques minutes. Il regarda l'heure à sa montre et pensa que Jan devait s'impatienter. Il voulut innocemment brusquer l'amabilité des gens mais il se tut, ne voyant pas de quel droit il pouvait éteindre les éclats de rire et de plaisir.

Les minutes s'accumulèrent et formèrent des demi-heures. Plus le temps passait, plus Villeneuve paniquait. On lui versa un deuxième verre qu'il refusait encore en en avalant la dernière gorgée. Au troisième, il ne savait plus comment dire « non », alors il le sirota. Au quatrième, il fit une prière pour que Jan et Élisabeth lui pardonnent de conduire sa voiture si maladroitement et de se comporter si mal. Lorsque enfin il eut un sursaut de conscience, il se leva rapidement et demanda le téléphone. Ce n'est qu'alors qu'il apprit que ses hôtes ne l'avaient pas. Découragé et honteux de la punition de son Créateur, il retomba sur sa chaise, au grand plaisir de tous, et avala une autre gorgée de feu en se promettant de se confesser le lendemain matin.

Jan quitta la fenêtre et enleva les seuls vêtements encore propres et seyants qu'il possédait. Depuis son arrivée, à peine deux mois plus tôt, il avait, à son grand désespoir, pris deux bons centimètres. S'il n'avait pas d'objection à grandir, il se désolait de voir rétrécir sa garde-robe. Après avoir

282

suspendu ses vêtements des grandes occasions, il remit ses hardes puantes et usées et alla voir M. Bergeron pour le prévenir de sa présence.

— Le père Villeneuve conduit si mal que je ne serais pas étonné qu'il se soit enfoncé quelque part.

M. Bergeron rit de plaisir. Savoir Villeneuve coincé le ravissait et voir son Galicien forcé de travailler le jour de Noël n'était pas sans lui déplaire non plus.

— Si c'est comme ça, je m'en vais à Saint-Pierre.

Il avait parlé comme s'il avait demandé une espèce d'approbation.

— Vous n'avez pas de permission à me demander.

Jan parla poliment, comme toujours. Seul son regard disait la vérité. Bergeron partit donc dans son camion aux pneus gainés de lourdes chaînes. Jan demeura seul à la ferme, ses camarades faisant la fête quelque part à Winnipeg. Il se dirigea vers l'étable pour traire les trois vaches qui ne cessaient de beugler la douleur de leurs pis trop remplis. Le travail terminé, il sortit du bâtiment et regarda la neige l'envahir sans pitié. Il pensa à Élisabeth et se demanda si elle s'inquiétait de son absence. Si seulement M. Bergeron n'avait pas eu les doigts coincés dans sa bourse, les employés auraient pu avoir la permission d'utiliser l'appareil téléphonique eux aussi. M. Bergeron l'avait installé dans une boîte de bois fermée par un cadenas dont il était le seul à avoir la clef.

Jan allait regagner ses quartiers lorsqu'ils eut une soudaine fringale. Sans ciller, il se dirigea vers la maison de M. Bergeron, entra dans la cuisine, ouvrit la porte du garde-manger et prit un petit morceau de chacun des aliments qui lui faisaient envie. Machinalement, il retint le tout dans les pans de son manteau, geste qu'il avait fait des centaines de fois durant la guerre. Il ne pensait plus avoir à voler pour faire taire sa faim mais M. Bergeron semblait avoir oublié l'énorme appétit d'un ouvrier de dix-huit ans. En quittant la maison, Jan entendit la sonnerie étouffée du téléphone et ragea contre son patron, certain qu'Élisabeth était au bout du fil.

Jan rentra dans sa chambre et mangea comme un goinfre

les quelques morceaux de pain, la boîte de tomates et la boîte de maïs ainsi que les trois biscuits un peu trop secs qu'il avait chapardés. Son repas terminé, il se força à éructer pour compléter l'illusion qu'il avait très bien mangé et il fit disparaître toute trace de son larcin. Il alla regarder la nuit que n'éclairait même plus la sentinelle fixée sur la grange, opacifiée par les tourbillons de neige. Il soupira. Il avait tant attendu ce premier Noël. Il se dirigea ensuite vers sa commode et en sortit du papier à lettres que lui avait donné Élisabeth. Il lui fallait répondre à M. Favreau qui lui avait expédié un cadeau de Noël. De dessous son oreiller, Jan tira un étui à lunettes neuf qu'il ouvrit pour en sortir sa précieuse relique. Il n'osait jamais le faire devant les autres ouvriers, qui n'auraient pu comprendre. « *Les yeux d'un père méritent encore mieux qu'un mouchoir propre*, avait écrit M. Favreau, *ils méritent un peu de confort.* »

Jan profita de sa solitude pour caresser l'étui encore une fois. Puis il l'embrassa, embrassa les lunettes, et commença à écrire son mot de remerciement qu'il data du 27 décembre.

De tous les cadeaux que j'ai reçus, l'étui est le plus beau. J'ai passé le réveillon et le soir de Noël avec Élisabeth chez les Dussault. Nous avons mangé comme des rois, ri comme des enfants et donné un récital de violon. Nous avons bien joué et vous auriez été fiers de nous. Élisabeth me prie de vous embrasser tous les deux.

Jan Pawulski

La lettre terminée, Jan sortit son violon et s'installa pour jouer devant les lunettes de Tomasz et l'étui offert par M. Favreau. Au troisième coup d'archet, une corde se brisa et lui fouetta le visage. La douleur fut insignifiante comparée à la profondeur de la plaie qu'elle lui fit au cœur.

36

Jerzy trouvait que la fin de l'hiver avait une odeur étrange.
Une odeur de terre brûlée d'engelures. Depuis que
l'année 1947 avait tourné le coin, il s'était décidé à quitter
Toronto. Avant de se payer la gâterie de voir les chutes du
Niagara, il avait travaillé tout le mois de janvier comme
plongeur dans un restaurant qui ne servait que de la
nourriture noyée dans une sauce brune. Les monticules
d'assiettes sales avaient achevé de le dégoûter de la vie en
ville. Il n'aspirait plus qu'à retrouver la campagne.

Son arrivée en terre canadienne, quoique très différente de
ses attentes, lui donnait envie de progresser, sans remettre en
question sa décision de rentrer en Pologne un jour. Si ses
journées étaient remplies, ses soirées, par contre, se laissaient
habiter par les fantômes du souvenir.

Pour célébrer ses vingt-six ans, il quitta Toronto en auto-
stop, se dirigeant vers les chutes, qu'on lui avait dit être
extraordinaires. Il loua une chambre à peu près misérable
mais très peu chère, pour y vivre une ou deux journées avant
de se diriger vers St. Catharines. Il n'eut pas besoin de
chercher les chutes, leur son emplissant la ville. Il suivit les
boutiques de souvenirs et se retrouva tout à côté du
bouillonnement. Il en était si rapproché que des gouttelettes,
qui devaient encore avoir le vertige de leur culbute, s'accro-
chaient à son visage.

Appuyé au garde-fou, Jerzy ne broncha pas, fasciné par le
grondement des chutes, gigantesque percussion accompagnant ses souvenirs. Ignorant volontairement les sourires

285

béats de dizaines de nouveaux mariés, Jerzy rythma sa mélopée sur le grondement de l'eau, battant la mesure des airs joués par sa mère ou par le quintette qu'il formait avec sa famille. Il acheva cette songerie le visage humide, et il ne voulut pas savoir si c'était de buée ou de tristesse. Il voyagea dans le temps de sa vie, repensa à Karol et siffla les airs qu'il avait péniblement arrachés au violon du mari de Pamela pour faire plaisir à ses amis. Cette soirée du 5 février 1948, qui le voyait revêtir ses vingt-six ans, fut donc particulièrement difficile à traverser. Les fantômes de toutes ses amours sautillaient devant lui, même celui, plus récent, d'Anna, qui fondait le roulement du train sur celui des trombes.

La nuit avait finalement réussi à faire rentrer les gens lorsque Jerzy ouvrit la porte de sa chambre. Il tua quelques cafards, pour lesquels il avait toujours eu du dégoût, et alluma une cigarette dont il tira une grosse bouffée, puis laissa sa pensée chevaucher la fumée qui devenait rouge ou bleue suivant les hoquets du néon du snack-bar voisin de l'hôtel. Il fut hypnotisé par l'alternance des couleurs. Le grondement des chutes et le cliquètement du néon réveillèrent en lui un désir qu'il voyait beaucoup plus bleu que rouge. Anna. Électrisé par l'image d'Anna, il écrasa son mégot, se leva brusquement et prit sa valise, qui avait l'air d'un mollusque noir abandonné dans un coin de la pièce. Il y remit les quelques vêtements qu'il en avait sortis, descendit silencieusement l'escalier, sonna la clochette pour appeler le préposé, régla, et, en moins d'une demi-heure, il était assis à la droite d'un routier qui rentrait de Buffalo et se dirigeait vers Toronto. Un Américain de son âge qui ne cessait d'appuyer sur les boutons chromés de la radio, s'arrêtant de préférence sur *The Tommy Dorsey Orchestra*.

— D'où es-tu?

Jerzy sourit à l'accent nasillard et traînard.

— Winnipeg.

Il ne sut pourquoi mais il eut l'impression qu'il venait d'avouer une vérité depuis longtemps cachée dans un panier de poires et de pêches.

— Ville ennuyante, Winnipeg.

Jerzy le regarda, les yeux interrogateurs. Il ne connaissait rien de cette ville, Anna ne lui ayant parlé que de Saint-Norbert et du marché des maraîchers.

— Son marché, derrière l'Hôtel de Ville, est beau.

— Tu as un drôle d'accent. Es-tu *British*?

— Non, polonais.

— Oh! Polak...

Il eut l'impression que la conversation venait de se terminer, le camionneur fixant les yeux sur la route qui filait droit vers le nord.

Le train glissa en gare sur les rails garnis de glace, vestige d'une tempête impitoyable qui avait déprimé tous ceux qui croyaient que le printemps pouvait, parfois, se montrer en février. Jerzy, sa valise flottant sur le mollet gauche, se dirigea résolument vers la sortie, traversant la gare sans en voir ni le dôme ni le plancher. À peine eut-il passé la porte qu'il fut assailli par un froid si terrible qu'il n'en crut pas ses joues. Il se figea pendant quelques secondes, le temps que ses poumons se remettent de l'attaque, et vit son souffle lui revenir au visage pour l'embuer et le glacer davantage. Tout juste remis, il s'engagea en boitant sur un trottoir cent fois plus glissant que ceux de Toronto. Il ne put faire que dix pas avant de choir avec force sur les fesses. La douleur résonna jusque dans sa tête. Il se demanda si son idée avait été brillante.

Jerzy s'informa à gauche et à droite et réussit à sortir de la ville de Winnipeg. Ne sachant trop comment intercepter les automobilistes, il fit de grands signes avec les bras. Un camion s'arrêta finalement, le chauffeur lui demandant s'il était malade et s'il avait besoin de secours. Jerzy répondit que non et fut quand même invité à monter. Ce n'est que lorsqu'il fut relativement à l'aise et que le camion zigzaguait entre Winnipeg et Saint-Norbert que Jerzy sortit de l'engourdissement qui l'avait anesthésié depuis Niagara Falls. Soudainement terrorisé, il voulut prendre la fuite. La pensée de revoir Anna l'affola. Que pouvait-il lui dire? Plus il approchait de Saint-Norbert, plus il craignait que toute sa rencontre et les sous-entendus qu'il avait cru déceler n'aient été une vaste illusion et qu'Anna ne le reconnaisse même pas.

Heureusement pour lui, la route fut interminable et il avait repris un peu d'assurance lorsqu'il descendit en remerciant chaudement le chauffeur. Son remerciement fut d'autant plus chaleureux que ce dernier, l'ayant vu grelotter malgré un chauffage à peu près adéquat, avait pris un malin plaisir à lui annoncer qu'il faisait vingt-cinq au-dessous de zéro.

Jerzy ramassa son bagage, vérifia l'adresse et avança vers la maison d'Anna. Puis il recula de peur. Il ne sentait plus le froid même s'il frissonnait. Voilà qu'il se demandait s'il avait rêvé ou non l'invitation d'Anna à venir la voir au Manitoba. Elle parlait toujours en mots enrobés et Jerzy craignait maintenant qu'elle n'ait été que polie. Il avança encore un peu vers la maison, puis, voyant approcher des phares, retourna précipitamment à la route où il tendit un pouce gelé que le chauffeur d'une vieille Dodge verte s'arrêta pour réchauffer.

— Ne me le dites pas : vous êtes polonais ?

Franchement étonné, Jerzy acquiesça pendant qu'il jetait sa valise à l'arrière.

— Je parie que vous alliez à Winnipeg !

Jerzy fit oui de la tête, se sentant incapable d'engager une conversation.

— Gelé ?

Encore une fois, il confirma silencieusement avant d'offrir à son bienfaiteur une cigarette américaine, achetée à Niagara Falls. Ils fumèrent tous les deux en silence.

Les lumières de Winnipeg éclairaient l'horizon lorsque l'homme prit des nouvelles de M. Jaworski, le père d'Anna. Jerzy le regarda et comprit que l'homme l'avait vu devant leur maison et en avait déduit : un, qu'il était Polonais ; deux, qu'il connaissait les Jaworski.

— Sa jambe ne le fait pas trop souffrir ?

Jerzy avait le cerveau en alerte. Qu'est-ce que cet homme voulait comme réponse ? Qu'avait la jambe de M. Jaworski ? Jerzy tira longuement sur sa cigarette, hochant la tête de compassion. L'homme devait s'attendre à une réaction semblable puisqu'il avait parlé de souffrance.

— C'est quand même bête de se briser une jambe. Pauvre homme ! Et pas de relève. Ses fils sont mariés et installés à East Selkirk.

L'homme se pencha pour écraser sa cigarette et en profita pour regarder Jerzy, qui ouvrit la fenêtre et lança son mégot à l'extérieur, regrettant aussitôt son geste devant le courant d'air qui semblait vouloir l'aspirer.

— Je parie qu'il n'a pas voulu de vous parce que vous boitez. Ce n'est pas très gentil, mais c'est compréhensible.

Jerzy se replaça sur la banquette, tentant de plier une jambe qui était terriblement encombrante dans les espaces réduits.

— Il me semble qu'ils auraient pu vous garder pour la nuit. Où est-ce que vous allez ?

— Au *Y*.

L'homme le regarda, étonné, mais ne fit aucun commentaire. Il ralentit et le déposa à un coin de rue, lui indiquant qu'il n'avait qu'à marcher droit devant lui. Jerzy le remercia.

— Ça m'a fait plaisir. Je ne comprends toujours pas pour quelle raison il ne vous a pas embauché. Sa femme et sa fille doivent tout faire. C'est un vieux toqué.

Jerzy regarda l'automobile s'éloigner dans un nuage de vapeur. Il ne cessa de se répéter ce que lui avait dit l'homme. Il soupira son inconfort, sachant fort bien qu'il n'aimerait pas le père d'Anna s'il était vrai que celui-ci aurait pu lui refuser du travail parce qu'il boitait. Il regarda à sa gauche puis à sa droite, comme s'il cherchait dans les vitrines une réponse à ses questions. Il prit enfin sa valise d'une main ferme et traversa la rue. Il retendit son pouce et attendit près d'une heure avant qu'on le fasse monter.

Jerzy fut de nouveau à Saint-Norbert, trois heures après la première fois. S'il était arrivé en été, il aurait hésité, flairé les environs, tournoyé autour de la maison, feint de n'être que de passage, mais le malheur qui semblait s'être abattu sur la famille d'Anna et l'hiver qu'il détestait davantage à chaque pas lui enlevèrent toute envie d'inventer une coïncidence. Il inspira profondément pour se donner du courage et frappa à la porte alors que le soleil était depuis longtemps couché et que la maison baignait dans le calme de la plaine qu'il devinait par endroits grâce à l'éclairage de la lune. La chance était de son côté car ce fut Anna qui lui ouvrit. À son grand soulagement, elle le reconnut. La surprise d'Anna fut cependant si grande qu'elle fut incapable de prononcer un seul mot, ne pensant même pas à le faire entrer.

— « Au royaume des aveugles, les borgnes sont rois. » Il paraît qu'il y aurait du travail ici pour quelqu'un qui boite mais qui connaît bien deux choses. La première : comment prendre son mal en patience quand une jambe le torture ; et la seconde : comment traire une vache canadienne blanche tachetée de noir comme tous les paysages que j'ai vus depuis que je suis au Manitoba. Parce que j'imagine que vous avez au moins deux de ces animaux...

Anna n'avait pas encore placé un mot et Jerzy espérait que son manteau l'empêchait de voir que son cœur battait assez fort pour qu'il l'entende comme s'il l'avait écouté au stéthoscope.

— La porte, Anna !

La phrase avait été lancée en polonais et Jerzy sentit une chaleur l'attaquer jusqu'au cœur après avoir embrasé la moelle de chaque os, même celui de sa jambe blessée. Il comprit qu'il venait enfin d'arriver à destination. Anna recula d'un pas pour lui permettre d'entrer, ce qu'il commença de faire avec une timidité qu'il ne s'expliqua pas. La mère d'Anna venait de les rejoindre, inquiète de ne rien entendre et de voir le froid lécher les planchers. Anna lui présenta Jerzy ; la mère reconnut rapidement en lui le jeune homme du train qui avait si brillamment combattu pour la patrie et dont Anna n'avait cessé de parler.

— Mais, Anna ! À quoi penses-tu ? Tu le laisses grelotter, le pauvre petit ! Entrez donc, monsieur. Entrez.

Jerzy posa sa valise et se frotta les mains — parce qu'elles étaient un peu froides, certes, mais davantage pour se donner une contenance. On le débarrassa de son manteau et de sa valise et on le força à s'asseoir. Pour une rare fois depuis son départ de Cracovie, il eut le sentiment de plaire à son père, par ses ambitions résolument tournées vers l'avenir. Il n'avait pas encore eu le temps de parler et la langue lui démangeait presque de dire à Anna qu'elle était encore plus belle que dans ses rêves les plus fous, et de le lui dire en polonais.

37

Seule dans sa chambre, Élisabeth était d'une fébrilité maladive. Depuis deux semaines qu'elle attendait impatiemment, elle avait certainement perdu des dizaines d'heures de sommeil. Le mois de mai était arrivé depuis trois jours et il ne lui restait que quelques heures à survivre avant que ne commence ce qu'elle croyait être sa vraie nouvelle vie. Elle avait étalé tous ses cahiers de musique sur le lit et ne cessait de les feuilleter, souriant devant les notes d'une pièce, chantonnant devant une autre, s'attristant lorsqu'elle reconnaissait un air que sa mère avait particulièrement affectionné. Ce chagrin ressemblait maintenant davantage à un engourdissement chronique qu'à une douleur aiguë.

Depuis qu'Élisabeth avait réussi son examen à l'académie Saint-Joseph et qu'elle avait un diplôme d'enseignement, les Dussault l'avaient secondée dans son idée de recevoir des élèves à domicile. Elle avait bien essayé d'intéresser Philippe et Grégoire, mais ils semblaient préférer les sports et les livres. Conformément à ce que sa mère lui avait appris, elle n'avait pas tenté de les contraindre, pensant que la présence d'autres enfants pouvait peut-être les faire changer d'idée. Elle regarda l'heure et s'assura que sa montre fonctionnait toujours. La vie, parfois, lui semblait coincée dans le filet du temps. Elle ferma les cahiers et descendit à la cuisine pour offrir à Mme Dussault de l'aider à préparer le repas de midi. Mme Dussault refusa, alléguant qu'à huit heures il était peut-être un peu tôt. Élisabeth sourit et enfila un tablier pour terminer la vaisselle du petit déjeuner. Le docteur Dussault passa les saluer avant de partir pour ses visites à domicile, comme tous les samedis matin.

— Alors, Élisabeth, tu penses que la salle d'attente du bureau va faire l'affaire ?

— Cent fois plus que ça !

Élisabeth disposerait de la salle tous les samedis matin. Si le nombre de ses élèves augmentait, elle pourrait également l'utiliser les mardis et les jeudis soir. Les aiguilles réussirent finalement à se décoller et l'horloge marqua huit heures trente. Trois fois le carillon sonna, trois fois Philippe partit en courant pour répondre à la porte et conduire les mères et leurs enfants vers la salle d'attente. Imitant Élisabeth, il leur parlait comme s'ils avaient été des patients de son père.

— Vous n'aurez pas à attendre, le professeur est là pour vous. Est-ce que vous voulez que je suspende vos lainages ?

Élisabeth le remercia tout en lui faisant signe qu'il en faisait peut-être un peu trop. Ses trois élèves, deux fillettes et un garçonnet d'à peine six ans, la regardaient, ne sachant trop s'ils devaient sourire ou pleurnicher en s'enfouissant le nez dans la jupe de leurs mères. Élisabeth pria ces dernières de revenir à la fin du cours et elles se regardèrent avec étonnement, se demandant ce qu'elles feraient pendant ce temps.

— Vous voulez dire que vous ne voulez pas que nous restions pendant la leçon ?

— C'est ce que je veux dire. J'aime faire des petits groupes avec les débutants.

Élisabeth eut soudainement peur qu'une mère ne lui demande si elle avait beaucoup d'expérience. En ce cas, elle aurait été forcée d'admettre qu'elle en était à ses débuts. Comment pouvait-elle expliquer qu'elle avait assisté sa mère pendant tout le temps de la guerre et qu'elle en avait tiré des centaines de leçons ? La mère du garçonnet s'inquiéta qu'Élisabeth prenne son enfant seul.

— Il est tellement gêné. Les sœurs, elles...

Élisabeth l'interrompit poliment, lui rappelant que les sœurs étaient si bonnes qu'elles n'avaient pu prendre son enfant, faute de place. La mère ne parla plus et partit avec les deux autres. Élisabeth s'accroupit par terre et demanda à ses élèves de l'imiter. Elle leur parla de la magie de la musique et les invita à ouvrir leurs étuis.

— Il faut le faire comme si vous ouvriez une boîte d'œufs.

Les élèves rirent sous cape et Élisabeth prit le violon de sa mère.

— Il arrive que les quatre cordes ne s'entendent pas du tout. Alors, il faut les accorder.

La leçon passa rapidement et Élisabeth n'expliqua pas aux mères pourquoi elles avaient retrouvé leurs enfants grimpés sur des chaises, tenant leurs violons comme s'ils les avaient bercés.

38

LE vendredi arriva après s'être fait attendre autant que
tous les vendredis et Jan pensa avec horreur que c'était
le jour des trois jeûnes. Il abhorrait le vendredi, qui le privait
de viande. C'était le jour où, en tout et pour tout, il mangeait
deux rôties, un bol de soupe et une crêpe sans sirop.
M. Bergeron, lui, se disait dispensé du jeûne prescrit par
l'Église. Pour déjeuner, il engouffrait une omelette faite avec
pas moins de six œufs et accompagnée de trois rôties. Au
dîner, il mangeait à lui seul deux pâtés au saumon qu'une
dame bienveillante venait porter tous les jeudis. Elle faisait
des œillades à « ce pauvre M. Bergeron qui n'a même pas
une femme pour s'occuper de lui et qui n'a pas trouvé de
bonne à tout faire assez compétente pour répondre à ses
exigences ». Jan aurait mis sa main à brûler que les exigences
de M. Bergeron dépassaient de loin le seuil de sa chambre,
mais, de cette réflexion-là, il ne s'était pas confessé non plus.
Il n'en pensait pas moins que M. Bergeron devait être un
vieux vicieux qui regardait mais ne pouvait plus toucher. Jan
avait déjà connu un homme comme ça à Amberg et il lui
avait cassé la mâchoire quand il l'avait vu épier le pauvre
corps décharné de sa sœur, un jour où elle se faisait une
grande toilette. Élisabeth n'avait jamais su pourquoi il
n'avait pu jouer du violon pendant près de deux semaines à
cause d'une foulure de la main droite.

Jan était étendu sur le dos, les deux mains derrière la tête
pour comprimer le mal lancinant qui lui rongeait l'occiput.
Jamais, avant d'arriver à Saint-Adolphe, il n'avait su qu'il

295

avait une tête. Maintenant qu'elle le torturait régulièrement, il avait appris à s'en méfier. Le mal était toujours le même. Tel un orage, il commençait par un grondement pour finalement éclater, lui inondant les yeux d'éclairs rouges. Quand il l'attaquait dans les champs, Jan était complètement impuissant, à la merci de la douleur qui devenait intolérable, surtout au soleil. Quand, comme ce soir, l'orage éclatait et que Jan était dans ses quartiers, il s'étendait, nauséeux, s'enfouissait la figure dans un oreiller et cherchait à cacher sa peur. Car son mal, à son grand désespoir, lui faisait presque aussi peur que les pétarades de mitraillette qu'il avait souventes fois entendues.

— Tiens ! le Galicien recommence ses jérémiades de fille.

Jan souleva l'oreiller pour regarder d'un œil mauvais ses compagnons. La compassion n'étranglait personne et Jan grimaça avant de se couvrir le visage de nouveau.

— Monsieur a mal à la tête chaque fois qu'on a des grosses journées de travail...

— Monsieur a peur d'abîmer ses belles mains de fifille qui joue du violon...

— Monsieur pense peut-être qu'il est le meilleur parce qu'il vient d'Europe...

— ... et que lui il a connu la guerre...

— la guerre ! Boum, boboum, bobobo BOUM ! Ah ! Je meurs !

Jan essayait de ne pas entendre, mais tous les mots résonnaient dans sa tête déjà cognée. Chaque fois que le mal le terrassait, ses compagnons recommençaient leur harcèlement. Jan savait qu'ils profitaient de sa faiblesse. Souffrant, il ne pouvait les tabasser. Pour eux, c'était l'heure du règlement de comptes.

Jan commença à s'énerver et l'intensité du martèlement redoubla. Il retint un haut-le-cœur en essayant de penser à ce qu'il ferait dès que la période convenue avec M. Bergeron serait terminée. Il avait insisté pour que celui-ci lui garantisse un emploi jusqu'en 1950. Pour avoir cette assurance, il avait accepté d'être payé moins cher que les autres employés, saisonniers pour la plupart, excepté ces deux métis qui ne recevaient aucune rémunération, M. Bergeron les ayant pris en tutelle. Jan n'avait pas choisi cette date au hasard. Il pensait qu'en deux ans et demi il aurait accumulé assez d'argent pour rentrer à Montréal et travailler chez M. Favreau. S'il arrivait malheur à sa sœur — ce qui, à son avis, ne saurait tarder —, il pourrait prendre soin d'elle et demander à M. Bergeron de l'employer elle aussi, peut-être comme bonne à tout faire. De toute façon, si Bergeron ne voulait pas — ce que Jan souhaitait quand même secrètement —, il se disait que le père Villeneuve et lui pourraient certainement voir à ce qu'Élisabeth travaille pour les Filles de la Croix, au couvent de Saint-Adolphe. Quant à lui, il savait aussi qu'il ne pourrait rien faire tant qu'il ne serait pas majeur et il ne le deviendrait qu'en avril 1950.

Jan avait maintes fois pensé à fuguer, la méchanceté de M. Bergeron étant souvent venue à bout de sa patience et de son indulgence. Même le chien de Cracovie n'avait jamais été aussi mesquin. Jan s'était par contre toujours raisonné, ne rendant jamais les coups, craignant que ce salopard de Bergeron ne contacte les policiers ou, pire, les agents de l'Immigration.

Jan se leva péniblement et se dirigea en chancelant vers l'évier du coin des ablutions. Il ouvrit la seule armoire et en sortit une bouteille d'aspirines, en dévissa le couvercle brun, légèrement rouillé, et sortit la ouate. La fiole ne contenait que des pois secs. Il se tourna et regarda les autres, soupçonneux.

— Qui a caché les aspirines ?

Les métis haussèrent épaules et sourcils. Jan comprit qu'ils n'avaient touché à rien et ne put croire que Bergeron s'amusât à faire de telles mesquineries. Il revint vers l'évier, activa la pompe pour faire couler l'eau glacée, y trempa un chiffon qu'il se mit sur la tête, et retourna vers son lit pour s'y laisser tomber avec précaution, évitant à sa tête le moindre soubresaut. Jan déplorait parfois la gentillesse de l'abbé Villeneuve. Il lui savait gré de l'avoir parrainé, mais aurait préféré être laissé à lui-même plutôt que d'avoir à rendre des comptes. Villeneuve était une personne importante, mais dont la simple présence dans sa vie était plutôt contraignante. Cependant, pour Élisabeth, Villeneuve avait été un sauveur.

Jan soupira et essaya de ralentir ses pensées, mais celles-ci galopaient à un rythme fou. Élisabeth, même s'il ne l'avait vue qu'une fois depuis cinq mois, lui pesait lourd sur le cœur. Il était toujours inquiet à son sujet et savait que jamais il ne pourrait l'abandonner et que son bonheur dépendrait toujours du sien. Dans sa dernière lettre, elle lui avait encore parlé de Marek comme s'il devait rentrer d'un jour à l'autre et Jan craignait qu'elle ne redevienne amoureuse. Il cligna des yeux et changea de position. Étonnamment, chaque fois qu'il était étendu et qu'il pensait à sa sœur, il se couchait du côté gauche, comme s'il essayait de se protéger le cœur.

Le matin avec son menu de gruau granuleux était arrivé sans que Jan ait eu le temps de se dévêtir. Il ouvrit les yeux et fut soulagé de constater que son mal de tête avait pâli en même temps que les étoiles. Ses compagnons avaient déjà filé aux bâtiments. Jan n'était heureusement pas de corvée ce dimanche. Il l'était un dimanche sur trois. C'était la seule concession que M. Bergeron s'était autorisée, mais Jan savait que l'abbé Villeneuve l'avait menacé de tous les feux de l'enfer s'il ne permettait pas à son protégé d'assister à l'office du dimanche. Bergeron avait accepté mais, sitôt la soutane disparue, il était revenu sur sa parole, ne donnant que deux dimanches de congé sur trois.

— Tu ne vas pas répéter ça à ton maudit curé, parce que si tu en parles, je te réserve une surprise.

Jan avait hoché la tête et en souriant lui avait répondu qu'il avait probablement évité l'enfer de justesse, devant se contenter de quelques flammes du purgatoire, beaucoup moins chaudes.

— Et pas parce que je n'ai pas tous mes dimanches de congé, mais parce que vous avez dit du père Villeneuve qu'il était un maudit curé. Je pense que Dieu n'a pas de pardon pour ça.

Jan se débarbouilla rapidement et se brossa les dents. Tout à coup, il mordit sa brosse, comme un chien s'accrochant à un os. La brosse toujours dans la bouche, il se dirigea vers un coin de la pièce où il avait caché ses économies et en fit le compte fébrilement. Il en avait probablement assez, pensa-t-il, la brosse reposant à l'intérieur de la joue. Il chercha une boîte, prit celle du dentifrice qu'il avait jetée sur le dessus de la corbeille à ordures et la remplit de toutes ses épargnes. Prenant un crayon rogné, il griffonna quelques mots sur un papier qu'il enroula autour de la boîte et retint par un élastique, hésita quelques secondes avant de refermer, serrant la main aussi fort que ses lèvres qu'il pressait l'une contre l'autre. Il trouva un vieux sac brun qu'il métamorphosa en papier d'emballage et adressa le colis à Élisabeth. Il colla dessus tous les timbres qu'il avait trouvés dans une vieille enveloppe froissée au fond du tiroir de sa table de chevet bancale.

Jan marchait d'un pas rapide, ayant horreur d'arriver en retard à l'église même s'il ne prenait jamais place sur les bancs. Il aimait mieux rester à l'arrière de la nef avec les autres Polonais, qui, comme lui, préféraient être debout et fiers devant leur Dieu. Jan aperçut le traversier qui venait de l'autre rive, amenant les familles au saint sacrifice dominical. Ceux qui avaient raté ce bac arriveraient de justesse avant l'offertoire.

Jan approchait de l'église. Il regarda l'heure et courut un peu avant d'arriver à la *Coop,* piqua à droite, traversa la rue et s'empressa de glisser son colis dans la boîte du bureau de poste. Le bac était arrivé un peu avant lui, et Jan, emboîtant le pas aux passagers, marcha devant le couvent et arriva finalement en face de l'église recouverte de planches de bois assemblées à clins et dont la peinture blanche s'écaillait et cloquait. Il monta lentement les quelques marches, laissa passer les gens avant d'enlever sa casquette et de se tremper la main droite dans le bénitier verdâtre et visqueux.

Jan écouta l'homélie d'une oreille distraite. Chaque fois qu'il venait à la messe et voyait M. Bergeron faire ses dévotions, il en avait une crise de foi, ne cessant de penser aux sépulcres blanchis. Mais, sitôt ses pensées alignées, il se reprochait d'être lui-même une espèce de pharisien prompt à lancer la première pierre. Il essaya, en faisant la queue pour aller communier, d'oublier sa haine. C'était le seul moment de la semaine où Bergeron ne risquait pas d'être lapidé. Jan s'agenouilla à la balustrade, s'enfouit les mains sous la nappe blanche et empesée, surveilla la patène qui s'approchait, à son avis, un peu trop près des gorges. Il ouvrit enfin la bouche, tira la langue et accueillit l'hostie toute ronde qui lui colla aussitôt au voile du palais. Il se releva, feignant le recueillement alors qu'il ne pensait qu'à décoller l'hostie qui l'étouffait un peu. Il marcha jusqu'au fond de l'église et avala enfin la petite chose devenue molle et gluante. Depuis qu'il travaillait pour M. Bergeron, ses convictions avaient été mises à rude épreuve et il trouvait de plus en plus difficile de respecter les lois divines et même les lois de l'Église. Il était si malheureux qu'il n'osait confesser ses vérités, craignant que le curé ne les prenne pour des mensonges. Comment avouer qu'il ne cessait de piller le garde-manger parce qu'il mourait de faim? Comment s'accuser de se battre avec les autres ouvriers quand il n'avait aucune contrition et aucune intention de ne pas recommencer? Depuis qu'il était chez M. Bergeron, toutes ses confessions étaient mensongères et il ne voyait pas comment il pouvait s'accuser de mal se confesser. Il en avait même oublié la signification du mot « générosité ».

La messe touchait presque à sa fin et Jan ne cessait de regarder l'arrière de la tête de Bergeron, devinant tous les gestes qui, pour lui, étaient des parodies de piété. Il le voyait incliner la tête et faire signe de croix sur signe de croix, comme s'il voulait bénir chacune de ses prières. En fait, Jan pensa que Bergeron se signait plutôt pour éloigner sa conscience qui semblait lui tournoyer autour de la tête comme une mouche d'étable. Jan en avait les mâchoires serrées par le mépris.

Il s'empressa de sortir de l'église aussitôt que fut prononcé l'*Ite missa est*. Il voulait avoir franchi une bonne distance quand M. Bergeron le dépasserait en camion. Chaque dimanche, M. Bergeron lui empoussiérait le visage après avoir accéléré et klaxonné pour qu'il dévie de sa trajectoire, ce que Jan ne faisait jamais. M. Bergeron le frôla de si près que Jan regretta tout à coup de ne pas avoir été frappé.

— Attention ! Est-ce qu'il vous a touché ?

Jan leva les yeux et aperçut une dame qui lui parut assez vieille. Elle devait bien avoir trente ans.

— Non.

— Il m'a semblé qu'il vous avait frôlé.

— Non.

La dame s'approcha de lui et lui tendit la main. Jan ne broncha pas, ne comprenant pas la signification de son geste.

— C'est vous qui jouez du violon ?

Jan fut très étonné. Les deux métis et M. Bergeron étaient les seuls à savoir qu'il jouait de cet instrument.

— Pas souvent. Je suis trop fatigué le soir et mes compagnons préfèrent écouter la radio.

Il se tut et tenta un petit salut de politesse avant de s'éloigner. La dame lui fit un sourire et lui emboîta le pas.

— Je suis votre voisine. Quand le vent est favorable, je vous entends et je trouve que vous jouez très bien. Il ne m'a pas été difficile de déduire que vous étiez le violoniste.

Jan la regarda et la remercia du compliment.

— Si vous en avez le temps, je vous invite à venir chez moi, le soir. Nous pourrions faire un petit duo.

— Vous jouez du violon ?

Jan était renversé. Il n'aurait jamais cru rencontrer une musicienne à Saint-Adolphe. Le cœur, attaqué de plaisir, se mit à lui battre.

— Du piano. Mon répertoire n'est pas aussi avancé que le vôtre mais je peux jouer *Für Elise* et quelques autres pièces pas compliquées.

Jan ne sut pourquoi, mais il n'avait cessé de sourire. il sentit son cœur se calmer et sa respiration s'adoucir malgré le bon pas qu'il n'avait pas ralenti. Ils arrivèrent devant chez elle et elle s'apprêta à prendre congé.

— J'aimerais bien que nous puissions parler musique et répertoire.

— Aimez-vous l'opéra, madame ?

— Oui. Surtout Wagner. Et vous ?

— Je préfère les opéras italiens. J'ai effacé de ma vie tout ce qui est allemand.

La dame avait cassé son sourire. Elle laissa retomber la

main qu'elle s'apprêtait à tendre. Jan ne remarqua rien et la salua poliment.

— Au revoir, madame.

— Je ne pense pas. J'ai été rayée de votre vie.

Jan la regarda en face. Comment l'allure germanique de cette dame avait-elle pu lui échapper ? Il ne chercha même pas à s'amender et reprit son chemin sans ajouter un seul mot ni se retourner. Il avait une autre personne à détester.

Mon cher Jan,

J'ai bien reçu l'argent que tu m'as expédié pour tenir ta promesse de me faire voir le dentiste. M. Dussault s'en était déjà occupé. N'avais-tu pas remarqué ? Pourtant, la dernière fois que tu m'as vue, je souriais sans me cacher la bouche.

Ici, tout va bien. Sais-tu que j'ai commencé à donner des cours de violon ? J'ai trois élèves et il est question que pour septembre j'en aie quatre de plus. Te rends-tu compte ? J'adore ça et les Dussault sont extraordinaires. J'ai toute la salle d'attente de la clinique pour moi seule. Es-tu fier de la petite Pawulska de Cracovie ! Moi, je me sens vraiment excitée à l'idée de faire ce que j'ai toujours voulu faire. Penses-tu que maman et Marek en soient contents ?

Élisabeth

P.-S. Je t'ai ouvert un compte en banque et j'y ai déposé tout ton argent. Envoie-le-moi à chaque paie si tu veux. Au moins, tu auras des intérêts.

Jan relut la lettre trois fois puis la déposa avec celles de M. Favreau. Comment avait-il pu penser qu'Élisabeth avait attendu son argent pour se faire réparer les dents ? Ses patrons y avaient évidemment pourvu. Pourquoi n'avait-il pas remarqué son sourire ? Jan avala sa salive de travers. Se pouvait-il que sa simple présence ait empêché Élisabeth de sourire ?

39

JERZY entra dans la maison et se hâta de se laver les mains. Anna l'observa d'un œil désintéressé auquel il s'était habitué. Chaque fois qu'ils étaient dans la maison, il redevenait l'homme à tout faire et elle la fille des patrons. Jerzy avait abattu un travail énorme, M. Jaworski étant de plus en plus malade. Résistant à la pénicilline, une infection avait gagné toute sa jambe et le médecin disait qu'il ne fallait pas attendre la canicule de juillet, moins propice à la guérison, pour procéder à une amputation. M. Jaworski avait refusé de se faire amputer, et la maison, depuis ce début de juin, n'avait cessé de résonner de cris et de pleurs. Mme Jaworska reprocha à son mari de se laisser mourir. Il lui répondait qu'il mourrait tout d'un morceau et que jamais il n'accepterait d'assister aux obsèques d'un de ses membres.

— Ou je suis vivant, ou je suis mort. Je ne veux pas avoir un morceau de moi qui vit et un autre qui pourrit. Ce n'est pas le dessein de Dieu.

— Qu'est-ce que tu en sais ? Tu penses qu'il veut que tes enfants soient orphelins... ?

— Mes deux fils sont mariés et ma fille ne cesse d'aguicher le boiteux...

— Tu veux que je sois veuve ?

— Si c'est ton destin, c'est ton destin. Ton vieil estropié sera remplacé par un jeune estropié, c'est tout.

Quand ses paroles aux sous-entendus hurlés leur parvenaient, Anna et Jerzy tentaient de ne pas s'en formaliser. Anna n'en rougissait pas moins aux allusions de son père quant à ses sentiments pour Jerzy et celui-ci serrait toujours les mâchoires quand il s'entendait appeler « le boiteux », ou « l'estropié », ou « l'infirme ». Dans ces moments-là, Anna s'approchait silencieusement de lui et lui caressait le cou et une joue. Le jour où son père avait crié à tue-tête qu'il ne voulait pas de deux jambes écrabouillées sous son toit, Anna avait poussé le balai jusque devant Jerzy et s'était accroupie pour ramasser les poussières. Elle avait alors discrètement embrassé la jambe meurtrie. C'est ce jour-là que Jerzy s'était juré d'avoir un amour incommensurable et éternel pour Anna.

La journée avait été désagréable. Jerzy avait mis en terre pas moins de deux cents plants de tomates sans qu'Anna et sa mère puissent l'aider, toutes deux retenues par la maladie de M. Jaworski. Les jardins prenaient forme et Jerzy était fier de voir s'aligner les rangs qu'il devinait maintenant non plus par les ficelles tendues mais par les renflements de la terre.

— Qu'est-ce que vous en pensez, monsieur Jaworski ? Pas trop mal pour le fils d'un professeur de la « jagellonienne » ?

Il avait susurré en polonais, les yeux tournés vers le ciel qui n'en finissait plus de dessiner une ligne d'horizon. S'il avait une endurance à toute épreuve en ce qui concernait ses heures de travail, Jerzy ne pouvait tolérer les attaques des moustiques qui ne cessaient de lui vriller le corps. Ce désagrément supplantait presque son plaisir d'avoir les mains dans la terre.

— Ça ne dure pas longtemps. Le temps qu'ils s'attirent, s'accouplent et pondent et on revoit la progéniture l'année suivante.

Anna lui badigeonnait de vinaigre les boursouflures.

Jerzy s'était généreusement aspergé d'eau avant de se diriger vers sa chambre pour s'y changer. Depuis qu'il les avait quittés, chaque fois qu'approchait la fête ou l'anniversaire d'un des membres de sa famille, il en avait pour des semaines à souffrir de leur absence. En juin, il savait que la Saint-Jean, la fête du feu, ranimerait la flamme de son chagrin d'avoir perdu Jan, ce frère si ingénieux et si amusant. Peut-être était-ce à cause de la présence d'un grand malade à la frontière de l'agonie, mais tous les soirs depuis le début du mois, quand Anna ne soignait pas son père et qu'elle s'asseyait à ses côtés, il lui parlait de ce frère et de ses souvenirs. Il avait fait la même chose en avril et Anna s'étonnait de la quantité d'anecdotes que Jerzy pouvait raconter. Elle trouvait sa propre vie, passée dans les plaines, sans histoire et sans rebondissements. Une vie plaine.

Jerzy et Anna se promenaient sur les rives de la Rouge. Jerzy aimait bien la Rouge, le soir. Le jour, il en trouvait l'eau trouble et il regrettait de ne pouvoir en voir le fond. Mais le soir, l'eau n'était plus que reflets. Jerzy tira le bras d'Anna et l'invita à s'asseoir, ce qu'elle fit sans résistance. Il repensait à l'Anna qu'il avait rencontrée dans le train et il trouvait que celle de maintenant était des milliers de fois plus séduisante, même si celle du train lui avait déjà fait perdre la tête et avait chassé le souvenir de Pamela. Il l'attira près de lui et elle posa tout naturellement la tête sur son épaule.

Jerzy se préparait à célébrer, le lendemain, sa première Saint-Jean en terre canadienne et, n'eût été la présence d'Anna, il aurait probablement passé sa journée soit dans une église, soit dans un cimetière, pour se rapprocher des siens. Depuis plus de deux semaines, il n'avait cessé de se préparer au chagrin qu'il aurait le lendemain, mais il avait sous-estimé la profondeur de l'absence. Anna le tenait par la main, résistant à l'envie de se pendre à son bras. Elle avait besoin de son soutien pour affronter la mort de son père. Jerzy, lui, était encore en deuil de presque tous ceux qu'il avait aimés. Anna était quasiment soulagée que Jerzy et son père ne soient jamais parvenus à s'entendre, ni même à se respecter. Son décès ne blesserait pas Jerzy et elle ne lui en voudrait jamais de n'avoir pas aimé un homme qui l'avait sans cesse humilié. Elle savait son père aigri par la maladie, mais il n'était pas utile, pour l'instant, qu'elle raconte à Jerzy les bons moments qu'elle avait connus.

— Pourquoi est-ce que ton père n'a pas voulu se soigner ?

Il lui avait parlé tout doucement, lui caressant les cheveux de sa main libre. Anna fut émue de voir que leurs pensées s'étaient suivies.

— Soit parce qu'il ne veut vraiment pas rester infirme et dépendant de nous, soit parce qu'il se sait trop vieux pour apprendre à vivre avec des béquilles ou une jambe de bois. Il va avoir cinquante ans, tu sais.

Jerzy pensa à Tomasz, son père qui, au même âge, avait appris l'arrivée prochaine d'un autre enfant. Cela allait complètement à l'encontre de la conception qu'Anna semblait avoir de la vieillesse.

— Je ne pense pas que ton père se sente vieux. Je pense que c'est justement parce qu'il ne se sent pas vieux. Il sait qu'il a encore longtemps à vivre et il n'a pas le goût de vivre en infirme. Ton père est cultivateur, pas fonctionnaire.

— C'est ridicule. On dirait qu'il veut mourir pendant qu'il est encore jeune.

Jerzy arracha quelques petites herbes fraîches et les froissa dans sa main. Il les lança ensuite dans l'eau où, telles des pirogues miniatures, elles flottèrent doucement. Anna observa son geste et eut un sourire qu'elle lui cacha.

— Est-ce que tu penses qu'il me déteste parce que je boite et que je suis arrivé ici au moment où il venait d'avoir un accident ? Moi, Anna, j'ai peur que ce soit à cause de moi qu'il se laisse mourir. Je ne suis pas joli joli à voir marcher.

Anna plissa le front et pinça les lèvres, que Jerzy eut une soudaine envie de mordiller.

— Je pense qu'il ne t'aime pas parce que tu as appris à boiter plus jeune qu'il n'aurait pu le faire... et parce que son unique fille te regarde d'un peu trop près.

Anna s'était levée rapidement et lui avait dit cela en louchant et en collant son nez sur le sien. Jerzy éclata de rire et se releva, un peu trop péniblement à son goût.

— Qu'est-ce qu'il a dit, le médecin ?

— Que ça pourrait arriver d'une minute à l'autre, d'un jour à l'autre, d'une semaine à l'autre...

— D'un mois à l'autre. Si j'ai bien compris, il n'en sait rien.

— Tu as mal compris. La bonne réponse est la première. Les autres sont pour épargner ma mère.

Anna regarda l'heure et revint en direction de la maison. Elle devait relayer sa mère qui ne quittait le chevet de son père que pour se laver et avaler quelques rares bouchées destinées à la soutenir bien plus qu'à la nourrir.

Anna profita de la nuit et du sommeil de Jerzy pour faire une couronne de fleurs et de feuilles vert tendre. Son père avait la respiration de plus en plus difficile et Anna s'arrêta de travailler à quelques reprises, l'oreille en attente du prochain souffle. Quelque chose lui disait que s'il voyait le lever du soleil, il n'en verrait pas le coucher. Elle se fit la réflexion qu'elle et Jerzy s'endeuilleraient probablement tous les deux le même jour.

Anna se leva et alla passer un linge doux et humide sur les lèvres de son père. Elle ne comprendrait jamais l'ultime soumission dont il avait fait preuve. Elle le tourna sur le côté et glissa un oreiller près de ses reins. Il gémit et elle s'approcha de sa bouche pour essayer de comprendre ce qu'il marmonnait. Personne ne lui avait dit que la mort avait une odeur qui se sentait d'abord dans l'haleine des mourants. Anna fit un effort pour se cacher à elle-même le dégoût qu'elle aurait pu avoir pour son père. Sa mère entra dans la chambre en même temps que les premiers rayons du soleil. D'un coup d'œil, elle aperçut la couronne de fleurs et de feuilles et jeta un regard attendri en direction de sa fille avant de s'avancer vers son mari. Elle l'examina pendant quelques minutes avant de hocher la tête et de sortir de la chambre à la hâte pour laisser couler ses larmes. Il ne fallait jamais pleurer devant un mourant ni même devant un mort. Les vivants devaient tout faire pour lui faciliter son départ.

Par respect pour la famille d'Anna et le mystère qui venait de pénétrer dans la maison, Jerzy alla travailler dans les jardins, regrettant de ne pouvoir rester près d'Anna qui, il le sentait très bien, allait devenir orpheline de père. Ses frères se relayaient auprès du mourant que le curé était venu oindre vers l'heure de midi. Jerzy s'écrasa dans la terre, arrachant toutes les mauvaises herbes qui avaient eu le temps de pousser. Toutes les demi-heures, il enlevait ses gants, s'essuyait les genoux et allait voir par la fenêtre de la porte principale si le miroir suspendu dans l'entrée avait été recouvert ou non. Il n'osait rentrer, se demandant s'il devait s'isoler dans sa chambre pour permettre à la famille d'être seule, ou accompagner Anna qui marchait certainement dans un sentier douloureux. Il n'entra même pas pour le repas de midi, croquant quelques radis et une laitue qu'il avait passés sous l'eau. S'il avait les yeux rivés sur la fenêtre de la chambre du père d'Anna, il avait le cœur à Cracovie, recueilli devant l'endroit indiqué par Mme Grabska. Ses parents, eux, n'avaient eu personne pour les accompagner, ni d'oreiller pour amortir le coup de la mort.

Jerzy se releva et lança les queues de radis qu'il avait gardées dans sa main. Il marcha jusqu'au village, faisant un détour pour aller à l'église brûler un lampion.

— Hé ! le Polak, est-ce qu'il est mort, le vieux ?

— Non. Mais les Jaworscy ont l'impression que sa souffrance s'achève.

Il revint vers la maison et décida d'entrer. Anna lui tournait le dos, occupée à voiler le miroir de l'entrée. Jerzy regarda l'horloge, dont les aiguilles avaient été arrêtées à trois heures quinze. Il se signa, et il attendit qu'Anna achève son travail avant de l'embrasser sur les joues, qu'elle avait mouillées.

— J'étais avec lui.

— Et moi avec toi.

Jerzy se dirigea ensuite vers Mme Jaworska dont il embrassa les mains à plusieurs reprises. Le tour de la famille terminé, il monta à sa chambre et sortit le violon de sa sœur. Il l'accorda et descendit au salon où toute la famille priait, parfois en silence, parfois à voix basse et à l'unisson. Il demanda à Mme Jaworska la permission d'entrer dans la chambre et, suivi d'Anna, il y pénétra sans crainte.

— Monsieur Jaworski, je sais que vous ne m'aimiez pas, mais cela ne fait rien. Vous deviez avoir vos raisons. Depuis que je suis ici, je n'ai jamais osé jouer du violon pour ne pas vous irriter davantage. Maintenant, je vais le faire, pour vous, en espérant accompagner le chœur des anges ; pour Anna, afin qu'elle puisse se bercer un peu ; et pour moi, parce qu'aujourd'hui c'est aussi la fête du saint patron de mon frère Jan.

Jerzy commença aussitôt à jouer devant le sourire inondé de larmes d'Anna. Il fut si absorbé par sa pièce qu'il n'entendit pas le silence de recueillement prendre possession de la maison. Quand il sortit de la chambre, Mme Jaworska l'attendait de l'autre côté de la porte.

— Pourquoi nous as-tu dit que c'était le violon de ta sœur ?

— Parce que c'est le violon de ma sœur.

— Mais nous ne savions pas que tu savais en jouer toi aussi.

Jerzy haussa les épaules, tentant de s'excuser faiblement.

— Je suis contente que tu lui en aies joué. Il aimait beaucoup le violon. Je suis même certaine qu'il est maintenant très fier de savoir qu'il y a un musicien dans la f...

Anna donna un coup de coude sans discrétion à sa mère, sentant qu'elle avait failli révéler ses souhaits les plus profonds. Le geste n'échappa pas à Jerzy.

Le premier soir de deuil fut relativement serein, la maladie ayant préparé toute la famille à l'inéluctable. Mme Jaworska échappa à la grande illusion de la mort, qui a tendance à occulter les travers du défunt en n'éclairant que ses qualités. Tout en ayant le mouchoir à portée de la main, elle ricana de toutes les mésaventures de son mari. À vingt et une heures, tous les membres de la famille se retirèrent pour retourner qui à East Selkirk, qui à Saint-Norbert, qui à Winnipeg. Anna les accompagna tous aux voitures, leur souhaitant à tous une « bonne nuit quand même ». Sa mère décida de lire à haute voix au chevet du mort pendant quelque temps.

— Ça lui a toujours fait plaisir.

Jerzy l'écoutait poliment, attendant qu'Anna rentre. Mme Jaworska rit doucement.

— C'est ce que j'ai de mieux à faire au cas où...

— Au cas où quoi ?

— Au cas où mon mari serait coincé dans une file d'attente devant le bureau de saint Pierre. Il pourrait faire une colère qui risquerait de compromettre son entrée au paradis.

Jerzy admira cette femme qui, visiblement, souffrait

énormément mais tentait de n'en rien laisser paraître. Anna était de retour et elle avait entendu la dernière phrase.

— Ça vous dérangerait, maman, si j'allais marcher un peu avec Jerzy ?

— Pas du tout. La tristesse peut nous engourdir le cœur mais pas nécessairement les jambes.

Jerzy sortit donc derrière Anna. Ils déambulèrent pendant près d'une heure, ne parlant presque pas, chacun suivant les pistes de sa pensée. Anna s'immobilisa près de la Rouge et en aperçut les vaguelettes grâce à une lune qui était enfin parvenue à faire disparaître le soleil.

— J'ai quelque chose à aller faire à la maison...

— J'y vais avec toi.

— Non ! Quand même... ! Je reviens dans trois minutes. Reste ici.

Anna partit en courant. Jerzy alluma une cigarette et se planta les yeux devant des pensées teintées par la tristesse de la journée. Il aspira sa dernière bouffée et lança le mégot dans la rivière. Il entendit le *pchuit* et poursuivit sa réflexion sur le fait que la vie humaine, elle, ne faisait même pas un *pchuit* en s'éteignant.

Il aperçut tout à coup devant lui, flottant sur la rivière, une couronne de fleurs et de verdure, sur laquelle des bougies avaient été allumées. Anna ! Anna qui avait réussi à arracher un peu de temps à son chagrin pour fêter la Saint-Jean. Jerzy se coucha à plat ventre et, à l'aide d'une branche, réussit à attraper la couronne. Il n'éteignit aucune bougie, mais commença à marcher vers l'amont.

— Anna ! Anna Jaworska ! Je sais que tu es là. Aurais-tu échappé quelque chose dans la rivière, Anna ? Parce que moi je viens de trouver une demande en mariage !

S'éclairant des bougies, Jerzy continua à marcher, riant aux éclats.

— J'espère que c'est ta couronne, sinon moi je vais être forcé de fréquenter une autre demoiselle...

Anna arriva par-derrière et lui entoura la taille de ses bras. Jerzy se libéra de son étreinte, le temps de déposer les bougies et de se tourner vers elle.

— Tu as décidé de diriger ton destin, Anna ?

Anna le regarda, feignant de ne rien comprendre. Puis, la canine brillant dans la nuit, elle sourit en hochant la tête.

— Je me suis dit qu'il était dommage de penser que le 24 juin serait toujours une journée de deuil. Un si beau jour! C'est en accompagnant l'agonie de mon père que j'ai préparé ma couronne.

— Et tu dis que tu n'es pas polonaise?

— Je ne savais pas que tu l'attraperais...

— Je l'ai ramassée et je vais, moi aussi, être très polonais en respectant la tradition.

Jerzy s'éloigna d'Anna, se passa les doigts dans les cheveux pour les placer un peu et se racla la gorge.

— Anna, est-ce que ça te plairait d'être la femme d'un Polonais toqué et boiteux? Accepterais-tu de parler polonais pour tous les mots d'amour? Est-ce que tu voudrais partager la vie de l'orphelin que je suis?

Anna chuchota sa réponse en polonais.

Le cercueil avait été refermé et Jerzy s'était permis d'être aux côtés d'Anna. On ne lui avait pas offert de porter le cercueil, sachant que sa claudication empêcherait celui-ci d'être de niveau. Jerzy avait souri intérieurement, imaginant qu'il aurait pu être porteur et, de ce fait, faire bondir le corps de M. Jaworski sur les parois de sa prison d'infinitude. Il pensait que des cœurs sensibles auraient pu imaginer entendre Jaworski frapper pour échapper à l'éternité. Ses pensées rattrapèrent le silence de la pièce et, comme les autres, Jerzy suivit le défilé. On tourna la bière pour permettre au défunt de sortir de chez lui les pieds devant. Avant de passer la porte, les porteurs firent une halte et heurtèrent trois fois le cercueil contre le seuil. Anna se pencha pour chuchoter à l'oreille de Jerzy qu'elle espérait vraiment que son père ait laissé derrière lui les difficultés du quotidien.

— Ce serait trop bête d'avoir choisi de mourir s'il ne se sent pas mieux.

Le soleil du 26 juin était extraordinairement réconfortant et Jerzy ne put s'empêcher de sourire à la vie, même s'il marchait derrière la mort. Le profil d'Anna, qui avait la tête recouverte d'une mantille de dentelle noire, lui donnait des pensées incompatibles avec la cérémonie du chagrin.

Le défilé se dirigea vers un des bâtiments de M. Jaworski qui ressemblait à une toiture à la Mansart posée à même le sol. Ils récitèrent une prière à l'extérieur avant d'y pénétrer et de promener le cercueil entre le tracteur et les charrues, en frôlant les bidons d'essence. Au mur, les bineuses, les pelles, les pioches et les râteaux semblaient transformés en cierges. Quelques cordes que Jerzy n'avaient pas utilisées avaient été patiemment roulées et rangées dans un coin, toujours repliées à leurs piquets. Dans l'angle opposé, des échelles pendaient aux clous et des seaux, des cuves et des bacs d'eau jonchaient le sol. Une immense boîte de bois, appuyée contre un mur, avait été recouverte d'une étoffe décolorée.

— Est-ce que je t'ai dit que c'est avec ce coffre que mes grands-parents sont arrivés de Pologne et qu'il contenait tous leurs biens ?

Jerzy fit un signe d'assentiment avant de rentrer la tête dans les épaules, forçant Anna à l'imiter. Des hirondelles, dont les nids étaient collés aux joints des poutres du plafond, tournoyaient dangereusement autour des têtes. Le cortège funèbre sortit. Le défilé s'approcha d'un des jardins, celui-là même que Jerzy avait désherbé deux jours plus tôt, et tous se recueillirent devant les rangs bien droits, les lés de guenilles battant au vent comme des fanions et les trois épouvantails dont un portait une robe ayant visiblement appartenu à Anna.

Jerzy, ralenti par sa marche toujours pénible, fut le dernier arrivé à l'église et le dernier à s'approcher de la fosse autour de laquelle la petite foule des intimes s'était massée. Il s'approcha quand même d'Anna qui, au bras de sa mère, l'avait précédé. Ensemble, ils regardèrent descendre la bière, les pieds du mort pointés vers l'est, comme si le disparu voulait indiquer aux survivants la direction du soleil levant, essence même de la joie et de leur vie à tous.

40

L E deuxième groupe d'élèves venait de partir et Élisabeth leur fit des signes d'au revoir jusqu'à ce qu'elle les perde de vue. Elle rentra dans la maison et s'empressa de ranger la salle d'attente, qu'elle préférait appeler la salle de cours, avant d'aller rejoindre Mme Dussault qui cousait quelques vêtements légers pour les vacances.

— Vous aimez vraiment ça, coudre?

— Oui, c'est un de mes grands plaisirs. Je ne couds pas parce que je n'ai pas les moyens de...

— Je sais. Ma mère, elle, cousait parce qu'on ne pouvait pas s'offrir du neuf pendant la guerre. Elle m'a déjà fait une jupe dans un pantalon usé de mon frère Jerzy. J'ai été déçue parce que j'avais rêvé d'une jupe fleurie et...

Élisabeth se tut, voyant Mme Dussault davantage préoccupée par sa crainte d'avaler les épingles serrées entre ses lèvres que par elle. Élisabeth fit la moue et soupira silencieusement. Mme Dussault était la personne la plus généreuse du monde. Elle lui donnait tout, sauf, peut-être, un peu d'elle-même. Jamais elle n'avait posé de questions et Élisabeth avait la certitude que sa vie ne l'intéressait en rien. Mme Dussault aurait été bien étonnée d'apprendre que sa discrétion pouvait provoquer cette réflexion, convaincue qu'il lui fallait absolument éviter toute allusion aux années d'enfer qu'Élisabeth avait vécues.

Élisabeth pinça les lèvres en se regardant dans un miroir et n'alimenta plus la conversation. Elle aurait tant aimé dire à Mme Dussault qu'un jeune homme lui faisait de l'œil chaque fois qu'il la croisait dans la rue ou la rencontrait à l'épicerie ou au bureau de poste, et qu'elle croyait bien qu'il pouvait être étudiant ou professeur au collège de Saint-Boniface. Elle aurait aimé aussi lui demander s'il était normal qu'elle le trouve extrêmement séduisant, même si jamais elle ne saurait lui adresser la parole, encore moins l'autoriser à lui faire la cour. Pouvait-elle, maintenant, lui parler de Marek et de son veuvage... ? Élisabeth se leva et sortit de la pièce pour aller rejoindre Philippe et Grégoire qui lançaient un ballon dans un panier de basket-ball fixé au-dessus de la porte du garage. La journée caniculaire, égarée en plein mois d'août, était intolérable et Élisabeth se demandait comment ils pouvaient courir et sauter. Elle s'assit dans l'escalier de béton, se couvrit les genoux et les jambes avec sa robe qu'elle retint de ses bras. Son réflexe, elle le constata, était un peu aberrant, car l'air, stagnant depuis des jours, ne risquait pas de faire virevolter l'ourlet. Élisabeth tapa du pied au rythme des rebondissements du ballon, souhaitant une averse. Les cris et les grondements du ciel pourraient peut-être égayer sa fin de semaine qui, comme toutes les autres, n'en finirait plus aussitôt que ses élèves l'auraient quittée.

Un cri la força à bouger et elle se précipita auprès de Grégoire qui venait de s'écorcher un genou en chutant. Il hurlait à fendre l'âme. Élisabeth courut dans la maison, faisant rebondir la porte-moustiquaire retenue par un ressort.

— La porte, Philippe !

Mme Dussault avait réagi avec sa patience habituelle, se trompant néanmoins de coupable. Élisabeth passa une serviette sous l'eau et ressortit pour soigner la plaie.

— La porte, Grégoire !

À sa grande surprise, le blessé était retourné à son jeu, le sang achevant de dégouliner le long de son tibia pour s'arrêter en imbibant une chaussette jaune pâle jusqu'à atteindre la languette noire d'une espadrille. Élisabeth regarda la serviette, sourit et s'épongea le front, puis elle se l'enroula autour du cou, espérant se rafraîchir tout le corps. Le téléphone sonna, mais elle n'alla pas répondre, sachant Mme Dussault plus près de l'appareil. Elle l'entendit parler longuement et fut étonnée d'être appelée.

— Élisabeth, c'est pour toi.

Le père Villeneuve était au bout du fil, lui demandant si elle avait envie d'aller rendre visite à Jan le lendemain.

— Oh oui ! Est-ce que je pourrais venir avec Philippe et Grégoire ?

— Si leurs parents sont d'accord, évidemment.

Élisabeth emporta un pique-nique dans une glacière bourrée de glaçons enroulés dans une serviette. Pour Villeneuve, Jan et elle-même, elle avait fait des sandwichs aux œufs, au jambon et au saucisson. Pour Philippe et Grégoire, elle avait tartiné le pain de beurre de cacahuètes et de confiture de fraises. Ils ne voulaient jamais d'autres sandwichs que ceux-là. Elle avait fait une limonade avec un peu plus de sucre que ne l'exigeait la recette. Elle avait apporté un plein récipient de carottes et de céleris et des pots d'olives et de cornichons à l'aneth, sachant que les deux garçons s'en empiffreraient. Elle avait passé son samedi soir à faire des biscuits au gruau et des carrés aux dattes qu'elle avait l'intention de servir à la collation et au dessert.

Ils partirent immédiatement après la messe et Élisabeth crut voir un drôle de regard passer des yeux de M. Dussault à ceux de Mme Dussault.

— Amusez-vous bien, et surtout profitez de la campagne.

Au grand désespoir d'Élisabeth, la journée était encore plus chaude que la veille. Elle passa tout le trajet à chercher un filet d'air rafraîchissant. Plus elle approchait de Saint-Adolphe, plus elle était impatiente de voir Jan. Ils avaient si peu l'occasion de se visiter — ils s'étaient vus trois fois depuis le début de l'année 1948 — qu'elle éprouvait de la gêne durant quelques minutes quand elle le revoyait. Il y avait quelque chose en lui qu'elle ne reconnaissait pas. Un pli au front et une amertume à la bouche. Elle aperçut la ferme de M. Bergeron et trépigna sur sa banquette, ce qui amusa Villeneuve. Elle se retourna et vit que les deux garçons étaient endormis, probablement assommés par la chaleur.

Le bâtiment du personnel était vide et Élisabeth se dépêcha d'aller frapper à la porte de la maison de M. Bergeron. Personne ne répondit. Elle revint vers le père Villeneuve qui lui désigna un nuage de poussière à l'horizon.

— J'ai l'impression que nous avons choisi une mauvaise journée. Ils doivent être à la récolte de blé.

Philippe et Grégoire se réjouirent aussitôt, sautant sur place.

— On y va ! On y va !

Élisabeth acquiesça sans broncher et leur demanda de passer devant, promettant de les suivre avec le pique-nique. Le père Villeneuve s'épongea le front et grimaça, n'ayant aucune envie de marcher dans les champs avec ses chaussures noires bien cirées et sa soutane propre. Il jeta un coup d'œil hypocrite au ciel, souhaitant que le Seigneur se repose et l'ignore. Élisabeth lui fit un clin d'œil de connivence et demanda aux garçons de sortir leurs mouchoirs, ce qu'ils firent sans poser de questions. Elle plaça les mouchoirs sur leurs têtes, les grondant gentiment de ne pas avoir apporté leurs casquettes de base-ball, et prit les épingles à cheveux qui retenaient sa frange.

— Je ne veux pas avoir une *bobby pin* dans la tête. C'est pour les filles, ça.

— Ce n'est pas négociable, Philippe. J'ai trop peur que tu attrapes un coup de soleil. On a au moins une heure de marche.

— Je ne veux pas y aller, d'abord.

— Moi non plus.

Grégoire, le genou décoré d'un énorme sparadrap, imitait son frère. Élisabeth prit un air extrêmement déçu et feignit de chercher une solution à leur problème. Le père Villeneuve s'épongea de nouveau le front, imité par Philippe et Grégoire, pour son plus grand amusement.

— Si on allait pique-niquer au bord de la rivière ?

— Yé !

Élisabeth installait la couverture pendant que le père Villeneuve découvrait — ô miracle ! — deux cannes à pêche dans le coffre de la voiture. Élisabeth comprit la raison de la longue discussion de Mme Dussault au téléphone avant qu'elle ne lui passe l'appareil. Elle prit légèrement ombrage de cette entente tacite dont on l'avait exclue. Elle alla rejoindre le père Villeneuve qui piquait les vers sur les hameçons, la bouche dédaigneuse, au grand plaisir de Philippe.

— Tu as vu, Grégoire ? Il a peur d'un ver. Ha, ha, ha !

— Vous avez peur d'un ver ? Ha, ha !

— Je n'ai pas peur d'un ver, j'ai horreur de tuer un ver. Ce n'est pas pareil.

L'air offusqué, il tendit vers et hameçons aux garçons qui, fierté oblige, les prirent sans trop de dégoût et essayèrent de les embrocher.

— Yurk ! Le mien bouge encore puis il a déjà la moitié du corps sur le crochet.

— Yurk ! Le mien aussi bouge encore.

Ils demandèrent au père Villeneuve de reprendre son travail, mais il fit mine de ne rien comprendre. Élisabeth s'amusait vraiment de la situation même si, occasionnellement, elle montait près de la route pour voir si le nuage de poussière se rapprochait ou s'il adhérait toujours à l'horizon.

Elle sortit un livre, en lut trois phrases et le referma pour s'en servir comme d'un éventail. Philippe et Grégoire commencèrent à se tirailler, ayant emmêlé les lignes de pêche. Le père Villeneuve joua à Salomon, coupant le nœud et recommençant l'opération vers et hameçons.

Le soleil avait atteint son zénith quand Élisabeth, plus que déçue de ne pas avoir encore vu son frère, servit le repas. Elle mit quand même de côté la portion de Jan, et, la chaleur ayant diminué leur appétit, y ajouta presque la totalité de celles des garçons.

Vers quatorze heures, la lourdeur du temps devint insupportable. Villeneuve demanda discrètement à Élisabeth si elle voulait rentrer. Elle refusa net. Villeneuve s'inclina devant sa décision et annonça qu'il allait lire son bréviaire le long du rivage. Élisabeth le suivit des yeux jusqu'à ce qu'elle le perde de vue, puis elle offrit aux garçons de faire une sieste, ce qu'ils refusèrent énergiquement avant de tomber de fatigue. Elle s'appuya contre un arbre et essaya de lire encore une fois. Sans témoins, elle se permit de soupirer sa déception et son ennui. Elle n'avait pas de mots pour décrire le vide qu'elle ressentait après avoir imaginé le plaisir qu'elle et Jan auraient eu à partager un dimanche.

Le père Villeneuve revint au moment où le ciel passait rapidement du bleu au gris et commençait à se charbonner. Élisabeth ramassa tous les restes du repas, tentant de plier la couverture en se battant contre le vent qui s'en amusait comme d'une grand-voile.

— Vite, les enfants! Courez devant. Élisabeth et moi, nous allons porter la glacière, la couverture et les cannes à pêche.

Les enfants déguerpirent sans se faire prier, le ciel s'étant mis à gronder comme un chien tentant de se désenchaîner. Élisabeth sentit la bave lui couler dans la figure.

— C'est tout un orage, ça!

Probablement attiré par les cannes à pêche, un éclair claqua juste au-dessus de leurs têtes. Ils ne prirent pas le temps de ranger leurs effets et s'agglutinèrent sur la galerie de la maison de M. Bergeron, cherchant un coin que la toiture mitée gardait au sec. Philippe et Grégoire riaient aux éclats, davantage par bravade que par plaisir. Élisabeth, elle, était terrorisée. Depuis la guerre, elle n'avait plus jamais été capable d'apprécier éclairs et tonnerre, qu'elle trouvait sournois et criminels comme des bombardements. Déchirée par la panique, elle s'empêcha toutefois de crier ou de pleurnicher devant les enfants.

Les champs déjà fauchés qui encadraient les bâtiments ressemblaient maintenant à une mer déchaînée, grise et rebondie. Philippe et Grégoire s'assirent le long du mur, et Élisabeth les enveloppa de la couverture.

— C'est toute une aventure, hein?

Elle espérait avoir un air joyeux, mais son ventre tremblait. Elle crut voir bouger les lèvres de Villeneuve et comprit qu'il n'était guère plus rassuré qu'elle et qu'il marmonnait certainement une prière. Ils entendirent, venant du fond du gouffre des champs, un bruit de moteur essoufflé. Élisabeth chercha à voir le tracteur et l'aperçut enfin, gris et boueux comme le sol. Elle ferma les yeux, ayant eu pendant quelques secondes l'impression de revoir un tank enlisé et abandonné.

Puis l'horreur recommença. Un éclair déchira le bruit du

tonnerre et atteignit une des formes détrempées qui se tenaient en équilibre sur le véhicule. Le feu prit dans le blé pendant que les autres silhouettes plongeaient sur la terre délavée. Élisabeth hurla et courut derrière le père Villeneuve qui venait de partir en courant vers le brasier bleu et rouge.

— Jan! Marek! Jan! Marek!

Élisabeth, mue par une peur incontrôlable, dépassa le père Villeneuve et fut la première sur les lieux de l'accident. Sous des traits fantomatiques, elle reconnut M. Bergeron. Continuant ses recherches, elle aperçut un autre des ouvriers, l'air complètement assommé. Elle vit enfin Jan, couché sur le dos, buvant la pluie à pleine bouche. Elle se rua vers lui et se laissa tomber à ses côtés.

— Jan!

Jan sortit de sa torpeur et regarda sa sœur, se demandant sérieusement s'il n'était pas mort.

— Élisabeth? Oh! Élisabeth!

La terre, de nouveau violemment attaquée, recommença à vibrer. Élisabeth aida son frère à se relever et l'entraîna vers ses quartiers. Du coin de l'œil, elle aperçut le père Villeneuve agenouillé à côté d'une masse noircie, administrant les derniers sacrements. Il revint demander la couverture aux enfants et en recouvrit le corps.

Tout le monde se retrouva dans la grande pièce du bâtiment des employés. Le père Villeneuve chercha le téléphone pour appeler le coroner. Bergeron, d'une main tremblante, lui tendit une clef et lui indiqua où, dans sa maison, il trouverait l'appareil. Villeneuve, agacé, repartit en courant sous la pluie. Élisabeth essuyait les cheveux de Jan, lui chuchotant que tout allait bien, qu'ils arriveraient à destination et qu'il l'avait échappé belle.

— Marek, lui, n'a pas eu ta chance. Je l'ai vu, mort.

Jan regarda sa sœur et reconnut dans ses yeux l'effrayante douleur qui l'avait habitée depuis la mort de Marek jusqu'au voyage en bateau. Du coup, il fut complètement catastrophé, espérant que cette sorte de folie ne serait que passagère. Il n'avait pas encore réussi à calmer sa peur que déjà il en avait une autre, beaucoup plus douloureuse : sa sœur venait de rechuter dans le néant.

Villeneuve faisait d'énormes efforts pour ne pas balancer de truculents blasphèmes à la tête de Bergeron. Il aurait aimé pouvoir, sans se tromper, lui dire que cet orage et cette mort étaient un châtiment céleste pour le punir de son avarice et de sa cruauté. Villeneuve avait maintenant la certitude que Bergeron était cruel avec ses employés, même ceux envers lesquels il avait une responsabilité tutélaire.

Le soleil était revenu aussi rapidement qu'il avait disparu et le médecin légiste avait conclu à un décès accidentel. Bergeron n'avait même pas pu donner le nom légal de celui que tous appelaient « Hangaround ».

— Il arrivait comme ça, toutes les ans, pis il repartait, comme ça, avec un paquet d'argent. Je pense qu'il venait d'à côté de la frontière américaine. Mais son vrai nom, je le sais pas, parce que je paie toujours *cash*. J'ai jamais fait de *cheque*.

Villeneuve sentit sa colère monter d'un cran quand, quelque temps après le départ du coroner et du corps de la victime, il voulut faire manger les sinistrés et trouva le garde-manger presque vide et l'intérieur du réfrigérateur noyé dans une eau rouillée où flottaient ce qu'avaient dû être des croûtons de pain et des feuilles de céleri.

— Je ne garde plus beaucoup de manger parce que c'est rien qu'une gang de voleurs. C'est eux que vous devriez accuser, pas moi. Moi, je me défends contre le crime, rien d'autre.

Jan s'approcha derrière le père Villeneuve, lui tapota une épaule avant de chuchoter :

— Ça ne sert à rien de lui faire des reproches. Il a Dieu et tous les anges de son côté.

— Quels anges ?

— Je ne sais pas.

Jan laissa le père Villeneuve à sa colère et retourna à Élisabeth qu'il avait étendue sur son lit. Il soupira en la regardant, ayant tout à coup l'impression que l'Atlantique s'était évaporé et que le fond de la mer s'était enfoncé, ne laissant plus rien entre cet instant et leur départ de Cracovie.

Philippe et Grégoire, ne mesurant pas l'horreur de la situation, s'occupaient merveilleusement bien des plaies des deux métis qui, comme Jan, avaient été épargnés, ne souffrant que de légères blessures. Les deux jeunes frères, fiers d'être à peu près aussi importants que leur médecin de père, lavèrent et désinfectèrent les plaies avec un savoir-faire et une minutie qui firent sourire leurs patients. Jan leur apporta des diachylons.

— Vous voyez, plastronna Grégoire, j'en ai eu un, hier, sur le genou. Ça ne fait pas mal.

Lui et Philippe en appliquèrent près d'une douzaine, en posant parfois deux en croix sur la même plaie. Les métis les laissèrent faire, trop heureux d'être sortis indemnes d'un accident mortel.

Élisabeth ouvrit les yeux et regarda Jan, assis à ses côtés. En une fraction de seconde, elle revit l'accident et frissonna.

— Jan, pourquoi est-ce que tu n'es pas couché ?

Jan fut étonné que sa voix n'ait aucune faiblesse, aucune fêlure. Il tenta une pointe de sarcasme.

— Parce que ma sœur s'est presque évanouie et que je dois lui faire respirer les sels.

— Jan !

Elle bondit sur ses pieds, regarda autour d'elle, alla vers Philippe et Grégoire, regarda leur travail, les félicita et leur dit que leur père serait fier. Elle revint vers Jan.

— Veux-tu t'étendre immédiatement, Jan ? Quand on a été ébranlé comme tu l'as été, il faut se reposer.

— Es-tu sérieuse, Élisabeth ?

Elle regarda longuement son frère dans les yeux avant de lui passer une main dans les cheveux.

— J'ai eu peur, Jan. En fait, j'ai pensé mourir de peur. Je t'ai vu avoir peur aussi pour moi. C'est fini, Jan. Je pense qu'aujourd'hui Marek est vraiment mort.

Elle ouvrit sa main gauche sous les yeux de Jan et lui montra une ouverture dans l'anneau de bois.

— Je le porte brisé depuis trois semaines. Depuis trois semaines, il me pince la peau. Je pense qu'il est temps que je l'enlève.

Et, sous les yeux médusés de Jan, elle enleva l'anneau de son annulaire. Il n'en fallut pas plus pour qu'il se brise en deux. Elle en confia une moitié à Jan et conserva la seconde dans sa poche. Reprenant enfin totalement ses esprits, elle courut chercher les restes du pique-nique. Jan et les métis, malgré leur traumatisme, dévorèrent à belles dents, pendant que Villeneuve s'assurait malignement que Bergeron n'y toucherait pas, même de sa dent de l'œil.

Jan reconduisit ses visiteurs à l'auto, un faible sourire aux lèvres.

— Je peux, Jan, te trouver une autre ferme...

— Merci, mon père. J'ai une entente avec Bergeron, sans compter que le blé est prêt à être coupé. Je serais incapable de penser que le blé pourrit parce que je suis parti. Non, merci. Peut-être une autre fois.

Élisabeth lui tenait la main comme s'il avait été un tout petit garçon. Philippe et Grégoire montèrent dans la voiture, ravis d'avoir eu une si belle journée.

— *Wow!* Attends, Jan, qu'on raconte tout ça à mon père et à ma mère.

— Oui, *wow!*

— Attends qu'on leur dise qu'on a vu un mort et des blessés, et un coroner, et qu'on a soigné des métis!

— Oui, attends qu'on leur dise!

— Attends qu'on leur dise que les armoires sont vides puis que tu crèves de faim!

— Oui, que tu crèves de faim!

— Ça suffit!

Villeneuve venait de perdre patience. Les enfants claquèrent la porte et s'écrasèrent sur la banquette. Le prêtre ne cessa de maugréer et de marmonner jusqu'à ce qu'il s'assoie derrière le volant et appuie sur le contact.

— Des innocents, des innocents. Il y a toujours des limites à être innocent! Il ne faut quand même pas pousser l'innocence trop loin. « Bienheureux les innocents... » peut-être, mais il ne faudrait quand même pas que les innocents...

Il klaxonna et regretta aussitôt son empressement, voyant qu'Élisabeth et Jan étaient toujours en grande conversation. Il s'excusa de la main et les encouragea à continuer leur discussion. Jan embrassa finalement la main de sa sœur et Élisabeth monta dans l'auto. Villeneuve embraya en marche arrière, faisant grincer la transmission. Élisabeth vit Jan se frotter le front de la paume de la main. Quand Villeneuve recula, Élisabeth, ébranlée, inquiète et attristée, regarda son frère se prendre la tête à deux mains comme si elle venait tout juste d'être frappée par la foudre et qu'il en retenait désespérément les éclats.

41

Le mois d'octobre achevait d'écheveler les arbres et de sécher les dernières repousses de gazon. Élisabeth poussa la porte de l'épicerie dont la clochette tinta, et elle entra à la hâte. Elle rougit en apercevant le jeune homme qui ne cessait, depuis des mois, de se retrouver sur son chemin. Lui-même l'aperçut et retarda le moment où il prendrait son sac de provisions, pour l'attendre, elle le sentit bien. Elle se hâta de choisir le pain dont Mme Dussault avait besoin pour le repas de midi et se dirigea rapidement vers la caisse enregistreuse, le porte-monnaie déjà en main.

— Est-ce que nous nous sommes déjà rencontrés ?

Le jeune homme au teint soudain coquelicot et à la voix agréable la regardait avec timidité et Élisabeth fut tout étonnée de voir qu'elle-même souriait.

— Non.

Elle se retourna pour payer et s'empressa de faire un salut rapide avant de ressortir du magasin. Le jeune homme la rattrapa et la força à ralentir.

— Vous êtes d'où ?

Élisabeth aurait voulu disparaître. Depuis son arrivée au Canada, elle n'avait adressé la parole à aucun jeune homme sauf aux deux métis de Saint-Adolphe et à d'occasionnels patients du docteur Dussault. Elle venait de fêter son vingt et unième anniversaire et essayait de se raisonner en se disant qu'elle n'avait plus à être effarouchée, même si sa timidité et le souvenir de son chagrin lui faisaient battre le cœur à une vitesse affolante. Elle eut l'impression que le teint coquelicot avait déteint sur elle.

— Excusez mon impolitesse, mais je veux quand même vous dire que je n'ai jamais vu ici une fille aussi belle que vous.

Élisabeth s'arrêta net. Elle belle ? Jamais on ne lui avait dit une telle chose. Même les miroirs avaient toujours été muets à ce propos. Pendant une fraction de seconde, elle essaya de réentendre Marek. Non. Même Marek n'avait pas dit cela. Et pour cause. Élisabeth frissonna en se remémorant le choc qu'elle avait ressenti lorsque, à son arrivée à Amberg, elle s'était vue dans une glace. Elle belle ?

— Non, on ne m'a jamais dit cela.

Elle avait parlé d'une voix rocailleuse qui semblait tout juste déliée d'un vœu de silence. Le jeune homme hocha la tête et elle se demanda s'il essayait de lui faire comprendre son étonnement ou son plaisir d'apprendre qu'il était le premier. Elle n'essaya pas de trouver de réponse. Ils marchèrent à travers la fumée d'un feu de feuilles brûlant tout près de la bordure du trottoir et elle s'empressa de toussoter pour effacer le silence.

— J'aime mieux les sentir de loin.

— Ah bon !

Elle aperçut enfin la maison et salua le jeune homme, qui fut pris au dépourvu par son imminente volatilisation.

— Est-ce que je pourrais vous revoir ?

— Je ne pense pas.

Décontenancé, il n'ajouta rien. Élisabeth entra à la hâte et s'empressa de claquer la porte.

— C'est toi, Philippe ?

— Non, je m'excuse, c'est moi.

Élisabeth déposa son livre. Un livre tout chaud qui sentait encore l'encre et la colle. Mme Dussault avait insisté pour qu'elle le lise parce que son auteur était une dame qui, jeune, avait habité la rue Deschambault. Élisabeth venait de terminer *Bonheur d'occasion* et songea à l'écheveau inextricable que constituaient toutes les histoires d'amour. Elle allait s'abandonner au sommeil lorsqu'elle revit les traits de son soupirant. Elle chassa rapidement cette image, éteignit la lampe, se recueillit quelques instants pour souhaiter une bonne nuit aux siens, mais ne leur parla pas du jeune homme à qui elle n'avait même pas demandé son nom. Elle s'endormit en se demandant mollement qui pourrait le lui présenter.

La voix de Philippe la fit bondir hors de son rêve.

— Élisabeth ! Maman s'inquiète. Tes élèves vont être ici dans dix minutes.

Élisabeth s'affola et descendit à la hâte placer les chaises de la salle de cours. Depuis le mois de septembre, elle avait six élèves qu'elle avait séparés en deux groupes. Son enseignement avait pris une importance qu'elle n'aurait jamais soupçonnée. Chaque samedi matin, elle vivait une sorte de bon mensonge, d'agréable Requiem et elle invitait tous ses fantômes à assister à son cours.

— *Adam, essaie de jouer moins fort. Piano. Pianissimo. Le violon est comme un petit enfant que l'on berce, Adam. Tu te souviens ?*

Élisabeth laissa retomber ses épaules. Si elle savait fort bien qu'elle ne se pardonnerait jamais la mort de son frère, elle sentait une inspiration lui venir directement de lui. Elle se hâta de placer son lutrin et d'accorder son violon.

— Élisabeth, maman fait demander si tu vas manger.

— Non, merci. Pas ce matin.

Grégoire fit la moue, ayant l'impression qu'elle disait toujours oui à Philippe et toujours non à lui.

Le cours fut aussi doux qu'un coup d'archet frotté sur l'arcanson. Élisabeth était ravie des progrès réalisés par ses élèves. L'heure terminée, elle eut une amère discussion avec les parents, qui voulaient absolument un récital de Noël.

— Je préférerais attendre une année. Pas pour moi mais pour eux. Je me souviens qu'il n'y a rien de pire que de faire grincer une corde et...

— Mais ce n'est qu'amusant.

— Pour vous peut-être, mais certainement pas pour Jeanne ou Edgar.

Les parents ne voulurent rien entendre. C'est en désespoir de cause qu'elle offrit d'aller les visiter le jour de Noël pour accompagner chacun de ses élèves.

— Ils ne joueront pas ensemble?

— Non. Pas cette année. Mais je peux faire faire à chacun d'eux une démonstration de son savoir.

— Vous viendriez le jour de Noël? Vrai?

— Vrai.

Les parents s'inclinèrent, disant qu'ils étaient bien prêts à attendre mais seulement jusqu'à juin. Pas toute une année. Élisabeth sourit. C'était exactement ce qu'elle avait toujours eu l'intention de faire.

Élisabeth n'avait pas réfléchi avant de répondre mais elle savait que les Dussault n'auraient heureusement pas besoin de ses services à Noël puisqu'ils ne recevraient pas et qu'ils prévoyaient de s'absenter toute la journée. Elle avait invité Jan mais il ne lui avait pas encore fait connaître sa réponse. Elle espérait profondément être avec lui.

Le père Villeneuve arriva sans s'annoncer. Élisabeth était à faire le ménge du salon et cacha mal sa gêne d'être surprise en tablier, un fichu sur la tête pour se protéger des poussières.

— Mme Dussault est-elle là?

— Non. Elle est partie à l'école Provencher. C'est la remise des bulletins de Noël.

— Tant pis. Je suis passé rapidement pour te dire qu'il y a un changement au programme et que je vous attends, toi et Jan, pour le souper de Noël.

Élisabeth eut certainement l'air assez ennuyée pour que le père Villeneuve s'inquiète sérieusement.

— Tu es mal?

— Non, triste. J'ai promis d'aller dans les familles de mes six élèves et j'avais pensé souper...

Le père Villeneuve ne la laissa pas terminer. Il avait compris qu'elle voulait être seule avec son frère. S'il s'était lui-même réjoui à la pensée d'une réunion, il concédait qu'un peu d'intimité entre ces deux complices ne serait pas un luxe. Il s'excusa poliment, promit de téléphoner le jour de Noël et sortit sous le regard chagriné d'Élisabeth qui se demanda si elle ne devait pas lui crier qu'elle acceptait.

Noël arriva rapidement. À peine Élisabeth avait-elle fini de préparer un repas polonais pour elle et son frère que celui-ci était devant elle, le visage souriant malgré une apparente blessure au-dessus de l'arcade sourcilière.

— Que je suis contente de te voir ! Que je suis contente !

Elle passa un doigt sur la plaie.

— Ça fait mal ?

— Plus maintenant. J'ai la tête dure.

— Tu t'es battu ?

— Évidemment.

Il avait éclaté de rire et Philippe et Grégoire se suspendirent à ses bras pour s'y balancer comme des battants de cloche.

— Nous, on s'en va chez mon oncle.

— Nous, on s'en va chez mon oncle puis chez ma tante aussi.

— Pourquoi est-ce que vous ne venez pas avec nous ?

— Je vous ai déjà expliqué tout ça.

Mme Dussault arriva elle aussi, serra la main de Jan et l'embrassa. Jan ne recula pas devant la menace de son rouge à lèvres écarlate et luisant. Elle eut le geste habile, faisant un sonore baiser à côté de son oreille, ne touchant pas à sa peau. Le docteur vint enfin se joindre au groupe, se planta devant sa femme, penaud, et lui demanda de nouer son nœud réfractaire. Les Dussault enfilèrent bottes et manteaux et partirent, aussi bruyants que s'ils avaient été une classe entière. Élisabeth ne reconnaissait pas la femme qu'elle avait vue si tendue le jour de Noël de l'année précédente. Élisabeth comprit qu'elle était ainsi quand elle recevait trop de gens. Mme Dussault fut la dernière à sortir, mais, au moment de refermer la porte, elle revint sur ses pas, l'air un peu gênée.

— Élisabeth, j'ai déposé sur ton lit des vêtements pour Jan. Comme neufs sauf que mon mari trouvait qu'il leur manquait quelques trous de ceinture.

Avec un petit rire qui résonnait drôlement dans la buée,

elle quitta une Élisabeth extrêmement partagée et un Jan qui se demandait s'il devait faire une colère et refuser ou dire merci et accepter. Il n'hésita presque pas, n'ayant pas envie de détester en ce jour de Noël.

— Est-ce que vous m'offrez ça parce que mes pantalons sont trop courts ou parce que mes jambes sont trop longues ?

— Les deux.

Élisabeth s'envola vers la chambre, immédiatement suivie de Jan qui avait éclaté de rire. Elle sentit sa poitrine se gonfler de plaisir à entendre son frère s'esclaffer. Ils essayèrent les vêtements, qui métamorphosèrent complètement Jan.

— Les filles de Cracovie le disaient, aussi, que tu étais beau.

— Les filles de C...

— Je te jure !

Élisabeth réussit à le convaincre de prendre un long bain et Jan s'y laissa glisser avec volupté dès qu'elle eut refermé la porte. Il en ressortit et se heurta à une tortionnaire qui faisait claquer la paire de ciseaux qu'elle tenait fermement.

— Vous avez demandé un figaro, monsieur ?

Après l'avoir obligé à se raser, elle le fit asseoir sur le siège des toilettes et lui coupa les cheveux, qu'elle se permit de gominer avec le produit de M. Dussault. Lorsqu'il fut habillé, elle tourna autour de lui, enchantée de ce qu'elle voyait.

— Ma foi, Jan, tu ressembles à papa.

— Tu trouves ?

— Tu ressembles même à Jerzy.

— Tu penses ? Il me semble que Jerzy était grand, costaud, blond, avec autant de barbe qu'un homme.

Élisabeth le fit pivoter et le plaça face au miroir.

— Qu'est-ce que tu vois ?

— Quelqu'un de grand, costaud, blond, avec autant de barbe qu'un homme.

Tous les deux recommencèrent à rire. Jan s'arrêta net, regardant sa sœur dans les yeux.

— Quelle merveilleuse journée, Élisabeth !

— Ça commence. Ton violon a toutes ses cordes ?

329

— Oui. J'ai réussi à en faire venir par la poste.

Élisabeth se mordit les lèvres. Comment n'avait-elle pas pensé à lui en expédier ?

Ils sortirent et marchèrent en direction de la première maison. Ils aperçurent Timothée qui les attendait derrière une des fenêtres. Élisabeth le vit sautiller, disparaître quelques minutes pour réapparaître accompagné de sa mère. La porte était grande ouverte avant même qu'ils n'aient fini de monter l'escalier. Ils pénétrèrent dans le salon et furent forcés de prendre un verre de whisky. Élisabeth se contenta d'y tremper ses lèvres alors que Jan but tout d'un trait. Timothée regardait Élisabeth avec tant d'admiration que Jan donna un coup de coude à sa sœur pour lui demander de sourire à son élève.

— Ce petit garçon-là va te manger des yeux.

Élisabeth haussa les épaules mais s'empressa de déplacer les cheveux bien peignés de Timothée. La petite famille s'assit religieusement pour entendre le fils jouer du violon et la mère fut ravie de voir qu'Élisabeth jouerait avec lui. Élisabeth expliqua qu'il fallait énormément de talent à un débutant pour apprendre à tenir un violon.

— Un violoniste est un peu comme un magicien qui doit se faire pousser un instrument au bout du menton.

Pendant cinq bonnes minutes, Timothée marcha, s'assit, se promena d'une personne à l'autre, pour terminer dans l'apothéose : tenir le violon sans utiliser les mains. La famille s'amusait franchement, quoiqu'un peu déroutée. Timothée s'installa enfin devant un lutrin improvisé et Élisabeth sortit son instrument.

— Nous allons maintenant vous montrer combien un violoniste doit être une espèce de magicien pour retrouver les notes qui sont toutes cachées quelque part sur le manche du violon.

Élisabeth laissa couler son archet sur une corde à la fois et Timothée tenta de reproduire le son qu'elle venait de faire. Il y réussit presque à la perfection, ce qui impressionna Jan. Élisabeth et lui savaient que ce qu'il faisait n'était pas facile. Elle continua à deux cordes et Timothée la suivit, comme un virtuose.

— Maintenant, nous allons vous montrer qu'un violon parle toutes sortes de langues.

Timothée déposa son archet et promena son petit index sur les cordes, jouant pizzicato. Il reprit ensuite son archet et joua staccato, puis legato. Élisabeth et lui s'attaquèrent enfin à *Ah! vous dirai-je, maman,* qu'ils jouèrent des trois façons.

Élisabeth vit le plaisir dans les yeux de la famille et l'émotion dans ceux de Jan. Seul son regard chuchotait et elle savait que si elle n'avait pas bien connu son frère, elle n'aurait rien vu. À son tour, Jan sortit son violon et attendit que Timothée ait récolté toutes ses congratulations. Lorsque le lauréat, rouge d'orgueil, s'assit enfin, Élisabeth et Jan s'attaquèrent aux *Variations* et donnèrent un véritable court récital, au grand plaisir de tous. Ils partirent moins d'une heure après leur arrivée, ravis de la rencontre.

— Quelle merveilleuse façon de passer notre Noël!

Jan acquiesça, repensant à son précédent Noël où il avait joué seul devant les lunettes de son père et l'étui expédié par M. Favreau. Ils recommencèrent leur représentation dans les autres familles. Le déroulement était toujours le même, sauf que, le jour vieillissant rapidement, il y avait de plus en plus de fêtards dans les maisons et le whisky coulait abondamment, un peu trop au goût d'Élisabeth qui voyait le sourire de Jan se ramollir. Lui-même glissait davantage dès qu'ils étaient sur le trottoir.

— Élisabeth, nous sommes redevenus des saltimbanques. Sauf que nous n'avons plus de poux, nous sommes bien habillés, nous ne recevons plus d'argent dans notre chapeau parce que nous ne passons plus le chapeau, et on nous arrose d'un whisky blond comme un Polonais...

— Mais nous sommes respectés, Jan.

— C'est vrai. Nous sommes respectés, et toi tu es même respectable.

— Toi aussi, Jan.

— Pas encore. Mais j'ai ma petite idée.

Là-dessus, il n'avait plus parlé et ils étaient enfin arrivés chez Jeanne, la dernière mais non la moindre des élèves d'Élisabeth.

La maison était remplie de parenté et la fête battait son plein, la famille de Jeanne comptant plusieurs musiciens. Élisabeth et Jan se regardèrent et furent entraînés dans un tourbillon de chaleur, de rires et de plaisir. Deux des oncles étaient violoneux, une tante jouait du piano, tous avaient deux cuillers qu'ils entrechoquaient, pour marquer le rythme, et les voix qui osaient un air étaient fort belles à entendre. Les cantiques succédaient aux chansons païennes et parfois grivoises. La famille réussit quand même à se calmer pour que Jeanne puisse faire son petit récital et elle fut portée sur les épaules des hommes comme si elle avait mis Joe Louis hors de combat. D'un simple hochement de tête, Jan et Élisabeth décidèrent de ne pas jouer, craignant de rafraîchir davantage l'atmosphère de la maison dont la porte ne cessait de s'ouvrir pour laisser entrer de nouveaux visiteurs.

— Joyeux Noël, Élisabeth !

Elle se trouva face à face avec son soupirant. Elle espéra que la chaleur de la maison avait caché sa surprise rose et jeta un coup d'œil en direction de Jan qu'elle vit sourire d'un air moqueur en lui portant un toast silencieux. Jeanne était déjà à ses côtés.

— Mademoiselle, je vous présente mon plus vieux et mon plus beau cousin...

— Jeanne !

— C'est ce que tout le monde dit... Mon plus beau cousin, Étienne.

Élisabeth et Étienne se serrèrent la main et, Noël le permettant, Étienne osa lui faire la bise. Élisabeth, qui avait trempé ses lèvres dans six verres d'alcool, fut étonnée de ne pas avoir offert de résistance. Encore une fois, elle regarda son frère qui semblait s'amuser franchement de son embarras. La mère de Jeanne les invita à se joindre à la troisième tablée. Élisabeth allait refuser quand Jan accepta avec ravissement. Elle s'approcha de lui pour essayer de le raisonner.

— Jan, je nous ai fait un souper polonais.

— Oui, mais nous serions tout seuls. Ici, c'est plein de monde. Une vraie fête qui ressemble à mes souvenirs.

Élisabeth acquiesça et, le repas terminé, elle fut entraînée dans la danse par Étienne. La soirée se continuait en rires un peu trop arrosés et Élisabeth se demanda quand Jan montrerait des signes d'intolérance au whisky. On annonça que tous les enfants de moins de douze ans devaient monter dans les chambres, dix heures ayant agité le pendule de l'horloge. Les pleurs succédèrent aux grincements de dents. Jeanne fit une dernière tentative.

— Je vais aller me coucher seulement si Mlle Pawulska joue du violon pour nous endormir.

Élisabeth, qui aurait refusé avant le souper, ne demanda pas mieux, sachant qu'elle en profiterait, aussitôt le violon rangé, pour prendre congé de ses hôtes et rentrer avant que les Dussault ne reviennent. La demande de Jeanne fut bien accueillie de toutes parts. Élisabeth demanda à Jan de sortir son violon et craignit secrètement qu'il ne puisse plus en jouer, mais elle se trompait. En moins de trois minutes, les cris de la fête s'étaient assourdis et Élisabeth pouvait entendre les chuintements des cœurs qui battaient la mesure.

Ils rentrèrent, escortés par Étienne qui ne semblait plus avoir l'énergie de survivre à sa joie d'être avec Élisabeth et à son ébahissement devant sa beauté et son énorme talent. Ils se quittèrent en se serrant la main.

— Je pourrais vous inviter au cinéma ?

— J'y réfléchirai.

Jan la regarda, trouvant que sa sœur se faisait minaudière. Il haussa les épaules d'amusement et sourit béatement, ravi qu'elle ait contredit toutes ses pessimistes prédictions. Sa sœur était heureuse et semblait avoir éloigné son terrible fatum. Ils entrèrent gaiement, posèrent leurs violons et Élisabeth se dirigea vers la cuisine.

— Tu vas au moins prendre un morceau du dessert que j'ai fait.

— Tu penses que moi je pourrais dire non à de la nourriture ?

Élisabeth s'esclaffa et sortit le dessert au moment où les Dussault rentraient. Ils se joignirent à eux et la soirée se termina sur le *Pot-pourri* que Jan et Élisabeth chantèrent avec cœur et avec joie, Jan cabotinant et mimant chaque chanson. Les enfants se tordirent d'un rire amplifié par la fatigue.

42

L E père Villeneuve était nerveux. Depuis le matin, le Seigneur semblait lui expédier embûche sur embûche, épreuve sur épreuve. En toute conscience, il ne lui semblait pas avoir mérité autant de punitions. Bien sûr, la semaine précédente, ne croyant plus aux multiples accidents, il avait menacé Bergeron de le dénoncer à la police et de demander son excommunication s'il voyait encore Jan avec une blessure au visage.

— Je suis certain que vous le frappez.

— Tant mieux pour vous.

Bien sûr, il avait aussi demandé un nouveau col, le sien étant un peu ramolli, et il avait juré que ce n'était pas une coquetterie. Il se tapota les lèvres avec sa serviette, s'excusa et sortit de table, remerciant les religieuses pour le bon repas. Il n'essaya même pas de cacher sa pensée au Seigneur qui, il en était certain, savait qu'il avait détesté les plats. Elles avaient la manie de trop faire cuire le bœuf, qui pouvait être si bon, et il trouvait qu'elles gaspillaient la bonne chère. Aussitôt pensée, cette phrase le fit sourire. Elle aurait pu être mal comprise.

Villeneuve s'installa à sa table de travail et il avait à peine eu le temps de dévisser le couvercle de sa plume lorsque son téléphone sonna. On l'appelait au chevet d'un malade. Il partit à la hâte, son étole et le saint chrême dans une mallette. Il n'eut que le temps de saluer l'âme du malade avant que celle-ci ne s'envole, laissant derrière elle une nuée de tristesse. Villeneuve avait horreur de voir partir les âmes de jeunes enfants qui n'avaient pas encore appris à épeler et écrire le mot « vie ». Lui n'avait jamais appris à faire siens les mots de résignation que lui enseignaient les Évangiles.

Dès qu'il fut de retour au presbytère de la paroisse Sacré-Cœur, une religieuse affolée lui annonça qu'une de ses consœurs s'était renversé une pleine casserole d'eau bouillante sur le ventre et que le médecin venait d'arriver. Villeneuve se signa et promit d'aller bénir la blessée. Il franchit le couloir et vit que des paroissiens l'attendaient déjà. Les heures de visites étaient toujours le moment de la journée qu'il préférait, même si elles pouvaient parfois être pénibles.

Les gens entrèrent les uns après les autres. Heureusement, il recueillit quelques bonnes nouvelles. Des jumeaux étaient nés, des fiançailles annoncées, et une veuve vint payer douze messes pour le repos de l'âme de son mari défunt. Il commença à se détendre, oubliant un instant la petite âme qui les avait quittés. Une mère éplorée vint le supplier de corriger son enfant qui avait volé trois vaches et deux bouteilles.

— Trois vaches et deux bouteilles?

— Oui. Et il n'a que cinq ans.

— Cinq ans?

Il finit enfin par comprendre que les vaches et les bouteilles étaient en chocolat.

— Mais vous savez, mon père, que l'Évangile dit : « Qui vole un œuf vole un bœuf. »

— C'est un proverbe et ça ne vient pas de l'Évangile.

— Ça veut dire que ce n'est pas péché?

— Non. Ce serait péché s'il avait l'âge de raison, mais pour un enfant de cinq ans, il faut être tolérant.

La paroissienne avait l'air perplexe.

— Mais jusqu'à quel âge est-ce qu'on peut faire des vols sans que ce soit péché?

— On ne peut jamais faire de vols...

— Mais vous venez de dire le contraire...

— On peut avoir des faiblesses ou des étourderies, mais quant à faire un péché...

La discussion dura si longtemps que Villeneuve faillit commettre un péché de colère. Il avait toujours eu de la difficulté avec la bigoterie. La femme partit enfin, lui demandant une absolution au cas où elle aurait commis un péché d'omission.

— Madame, je vous confesse deux fois par semaine et je connais votre honnêteté. Je ne crois pas nécessaire de vous donner l'absolution aujourd'hui. Votre âme est javellisée.

La femme, flattée de voir ses dévotions reconnues, sortit sans plus penser aux chocolats que son fils avait chapardés. Le père Villeneuve la raccompagna et referma la porte derrière elle pour reprendre son calme. Sa paroissienne, dût-elle être frappée par la foudre, irait immédiatement au ciel, quitte à y entrer par la petite porte, celle des bigots. Soulagé, il accueillit les visiteurs suivants, qu'il n'avait jamais rencontrés. En voyant le jeune homme, il eut une vision incroyable.

— Ne me le dites pas : vous êtes des Polonais.

Il s'était adressé à eux en polonais, certain de son intuition. Jerzy plissa les yeux et chercha la tête de ce prêtre dans le décor de Cracovie. Il avait expliqué à Anna qu'il avait été un bon ami de son père.

« Mais pourquoi est-ce que tu n'as même pas essayé de le revoir ? »

Jerzy avait hésité avant de répondre qu'il aurait été gêné d'y aller.

« C'est ridicule.

— Je le sais. »

Il s'était tu, buté, avant de prendre un air misérable.

« La vraie raison, c'est que je n'avais absolument pas le courage de me faire dire qu'il était mort. Pas plus que je n'avais le courage de lui annoncer la mort de ma famille. C'est tout.

— C'est encore plus ridicule. Il est vivant et je suis certaine qu'il aurait été enchanté de te savoir à Winnipeg.

— On verra ça aujourd'hui. »

Villeneuve et Jerzy se fixèrent durant un long moment. Villeneuve se racla enfin la gorge, se leva, contourna le pupitre et se dirigea vers Jerzy. Celui-ci comprit ce qu'il allait faire et se releva aussi rapidement qu'il le put. Il se planta devant Villeneuve dont la bouche et le menton tremblaient sur ses lèvres pincées. Jerzy regarda Anna et tenta de sourire malgré son émoi.

— Jerzy.

Villeneuve ne dit pas un mot de plus, arrachant presque la tête de Jerzy tant il l'étreignit. Il voulut lui parler d'Élisabeth et de Jan mais ne put placer un mot, Jerzy lui demandant d'abord s'il pouvait bénir son mariage et enchaînant sur un rapide sommaire de ses neuf dernières années.

— Nous nous mettons à table dans quinze minutes. Je vais aller aviser immédiatement d'ajouter deux couverts.

Jerzy le regarda partir tout en serrant la main d'Anna.

— C'est bon, Anna. Merci d'avoir insisté.

— C'est extraordinaire. Avec lui, tu ressembles à une personne que je ne reconnais pas.

— Probablement mon père.

Villeneuve passa à la chapelle, s'agenouilla et se signa devant le tabernacle, abasourdi par l'immensité du miracle. Il fomenta alors une idée, espérant qu'elle lui serait pardonnée. Il alla ensuite aux cuisines et fit jurer le silence à toutes les religieuses.

— Vous allez lui trouver un air de famille, mais n'ayez pas un sourcillement d'étonnement.

Les religieuses promirent et Villeneuve revint trouver Jerzy et Anna.

43

Les narines remplies du parfum des bourgeons, Villeneuve roulait le cœur léger, oubliant ses coutumières embardées de distraction. Il sifflotait des airs plus païens que religieux, mais il s'en amusa plutôt que de s'en confesser. Depuis les retrouvailles avec Jerzy, il n'avait cessé de répéter *Deo gratias* sur *Deo gratias*. Oh! le plaisir qu'il se promettait le jour du mariage de Jerzy! Il regarda le ciel dont le bleu semblait déteindre sur la totalité de la plaine. Le cercle jaune du soleil ressemblait à une coquetterie céleste, épinglette piquée là uniquement pour lui rappeler l'ostensoir. De l'autre côté, derrière la rive grattée et coiffée de multiples raies, Villeneuve devina les maisons de Saint-Norbert. Il essaya d'imaginer Jerzy accroupi dans un champ, la main remplie de grains, ou debout à côté de la pompe, étanchant sa soif. Il repoussa l'idée que Jerzy était peut-être occupé à frôler Anna et à soupirer son désir en lui mordillant les oreilles.

Les réflexions de Villeneuve dérapèrent dans le temps et il vit le sourire de Tomasz et de Zofia. Ils auraient aimé leur belle-fille. Anna avait un humour exceptionnel et aimait leur fils au visage d'ange et à la jambe de fantoche. Du revers de la main, Villeneuve s'essuya le nez, pensant à l'impitoyable cruauté de la vie quand elle s'acharnait sur les êtres. La silhouette de Saint-Adolphe découpa l'horizon et il réussit à sourire. Il aimait bien arriver sans s'annoncer, Jan voyant en sa présence la promesse de quelques heures de récréation ou de repos. Il klaxonna en rangeant son auto près du bâtiment des employés et vit quelqu'un faire un pas en arrière afin de ne pas être vu dans la fenêtre. Il monta sur le perron et frappa avant d'entrer mais la porte était sous verrou. Étonné, il frappa de nouveau et on lui ouvrit enfin. Jan était devant lui, le nez et les yeux tuméfiés. Villeneuve sut que son visage à lui était passé au rouge, la violence de sa colère lui ayant alerté le cœur.

— Pas encore, Jan ! Dis-moi que ce n'est pas M. Bergeron qui t'a fait ça.

— Ce n'est pas M. Bergeron qui m'a fait ça.

Villeneuve n'en crut pas un mot. Jan parlait comme s'il avait eu le nez bourré de mèches et la bouche remplie d'éclats de dents. Villeneuve marcha vers son lit et aperçut le sang qui tachait encore un coin de couverture et un vieux coussin qui devait être son oreiller de fortune. Sur le chevet, une vieille boîte de cigares s'ouvrait sur un étonnant bric-à-brac. Voulant détendre l'atmosphère, Villeneuve essaya de blaguer.

— Ta boîte à surprises ?

Jan ne répondit pas mais s'approcha lentement du lit. Villeneuve comprit qu'il avait mal au corps.

— Je vous défends de toucher à mes affaires.

Villeneuve tiqua d'étonnement. Si Jan avait le regard lourd de torpeur, il avait retrouvé la force de s'aiguiser la langue. Villeneuve le vit remettre vivement le couvercle de la boîte et la ranger sous son coussin inconfortable. Il s'assit au pied du lit.

— Je suis venu te demander un service, Jan.

— Un service funèbre ?

Villeneuve hocha la tête devant le douloureux cynisme de son protégé.

— Tu brûles... Je ne parle pas de l'extrême-onction mais du mariage.

Jan se tut, attendant la suite, certain que Villeneuve, encore une fois, lui compliquerait la vie.

— Je vais bénir un mariage polonais dans exactement trois semaines et j'ai pensé qu'Élisabeth et toi pourriez faire la musique, à l'église. J'ai entendu beaucoup de commentaires sur vos petits récitals de Noël et je me suis dit que vous seriez...

— Je ne veux pas faire ça.

La réponse de Jan avait claqué comme une corde de violon qui vient de se briser. Villeneuve se releva et se dirigea vers une fenêtre. Quelque chose dans la douleur de Jan lui échappait et il ne savait comment la soulager.

— C'est que ce serait assez important. Les mariés aiment la musique et...

— J'ai dit que je ne pouvais pas faire ça.

— Non, tu as dit que tu ne voulais pas...

— Si c'est ce que j'ai dit, ça doit être vrai.

Jan s'avança vers la pompe, versa de l'eau froide dans un bol, y trempa un linge et s'épongea le visage. Villeneuve ferma les yeux, se disant que Jan devait endurer le martyre.

— Pourquoi est-ce que tu te bats toujours, Jan?

Jan finit de s'éponger et émit un petit son de dépit.

— Parce que je suis un Polak. C'est connu.

Il retourna vers son lit et s'étendit en soupirant. Villeneuve sortit de la maison, marcha jusqu'à son automobile, y prit une boîte de carton et revint.

— J'ai pensé que tu pourrais peut-être t'organiser pour manger ça.

Jan ouvrit et aperçut des boîtes de conserve, du pain, quelques boissons gazeuses, des fruits et un gâteau fait par les religieuses. Il tenta vainement de cacher sa faim. Ses mains commencèrent à fouiller pour tout découvrir. Il prit une boîte de *Klik* et se dirigea vers le comptoir pour y chercher l'ouvre-boîte. Il ne le trouva pas. Ses gestes, de moins en moins gourds, commencèrent à ouvrir et à refermer frénétiquement tiroirs et portes. Villeneuve le regardait faire, la bouche incrédule devant tant de soudaine agressivité.

— Où est-ce qu'ils ont mis le maudit *can opener*?

Jan se dirigea vers le lit d'un des métis, ouvrit la commode qu'il fouilla sans ménagement, les vêtements volant comme des oiseaux effarouchés par l'arrivée d'un chat. Ne trouvant rien, il se dirigea vers le second lit et fit subir le même sort au chiffonnier. De plus en plus enragé et poussant des grognements d'impuissance, il tourna le matelas sous le regard à la

341

fois affolé et chagriné de Villeneuve. Transpirant et respirant comme un cheval de labour, Jan revint vers les tiroirs près de la pompe et les fouilla de nouveau. Il se résigna à sortir un vieux couteau épointé et ébréché. Il en éventra la boîte et Villeneuve reconnut le geste qu'il lui avait vu faire quand il avait saigné un cochon. Jan mangea avec le couteau et ses doigts. Villeneuve était épouvanté de voir avec quelle vitesse Jan s'était engouffré dans la déchéance. Il se leva d'un bond.

— Fais ta valise, Jan. Tu viens avec moi.

Jan cessa de mâcher et dévisagea Villeneuve de ses yeux bridés par les coups de poing.

— Non.

Villeneuve regarda au ciel, essayant de comprendre le pourquoi de ce supplice volontaire.

— Je t'emmène et je te promets de te trouver un meilleur emploi.

— Non.

Villeneuve décida de ne plus discuter et, repoussant Jan du bras, il s'avança vers le lit. Il attrapa un oreiller au passage, n'en conserva que la taie qu'il commença à remplir des effets pris dans les tiroirs de Jan. Ce dernier, le premier étonnement passé, lui retint le bras.

— J'ai dit non.

— Et moi j'ai dit oui.

Jan lui arracha la taie d'oreiller et Villeneuve se demanda où Jan allait chercher sa force physique et sa capacité de récupération. Sans même réfléchir, il essaya de reprendre la taie et Jan le bouscula assez rudement pour qu'il tombe à la renverse sur le lit.

— Jan, est-ce que tu te rends compte de ce que tu viens de faire ?

— Oui. Et vous, est-ce que vous vous rendez compte de ce que vous me demandez de faire ?

Villeneuve ne prit pas la peine de répondre, se releva et recommença à vider le chiffonnier.

— Tu viens avec moi, Jan. Si je te laisse ici, tu vas être pris dans les serres du Malin. J'ai peur.

De nouveau, Jan lui arracha la taie et la lança à bout de bras. Elle accrocha le coussin au passage, faisant voler la boîte à souvenirs avant de bondir sur l'étui à violon qui heurta violemment le sol. Le bruit de la chute ramena Jan à la réalité et il se précipita pour ramasser l'étui qui s'était ouvert. L'archet était resté coincé dans le feutre du couvercle, mais Jan dut ramasser le violon. Le père Villeneuve s'agenouilla à ses côtés et prit l'étui dans ses mains. Tous les crins de l'archet avaient été coupés. Jan approcha le violon qui, lui aussi, avait été mutilé. Il le confia à Villeneuve puis chercha à quatre pattes le contenu épars de la boîte de cigares. Il y déposa le toron fait des quatre cordes du violoncelle de son père. Villeneuve le regarda faire, reconnaissant dans le geste de Jan tout le recueillement du prêtre devant les objets sacrés. Il était certain que, s'il n'avait pas été là, Jan aurait baisé tous ses éclats de souvenirs. Jan ramassa ensuite l'étui à lunettes, qu'il ouvrit pour s'assurer que les yeux de son père n'avaient pas été davantage aveuglés.

— Tu as un étui maintenant? Quand tu me les as montrées, tu les transportais dans un mouchoir.

Jan fit oui de la tête avant de préciser que l'étui était un cadeau de M. Favreau. Il montra les lunettes à Villeneuve et expliqua l'histoire de la petite étoile, dans le coin gauche. Villeneuve l'écouta religieusement. Jan déposa l'étui dans la boîte, sous les cordes du violoncelle. Il recommença à chercher sur le plancher et se traîna sous le lit pour en ressortir empoussiéré, tenant un petit sac dans les mains. Il en montra le contenu à Villeneuve.

— Sentez...

Villeneuve sentit mais ne reconnut aucune odeur distincte.

— Ça ne sent rien.

— C'est parce qu'elle est sèche. C'est de la terre de Cracovie. Je l'ai prise dans la cour juste avant de partir. Élisabeth en a aussi.

— Le dernier soir où j'ai vu ton père, Jan, il m'a demandé d'écouter et je n'ai rien entendu. Lui entendait la rumeur de la guerre. Toi, tu me demandes de sentir, et je ne sens rien.

— Peut-être parce que vous n'avez pas les sens d'un Polonais.

— Tu as probablement raison. Je leur ai emprunté un morceau de langue, c'est tout.

Jan se glissa de nouveau sur le sol et ramassa le livre dans lequel il avait mis à sécher des feuilles d'érable, à Montréal. Il tâta ensuite en aveugle dans tous les recoins. Il chercha pendant cinq bonnes minutes et Villeneuve essaya de l'aider.

— C'est tout petit et vous n'avez pas les yeux d'un Polonais.

Villeneuve se releva et s'assit sur le bord du lit, regardant les cordes sectionnées et tordues du violon, mais surtout le contenu de la boîte de cigares.

— Je l'ai!

Jan se releva et déposa la moitié de l'alliance de bois que Marek avait glissée au doigt d'Élisabeth. Villeneuve n'eut pas besoin d'explications. Pas plus qu'il n'en avait demandé pour les cordes du violoncelle. Il avait compris. Il reposa les cordes dans la boîte mais Jan les reprit et les frotta doucement. Villeneuve se demanda si elles produiraient un son de souvenance. Jan les recoucha sous les lettres de Favreau et prit la boîte, qu'il referma. Villeneuve comprit que cette petite boîte contenait tous les souvenirs des dix-neuf ans de vie de Jan. De véritables reliques, de vrais artefacts d'une époque révolue.

— Pensez-vous qu'Élisabeth est bien?

Villeneuve répondit qu'Élisabeth avait réappris à dormir sans faire de cauchemars, que Jan l'avait vue lui-même à Noël et qu'elle ne se plaignait de rien.

— Tout ce qui l'inquiète, Jan, c'est toi.

— Qu'est-ce qu'elle a dit, elle, pour le mariage?

— Elle a répondu oui avec enthousiasme.

— Ah oui?

— Oui, parce que cela lui donnait l'occasion de te voir souvent.

Jan ne discuta plus et ramassa ses frusques, qu'il jeta dans un sac de toile récupéré au fond d'un placard. Il prit cependant soin de bien plier les vêtements que lui avait offerts Mme Dussault à Noël. Il ficela finalement sa boîte de cigares sur l'étui à violon.

Le ciel s'était coloré du rouge de la honte quand Jan

franchit le pas de la porte. Jan s'assit dans l'auto et ne songea même pas à poser le violon sur la banquette, tant il le tenait serré dans ses bras. Personne ne le vit partir. Personne ne vint le saluer et Villeneuve lui-même n'eut pas le courage de nettoyer la chambre des vestiges de sa rage.

44

— ALORS, Jan, tu penses qu'on devrait jouer l'*Ave Maria*?
— Absolument. À la sortie de l'église, pour
que la Vierge noire protège leur mariage. Si ce sont de vrais
Polonais, je suis certain qu'ils vont trouver ça extraordinaire.

— Avec l'orgue?

— Évidemment. Nous, nous jouerons la partition lyrique.

Élisabeth ferma les yeux et chantonna l'*Ave Maria*, un
sourire se dessinant sur ses lèvres.

— Ça va être religieux et romantique. J'aurais aimé avoir
un mariage comme celui-là.

Élisabeth regarda son frère et lui sourit. Le visage de Jan
avait retrouvé des traits réguliers, hormis une nouvelle
balafre près de la narine. Il lui rendit son sourire, pensant
encore une fois qu'il était heureux. Depuis que le père
Villeneuve l'avait ramené au presbytère, il avait vécu les
deux plus belles semaines de sa vie. Chaque minute du jour,
il se pinçait pour s'assurer qu'il ne rêvait pas. Depuis
quatorze jours, il dormait enfin ses nuits, les oreilles assou-
pies elles aussi, sans crainte d'être volé ou tabassé par
surprise. Il mangeait trois repas par jour. Le matin, la tête
reposée et le corps occupé à digérer, il prenait le tramway,
puis le trolleybus, et rejoignait Élisabeth chez les Dussault.
La salle d'attente avait été mise à leur disposition entre midi
trente et quatorze heures, le moment où le docteur s'absentait de son cabinet, soit pour monter à l'étage prendre une
bouchée, soit pour effectuer une visite d'urgence. Jan se
sentait si bien qu'il s'était même mis à quatre pattes pour

346

laver le plancher de la cuisine pendant que sa sœur écrivait quelques arrangements pour le mariage. D'être à genoux ne l'avait pas humilié alors qu'il aurait frappé, à Saint-Adolphe, celui qui le lui aurait demandé. Jan accorda son instrument. Les cordes, remplacées grâce à Villeneuve, luisaient comme des bijoux neufs et les crins de l'archet n'avaient pas encore eu le temps de se teinter d'arcanson. Jan avait — à l'insu de Villeneuve — inscrit le montant de ces dépenses sur un papier qu'il avait rangé dans sa boîte de cigares. Il écouta sa sœur attaquer les premières mesures de l'*Ave Maria* et, encore une fois, fut renversé par son immense talent.

— Cesse de me regarder et concentre-toi un peu. Nous faisons un duo, Jan.

Jan approcha l'archet de son front et fit un salut militaire.

— Oui, mon commandant.

Ils s'exercèrent plus longuement que d'habitude, les Dussault s'étant absentés pour le dimanche entier. Ils étaient tous les deux affamés de musique, même si Élisabeth en mangeait toutes les semaines avec ses élèves.

— On recommence à la mesure...

— Oui.

Élisabeth dirigeait extrêmement bien. Jan la regarda tenir l'archet avec toute la fermeté et la souplesse requises. Sa sœur lui avait terriblement manqué. Ils s'étaient peu vus depuis leur arrivée au Manitoba et ce sevrage lui avait pesé lourd.

Jan et Élisabeth jouèrent pendant plus de deux heures avant de se reposer. Ils entendirent le carillon de la porte et Élisabeth partit en courant, rouge avant même de s'essouffler à monter l'escalier. Jan haussa les épaules, rangea son violon et son archet, sachant fort bien qu'Élisabeth consacrerait son après-midi de congé à Étienne. Élisabeth lui avait enfin appris qu'Étienne n'était ni professeur ni étudiant, mais annonceur à la station radiophonique CKSB. Jan n'en avait pas été étonné, reconnaissant qu'Étienne avait une voix exceptionnelle. Il s'étira et se leva, regardant les vieux appareils médicaux dont le médecin avait orné les murs et quelques étagères. Il allait retrouver sa sœur et Étienne lorsqu'ils descendirent.

— Il faut que nous répétions encore. Il ne nous reste même pas une semaine avant le mariage. Étienne va nous écouter, si tu n'as pas d'objection.

Jan ne reconnaissait plus sa sœur. La triste Élisabeth s'était évanouie dans le reflet des mirages pour laisser place à un merveilleux professeur de musique. Jan voyait bien que sa sœur était une jolie et charmante jeune fille qui ressemblait de plus en plus aux souvenirs qu'il avait de sa mère. Il sortit son violon et ils recommencèrent à jouer les pièces sélectionnées pour toute la messe. Étienne n'avait d'yeux que pour Élisabeth qui, Jan le voyait bien, lui faisait des œillades langoureuses. Jan avait souffert de penser que jamais elle n'avait manifesté autant d'amour pour Marek, mais, en y réfléchissant, il avait compris qu'elle n'avait pas manqué d'amour mais de force, qu'elle avait dû souffler et souffler sans jamais parvenir à attiser le feu de sa passion.

Jerzy et Anna frappèrent à la dernière porte. On leur ouvrit et ils tendirent une invitation pour les noces.

— Nous savons que nous vous prévenons à la dernière minute, mais l'année de deuil n'étant pas écoulée, nous voulons faire les choses le plus sobrement possible.

— Entrez.

Jerzy regarda Anna d'un air piteux. Depuis le matin, depuis la fin de la messe, il avait été invité à boire partout où ils s'étaient arrêtés pour porter une invitation. Anna le retint par le bras pour l'aider à se tenir debout.

— Si tu acceptes un autre verre, Jerzy, je te laisse tomber.

— Tu me quittes...

— Non, je te laisse tomber par terre. Tant pis pour toi. Encore un verre et, ma foi, tu marcheras droit.

Jerzy commença à rire à s'en tordre, imité par Anna que l'alcool avait quand même un peu égayée.

— Je vous offre une vodka ?

— Non, merci. Nous devons rentrer, mais nous espérons que vous serez avec nous samedi.

— Pas si vous ne prenez pas un petit verre.

Anna et Jerzy se regardèrent, découragés. Jerzy supplia Anna de ne pas l'échapper. Ils revinrent à la maison en chancelant, véritables partenaires de beuverie. La mère d'Anna les gronda pour la forme et leur ordonna de dormir, le temps qu'ils éliminent les vapeurs d'alcool.

— C'est une bonne chose que vous ayez bu aujourd'hui. Vous aurez la tête bien rincée et les esprits clairs le jour du mariage.

Jerzy et Anna montèrent chacun dans leur chambre et Jerzy retrouva un moment de lucidité pour embrasser Anna tout doucement et lui demander d'être patiente parce qu'il la rejoindrait dans six jours. Anna dodelina de la tête et lui prit le menton en lui disant que c'était bien à lui qu'il fallait recommander la patience. Jerzy prit un air faussement offusqué et referma la porte de sa chambre, se collant aussitôt l'oreille contre le mur de celle d'Anna pour entendre chanter le sommier. Il s'allongea et sourit à l'idée qu'Anna, il en était certain, pensait à lui. Il la salua avant de s'endormir lourdement.

Le lundi n'apparut pas, les nuages et la pluie le cachant à la vue de tous. Jerzy, condamné à rester dans la maison, passa son temps à regarder Anna et sa mère achever de coudre la robe de noces. Anna, pour surprendre Jerzy, s'était fait une robe tout à fait polonaise, couverte d'appliques, de rubans et de broderies. Même son voile serait retenu par une couronne de fleurs dont elle avait harmonisé les teintes avec celles de la robe.

— Ça te plaît, Jerzy ?

— Beaucoup.

Anna sourit et continua sa broderie. Cigarette aux lèvres, Jerzy l'observait, plissant les yeux pour bien voir l'ombrage que faisaient les cils sur les joues. Anna n'était pas aussi jolie que Pamela mais il mourait d'envie de la découvrir entièrement, de la connaître dans le moindre repli de son ventre et d'explorer la douceur de ses seins replets. Il se leva pour boire, la veille lui ayant séché la gorge, et fut étonné d'avoir pensé à Pamela. Depuis qu'il était installé au Canada, Pamela s'était confondue avec ses souvenirs de guerre qu'il avait fortement tenté d'éliminer.

— Tu as mal quelque part, Jerzy ?

349

Il sursauta, se demandant ce qu'il avait bien pu faire pour alerter Anna.

— Non, pourquoi ?

— Parce que tu as l'air inquiet, c'est tout.

Il lui sourit et monta à sa chambre. Il aurait voulu jouer du violon mais il s'abstint, sachant qu'il en jouerait tant qu'il voudrait le jour des noces. Il se pencha et sortit de sous son lit toutes les caisses de vodka qu'il avait achetées pour la réception. Il avait insisté pour le faire, la famille du marié devant traditionnellement désaltérer les invités alors que celle de la mariée devait les nourrir. Il s'étendit sur le lit, le cœur soudainement accroché au souvenir des visages de Tomasz et Zofia. Si son mariage le réjouissait tant, c'est qu'il lui permettait d'avoir non seulement une femme exquise pour épouse mais aussi une belle-famille charmante qu'il verrait peu mais toujours avec plaisir. À son grand étonnement, il s'éveilla alors qu'il n'avait pas eu conscience de s'être endormi.

Le mardi n'eut pas meilleure mine que le lundi, la terre devenant de plus en plus gorgée d'eau. Jerzy mit ses hautes bottes et un imperméable et alla parcourir la totalité de la terre. Il observait l'égouttement de l'eau, prenant note des engorgements, analysant la rapidité d'arrosage. Il s'approcha de la Rouge et la regarda avec méfiance. Il trouvait cette rivière hypocrite, sous son teint brunâtre et son air endormi. Il revint vers la maison la tête remplie de projets d'amélioration. Il voulait faciliter l'égouttement et l'irrigation. Le père d'Anna n'avait jamais voulu s'attaquer à ces problèmes, s'en remettant toujours à la volonté divine. Jerzy, lui, avait l'intention d'intervenir au cas où cette volonté aurait été occupée ailleurs à des choses plus importantes.

François Villeneuve regarda le calendrier. Le mercredi montrait déjà des signes de faiblesse et le prêtre se demandait s'il devait continuer son jeu ou convoquer Jerzy, Élisabeth et Jan le lendemain afin de leur éviter une syncope. Il ne lui restait que trois jours à attendre avant de se diriger vers Saint-Norbert et de feindre une certaine indifférence en conduisant Jan et Élisabeth au mariage de leur frère. Il les avait entendus jouer le midi même et jamais de sa vie il n'avait pensé que le violon pouvait être aussi beau que l'orgue pour une cérémonie religieuse. Les Pawulscy avaient la musique dans le sang.

Quelqu'un frappa à la porte du bureau et Villeneuve se retourna pour accueillir Jan.

— As-tu un problème, Jan ?

— Non, pas un problème. Je suis venu vous aviser que samedi nous allons rentrer immédiatement après la cérémonie.

— Avec qui ?

— Avec Étienne. Vous n'avez pas d'objection, j'espère ?

Villeneuve tenta de cacher son agacement. Évidemment qu'il avait une objection. Jan et Élisabeth, à son avis, ne voudraient pas rentrer avant le lendemain des noces. Élisabeth ne pouvait s'encombrer d'un soupirant, surtout pas pour cette journée.

— Qu'est-ce qui vous presse tant ?

— Élisabeth et Étienne ont l'intention d'aller au cinéma avec des amis.

— Et toi ?

— Je fais partie des amis.

Villeneuve marcha de long en large, cherchant une solution à ce dilemme.

— Vous êtes tous les deux des adultes et vous pouvez faire ce que vous voulez. Mais moi, j'ai l'air un peu fou parce que je leur ai dit, pas promis mais dit, que vous pourriez probablement assister à la réception et peut-être y jouer encore.

Ce fut au tour de Jan d'avoir l'air déçu. Il n'était pas allé au cinéma depuis près de dix ans. La dernière fois qu'il avait vu un film, c'était à Cracovie.

— Pourquoi est-ce que vous ne nous en avez pas parlé avant ?

— Parce que je n'ai jamais pensé que vous choisiriez le même jour pour faire une sortie.

Jan sentit une colère commencer à lui bouillonner dans le ventre.

— Voilà bientôt trois semaines que nous sommes

enfermés tous les jours pour répéter et vous n'avez pas pensé qu'on pourrait avoir envie de faire une sortie après le mariage... !

Jan se sentit soudainement prisonnier de sa gratitude. Élisabeth lui avait clairement dit qu'elle n'avait pas envie de se retrouver au sein d'une famille polonaise à fêter le bonheur de nouveaux mariés qu'elle ne connaissait même pas.

« Quand j'irai à des noces, ce seront les tiennes ou les miennes, Jan. Je suis une veuve blanche et j'ai encore mal quand je pense à... J'ai accepté uniquement par reconnaissance, pour ne pas chagriner le père Villeneuve et pour te voir. »

Elle s'était assombrie avant de s'accrocher un sourire coquin.

« Et peut-être un peu parce que j'avais envie d'entendre le son du violon résonner dans l'espace d'une église. »

Jan regarda le père Villeneuve, qui semblait s'énerver autant que lui. Il ferma les yeux quelques secondes, le temps de penser que son bonheur tirait certainement à sa fin. Il avait réussi à ne plus avoir de maux de tête et de cauchemars pendant près de trois semaines.

— Je voulais vous dire que j'ai l'intention de chercher du travail...

— Ah oui ?

— Dès la semaine prochaine.

Villeneuve s'était retourné et Jan vit une profonde tristesse s'inscrire sur son front. Du coup, il fut attendri par une émotion aussi visible. Villeneuve n'était pas Bergeron et il était incapable de le détester pour une maladresse.

— Tu as raison, Jan. Je m'excuse. J'ai sincèrement pensé que vous seriez ravis de vous retrouver avec des Polonais. Une impression que des Polonais...

— ... veulent être avec des Polonais. Vous avez peut-être raison. Moi, j'y serai.

Jan vit le visage de Villeneuve s'illuminer et il soupira de contentement d'avoir accepté le report d'une sortie.

Le soleil se pointa à l'horizon, un peu timide d'abord, puis de plus en plus vigoureux. Le printemps venait de gagner la bataille des saisons et de s'approprier la terre qui dégouttait encore de ses derniers arrosages. Jan était parti tôt avec Villeneuve pour arriver à l'église et répéter quelques heures avec l'organiste. Élisabeth et Étienne les attendaient devant l'église polonaise, remplie à craquer pour des funérailles.

— Qu'est-ce qui se passe ? Il n'y a plus de mariage ?

Le père Villeneuve était aux abois et il entra par la sacristie, espérant rencontrer un sacristain ou quelqu'un pouvant le renseigner. Jan et Élisabeth attendirent patiemment. Villeneuve ressortit à la hâte, une enveloppe à la main.

— Le printemps se fait sentir partout. Après les funérailles, il va y avoir deux mariages ici. Notre mariage va se tenir dans l'église ukrainienne. J'avais un message de Mme Jaworska qui s'excuse de n'avoir pas pu m'en aviser plus tôt.

Ils repartirent donc en direction de l'église ukrainienne où les attendait une organiste sèche et nerveuse qui ne cessait de s'humecter les lèvres après chaque phrase. Jan s'en énervait à chaque fois. Voyant que tout marcherait rondement, Étienne quitta Élisabeth et promit de venir la chercher vers vingt et une heures. Elle le laissa lui baiser une joue devant Villeneuve qui se contenta de toussoter. Jan et Élisabeth montèrent et s'installèrent au fond du jubé, regardant l'heure et calculant qu'ils n'avaient plus qu'une quarantaine de minutes pour répéter. L'organiste mit des lunettes qui lui pinçaient visiblement le nez et regarda leur choix musical.

— Très bon choix. Vous pouvez jouer tous ces morceaux ?

Jan faillit répondre qu'en fait ils avaient choisi au hasard, puisqu'ils ne savaient pas trop bien lire la musique, mais il se tut, voyant le sérieux qu'Élisabeth mettait à son travail. Il remarqua que ses paumes étaient humides et il fut étonné de se sentir le ventre à l'étroit. Ils choisirent de s'asseoir derrière l'organiste et installèrent des lutrins de fortune. Villeneuve les regarda faire, inquiet.

— Vous n'allez quand même pas vous asseoir pour jouer !

— Évidemment. Quand on doit jouer plusieurs pièces, il est préférable d'être assis. D'autant plus qu'on ne joue pas sans arrêt.

— Mais vous allez être debout quand va venir le temps de jouer fort...

— Ça ne joue pas plus fort debout qu'assis, mon père.

Villeneuve paniqua.

— Mais moi je veux vous voir. C'est presque un spectacle que vous faites et je dois vous avouer que je suis très excité. Après tout, c'est moi qui ai vanté votre talent aux Jaworscy.

Jan et Élisabeth se regardèrent et déplacèrent leurs chaises pour être devant l'orgue, mais dos à la nef. Villeneuve s'énerva davantage.

— Mais vous ne pouvez pas tourner le dos au Seigneur !

Élisabeth inspira longuement avant de lui répondre gentiment que s'il avait vanté leur talent, c'est qu'il leur faisait confiance.

— Nous n'irons pas dans la sacristie, mon père. À chacun sa place.

Villeneuve fut piqué et redescendit l'escalier, déçu de penser que son coup de théâtre allait probablement échouer parce qu'il ne connaissait rien à la musique. Deux enfants de chœur l'attendaient dans la sacristie. Ils avaient déjà revêtu leur aube et se moquaient l'un de l'autre parce qu'ils avaient grandi et que leur robe laissait voir des chaussures poussiéreuses et des chaussettes dépareillées. Villeneuve les salua et se dirigea vers la table où avaient été déposés ses vêtements sacerdotaux. Il menaça le Seigneur de lui remettre sa démission si la réunion ne se faisait pas.

Jerzy et Anna marchaient bras dessus, bras dessous, en direction de l'église ukrainienne, plus éloignée de la maison que l'église polonaise. Jerzy ne s'en plaignit pas, appréciant ce moment de calme.

— Ta robe s'harmonise à merveille avec toutes les couleurs qu'on voit. Il n'y a rien de plus beau que toi aujourd'hui.

— Et personne de plus aimé que toi, Jerzy.

Plusieurs invités les suivirent après les avoir d'abord

salués au passage. Le couple auquel s'agglutinaient les invités était resplendissant et la démarche claudicante de Jerzy semblait tout à coup rythmée sur le battement de son cœur.

— Jamais je n'ai trouvé ta canine aussi charmante, Anna.

Anna sourit tout en regardant les deux clochers bulbes, pointés, patauds, vers le ciel. Ils laissèrent passer les invités et Mme Jaworska et entrèrent finalement, le cœur un peu comprimé.

Le père Villeneuve ouvrit les bras pour les accueillir, comme si jamais il n'avait vu d'aussi beaux mariés. Ils arrivèrent enfin à l'avant et Villeneuve fit signe à l'organiste de commencer. Jerzy ne broncha pas mais sourit de bonheur lorsqu'il entendit la complainte de deux violons. Il se pencha pour remercier Anna de cette délicate attention et elle le regarda, étonnée, ayant elle-même pensé que la surprise était de lui. Le père Villeneuve avait l'air plus inquiet qu'eux, des petites perles de nervosité s'accrochant à son nez. Le temps des vœux arriva enfin. Jerzy et Anna se levèrent et firent un pas en avant pendant que Villeneuve ne cessait de regarder vers le jubé. Il n'apercevait que deux têtes blondes penchées l'une vers l'autre et des mains tripotant des feuilles de musique.

— Jerzy Pawulski...

Il fit mine de s'étouffer et recommença une deuxième fois, plus fort.

— Jerzy Pawulski...

Encore une fois il s'étouffa, ce qui amusa les mariés et les invités. Quant à Jan et Élisabeth, ils n'entendirent rien, si ce n'est une petite commotion d'amusement. Ils ne se retournèrent pas au grand dam de Villeneuve qui promit à Dieu que, si Jan et Élisabeth ne se retournaient pas la troisième fois qu'il ferait chanter son coq, il vendrait son âme au diable, aussitôt prononcé, *Ite missa est*.

— Jerzy Pawulski...

Villeneuve fit une pause et regarda vers le jubé, soupira et tenta de se reconcentrer sur la cérémonie. Il prononça le reste de l'office un peu trop distraitement à son goût, déçu à mourir de n'avoir pu réussir la spectaculaire réunion qu'il s'était promise.

L'organiste fit signe à Élisabeth et à Jan qu'ils pouvaient attaquer l'*Ave Maria*, les mariés commençant à redescendre l'allée. Jan donna un coup de coude à sa sœur et lui demanda de jouer seule.

— C'est encore plus beau quand un seul violon fait la voix.

— Tu ne peux pas faire ça..

— Vas-y, je t'écoute.

L'organiste, impatiente, attaqua les premières mesures et Élisabeth, voyant que Jan ne plierait pas, décida de se lever. Le son du violon monta si pur dans l'église que Jerzy s'arrêta pour écouter la beauté de l'interprétation de cette pièce que sa mère et sa sœur avaient si souvent jouée ensemble. Il leva la tête pour remercier la violoniste d'un signe de complicité et ne bougea plus. Anna avait fait un pas mais, sentant qu'il ne la suivait plus, elle s'immobilisa elle aussi. Villeneuve regarda vers le jubé et vit la tête recueillie de Jan et celle d'Élisabeth qui, les yeux fermés, semblait bercer son violon.

Jerzy avait pâli et Anna eut peur. Elle se tourna vers sa mère, le regard inquiet. Mme Jaworska fit quelques pas pour faire redémarrer le cortège mais Jerzy ne bougeait toujours pas. Il était suspendu au front et au coup d'archet de la violoniste. Puis, comme s'il avait été frappé par la foudre, il prit la main d'Anna et se mit à courir en criant le nom de sa sœur. Élisabeth s'arrêta net et Jan se leva pour voir qui, dans cette église, commettait presque un sacrilège. Jerzy arrêta sa course et cria le nom de son frère. Anna crut que son mari venait d'être atteint d'une crise de folie tandis que Villeneuve s'agenouilla pour remercier le Créateur d'avoir fait l'impossible pour le garder dans son ministère. Jerzy arriva enfin en haut de l'escalier, essoufflé, fit une profonde respiration pour s'assurer de ne pas s'évanouir, puis, sans lâcher la main d'Anna, avança lentement vers les deux spectres aussi livides et frémissants que lui.

— Élisabeth, Jan... Vous me reconnaissez ?

À peine avait-il terminé sa phrase qu'il dut, aidé de son frère, retenir Élisabeth qui venait de perdre conscience.

Cinquième temps

1949-1950

45

Les champs de mai réclamaient leur pitance. Jan et Jerzy partirent tôt, chacun transportant des piquets et des cordes ainsi qu'un immense seau rempli de morceaux de pommes de terre germées. Jan marchait devant, ayant pris l'habitude de ne plus attendre Jerzy. Au début, il n'avait su comment réagir à l'infirmité de son frère. Maintenant, la douleur de Jerzy ne lui faisait plus mal.

Depuis qu'il avait retrouvé Jerzy, Jan parlait souvent de la guerre, mais très peu de Saint-Adolphe. Son séjour dans ce village était une période de sa vie qu'il voulait effacer de sa mémoire, à défaut de pouvoir en faire disparaître les balafres sur son corps.

— C'est ici que je veux mettre les pommes de terre. Qu'est-ce que tu en penses ?

Jan savait qu'il ne pouvait pas en penser grand-chose, Jerzy ayant déjà préparé le plan des jardins bien avant la fonte des neiges et bien avant qu'il ne devienne son employé. Jerzy avait insisté pour le payer et Jan avait accepté. Il n'avait jamais cessé de faire parvenir ses économies à Élisabeth pour qu'elle les verse à son compte à la banque. Il était déjà allé à sa succursale, à l'angle des rues Provencher et Aulneau, uniquement pour voir les lieux qui protégeaient son argent et la tête des gens qui, sans le connaître, lui versaient des intérêts.

Jan laissa tomber un piquet que Jerzy planta. Il se dirigea ensuite vers la rive de la Rouge, tenant le second piquet comme une bobine de fil qui se déroulait à la vitesse de sa marche. Il se retourna et obéit aux gestes de Jerzy, se déplaçant à gauche, se déplaçant à droite, jusqu'à ce que son frère lui fasse comprendre qu'il était au bon endroit. Il fixa son piquet, revint vers son frère et recommença le manège aussi longtemps qu'il le fallut pour rayer de cordages tout le champ.

— Quels beaux semis de cordes de lin !

Jerzy, comme d'habitude, se faisait rire lui-même.

— Tu te rends compte de la récolte que tu vas avoir ici ?

— Tu parles d'une récolte de cordelettes ou d'une récolte de pommes de terre ?

Jan haussa les épaules. Parfois son frère manquait du plus élémentaire sérieux.

— Tu vas certainement avoir besoin d'aide. Penses-tu que tes beaux-frères vont venir ?

— Je l'espère. Mais Anna me dit que son père faisait ça tout seul.

— Se pendre avec ses cordelettes ?

Jan sourit, heureux, presque étonné de sa repartie.

— Oui, le pauvre homme. Et moi, j'ai pris un lot de plus.

— Tu ne pourras vraiment pas te rater.

— Tu serais surpris. J'ai énormément de ressort, même sur une seule jambe.

Les frères se dévisagèrent, l'un et l'autre ravis de l'absurdité de la conversation. Jerzy se tut, déposa la dernière paire de piquets non utilisés, s'approcha de Jan et le serra dans ses bras. Mal à l'aise, Jan ne sut que faire de l'étreinte. Jerzy lui faisait penser à leur mère. Il caressait toujours Anna comme sa mère avait caressé leur père. Il recherchait sans cesse le contact avec les siens comme Zofia l'avait fait avec eux.

— Jan, jamais je n'aurais pensé être aussi heureux. Jamais je n'aurais pensé que mon petit frère plongerait ses mains dans ma terre.

Jerzy laissa tomber les bras et concentra son regard sur la Rouge.

— Elle fait un peu pitié si on la compare au Richelieu du Québec...

— Tu as vu le Richelieu ?

— Je suis passé au-dessus en train. Il n'était pas encore gelé.

— C'est vrai.

— Mais la Rouge, c'est ma rivière. Quand j'étais à Londres et que je travaillais à la reconstruction de la ville, je ne rêvais que d'une chose : avoir mes jardins le long d'une rivière.

— On peut dire que tu as réalisé ton rêve...

— Plus que mon rêve, Jan. Cent fois, mille fois plus...

Jan regarda son frère, se demandant par quelle force il avait survécu au camp de travail, aux combats, aux blessures, à l'hospitalisation et à la solitude. Comment Jerzy continuait-il de penser que la vie était une chose extraordinaire ? Jan aurait été étonné de savoir que Jerzy regrettait toujours la Pologne et l'Australie.

Les frères se mirent à quatre pattes l'un en face de l'autre et commencèrent à planter les pommes de terre. Jerzy se déplaçait de manière complètement désarticulée mais ses mains enfouissaient les tubercules plus rapidement que celles de Jan qui, lui, se mouvait avec plus d'aisance.

— Qu'est-ce que tu penses d'Anna ?

Jan sourit de la naïveté de la question. Jerzy savait fort bien qu'il adorait sa belle-sœur.

— Je pense qu'elle doit trouver sa maison bien envahie, avec sa mère et son beau-frère.

— La maison appartient à sa mère, Jan.

Du coup, Jan fut mal à l'aise. Il ne s'était pas rendu compte qu'il devait l'hospitalité à Mme Jaworska et non à son frère. Il se promit de jouer plus souvent aux cartes avec elle.

Le dimanche arriva, amenant avec lui Élisabeth et Étienne. Élisabeth avait apporté une robe usée pour travailler dans les champs.

— Voyons, Élisabeth, on ne travaille pas dans les champs le dimanche. Pour les récoltes, oui, mais pas pour les semis.

Désolée de ne pouvoir jouer dans la terre, Élisabeth s'assit dehors en compagnie de ses frères, d'Étienne et d'Anna et regarda passer les automobiles.

Mme Jaworska offrit du jus de fruits que seules Élisabeth et Anna acceptèrent alors que les hommes prirent de la vodka avec des croûtons et un verre d'eau glacée. Plus d'une heure passa avant que Jan ne s'excuse et leur fausse compagnie. Il rentra dans la maison, s'installa dans sa chambre, du papier à lettres sur les genoux, et écrivit à M. Favreau sous le regard des lunettes de son père.

« *C'est extraordinaire d'avoir retrouvé mon frère. Il ne me ressemble en rien.* » Il se relut et se demanda s'il était normal qu'il trouve Jerzy trop naïf, trop candide, trop parfait, trop... aîné. Il soupira, jetant un coup d'œil rapide aux lunettes qui semblaient désapprouver sa pensée.

« Je te jure, papa, que je fais tout pour l'aimer, mais je ne le connais pas. J'ai l'impression qu'il s'imagine que je suis encore le petit frère qui avait dix ans quand il est parti. Je l'admire énormément mais je ne peux pas l'aimer comme j'aime Élisabeth. Il n'a jamais eu besoin de moi, lui. »

« *Nous avons terminé les semis cette semaine et je vous avoue qu'aux petites graines je préfère les légumes finis, dans les étals. Jerzy me dit avoir vu un groupe de Polonais à la gare lors de son passage à Montréal. En faisiez-vous partie ? Ce serait quand même drôle de penser que vous auriez pu nous réunir, vous. Il portait un étui à violon. Est-ce que cela vous rappellerait quelque chose ?* »

Jan termina sa lettre sur des insignifiances, parlant quand même d'Anna qu'il aimait vraiment beaucoup. Son enveloppe cachetée et affranchie, il ressortit pour se joindre aux autres. Élisabeth et Étienne étaient partis marcher, et la mère d'Anna avait décidé de rendre visite à une voisine. Jan se sentit de trop.

— Excusez-moi.

Anna éclata de rire et tendit un bras pour que Jan se joigne à eux.

— On parlait de toi, Jan.

— De moi ?

Jan se recroquevilla près d'Anna, se sentant soudainement très petit et, il dut se l'avouer, en sécurité.

— Est-ce que ça te plairait qu'on aille à Saint-Adolphe visiter les gens que tu connais ?

Il se raidit, ayant la terrible impression d'être tombé dans un guet-apens.

— Non.

Il se releva rapidement et, sous les yeux surpris de Jerzy et d'Anna, annonça qu'il allait essayer de retrouver Élisabeth et Étienne. Anna lui indiqua la direction qu'ils avaient prise et, à son grand étonnement, Jan partit dans la direction opposée. Jerzy se releva à son tour, secoua le fessier de son pantalon et regarda marcher son frère.

— On dirait qu'il a tout le poids de la terre sur les épaules. C'est bien lui qui devrait boiter.

Anna s'approcha de Jerzy et nicha sa tête dans le creux de son épaule.

— À qui est-ce qu'il ressemble ?

— Il a des côtés de mon père, toujours inquiet. Je ne l'ai pas connu après son emprisonnement, mais ça devait être difficile. Mon père avait tendance à philosopher avec ses angoisses et il n'avait pas beaucoup d'humour. Mais quel homme !

— Tu penses vraiment que Jan lui ressemble ?

— Je pense que oui, en exagérant qualités et défauts.

Élisabeth et Étienne apparurent au bout de l'allée bordée d'arbres qui menait à la maison. Élisabeth fit de grands signes de la main auxquels Anna répondit avec enthousiasme.

— Je pense que nous allons avoir d'autres noces.

— Oh non ! Élisabeth n'est pas amoureuse d'Étienne.

— Non ?

— Bien non, Jerzy. Élisabeth réapprend les gestes de la séduction. Elle ne l'aime pas.

— Tu te trompes, Anna. Moi, je suis certain du contraire.

Tant qu'Élisabeth ne fut pas à portée de voix, Jerzy et Anna s'obstinèrent dans leurs perceptions respectives.

Ils préparèrent le souper assez tôt, après qu'Élisabeth eut réussi à convaincre Jerzy de la laisser s'occuper de la traite de trois vaches. Étienne était rentré en se bouchant le nez.

— C'est qu'Élisabeth elle-même sent la vache.

Étienne lut un magazine pendant qu'Élisabeth se lavait et remettait sa robe du dimanche.

— Mais où est Jan ?

Jerzy regarda l'heure. Son frère était parti depuis long-temps. Ils l'attendirent pour passer à table, puis, voyant qu'il ne revenait pas, décidèrent de manger.

— Ça lui arrive souvent d'aller au village ?

— C'est dimanche. Tout est fermé.

— Peut-être les commerces mais pas toutes les portes.

Anna avait voulu se faire rassurante. Élisabeth attendit encore une heure, marchant de la porte à une fenêtre, puis à l'autre fenêtre, s'approchant de l'appareil téléphonique dans l'espoir de l'entendre sonner. Elle était incapable de sourire et eut quelques impatiences envers Étienne qui n'essayait pourtant que de la rassurer.

— Personne ici ne connaît Jan comme moi.

Anna mit la main sur l'épaule de Jerzy, sachant que cette affirmation lui avait certainement fait mal.

— Jan ne ferait jamais quelque chose comme ça. Pas quand il sait que je suis là et que je l'attends.

Encore une fois, Jerzy réagit comme s'il venait de recevoir une injection de liquide fielleux dans le cœur. Mme Jaworska se leva, alluma une bougie devant l'icône de la Vierge noire et se rassit. Élisabeth la dévisagea, la crainte inscrite dans les yeux.

— Vous êtes inquiète, madame Jaworska.

— Je m'interroge parce que Jan m'avait promis de jouer aux cartes ce soir. Il ne manque jamais à sa parole.

Jerzy, suivi d'Anna, sortit de la maison après avoir emporté une lampe de poche.

— Il a dû se saouler et il doit être affalé quelque part. Je vais faire le tour du terrain.

Anna marcha derrière lui, scrutant chaque buisson. Les piles de la lampe faiblirent et c'est dans la noirceur totale qu'ils rentrèrent.

— Jan ?

— Non, c'est Jerzy.

Il crut entendre une déception dans la réaction pourtant discrète et assourdie d'Élisabeth. Anna lui prit la main et la serra très fort.

— Ne sois pas susceptible, Jerzy. Elle est inquiète.

— Moi aussi, je le suis.

Le silence entra dans la maison en même temps que Jerzy. Seuls le tic-tac de l'horloge et le bruit que faisait Jerzy en aspirant et expirant la fumée de ses nombreuses cigarettes réussissaient à le troubler un peu. À vingt-trois heures, Mme Jaworska s'endormit sur sa chaise. Étienne se leva donc sur la pointe des pieds pour se diriger vers Élisabeth qui était debout devant une fenêtre noire, n'y voyant que les reflets de la maison.

— Il faut partir, Élisabeth.

— Pars si tu veux, moi je ne bouge pas d'ici.

— Tu travailles demain matin.

— Ça n'a aucune espèce d'importance.

Étienne jeta un regard de supplication en direction de Jerzy qui se contenta de hocher la tête. Étienne se rapprocha encore d'Élisabeth et voulut lui donner un baiser avant de partir. Elle le repoussa.

— Franchement, Étienne, ce n'est ni l'endroit ni le moment.

Étienne fut blessé et il ne lui adressa plus la parole, se contentant de saluer Anna et Jerzy et de leur faire comprendre qu'il téléphonerait le lendemain, avant de sortir sans faire de bruit. La nuit s'empressa d'avaler le bourdonnement du moteur de son automobile.

À minuit, Élisabeth était inconsolable.

— J'ai peur...

— Peut-être qu'il est avec une fille...

— Jerzy ! Jan vient juste d'avoir vingt ans.

Jerzy se tut, craignant tout à coup de commettre une indiscrétion quant à son passé à lui. Mme Jaworska avait réussi à gagner sa chambre pour y dormir et Anna avait abandonné sa tête sur l'épaule de son mari. Seuls Jerzy et Élisabeth montaient la garde, Jerzy fumant de plus en plus et Élisabeth tournant en rond dans la cuisine.

— Cesse, Élisabeth. Tu vas me rendre fou.

Elle se laissa tomber dans une chaise berçante et commença à se balancer, faisant craquer et un barreau de chaise et une latte du plancher. Jerzy soupira son agacement.

— Je pense que je préfère te voir marcher.

Elle se releva et enleva ses chaussures avant de reprendre sa marche d'impatience.

— Veux-tu un bréviaire?

Elle regarda son frère, se demandant comment il faisait pour essayer de la faire rire dans un moment pareil. Jerzy prit un air contrit et alluma une autre cigarette avec son mégot.

Les lueurs du matin traversèrent les fenêtres de la cuisine et chatouillèrent les yeux endormis d'Élisabeth. Leur effleurement la réveilla. Elle battit des paupières et vit qu'il était plus de cinq heures. Jerzy, la jambe reposant devant lui, ronflait tout doucement, faisant virevolter une mèche de cheveux d'Anna qui dormait, le front plissé d'inquiétude. Élisabeth se dirigea vers la porte qu'elle ouvrit doucement. Elle sortit devant la maison et fouilla du regard tout ce que l'aurore daignait éclairer. Maintenant, elle était angoissée. Elle rentra dans la maison, retenant la porte pour l'empêcher de claquer. Elle passa à la salle de bains pour se changer et réenfiler sa tenue de travail, mit les bottes de caoutchouc d'Anna et ressortit d'un pas décidé. Il lui fallait trouver son frère.

Élisabeth marcha jusqu'au village. Les commerces n'étant pas encore ouverts, elle ne put interroger les gens. Elle éprouva quelque trouble à penser que Jerzy avait probablement raison. Mais son inquiétude l'emportait sur la crainte d'avoir à inventer des prétextes pour expliquer sa présence si jamais elle le trouvait dans les bras d'une fille.

Les coqs chantèrent et les sons commencèrent à habiter les cuisines et les bâtiments. Élisabeth ne ralentit pas son pas. Ayant depuis longtemps quitté les limites du village de Saint-Norbert, elle rebroussa chemin et revint en direction de chez Jerzy, mais en marchant de l'autre côté de la route. Elle commença à étouffer. La marche l'avait fatiguée, certes, mais elle manquait d'air tant elle était angoissée. Elle vit l'église et s'en approcha pour aller s'y asseoir quelques minutes. La porte était verrouillée. Elle se retourna et du coin de l'œil aperçut quelque chose dans le cimetière. Elle bougea lentement la tête et poussa un cri horrifié. Elle franchit la clôture et se précipita vers Jan qui reposait face contre terre, le front appuyé sur la pierre tombale d'un certain M. Horodyski. Élisabeth s'agenouilla à ses côtés et le retourna. Si elle s'était attendue à le voir ivre, elle n'avait pas imaginé le trouver baignant dans son sang.

— Jan, bon Dieu! Ouvre les yeux et dis-moi quelque chose! Jan!

Jan était inconscient. Elle courut derrière l'église dans l'espoir d'y trouver un robinet. Dans son énervement, elle ne vit rien. Elle revint vers Jan et le secoua, tout doucement, sans le brusquer. Il ne broncha toujours pas. Affolée, elle retourna chez Jerzy, galopant à travers l'allée bordée d'arbres en appelant son frère à tue-tête.

— Jerzy! Anna! Vite!

Elle ne proféra plus un mot, entra dans la maison à toute vitesse sous le regard blême de son frère et de sa belle-sœur, s'empara de trois serviettes, d'une couverture et d'un cruchon d'eau, et ressortit, toujours au pas de course, immédiatement suivie de Jerzy qui, au volant de sa voiture, la rejoignit et la força à monter.

— Au cimetière.

Ils retrouvèrent Jan où Élisabeth l'avait laissé. À son tour Anna essaya de le réanimer pendant que Jerzy repartait à folle allure chercher le médecin.

— Téléphone au docteur Dussault, Jerzy. Je veux que lui aussi le voie.

Jerzy klaxonna pour faire comprendre qu'il avait bien entendu. Quand Élisabeth se retourna vers Jan, elle vit Anna la tête posée sur sa poitrine.

— Ann...

— Chut!

Élisabeth s'empara de la main ensanglantée de son frère et agrippa son poignet, tentant d'y sentir un pouls.

— Anna?

— Chut!

Anna plaça ses doigts sur le cou de Jan. Oui, oui, elle sentait quelque chose. Un faible battement, sous l'oreille. Le médecin, ramené à toute vitesse par Jerzy, fit respirer à Jan un liquide jaunâtre après avoir examiné ses pupilles et l'avoir ausculté. Jan reprit connaissance. Élisabeth refusa de quitter son frère, le tenant par la main tout le temps de l'intervention du médecin. Jan s'éveilla si peu qu'il ne regarda personne, se contentant de gémir et de refermer les yeux.

— Il faut le conduire à l'hôpital. Il souffre d'une violente commotion.

Jerzy se pencha pour assister le médecin qui tentait de relever Jan. Rien n'y fit. Ils le prirent dans leurs bras.

— Attention à sa tête.

Ils le couchèrent sur la banquette arrière, où Anna avait étendu la couverture apportée par Élisabeth. Ils filèrent directement à l'hôpital, le médecin à l'arrière avec Jan, les trois autres à l'avant.

— As-tu parlé au docteur Dussault, Jerzy?

— Je n'ai pas réussi, la ligne était toujours occupée.

Dès leur arrivée au Winnipeg General Hospital, Jan fut conduit au service des urgences et les trois autres furent relégués dans la salle d'attente. Élisabeth, essorée de toute énergie, réussit à joindre le docteur Dussault, qui lui promit d'arriver aussitôt que possible.

Le médecin de Saint-Norbert vint enfin les trouver, l'air rassuré.

— Il a effectivement une commotion cérébrale, sept doigts et un poignet foulés en plus d'une côté fêlée.

— Et vous souriez?

Élisabeth était absolument offusquée.

— Oui, je souris, parce que je vous avoue avoir craint la fracture du crâne.

Jerzy et Élisabeth se regardèrent, comprenant tout à coup que leur frère l'avait échappé belle.

— Est-ce qu'il a parlé?

— Non, mais c'est normal quand on a eu une commotion.

Le médecin semblait prêt à rentrer à Saint-Norbert. Jerzy, par politesse, s'empressa de le raccompagner, confiant Élisabeth à Anna. À peine étaient-ils partis que le docteur Dussault arriva. Élisabeth lui sauta au cou et sanglota comme une enfant qui vient d'obtenir la permission de flancher et d'avoir mal après être tombée sur un genou. Anna répéta tout ce qu'elles savaient de l'état de Jan, et Dussault entra dans la salle d'examen pour en ressortir quelques minutes plus tard, l'air rassuré.

— Je pense qu'il est inutile de rester ici ce matin. Viens te reposer, Élisabeth, et nous repasserons cet après-midi.

— Je veux le voir.

— Tu ne peux pas.

— Je reste ici.

— Non, non. Viens. S'il va bien, plus tard dans la journée, je vais demander son congé et l'emmener à la maison. Comme ça, il aura son médecin personnel et les meilleurs soins qu'un blessé puisse rêver d'avoir.

— Je pense qu'un blessé ne rêve pas de grand-chose.

Dussault regarda Anna qui prit Élisabeth par l'épaule pour la diriger vers la sortie de l'hôpital.

Le mois de juin était arrivé et Jan ne cessait de bougonner en regardant les croûtes sur ses mains. L'œdème de son poignet s'était résorbé et le docteur Dussault lui avait enfin enlevé le bandage qui lui sanglait la cage thoracique. Jan pouvait maintenant rire et tousser, sa côte fêlée semblant ressoudée. Élisabeth lui consacrait tout son temps libre. Comme elle l'avait promis, elle préparait un petit concert avec ses élèves pour la Saint-Jean. Elle se partageait donc entre son travail que Mme Dussault tentait d'alléger, ses cours et les soins qu'elle lui prodiguait. Jerzy vint leur rendre visite le deuxième dimanche de juin. La vue de son frère le bouleversa. Jan le vit tiquer et retenir une grimace.

— Me trouves-tu amoché ?

Jerzy fit non de la tête mais ne parvint pas à effacer un embryon de rictus. Il ferma les yeux quelques secondes, le temps d'effacer la vision que lui offrait Jan. Son frère ressemblait à s'y méprandre aux blessés de ses souvenirs.

— Ça va ?

— Oui. Je me lève et je marche. C'est Élisabeth qui me force à m'étendre tous les après-midi. Je devrais être rentré au plus tard dans une semaine. Tu vas avoir besoin de moi pour la récolte des radis.

— Prends ton temps, je me débrouille.

Jan grimaça. Son frère, il en était maintenant certain,

l'embauchait par devoir et non par nécessité. Anna commença à fouiller dans le sac qu'elle avait apporté et en sortit une laitue tendre et verte.

— La première, Jan. Tu vas goûter aux bons produits Pawulscy.

Jan sentit la laitue, en mâchouilla une feuille et la remit à Élisabeth qui alla la ranger à la cuisine.

— Tu serais étonné de voir à quelle vitesse les semis ont poussé, Jan. Tu te souviens du jardin de M. Porowski ?

— Évidemment.

— Le mien a, ma foi, une meilleure terre. J'ai hâte de goûter au chou. J'espère qu'il sera juteux.

Jan se demanda s'il avait envie de goûter au chou et aux pommes de terre. La conversation tomba à plat. Jan ne savait comment rejoindre ce frère que la guerre avait plus qu'éloigné ; elle l'avait repoussé. Élisabeth revint, un violon à la main.

— Regarde, Jerzy. Je l'ai fait remettre à neuf. On ne dirait pas qu'il a passé autant de temps sans jouer.

Jerzy examina l'instrument, apprécia la qualité du travail du luthier, en tira quelques mesures et le remit à sa sœur. Lui et Élisabeth avaient échangé leurs violons peu de temps après le mariage. Jerzy avait pleuré en retrouvant le sien ici au Manitoba. Quant à Élisabeth, elle avait même oublié la sonorité et la couleur du bois du sien. Jan regarda son frère tripoter l'instrument et il comprit que si Jerzy s'y attardait autant, c'était pour remplir le temps qu'il passait à son chevet. Il toussota et proposa de se lever pour qu'ils jouent une partie de cartes. Élisabeth le gronda gentiment, refusant qu'il se fatigue, même pour une dame de cœur.

— Mais, quand même, je ne suis pas à l'article de la mort, moi ! J'ai envie de m'amuser un peu !

— Tu vas avoir tout l'été pour t'amuser, Jan.

— Ah non ! J'ai l'intention de travailler, moi. Pas de m'amuser.

— Alors, profite de ta convalescence pour te reposer.

Jan bouda un peu. Son frère venait d'utiliser ce ton qui ne tolérait aucune réplique. Ce ton d'aîné que même Élisabeth respectait.

— Jerzy a raison, Jan. Il faut que tu reprennes des forces le plus rapidement possible.

Jan se redressa et se tourna pour replacer un oreiller. Anna et Élisabeth se précipitèrent toutes les deux pour l'aider.

— Laissez-moi faire, bon Dieu ! Je suis capable de ramollir un oreiller tout seul !

— Nous sommes certains, Jan, que tu es capable de ramollir à peu près n'importe quoi, et n'importe qui.

Jerzy avait parlé avec une sèche ironie. Élisabeth et Anna laissèrent l'oreiller aux mains de Jan qui dévisagea son frère avec tellement de déception dans le regard qu'Anna se crut obligée d'intervenir.

— Excuse ton frère, Jan, mais nous t'avons trouvé ensanglanté, les jointures fendues, les poignets tordus, les esprits K.O. et tu ne nous as jamais rien dit.

Le regard de Jan alla de sa belle-sœur à son frère pour s'immobiliser sur Élisabeth.

— Je voulais appeler la police...

— Je t'interdis, Élisabeth, de mêler la police à nos histoires de famille.

— Justement, Jan, ce ne sont pas nos histoires de famille. Ce sont tes histoires et nous ne comprenons pas ce qui t'est arrivé.

Jan serra les mâchoires, concentra son regard sur sa main garnie de croûtes, en gratta une et leva finalement les yeux.

— Il ne s'est rien passé. Je suis tombé, c'est tout.

Jerzy se leva d'un bond et sortit précipitamment de la chambre. Anna tenta de le retenir mais ne réussit pas. Jan les entendit descendre l'escalier. Il détestait le pas de Jerzy dans un escalier, craignant toujours qu'il ne déboule. Le pas d'aujourd'hui était plus précipité et il eut deux fois plus peur. Élisabeth le regarda longuement, hocha la tête de dépit et partit rejoindre Anna et Jerzy. Jan ne broncha pas mais, voyant que personne ne revenait, il sortit du lit et regarda par la fenêtre d'où lui parvenaient des voix. Jerzy était debout, la main sur la poignée de la portière de son automobile. Anna essayait de le retenir pendant qu'Élisabeth pleurait. Jan s'approcha davantage, le temps d'enten-

371

dre Jerzy dire que son frère ne pensait qu'à lui et qu'il se foutait complètement de sa famille.

— Nous nous sommes crus morts pendant des années, et lui il fait toujours le mort. Il aurait eu besoin de nous et il ne demande jamais rien. Il n'en a que pour son nombril...

— Tu ne le connais pas, Jerzy. Jan a pris soin de moi pendant des mois et des mois, je t'ai tout raconté.

— Il est temps qu'il prenne soin de lui et de sa famille entière. Pas une seule fois il ne m'a demandé de jouer du violon avec lui. Pas une seule fois il n'a pris le temps de me raconter ce qu'il faisait à Saint-Adolphe...

— Il ne veut pas parler de Saint-Adolphe...

— Justement, il est temps qu'il en parle. Moi, je veux savoir qui est mon frère. Je veux connaître l'homme qui habite sous mon toit. Je veux pouvoir dire...

Jerzy s'interrompit, fixant les yeux derrière sa sœur. Jan s'approchait d'eux, d'un air que personne ne parvenait à lire mais qui ressemblait à s'y méprendre à de la rage.

— Si j'ai eu la côte fêlée, c'est parce qu'ils étaient trois à me donner des coups de pied. Si j'ai eu le poignet foulé et les doigts écrasés, c'est parce que je devais frapper trois fois plus souvent qu'eux.

Jan était blême de colère et avait la voix presque éteinte. Il termina sa tirade en regardant son frère droit dans les yeux.

— Si je n'ai pas eu de fracture du crâne, c'est que je sais me défendre. Pas me battre, Jerzy, me défendre. Es-tu content, maintenant, de savoir ce que j'ai fait à Saint-Adolphe ?

Jan tourna les talons, immédiatement suivi d'Élisabeth qui tenta de le consoler. Il secoua le bras pour se libérer de sa poigne. Jerzy partit en courant derrière eux et réussit à retenir son frère par l'épaule. Jan fit volte-face si rapidement que Jerzy en fut déséquilibré.

— As-tu encore quelque chose à ajouter, grand frère ?

Jerzy fut torturé par la haine qui déformait le visage de son puîné. Il n'avait connu de tels yeux que chez les soldats qui attendaient l'ordre de tirer.

— Oui, Jan. Je voulais finir ma dernière phrase. Avant que tu ne m'interrompes, Jan, je disais que je voulais pouvoir dire à mon enfant pourquoi je t'avais choisi comme parrain.

Anna, qui les avait rejoints, regarda par terre pour cacher sa colère. Jan était bouche bée et Élisabeth mit quelques secondes à comprendre l'annonce que venait de leur faire Jerzy. Ce fut Anna qui rompit le silence.

— Quelle terrible façon de leur apprendre une si grande nouvelle, Jerzy !

Les yeux de Jan papillotèrent mais demeurèrent secs. Il s'approcha de sa belle-sœur et lui embrassa les mains à plusieurs reprises avant de l'étreindre.

— Quelle chance il a, ce petit Pawulski, de t'avoir pour mère !

Anna le remercia en l'embrassant tendrement. Jan se planta ensuite devant son frère et lui tendit sa main toujours blessée.

— Félicitations, Jerzy. Je suis très honoré. Merci.

Jerzy ne répondit rien, mais parut soulagé.

— Viens, Anna. Tu as eu assez d'émotions aujourd'hui.

Anna le suivit et elle allait entrer dans l'automobile lorsque Jan se dirigea vers eux.

— Vous pouvez m'attendre ? Il est temps que je cesse de me faire dorloter et que je reprenne le travail. Les mauvaises herbes doivent avoir poussé.

— Ah ! pour ça, oui. Presque autant que les semences.

Élisabeth fit le bagage de son frère pendant qu'il remerciait le docteur et Mme Dussault. Ils sortirent enfin et rejoignirent Jerzy qui s'empara de la valise et la plaça doucement dans le coffre.

— Je suis heureux que tu rentres, Jan.

Jan le crut et lui sourit de reconnaissance.

46

Jerzy et Jan avaient fait le plein d'essence et se dirigeaient vers Saint-Boniface. Anna ne les avait pas accompagnés, fatiguée par des nausées décuplées par le travail sous le soleil de la journée.

— Je suis vraiment désolée, mais dites à Élisabeth que ça ne se reproduira plus. De toute façon, vous la ramenez avec vous ?

Jan et Jerzy avaient tous les deux emporté leurs violons, Élisabeth ayant insisté pour qu'ils jouent ensemble.

— Mais j'ai la main encore raide, Élisabeth, je ne pourrai pas jouer comme il faut.

— Je veux jouer avec vous deux. Ils ont eu un duo à Noël, je leur dois un trio.

Ils avaient revêtu leurs plus beaux habits pour ne pas lui faire honte. Après la radiance du soleil, le temps s'était chagriné, rappelant à Jan l'orage qui avait tué un de ses compagnons de travail.

— On t'a parlé de l'orage, Jerzy ?

— Oui. La façon dont Élisabeth l'a décrit m'a vraiment remis en mémoire un certain bombardement.

Ils arrivèrent à temps pour voir l'énervement d'Élisabeth qui portait sa première robe neuve, achetée avec son argent. Elle ne leur lança qu'un regard de plaisir et vaqua à ses nombreuses occupations, dont la principale consistait à calmer les enfants surexcités par la présence d'une vingtaine de spectateurs qu'elle avait assis dans la salle d'attente. Élisabeth avait utilisé toutes les chaises de la maison,

374

ajoutant même celles de la salle à manger, ces dernières réservées aux personnes respectables et importantes. Moins de quinze minutes avant le spectacle, elle reçut un appel du père Villeneuve qui lui téléphonait son regret de ne pouvoir se déplacer.

— Une convocation de dernière minute à l'archevêché.

— À l'archevêché ? Est-ce qu'on veut vous habiller de la pourpre cardinalice ?

— Pas du tout. Il faut quand même que je sois évêque avant.

— C'est vrai. Alors, on veut peut-être vous introniser...

— Cesse de te moquer de moi, Élisabeth. Je voulais te souhaiter la meilleure des chances.

— Merci. Nous nous verrons bientôt.

Étienne arriva parmi les derniers, les bras chargés de fleurs. Trois roses se cachaient au milieu de fleurs sauvages et Élisabeth apprécia l'effort qu'il avait fait pour lui apporter une si jolie gerbe.

— Quelle bonne idée d'avoir mélangé les roses et les fleurs des champs !

Mme Dussault offrit immédiatement de les placer dans un vase. Le spectacle commença avec une bonne dizaine de minutes de retard, toute la salle ayant attendu le retour du docteur, appelé d'urgence auprès d'un patient. Il était revenu à la hâte, le teint rougi par la température et par l'effort qu'il avait fait pour rentrer à l'heure. Dès qu'il se fut glissé sur une des chaises de la salle à manger, Élisabeth s'installa debout devant ses élèves, le violon dans les mains. Elle se servit de l'archet comme d'une baguette et, aussitôt le tempo donné, joua avec les enfants.

Le récital dura le temps d'une centaine de mesures que les auditeurs écoutèrent religieusement. Les enfants allèrent s'asseoir avec leurs parents, dont certains avaient eu la délicatesse de leur apporter un petit présent. Élisabeth présenta ses frères qui vinrent se joindre à elle pour une pièce de plus de cent barres.

Ils prenaient toujours plaisir à jouer, sauf qu'aujourd'hui Élisabeth et Jerzy jetaient des regards inquiets sur Jan. Sa main gauche agonisait sur les cordes et ses doigts ne parvenaient pas à bien tenir l'archet. Élisabeth ralentit pour lui venir en aide, mais Jan butait encore, allant parfois jusqu'à détonner légèrement. Heureusement pour sa fierté, seuls son frère et sa sœur perçurent ses difficultés.

Élisabeth fut applaudie avec chaleur. Jan s'isola dans un coin, l'air maussade. Jerzy, cigarette aux lèvres et tenant deux verres, s'approcha et lui en offrit un.

— Il faut attendre que tes mains guérissent complètement, Jan.

— Elles sont guéries.

Jan avait tellement insisté sur le « sont » que Jerzy sentit vibrer sa tristesse jusque dans ses doigts à lui. Ils burent lentement, portant un toast silencieux au succès de leur sœur. Les derniers enfants s'en allèrent et Élisabeth, aidée par Jan, Philippe et Grégoire, remit de l'ordre dans la pièce.

— C'était vraiment un beau récital, Élisabeth.

— Vraiment beau.

Grégoire, comme toujours, répétait tout ce que disait son frère. Cela inquiéta Jan qui demanda à Jerzy s'il avait été comme ça dans son enfance.

— Non. J'imagine que notre différence d'âge était trop grande.

Élisabeth fut enfin libre de partir avec ses frères mais les Dussault insistèrent pour qu'ils restent à souper. Ils refusèrent le plus poliment possible, mais, devant l'air supplicié d'Élisabeth, Jerzy se résigna à faire un appel interurbain pour aviser Anna de leur retard. Ils mangèrent dans la salle à manger et Mme Dussault les fit rire avec ses histoires de jeunesse qui avaient Montréal pour décor. Du coup, Jan fut tout excité et ne cessa de lui poser des questions.

— Je suis à Saint-Boniface depuis presque quinze ans. Je ne peux pas te parler du Montréal d'aujourd'hui.

— Connaissez-vous la rue Saint-André ?

— Oui. Je n'habitais pas très loin.

— Élisabeth et moi, nous avons des amis qui habitent rue Saint-André.

Devant le grand bonheur d'Élisabeth, Jan pensa que Jerzy pouvait se sentir exclu de leur vie. Il s'empressa de rassurer son frère en lui promettant de lui présenter les Favreau.

— Mais je suis certain que tu l'as vu.

— Tu me l'as déjà dit.

Élisabeth sourit à Jerzy, celui-ci lui ayant déjà raconté avoir eu, à un moment de sa vie, à choisir entre deux choses : faire la cour à Anna en marchant dans la rue Sainte-Catherine, ou parler à un groupe de Polonais venus dans une gare pour accueillir des réfugiés. Il avait opté pour la première et il savait maintenant que la seconde aurait probablement été préférable puisqu'elle aurait changé leurs vies à tous les trois.

« C'est bête, quand même. J'aurais pu au moins les saluer et votre M. Favreau m'aurait certainement parlé de deux Polonais qui jouaient du violon eux aussi.

— Oui, mais Anna ?

— Anna ? Ce ne sont pas ces deux minutes-là qui auraient changé quelque chose à notre vie. Je me sens un peu responsable de la souffrance de Jan.

— Tu n'as rien à voir là-dedans.

— Quand même. »

Ils sortirent de table et Élisabeth monta à l'étage chercher son bagage. Les Dussault étaient vraiment des gens exceptionnels et elle ne savait ce qu'il serait advenu d'elle si elle ne les avait pas rencontrés. Elle avait davantage l'impression d'être une nièce qu'une employée. Elle redescendit à temps pour voir le docteur examiner les mains de Jan.

— Tout a pourtant l'air complètement guéri.

— Oui, mais elles ne fonctionnent plus comme avant.

Voyant l'inquiétude dans le visage de son frère, Jerzy tenta d'alléger l'atmosphère.

— Tu peux te gratter une oreille ?

— Oui.

— Tu peux boutonner mais surtout déboutonner ta braguette ?

— Oui, mais plus lentement...

— Donc, ce n'est pas grave. Un bon chrétien doit savoir ça.

Philippe et Grégoire s'amusaient des questions de Jerzy et commencèrent à en poser. Jan laissa de côté sa susceptibilité et répondit comme s'ils étaient des médecins.

— Tu peux te tremper les doigts dans la confiture ?

— Oui.

— Tu peux tirer la languette du bouchon de lait ?

— Oui.

— Tu peux te coincer les doigts dans une porte ?

— Je pense que oui.

— Tu peux te mettre le doigt dans le nez ?

— Grégoire !

Mme Dussault l'avait interrompu pour la forme, tout le monde riant de sa question, même Philippe, quoiqu'un peu déçu de ne pas y avoir pensé avant son jeune frère. Le docteur suggéra à Jan de faire des exercices pour assouplir sa musculature et lui recommanda discrètement d'éviter d'utiliser ses poings pour quelque temps.

Élisabeth s'assit devant et se cala entre ses frères. Elle aimait les randonnées de nuit, surtout en juin quand le ciel n'achevait jamais de disparaître, donnant l'impression de vouloir assister à toutes les fêtes du feu. Ils approchaient de Saint-Norbert lorsqu'un camion, à la sortie d'une courbe, zigzagua un peu et les frôla, faisant grincer la tôle de l'aile arrière gauche de la voiture de Jerzy.

— Oh non ! Anna nous attend.

Jerzy immobilisa l'automobile pendant que Jan sortait de son côté pour aller voir les dommages. Élisabeth, qui se sentait d'humeur euphorique depuis leur départ de Saint-Boniface, avait presque envie de rire. C'était toujours à eux qu'il arrivait des ennuis. Elle demeura néanmoins dans l'auto, gloussant en cachette en écoutant Jerzy parler avec l'autre conducteur. Ses rires s'étouffèrent rapidement lorsque le ton de la conversation monta. Elle jeta un coup d'œil dans le rétroviseur et vit que ses frères faisaient face à quatre individus qui avaient l'air un peu ivres. Elle se laissa glisser sur les fesses et se recroquevilla en souhaitant que personne ne l'avait vue. Jerzy s'était placé devant Jan, espérant lui servir de bouclier. Les quatre lascars le tenaient responsable de l'accrochage.

— Pas du tout. C'est vous qui m'avez frappé.

— Hé! Vous avez entendu l'accent? *Shit!* Moitié Polak, moitié *British*.

— Polak, hein?

— C'est vrai que vous êtes des bons batailleurs, les Galiciens?

Deux des individus se mirent les poings devant la figure, prêts à engager un combat. Jerzy sentit Jan frémir derrière lui. Il posa sa main à plat sur la cuisse de son frère, pour le calmer. Jan n'avança plus mais commença à parlementer en chuintant et chuchotant en polonais.

— Ils sont quatre, on peut en prendre chacun deux...

— Jan, je ne veux pas me battre. J'habite ici et toi aussi.

— Ils ne sont pas de Saint-Norbert...

— Pas grave. Les nouvelles courent vite.

Jan et Jerzy se turent, tous deux effrayés par la colère que les quatre compères dégageaient. Ils avaient dû reculer pour éviter un crochet lancé violemment. Maintenant, trois des individus avaient les poings levés, le quatrième regardant l'automobile, intrigué.

— Hé! Il y a quelqu'un dans leur auto. Ça bouge.

Il courut à la voiture et en extirpa Élisabeth, d'abord par un bras puis par les cheveux.

— Venez voir la petite Polonaise qui traînait là.

Jan bouscula Jerzy et se plaça devant les trois hommes, les poings levés devant son visage.

— Non, Jan!

Élisabeth venait de lui ordonner de ne pas avancer. Elle continua en polonais, exhortant ses deux frères au calme. Elle était terrorisée, l'homme lui tirant toujours les cheveux. Elle disait à ses frères espérer que l'ivresse ne noyait pas toute intelligence.

— Ne te fie pas à ça, Élisabeth. J'ai des côtes qui disent le contraire.

— Jan, reste tranquille.

Jerzy lui chuchota dans le dos mais Jan n'eut pas le temps d'acquiescer. Il venait de recevoir un terrible direct qui le fit tomber sur son orgueil.

— Putain de choléra!

Quoiqu'un peu étourdi, il se releva rapidement et entreprit de répliquer. Il y réussit tant bien que mal tandis qu'Élisabeth s'était tue de peur et que Jerzy, tout boiteux qu'il fût, tenait deux combattants en respect, l'œil injecté de colère.

— *Come on,* le Polak. Montre-nous ça.

— Ça va faire mal, un coup de poing de boiteux. *Ouch !*

Jan, encore une fois, se retrouva par terre. Élisabeth fut tirée devant ses frères.

— Regarde tes amis. Dans cinq minutes, vous allez être beaux à voir. Tous les trois. Mais toi, c'est pas dans la figure que ça va couler. On a un autre traitement pour les belles Polonaises.

Trois vils rires ponctuèrent et encouragèrent la menace. Élisabeth eut un regard de victime, si affolé et impuissant que Jerzy cria en polonais toute la révolte qu'il avait réussi à contenir.

— Courage, Jan. Tu as peut-être appris à te défendre, mais moi, putain de mère, j'ai fait l'armée et j'ai appris à me battre. Même avec une jambe en moins.

Élisabeth eut à peine le temps de le voir frapper les trois hommes, qui se retrouvèrent sur le sol, tous amochés. Celui qui la tenait lâcha prise et prit ses jambes à son cou mais son ivresse et la rapidité de Jan l'empêchèrent d'aller loin. Jan le traîna de force devant Jerzy qui l'attendait.

— À vous, monsieur mon frère.

— Merci.

Pendant que Jan riait d'un immense plaisir, Jerzy décocha un coup de poing si violent que même Jan recula sous le choc. Élisabeth, que la peur avait abandonnée, commença à rire de nervosité elle aussi, et Jerzy, sa crainte et sa furie calmées, en fit autant. Ils s'assurèrent que tous avaient repris conscience avant de remonter dans l'auto.

— Je ne savais pas que tu savais te battre comme ça, Jerzy.

Jerzy regarda son frère mais ne répondit pas. Il avait repris tous ses sens et regrettait son emportement, mais encore plus le plaisir qu'il y avait pris. Un militaire, même réserviste, n'avait pas le droit d'user de sa formation. Un frère aîné se devait de donner l'exemple à son puîné, surtout quand ce dernier avait le poing trop vif.

— Merci, Jerzy. Je sais que c'est pour moi que tu as fait ça.

Jerzy regarda Élisabeth et lui sourit de soulagement. Elle avait fait fondre ses scrupules. Jan brandit deux énormes poings, tous les deux ensanglantés. Après le récurage des casseroles à Cracovie, le froid des Carpates, les coups de Bergeron et les doigts écrasés, cette rencontre venait de sonner le glas.

— J'ai l'honneur de vous apprendre que ma carrière de violoniste est terminée.

Leur plaisir fit place à la révolte.

47

L E mois d'août 1949 tirait à sa fin. Le soleil avait daigné se remontrer derrière une ligne d'horizon estompée par la brume. Jerzy se leva et s'empressa de se débarbouiller avant de revenir embrasser la chute des reins d'Anna et de partir discrètement au fond d'un champ avec son violon. Il s'éloignait toujours de la maison pour éviter à Jan d'entendre la complainte des cordes, prière dominicale que Jerzy avait reprise en souvenir de Wezerow.

Il revint à la maison prêt à s'empiffrer. Jan, Élisabeth, Étienne et le père Villeneuve étaient déjà attablés et mangeaient de ces petites crêpes que Mme Jaworska leur avait servies, pendant qu'Anna, le ventre à peine épaissi par ses trois mois et demi de grossesse, ne cessait de remplir les tasses de café.

— Et alors ?

— Alors, le temps est magnifique et nous devrions sérieusement commencer à décimer les champs de pommes de terre.

Le travail qui les attendait était fatigant et pénible, mais personne n'aurait même pensé à s'en plaindre. Au fur et à mesure que leurs joues rougirent d'effort et de fatigue, que leurs gants foncèrent, que des cernes noircirent leurs cous et que les voitures s'emplirent de tubercules brunis de terre, la bonne humeur déteignit sur leur choix de chansons. De doucereuses, elles devinrent plus gaillardes.

— Nous sommes loin de Chopin et de la Pologne.

— Peut-être pas si loin de Chopin et de la France, quand

il habitait son appartement de l'île Saint-Louis avec sa belle George Sand.

— Parce que le Français en Chopin aurait effacé le Polonais à principes ?

— George en est la preuve.

Si quelqu'un s'était donné la peine d'observer le dégradé de rouge du visage de Jerzy, il aurait remarqué l'ajout d'un cramoisi. Jerzy ne parlait plus, essayant d'être le plus discret possible, craignant qu'Anna ne lise son malaise. Il n'avait pu s'empêcher de penser à Pamela, sa George à lui. Ce souvenir se faisait de plus en plus douloureux au fur et à mesure qu'il voyait s'épanouir le ventre et les mamelles de sa femme. Certaines nuits, il était incapable de dormir, revivant sa séparation d'avec Pamela. Il se souvenait d'avoir regretté qu'elle n'ait pas tenté de le retenir. Maintenant, il se demandait si par hasard elle n'avait pas été enceinte. Cette pensée le torturait tellement qu'il lui avait écrit une lettre qu'on lui avait retournée. Sur l'enveloppe, on avait inscrit que la destinataire avait quitté les lieux. Il avait fait la même démarche auprès de l'hôpital de Londres mais on lui avait répondu qu'elle avait laissé son emploi peu de temps après la fin de la guerre. Cette idée ne l'avait jamais effleuré avant qu'il ne découvre qu'une nuit de plaisir rieur et innocent pouvait créer un recommencement de la race humaine.

Jerzy, comme toujours, était le plus rapide à découvrir les tubercules enfouis, vermillant aussi rapidement qu'un sanglier cherchant des truffes. Il frottait les tubercules pour en enlever l'excédent de terre, les lançait dans le cageot que, sitôt rempli, Villeneuve portait dans la boîte du camion. De l'autre main, Jerzy couchait le plant, qui s'était si bien reproduit à partir de ses fleurs jaunes et menues.

— Elles n'ont pas la même couleur qu'en Pologne.

— Va à l'île du Prince-Édouard et tu vas voir que là non plus elles n'ont pas la même couleur. Elles sont saupoudrées de rouge.

Jan sourit. Jerzy prenait sa récolte de pommes de terre tellement à cœur. Il parlait des tubercules comme s'ils avaient été des êtres vivants qu'il aurait sauvés de la pourriture en les exhumant.

La matinée s'effaça aussi vite que la brume avait disparu et ils revinrent à la maison, sales et satisfaits, le ventre prêt à la merveilleuse nourriture de Mme Jaworska qui cuisinait moitié polonais, moitié canadien.

— C'est gentil de nous avoir accompagnés un dimanche, mon père. C'est une façon de nous dire que nous pouvons avoir la conscience tranquille.

— Vous peut-être, moi pas.

Ils retournèrent dans les champs, ne se relevant que pour se dégourdir le dos, une épaule ou un genou. Jerzy, lui, demeurait accroupi, sachant que s'il se relevait il risquait de ne plus pouvoir continuer. Anna, à qui il avait défendu de se pencher inutilement, apportait des rafraîchissements à tout le monde, servant Jerzy au début de sa tournée et finissant par lui.

— Hé! Il y a du favoritisme ici.

Étienne avait compris le manège et Anna, prise en défaut, éclata de rire. Ils rentrèrent dans la maison après avoir placé une partie de la récolte du jour dans la cave, en conservant un peu pour le marché des maraîchers. Depuis le début de l'été, Jan avait pris les commandes de l'opération marché. Il aimait se rendre à Winnipeg, derrière l'Hôtel de Ville, et vendre les produits de la ferme de son frère. Ils prirent tous le souper à la hâte, Élisabeth et Étienne devant rentrer à Saint-Boniface, Villeneuve à Winnipeg. Anna s'était levée pour chercher le café lorsque Villeneuve leur demanda quelques minutes d'attention. Jerzy ressentit un malaise alors qu'Élisabeth semblait plus intriguée qu'autre chose. Quant à Jan, il ne se formalisa pas de la requête, en ayant repris l'habitude depuis qu'il vivait avec Jerzy. Son père avait été pareil et il lui semblait que les aînés se prévalaient toujours de ce privilège de demander l'attention générale soit en toussotant, en tapant dans leurs mains ou en frappant un verre de leur couteau. Villeneuve, lui, avait toussoté.

— Je voulais que vous sachiez à quel point j'ai aimé transporter les cageots de pommes de terre, aujourd'hui.

Les Pawulscy se regardèrent, amusés par cet aveu de l'évidence. Villeneuve toussota de nouveau et Jan comprit qu'il avait encore autre chose à dire.

— La dernière nuit que j'ai passée à Cracovie, je l'ai passée debout jusqu'à l'aurore, avec votre père et votre mère. Vous dormiez tous les trois, mais Jan s'est réveillé et nous a accusés de parler trop fort et d'avoir fait fuir son rêve. Tu nous as dit, Jan, que tu rêvais au plaisir que tu aurais à travailler dans les champs de Wezerow et que tu rêvais aussi à ton herbier.

Villeneuve regarda Jan, les sourcils levés pour voir s'il avait éveillé un souvenir. Jan, n'en ayant aucun, nia de la tête.

— Mon bonheur a parlé trop fort et moi aussi j'ai perdu un rêve.

Villeneuve se leva de table et toussota pour la troisième fois. Jan fronça les sourcils, son inquiétude rejoignant celle des autres. Villeneuve s'installa devant une fenêtre et parla à tous, le dos tourné.

— J'ai rêvé que si le Seigneur avait fait de moi le pasteur des brebis égarées de mes amis, c'était pour me faire vivre les joies que Tomasz et Zofia n'auraient jamais. Je l'ai remercié tous les jours depuis que j'ai reçu cette lettre venant du camp de réfugiés d'Amberg, en 47. Mon rêve s'est coloré de toutes les couleurs de l'arc-en-ciel quand Jerzy m'a retrouvé pour que je célèbre son mariage. J'ai trouvé le trésor au pied de l'arc-en-ciel quand vous avez été réunis dans le jubé. Une vraie bénédiction des anges.

« Le Seigneur a probablement voulu me punir de mon assurance quant au plaisir que j'aurais eu à baptiser l'enfant de Jerzy et d'Anna, votre petit-enfant, madame Jaworska, et celui de Tomasz et Zofia.

Villeneuve quitta la fenêtre et Jerzy vit qu'il avait les yeux humides.

— Vous êtes ma seule famille, parce que moi aussi je suis orphelin. Mais un orphelin de mon âge n'est plus qu'une grande personne et j'ai tout le presbytère pour combler ma solitude. J'ai même plus. J'ai appris, il y a deux semaines, que demain je devrai quitter Winnipeg pour Gravelbourg, en Saskatchewan. Mon travail y commence au début du mois de septembre.

Il toussota une dernière fois avant de s'excuser et d'entrer

385

dans la salle de bains. Élisabeth s'était levée, complètement assommée par la nouvelle. Villeneuve avait été une énorme bouée de sauvetage. Anna se rapprocha de Jerzy et lui prit la main.

— Je ne vois pas qui va baptiser notre petit.

— Nous en reparlerons.

Quant à Jan, il était déchiré à l'idée qu'une autre personne disparaisse de sa vie. Il eut honte de penser que son éventuel départ pour Montréal serait d'autant plus facile qu'au moins il n'aurait pas l'impression de chagriner trop de monde. Il sortit de ses pensées, Villeneuve les ayant rejoints en se mouchant bruyamment, ne cachant plus son chagrin.

— J'ai demandé au Seigneur de me pardonner ma faiblesse. C'est probablement la dernière fois de ma vie que je peux pleurer devant des amis.

Il renifla et se remoucha, imité par Anna et Élisabeth.

— Les derniers amis avec lesquels j'ai permis à mes sentiments de se montrer étaient vos parents. Tant pis si le Seigneur ne me pardonne pas.

48

LE thermomètre marquait trente au-dessous de zéro quand Jerzy sortit de la maison et entra dans les bâtiments pour la traite. Il décida ensuite d'affronter le vent et se dirigea vers la rivière qui ressemblait à un magma blanc enfoui sous des brumes affolées, tourbillonnant d'effroi. Emmitouflé pour affronter des froids toujours abhorrés même s'ils lui devenaient familiers, Jerzy regarda le gel conquérir les dernières vaguelettes de la Rouge. Il lui semblait que la rivière étouffait au fur et à mesure que la glace l'emprisonnait. Ici et là, il apercevait des trous, véritables naseaux inventés par l'eau pour éviter l'asphyxie. Avant même que Noël n'arrive, la rivière, il le savait, serait complètement paralysée.

Jerzy rentra pour prendre le petit déjeuner en compagnie d'Anna dont les rondeurs évoquaient un bulbe prêt à s'ouvrir pour laisser poindre une fleur. Il ne vivait plus une seule journée sans s'émouvoir de la chance qu'il avait eue de prendre le train de Halifax et d'y faire la rencontre d'Anna. Il but un café, lentement, alternant gorgées brûlantes et bouffées de cigarette. Les matins d'hiver lui permettaient d'être le mari d'Anna alors que les matins d'été le forçaient à l'abandonner pour se précipiter dans les champs, attendant, tel un adolescent transi, qu'elle arrive avec l'eau pour étancher sa soif d'elle. Il éteignit son mégot dans le cendrier sur pied et regarda Anna qui lisait un article de journal sur la ville de Dresden, en Ontario.

— C'est quand même un peu fort. Les Blancs ont voté en

faveur de la ségrégation. Ils ne sont même plus obligés d'accepter des Noirs dans les restaurants. Savais-tu que c'est à Dresden qu'a vécu l'homme qui a inspiré le personnage de l'oncle Tom ?

Jerzy fit non de la tête sans vraiment avoir compris la question et il repensa à ces jours d'été qu'il avait adorés. Il revit rapidement le soleil levant aspirer la rosée dans ces champs qui, chaque jour, changeaient de couleur. Il revécut les départs de Jan pour le marché et ses retours remplis d'historiettes et d'anecdotes.

— Je pense que finalement j'aime bien ma vie.

Anna leva les yeux en souriant, cherchant à reconstituer l'itinéraire de ses pensées depuis l'oncle Tom jusqu'à sa vie. Elle l'observa pendant qu'il allumait une autre cigarette. Jerzy leva enfin les yeux et ajouta qu'il aimait sa vie même s'il n'avançait que d'un pas et demi là où tout le monde en faisait deux.

— C'est quand même bien. Est-ce que tu te rends compte que moi, quand j'aurai un pied dans la tombe, je vais mettre beaucoup plus de temps à y glisser le second ? C'est un avantage certain.

Anna ricana pour la forme, ce genre d'humour lui déplaisant souverainement.

— Sans mentionner l'économie sur le bois du cercueil.

— Jerzy, tu m'énerves !

Jerzy s'assombrit.

— Tu sais, Anna, j'essaie de me mettre dans la peau de mon père et de vivre ce qu'il a vécu il y a presque dix ans. C'est incroyable. Il y a dix ans, mes parents étaient sur le point d'avoir leur dernier enfant.

Il tira longuement sur sa cigarette, la main secouée par un léger tremblement.

— Dix ans ou trois éternités, selon le sablier.

Anna ne répondit pas. Jerzy venait de lui fournir la raison de ses préoccupations face à la mort.

Jan dévala l'escalier et leur annonça qu'il allait au bureau de poste. Il enfila sa pelisse et sa chapka et partit sans même les saluer.

— Je trouve qu'il va souvent à la poste.
— Je me demande ce qu'il attend.
— Est-ce qu'il t'aurait parlé d'une fille ?
— Non.

Jan entra dans le bureau de poste et s'aligna derrière les personnes déjà arrivées. Il avait beau être là avant l'heure d'ouverture, il n'était jamais en tête de file.

— Tu as deux lettres ce matin, dont une de Montréal. Et il y en a une troisième pour toute la famille, qui vient de Gravelbourg.

Jan n'apprécia pas que le postier dise à haute voix la provenance des lettres. Il prit le courrier et s'isola dans un coin. Il ouvrit d'abord la lettre d'Élisabeth qui lui demandait s'il voulait essayer de rejouer du violon avec elle. Une famille de la rue Harrow à Winnipeg voulait qu'elle joue à la Saint-Sylvestre et lui offrait un peu d'argent, qu'ils partageraient, évidemment. Jan fut irrité par la requête de sa sœur. Elle savait qu'il ne voulait plus jouer de violon depuis qu'il avait rangé son instrument le soir de l'affrontement avec les Canadiens anglais. Il avait posé un gros crochet sur le mur de sa chambre et y avait suspendu l'étui par la poignée. Chaque fois qu'il le regardait, il lui semblait entendre les lamentations du violon muselé par la vie.

La deuxième enveloppe, adressée à toute la famille, contenait une lettre de Villeneuve qui avait un ton de sage résignation. Il avait accepté la décision de ses supérieurs, mais il n'en regrettait pas moins son éloignement pour la période des réjouissances. « *Dieu, dans son immense bonté, a entendu mon chagrin et, en guise de consolation, m'a demandé de travailler et au collège et au jardin d'enfants. Je vois donc des enfants tous les jours et cela tient bien attaché le cordon qui me relie à vous tous et à celui qui va naître bientôt.* » Il les bénissait à distance, souhaitant que « *le souffle de Dieu vous trouve et qu'il ne soit pas trop froid en cette année mariale...* ».

Jan pensa qu'il ne lui avait jamais remboursé le prix des cordes neuves de son violon et des crins neufs de son archet. Il se promit de le faire en ouvrant fébrilement l'enveloppe expédiée par M. Favreau. Elle contenait une carte de vœux qui laissa échapper des paillettes argentées, arrachées à la toiture enneigée d'une crèche. M. et Mme Favreau y avaient plié deux pages que Jan lut avec avidité. Il y avait plus de deux ans qu'il avait fait leur connaissance. Leur amitié, son respect et son admiration n'avaient fait que croître, progressant au rythme régulier de leurs contacts épistolaires. Il rentra à la maison d'un pas lent, laissant sa pensée chevaucher la buée qu'il exhalait.

Le mois de janvier 1950 commença dans une espèce d'arrière-goût de tristesse. Élisabeth ne put venir pour le jour de l'An, pas plus que pour l'Épiphanie, le mauvais temps ne cessant d'attaquer le calendrier. Mme Jaworska était allée passer les fêtes chez ses fils à East Selkirk et Anna n'avait pas voulu bouger, se sentant trop lourde et trop fragile pour entreprendre un déplacement, si court fût-il. Jerzy avait souhaité la réunion de tous les siens mais ils restèrent seuls, lui, Jan et Anna. Jan leur offrit un encadrement d'une photo prise par Mme Jaworska durant la récolte, les représentant tous les quatre.

— Je voudrais aussi, à partir d'aujourd'hui, payer pension. Je crois que Mme Jaworska n'est pas forcée de me loger et de me nourrir.

— Tu fais manger ma mère par ton travail, Jan.

— Je veux bien, mais je serais plus à l'aise si je lui donnais un montant fixe chaque semaine.

Jerzy avait regardé Anna puis son frère.

— Je comprends ce que tu essaies de nous dire, mais moi, ça me fait peur. J'ai l'impression que tu ne te sens toujours pas de la famille.

Jan haussa les épaules, un sourire aux lèvres.

— Mais je suis de moins en moins de ta famille, Jerzy. À partir du mois prochain, je n'en serai presque plus. Ta famille, c'est ta belle-mère et tes beaux-frères. Mais c'est surtout Anna et le bébé qui s'en vient rapidement.

Si février fit vieillir Jerzy d'un an, il le consola en lui remettant une clef pour l'éternité. Une toute petite clef rose qui arriva en pleine nuit sans qu'Anna ait eu le temps de pleurer de douleur. Jerzy s'était levé et avait retenu un cri de peur. L'espace d'un millième de seconde, il avait confondu les eaux d'Anna dans lesquelles il avait baigné et le sang dans lequel il s'était éveillé au mont Cassin. Il se fit d'âcres reproches. Comment avait-il été assez imbécile pour confondre mort et vie ?

Élisabeth fut retenue à Saint-Boniface une troisième fois et rata les réjouissances du baptême de Stanislas, le filleul de Jan. Étienne brava la tempête pour venir lui tenir compagnie. Elle tenait sur ses genoux une robe blanche et un petit couffin de tissu qu'elle avait confectionnés et brodés pour le baptême de son neveu. Elle ne cessait de nouer et dénouer les rubans, qui commençaient à laisser paraître quelques petites froissures.

— Stanislas n'aura pas sa robe. J'avais promis de l'apporter.

— Tu la leur donneras la prochaine fois, Élisabeth.

Elle secoua la tête. Comment Étienne pouvait-il comprendre qu'à cause d'elle Jan n'avait pu offrir le vêtement du bébé, ce qu'un bon parrain devait absolument faire ? Comment expliquer qu'ils devaient remplir le couffin d'argent afin que la vie soit bonne pour ce petit Pawulski ? Elle déposa la robe et le couffin et alla soupirer à la fenêtre, secouant la tête d'incrédulité. Comment Étienne pouvait-il deviner qu'il était urgent qu'elle voie un bébé Pawulski et qu'elle le serre dans ses bras ? Pas un seul jour ne passait sans qu'elle ait une pensée pour Adam.

— Je me demande s'il nous ressemble...

— Je le lui souhaite.

Élisabeth regarda Étienne et lui sourit. Elle le fréquentait depuis un an et elle avait appris à l'aimer. Elle songea au scepticisme d'Anna et ricana intérieurement. Sa belle-sœur, elle le savait, était convaincue qu'elle faisait la coquette. Anna aurait été étonnée de savoir qu'elle avait réappris les gestes et les mots de l'amour. Étienne avait été un miracle, et, si elle n'était pas avec lui, elle l'écoutait parler à la radio, aimant la musicalité de sa voix.

— Est-ce que tu voudrais me jouer un peu de violon ?

— Pas aujourd'hui.

Étienne fut étonné de sa réponse, Élisabeth n'ayant jamais, à sa connaissance, refusé de jouer.

Le mois d'avril arriva enfin. Le printemps reprit progressivement possession de toutes les terres et, assoiffé, essaya de fondre les rivières pour s'y abreuver.

— Les semis vont être retardés. Toutes les terres qui touchent à la rivière sont couvertes d'eau, mais la glace ne fond pas vraiment. Il n'y a que la neige qui s'efface.

Anna écoutait Jerzy d'une oreille distraite, occupée à amuser Stanislas qui, à deux mois, lui faisait des sourires de joie, elle en était certaine.

— Tu as vu, Jerzy ?

Jerzy se tourna et regarda le bébé qui lui rendit un regard bleu et vif sous une tête blonde bouclée. Ce bébé, il le savait, lui ressemblait et il en était fier. Une copie parfaite de lui-même qui pouvait recommencer sa vie sur deux jambes, encore petites, mais entières et de la même longueur. Un fils qui, dans ce pays, ne ferait probablement jamais la guerre. Jan vint les retrouver, s'approcha de son filleul, lui baisa les menottes et le front avant de s'asseoir et d'écouter la radio.

— Qu'est-ce qu'ils disent ?

— Rien. Il semble que ce soit partout pareil. La neige fond, mais pas les rivières.

— Ils n'ont rien dit d'autre ?

— Non, rien. Pourquoi ?

— Pour rien.

La journée fut ennuyante, Jerzy enfilant sans cesse ses bottes pour sortir vérifier le niveau de l'eau. Anna préféra ne rien dire, se contentant de cuisiner et de surveiller le sommeil de Stanislas. Sa mère, elle, avait été touchée par l'inquiétude de Jerzy et regardait la Rouge avec entêtement, comme si son regard sévère pouvait l'effrayer et lui faire avaler la glace. Jerzy ne cessait de tourner le bouton de réglage du poste de radio, s'arrêtant à chaque station qu'il trouvait.

— On entend mal.

— Je sais, bon Dieu ! J'ai des oreilles, moi aussi.

La saute d'humeur de Jerzy avait été si imprévue que

Stanislas se mit à pleurer. Anna se leva et quitta la pièce alors que Mme Jaworska feignit de n'avoir rien entendu. Jan, rabroué pour son commentaire, se rassit en se croisant les bras.

— Le printemps va être long.

Jerzy s'alluma une cigarette qu'il fuma nerveusement. Jan regarda l'heure à sa montre-bracelet et approcha sa main du poste de radio pour capter CKSB.

— Ça devrait être Étienne et les nouvelles. Peut-être qu'il va en parler...

Jerzy ne l'écoutait pas, chagriné par son esclandre. Il se leva et alla retrouver Anna qui était montée consoler Stanislas et le mettre au lit. Jerzy entra dans la chambre le plus doucement possible et vit que le bébé n'était pas le seul à avoir pleuré. Il en fut secoué. Anna le regarda sans sourire et, certaine que le bébé allait s'endormir sans crainte, sortit de la chambre, suivie de Jerzy. Elle entra dans leur chambre et se tourna en direction de la porte, pour attendre Jerzy de pied ferme.

— J'ai horreur de ce que tu as fait. Notre bébé a eu deux mois hier et déjà il a pleuré de peur. Tu te rends compte ? Il a pleuré de peur à cause de toi, Jerzy !

Jerzy étouffait de culpabilité. Il respira profondément et se passa une main dans les cheveux.

— Comment est-ce que je peux te faire comprendre, Anna, que de passer des journées collé au poste de radio qui commence à grincer plus souvent qu'autrement, ça me fait penser à la guerre ? Surveiller l'eau et me demander si elle va monter jusqu'à la maison, c'est comme si j'étais redevenu sentinelle et que j'essayais de voir si l'ennemi approche.

Anna, dont le visage s'encolérait à chaque seconde, regarda son mari. C'est en crachotant ses chuchotements par sa canine, que Jerzy trouva terriblement protubérante, qu'elle lui parla.

— Jerzy ! Est-ce que tu veux que ton fils apprenne la peur pour mieux te comprendre ? Ce ne sera jamais à lui de te comprendre mais à toi de le comprendre. Tu racontes des choses qui se sont passées il y a presque onze ans. C'est fini. Tu ramènes toujours tout à la guerre, Jerzy.

— Onze ans pour toi, peut-être, mais pas pour nous. Dis ça à Jan et à Élisabeth. Ça ne fait même pas trois ans que la guerre est finie pour eux.

— Jan et Élisabeth n'en parlent jamais.

— C'est faux, ça, Anna.

— Ils ont des souvenirs, mais ils ne me parlent jamais des horreurs. Élisabeth m'a parlé de Marek une fois. Une fois.

— C'est faux, Anna. Elle parle avec ses yeux, aussi. Quand on dit fraise, elle pense Marek. Quand on dit mariage, elle pense veuve blanche. Quand on dit champ, elle pense mine. Quand on dit bébé, elle pense Adam.

Jerzy se tut, regardant le scepticisme dans la figure de sa femme. Tout ce qu'elle connaissait de la guerre, elle le lui avait déjà dit, c'était des lettres et des couvertures qu'elle avait expédiées aux soldats canadiens.

— Tu ne comprends rien, Anna.

Jerzy la laissa plantée dans la chambre et descendit si rapidement l'escalier que Jan se prépara à venir à son secours, convaincu qu'il allait trébucher. Jerzy n'en fit rien. Il se dirigea vers la patère, enfila manteau et bottes, et sortit sans claquer la porte, sans la refermer non plus. Jan se leva pour le faire et regarda les rides que faisaient les pas de Jerzy sur l'eau. Il soupira en refermant la porte. Jerzy ne lui avait pas posé de question sur ce qu'il avait voulu dire en demandant si la radio « en » avait parlé. Il revint s'asseoir dans la cuisine, augmentant un tout petit peu le volume de l'appareil, pour mieux entendre certes, mais aussi pour éviter d'engager une conversation avec Anna qui était redescendue, les yeux bouffis et la bouche amère. Jan se demanda comment Jerzy pouvait blesser une femme aussi extraordinaire.

Le soleil se coucha sur le 3 avril sans que personne ait constaté que Jan avait atteint sa majorité depuis le matin. Il avait essayé de blaguer en demandant si on en avait parlé à la radio mais personne n'avait compris ses allusions. Seuls les Favreau lui avaient expédié une carte de vœux et un cadeau extraordinaire. Jan sortit la lettre et le cadeau de sa boîte de souvenirs et les embrassa.

La cave avait d'abord suinté. Puis elle fut envahie par l'eau. Jerzy et Jan passèrent leur dimanche de Pâques à écoper et à mettre quelques légumes à l'abri. Jerzy et Anna reportèrent les réjouissances. Mme Jaworska ne discuta pas et, résignée, défit le petit panier qu'elle avait préparé pour emporter à l'église. Elle remit le pain dans la boîte métallique, déposa les œufs peints sur une étagère, juste à côté de l'icône de la Vierge, replaça le saucisson dans la glacière, remballa dans du papier brun le fromage blanc déjà protégé par un gros papier paraffiné, rangea le raifort et la moutarde dans le garde-manger et déposa la salière et la poivrière sur la table. Elle se signa devant la Vierge et lui demanda, en cette année mariale, de bénir l'eau qui semblait vouloir les ablutionner.

— Si seulement la rivière pouvait se débarrasser de la glace, il n'y aurait pas plus d'eau que ça.

Jan s'essuya le front et sourit à Jerzy qui écopait vaillamment toute l'eau qui leur baignait les pieds. Ils versaient l'eau dans un baril qu'ils montaient à l'extérieur et déposaient dans la boîte du camion. Quand leurs trois barils étaient remplis, ils allaient les vider le plus loin possible, derrière les bâtiments, et rentraient pour recommencer le manège.

— J'ai l'impression que l'eau revient dans la cave avant nous.

Jerzy avait ri en faisant sa remarque et Jan lui sut gré d'essayer de détendre l'atmosphère qui s'alourdissait de jour en jour. Le travail terminé, ils montèrent au rez-de-chaussée et écoutèrent la radio pour apprendre que, dès le lendemain, des correspondants feraient des reportages directement de Letellier et de Saint-Jean-Baptiste.

— Il paraît qu'à Saint-Jean-Baptiste on a l'impression d'être sur un transatlantique.

Jan avait sourcillé. Il commençait à croire qu'il était possible que la plaine se change en mer.

— Heureusement que tu es ici, Jan.

Jan tenta un sourire, regarda dormir son filleul et espéra que jamais ces eaux de terre ne noient les gens. Il se demanda si Montréal avait déjà été inondé.

Élisabeth regarda Étienne entrer dans la salle de cours. Elle lui sourit d'étonnement et de plaisir. Jeanne l'imita quand son cousin lui frotta le dessus de la tête. Élisabeth demanda à ses élèves de bien vouloir patienter, précéda Étienne et monta à l'étage. Mme Dussault se joignit à eux. Étienne leur annonça qu'il ferait partie d'un groupe de gens de presse invités à voir les ravages de la crue en compagnie de l'officier des Relations extérieures du Corps royal de l'Aviation canadienne.

— C'est effrayant, Élisabeth. C'est l'état d'urgence. L'armée a pris le contrôle des opérations. On nous dit que les rivières sont encore à peu près sages et que tout ça c'est à cause de la fonte des neiges. Rosenfeld, Altona puis Gretna sont noyés par une mer blanche. Nous sommes censés aller jusqu'à Emerson, dans les camions de l'armée.

Élisabeth constatait le plaisir évident que ressentait Étienne à être sur la ligne de front. De lecteur de nouvelles, il était devenu, grâce au désastre, un reporter, ce qu'il semblait apprécier. Mal à l'aise, elle avait la chair de poule uniquement à l'entendre parler d'armée et de soldats.

— Tu sembles aimer tout ce qui arrive, Étienne.

— Oui, euh... non. Non, je n'aime pas voir évacuer les gens, et, oui, j'aime le travail que je fais.

— Mais vous travaillez jour et nuit, Étienne.

— Oui, madame. Jour et nuit. Ou presque.

Étienne eut un air agacé, sentant qu'Élisabeth ne semblait pas approuver son travail.

— Il faut bien aider le monde, Élisabeth.

— Oui, je comprends ça.

Il se dirigea vers la porte et Élisabeth l'accompagna.

— Je t'aime, Élisabeth.

— Je sais et je t'aime aussi.

Si les lèvres d'Élisabeth avaient parlé, ses yeux demeurèrent muets. Étienne y lut une vive réprobation.

— Qu'est-ce que tu veux vraiment me dire, Élisabeth ?

— Simplement que j'ai de la difficulté à imaginer les dégâts et les gens touchés par le sinistre quand je vois ton sourire et ton excitation.

Étienne haussa les épaules et enfila ses bottes de pêche, embrassa la joue d'Élisabeth si rapidement que ses lèvres ne l'effleurèrent même pas, et sortit en claquant la porte aussi sèchement qu'il avait dit « salut ». Mme Dussault s'approcha d'Élisabeth et lui proposa de sortir. Élisabeth refusa gentiment et s'empressa de rejoindre ses élèves qui l'avaient patiemment attendue au sous-sol.

Étienne revint le dimanche soir, en état de choc. Jamais il n'avait cru possible de voir se déchaîner ainsi une rivière, qui, son eau eût-elle été changée en feu, aurait ressemblé à un boulevard infernal.

— La plus grande partie de cette eau nous arrive des États-Unis.

Son groupe s'était rendu jusqu'à Emerson et ils avaient vu la rivière se régurgiter elle-même. Élisabeth à Saint-Boniface, Jan et Jerzy à Saint-Norbert étaient demeurés soudés à leurs postes, écoutant ses reportages qui, Élisabeth en fut soulagée, se faisaient d'une voix remplie d'autant de compassion que d'enthousiasme.

Le docteur Dussault entra précipitamment dans la maison, descendit au sous-sol chercher tout ce dont il pouvait disposer. Élisabeth le suivit, au cas où il aurait eu besoin de ses services.

— Je vais continuer de recevoir des patients, Élisabeth, mais juste les urgences. Je compte sur toi pour faire un tri. D'ici la fin de l'inondation...

Il s'interrompit, regardant Élisabeth d'un air interrogateur.

— Est-ce qu'Étienne pense qu'une inondation peut durer tout le temps ?

Élisabeth haussa les épaules, s'étant elle-même posé la question. La neige ne cessait de fondre et les rivières continuaient de somnoler.

— Bref, d'ici la fin de l'inondation, je vais être au Centre de santé de Saint-Boniface, rue Provencher.

— Est-ce que je peux faire quelque chose ?

Dussault la regarda quelques secondes avant de lui sourire.

— Je ne crois pas. Pour l'instant, la situation semble sous contrôle.

— Sous quel contrôle?

Étienne revenait voir Élisabeth dès qu'il avait une minute, ce qui se faisait de plus en plus rare. Ses minutes étaient comptées ou racontées.

— Je commence à sentir la fatigue, Élisabeth. Je pense que je comprends un peu mieux ce que tu me décrivais quand tu me parlais du manque de sommeil.

— Je ne crois pas. Moi, je te parlais de manque de sommeil avec en plus la peur au ventre.

— Bon Dieu, Élisabeth! Aussitôt que j'essaie de te dire que je te comprends mieux, tu me contredis.

— Tu ne sais pas la peur, Étienne.

Élisabeth fut désolée d'avoir chagriné Étienne. Il était si extraordinaire qu'elle avait énormément de difficulté à croire qu'il pouvait l'aimer réellement. Sans même s'en rendre compte, et pour se convaincre de la profondeur de ses sentiments, elle ne cessait d'ajouter des obstacles à sa séduction. Elle l'embrassa en lui demandant pardon et Étienne ne mit que trois secondes à tout oublier.

— Je sais, Élisabeth, que le moment est mal choisi pour te poser la question, mais est-ce que tu serais capable d'être la femme d'un gars de radio qui ne connaît rien à la musique?

— Moi?

Étienne fut surpris par sa réponse. Il jeta un coup d'œil derrière son épaule, tourna sur lui-même et éclata de rire.

— Évidemment pas. Je parle au professeur de violon.

Élisabeth fut plus remuée qu'elle ne l'aurait imaginé. Jamais elle n'avait pensé qu'il pouvait l'aimer au point de vouloir l'épouser. Jamais elle n'avait supposé qu'une telle demande pouvait lui faire mal au ventre et à la poitrine. Marek! En une fraction de seconde, elle se demanda si elle serait capable de dormir avec Étienne sans laisser une place dans le lit pour Marek. Jamais elle ne lui avait parlé de Marek et elle pensait tout à coup qu'il était trop tard pour le faire. Pouvait-elle lui raconter son mariage sans qu'il se sente trahi? Elle regarda Étienne et vit de la peur dans ses yeux.

Était-il possible qu'il l'aime au point de craindre un refus ?

— Élisabeth ! Tu ne vas quand même pas dire non ? Tu ne veux quand même pas me faire peur pour que je puisse connaître et la peur et la fatigue ?

— Je ne veux pas dire non, Étienne, mais je ne sais pas comment dire oui.

Étienne la regarda, étonné puis désolé.

— Si tu veux réfléchir plus longtemps, je peux attendre. Toute ma vie, s'il le faut.

Élisabeth lui mit la main sur la bouche. Il ne savait pas ce qu'était la vie, encore moins ce qu'était une vie, n'ayant jamais vu quelqu'un perdre la sienne. Elle l'invita à se consacrer entièrement à son travail pendant qu'elle ferait de même. Dès qu'il pourrait de nouveau dormir des nuits de sept heures et faire des rêves, elle donnerait sa réponse.

— Je n'ai pas besoin de dormir pour faire des rêves.

Élisabeth sentit ses yeux s'humecter et le pria de partir en lui répétant qu'elle l'aimait et qu'elle écouterait sans cesse sa voix pour ne pas être éloignée de lui.

Elle l'écouta le lendemain soir, 27 avril. Il rentrait d'une expédition en DUKW, sorte de barge motorisée qu'il appelait camion amphibie. Élisabeth sentit de la peur dans sa voix.

— C'est incroyable, fidèles auditeurs. Le Manitoba ressemble de plus en plus à un archipel perdu. Les évacuations se font tantôt dans le calme, tantôt dans la colère. Le capitaine Ferguson nous a fait part de ses plus vives inquiétudes quant à une possible inondation de Winnipeg.

Moins de dix jours plus tard, toute la Rouge, gavée d'eau et couverte d'embâcles, sauta par-dessus les digues pour se répandre tout autour. Élisabeth et les Dussault échappèrent à l'évacuation, les eaux s'étant davantage attaquées aux rues de Saint-Boniface Nord. La rue Hamel avait été épargnée ainsi que la rue Provencher, en partie grâce aux travaux de remblayage effectués aux abords du pont menant à Winnipeg. La voix d'Étienne, qu'Élisabeth pouvait maintenant entendre presque vingt-quatre heures par jour, demandait du secours. Tantôt il recherchait quelqu'un, tantôt il demandait une chambre pour une personne en détresse, tantôt il lisait des lettres de sympathie ou des télégrammes.

Le 6 mai, Élisabeth sut que Saint-Boniface était sous le contrôle de l'armée. Elle eut si peur de voir les camions et les uniformes qu'elle s'empressa d'offrir ses services au Centre de la Croix-Rouge, à l'auditorium de Winnipeg.

— Vous n'avez pas d'objections, madame Dussault?

— Mais non, mais non. C'est la meilleure chose que peut faire une jeune femme de ton âge.

Les ponts étaient presque tous noyés et Saint-Boniface s'accrochait désespérément à la capitale, surtout par le pont du Canadien National. Un train y faisait la navette, transportant les évacués, les journalistes, les civils et les militaires. Élisabeth sentit grandir son inquiétude quand Saint-Boniface continua d'être vidé de ses habitants que l'eau et ses glaces remplaçaient rapidement. Elle ne put s'empêcher de détester cette eau qui était aussi envahissante et victorieuse que les Allemands de Cracovie.

Le matin, elle partait en train et regardait les pieds mouillés de la cathédrale en traversant le pont d'acier. Rendue à la gare Union qu'elle avait déjà tant admirée, elle s'empressait de se rendre rue St. Mary's où des tables et des appareils téléphoniques avaient été installés. La plupart du temps, Étienne, la barbe longue et les yeux noircis, était là avant elle. Il lui disait par un sourire sa joie de la voir. Elle lui donnait les quelques gâteries qu'elle avait apportées. Ce qu'il préférait, c'étaient les tablettes de chocolat et les arachides. Il s'empiffrait comme un affamé et elle comprit qu'il ne prenait pas le temps de manger autre chose. Plus elle le voyait, plus elle regrettait ses propos. Comment avait-elle pu lui reprocher de n'avoir pas connu la guerre?

— Je m'excuse, Étienne.

— Parce que ce n'est pas mon chocolat préféré?

— Non, pour ce que je t'ai dit la semaine dernière.

Étienne haussa les épaules et lui sourit d'un sourire brun et sucré. Élisabeth pensa qu'il lui avait fallu être méchante pour reprocher à Étienne d'être vivant. Parce que c'est ce qu'elle lui reprochait. Elle lui en voulait d'être ce que Marek n'était plus : l'homme qu'elle voulait aimer. Elle le quitta pour s'asseoir à sa table, répondre au téléphone qui ne dérougissait pas, et regrouper les messages.

— Des nouvelles de Saint-Norbert, Étienne?

— Ça a l'air stable.

— Stable à peu près sec ou stable plein d'eau?

— Ça dépend des secteurs. Depuis qu'on a fait un appel à tous pour avoir des bulldozers, on a fait pas mal de remblayages. Ça aide.

— Ça ressemble à des tranchées.

Étienne lui caressa la joue en souriant.

— Contente-toi donc d'appeler ça des digues. Il n'y a personne de l'autre côté... Juste de l'eau.

Le 13 mai, Étienne annonça que le dernier pont qui reliait Saint-Boniface à Winnipeg, le pont Norwood, disparaissait. Élisabeth reprit le train, épuisée par la tension qui l'avait retenue toute la journée. Les évacués arrivaient maintenant directement à l'auditorium et elle avait quitté le téléphone pour les installer, distribuer des victuailles et expédier tous les messages pertinents.

— Je sais que c'est ridicule, Élisabeth, mais que dirais-tu de te mouiller un peu... dans une bonne eau chaude et mousseuse?

Élisabeth accepta l'offre de Mme Dussault, un faible sourire aux lèvres. Pendant les jours qui suivirent, elle vécut en somnambule, partant le matin en espérant voir Étienne, en souhaitant aider les évacués, en cherchant désespérément les gens perdus. Le soir, elle rentrait avec la satisfaction d'avoir un mot à dire durant cette guerre, heureuse de constater que la maison se tenait presque au sec.

Jerzy se leva et éteignit la radio. Jan bâilla et se leva aussi.

— Le pire est passé. CKSB a cessé de diffuser la nuit, et eux ils sont en contact avec l'armée.

— Nous avons été chanceux. Saint-Adolphe a été évacué mais pas nous.

— Saint-Adolphe peut devenir une nouvelle Atlantide, ça ne me dérangera pas.

— Quelques milles de plus et nous flottions.

Jan regarda Jerzy et lui dit qu'ils ne pouvaient quand même pas avoir tous les malheurs.

— La cave est complètement inondée, mais au moins la maison n'est pas une arche. Une passoire peut-être, mais pas une arche.

— Nous repeuplerions mal la terre. Trois vaches et même pas d'âne.

— Le pire, dans le fond, ça aura été de voir flotter les excréments tout autour de la maison. Ceux des animaux et les nôtres. Les miens, ça allait, mais ceux que je ne reconnaissais pas...

— Franchement, Jan !

— C'est vrai. Je trouve ça dégoûtant.

Les frères montèrent en se souhaitant bonne nuit. Le lendemain et les jours qui suivirent, la Rouge sembla se calmer. Elle charriait encore des glaces que Jan et Jerzy soupçonnaient d'être des éclats de mystérieux glaciers.

— Quand même, nous avons eu de la neige mais pas depuis des semaines. C'est à se demander d'où sortent toutes ces maudites glaces.

La rivière transportait aussi des morceaux de maison, quand ce n'était pas des maisons complètes ou des bâtiments entiers. Jerzy y revoyait quelque chose qui ressemblait au dépotoir de Toronto qu'il avait planté de sapins secs, sauf que ce dépotoir-ci allait d'amont en aval. Il ne comptait plus les arbres, les branches et les veaux qui flottaient, ventre énorme et pattes en l'air, les poules qui ne pondraient plus, les carcasses d'automobiles et les morceaux d'instruments aratoires. Il avait entendu Étienne dire que la population se faisait vacciner contre les épidémies. Il pensa aux semis, n'ayant pas l'impression de pouvoir commencer avant la fin du mois de juin.

— Il faudrait que le ciel nous assèche tout ça rapidement. Nous allons être forcés de mettre les bouchées doubles.

Jan acquiesça, fuyant le regard de son frère.

— Ce soir, je n'écoute pas la radio. J'ai une lettre à écrire.

Jerzy le salua, sachant que la seule correspondance qu'il entretenait était avec M. Favreau. Il ne songea pas au fait que les services postaux étaient à peu près interrompus. Jan entra dans sa chambre et se laissa tomber sur le lit en se couvrant le visage du coude. Il entendit les pleurs de Stanislas et le pas lourd de Jerzy qui s'empressait de calmer son fils avant qu'il n'éveille Anna. Il se leva et, marchant sur la pointe des pieds, alla sortir les lunettes de son père et une des enveloppes de M. Favreau. Il se recoucha, les lunettes posées sur sa poitrine.

« Je ne sais pas comment dire tout ça, papa. Je ne sais pas. Est-ce que c'est possible que je pense à moi sans faire de peine ? Est-ce que c'est possible que j'aille au bout de mes rêves ? Je n'ai absolument pas envie de reporter ça à plus tard. C'est dans deux jours, papa. Dans deux jours et j'espère simplement pouvoir me rendre. Maudite eau ! Sais-tu quoi, papa ? Quand je suis arrivé ici, à Halifax, j'ai regardé l'eau de mer puis j'ai vu qu'elle était propre, nettoyée du sang de la guerre. L'eau, c'est mon alliée. Je ne veux pas qu'elle inonde mes rêves. Dis bonjour à maman. »

— Jan ! Vite ! Il faut tout emporter au grenier.

Jerzy avait la voix si calme que Jan ne prit nullement panique. Il avait devant lui son militaire de frère, celui qui avait assommé quatre hommes en quatre coups de poing. Il l'aida à pousser la trappe du plafond. Ils y glissèrent tout ce qu'ils purent, du lit du bébé aux violons. Jan était en état de choc, son sommeil l'ayant bercé de confiance. Il s'était empressé de mettre l'étui à lunettes dans ses poches avec l'enveloppe expédiée par M. Favreau pour son anniversaire.

— Qu'est-ce qu'on fait ?

Le niveau de l'eau atteignant déjà un demi-mètre au rez-de-chaussée, Jerzy installa toute sa famille à l'étage. Il tenta de calmer sa belle-mère qui ne cessait de répéter qu'elle ne savait pas nager.

— Ça ne serait pas utile, madame Jaworska, parce qu'on va venir nous chercher. Nous avons entendu ça des centaines de fois à la radio. Il faut rester en sécurité, préparer ses bagages et attendre du secours.

Les secours ne tardèrent pas. Des policiers de la Gendarmerie royale du Canada passèrent en canot motorisé, et l'un d'eux, la voix écorchée par un porte-voix, leur dit qu'ils reviendraient les chercher.

— Combien êtes-vous?

— Cinq.

— Est-ce qu'il y a des vieux?

Jerzy fut gêné par la question mais il regarda sa belle-mère qui avait quand même un peu plus de cinquante ans.

— Une.

— Y a-t-il des enfants?

— Un bébé de trois mois et demi.

Les policiers firent un signe entendu et quittèrent. Une heure plus tard, ils étaient de retour avec une chaloupe plus grande. Toute la famille sortit de la maison par le rez-de-chaussée, même si le niveau de l'eau avait maintenant atteint près d'un mètre. Les policiers soutinrent Mme Jaworska par les bras, et Stanislas fut porté haut et au sec par son parrain tandis que Jerzy tenait la main d'Anna pour marcher dans l'eau glacée. Ils s'installèrent dans l'embarcation et furent enveloppés de couvertures. Claquant des dents, Mme Jaworska pria la Vierge, reine de Pologne. Anna, elle, sourit calmement à Jerzy et à Stanislas, la canine résignée. Quant à Jan, il avait les mains dans les poches et y tenait fermement les lunettes de son père et l'enveloppe expédiée par M. Favreau.

Au Centre de la Croix-Rouge, Élisabeth apprit l'évacuation d'une partie de la population de Saint-Norbert. Elle réussit à joindre Étienne qui lui confirma, après quelques recherches, que Jerzy était au nombre des évacués.

— Tu parles d'un revirement bête, Élisabeth! C'est la rivière LaSalle qui a débordé. Même pas la Rouge. La Rouge se recouche hypocritement après avoir gavé l'autre.

Élisabeth s'inquiétait et pria Étienne d'utiliser les ondes pour demander à ses frères de donner des nouvelles.

Jan ravalait silencieusement sa colère et son désespoir. Il jeta la lettre de M. Favreau dans les eaux avant de monter dans une des grandes barges motorisées. Il tenait toujours

Stanislas dans ses bras tandis que Jerzy essayait mala-droitement d'aider sa belle-mère, qui ne cessait de mar-monner des excuses à sa fille, à son gendre et à son Dieu.

Jan s'enfouit la tête dans la couverture de Stanislas, espérant cacher sa déception. Il regarda le paysage, aussi noyé qu'il l'était lui-même par le chagrin. Le camion amphibie partit, laissant derrière lui une égrati-gnure brune sur une eau indésirable.

Jerzy et sa famille furent conduits à la gare, où, avec les autres évacués, ils prirent un train qui les mena à Beauséjour. Le maire du village les accueillit dans la salle paroissiale, leur promettant qu'ils dormiraient tous dans un lit bien sec. Stanislas interrompit son allocution à quelques reprises. Anna tenta vainement de le calmer. Ce fut finalement Jan qui y parvint en le berçant tout doucement. Plusieurs familles de Beauséjour arrivèrent pour venir chercher qui des connaissances, qui des éva-cués. Jan se sentit aussi désespéré qu'il l'avait été à Amberg, demandant, encore une fois, d'être parrainé dans son malheur.

Et puis il les vit.

Avec Stanislas endormi dans ses bras, il se glissa dou-cement derrière Jerzy.

— Regarde à deux heures, Jerzy. Lentement.

Jerzy tourna la tête et se figea. Deux hommes venaient d'entrer. Jerzy les reconnut immédiatement même s'il ne les avait vus que le temps de les mettre knock-out.

— *Kurwa* de *shit!*

Jan chercha Anna des yeux et lui fit un discret signe de tête pour qu'elle vienne reprendre Stanislas. Anna confia sa mère à d'autres personnes de Saint-Norbert et s'approcha, avec un sourire fatigué. Jerzy se tourna vers elle.

— Si tu vois des choses que tu ne comprends pas, Anna, regarde ailleurs.

— Qu'est-ce que tu veux dire?

— Je t'expliquerai.

Il avait pris un ton désinvolte pour qu'elle ne s'inquiète pas, jetant à la dérobée un regard en direction de son frère puis des nouveaux venus.

Les responsables de l'opération d'évacuation s'approchèrent de lui et de Jan, leur posant les questions d'usage.

— Vous êtes combien ?

— Cinq.

On leur apprit qu'il était fort peu probable qu'ils puissent être tous logés à la même enseigne.

— Je voudrais quand même être avec ma femme et mon fils.

— Moi, je crois préférable d'être avec sa belle-mère, Mme Jaworska, parce qu'elle ne s'exprime pas très bien en anglais, ni en français d'ailleurs.

— Polonais ?

Jan acquiesça. Il regarda Jerzy, faisant un signe de tête si discret que même l'homme qu'il désignait ne le vit pas.

— Dans une minute, ils vont être à côté de nous.

Jerzy se rapprocha de son frère tout en faisant un sourire rassurant à Anna qui était allée retrouver sa mère. Puis les yeux se rencontrèrent. Les deux hommes s'arrêtèrent devant eux.

— Tiens, tiens, tiens ! Tu les reconnais, Fred ?

— Ma mâchoire reconnaît surtout le boiteux.

Jan et Jerzy leur tournèrent le dos et allèrent se mettre en file devant la table des responsables. Fred et l'autre les suivirent discrètement. Devant l'irritabilité croissante et de sa mère et de Stanislas, Anna vint trouver Jerzy pour le prier de hâter les procédures.

— J'imagine que dans cinq minutes tout va être réglé. Va t'asseoir. Stanislas doit te peser sur les bras.

Jerzy avança d'un pas, Jan derrière lui. Jan entendit l'un des hommes dire que le boiteux au poing de fer n'était sûrement pas myope.

— On l'a vu deux fois avec des femmes, et deux belles femmes.

— Ta gueule, Albert.

Jan frissonna, supposant qu'encore une fois la bagarre éclaterait.

— Jerzy Pawulski.

— Monsieur Pawulski, vous avez toute notre sympathie. C'est bien vous qui avez demandé un logement pour cinq personnes ?

Jerzy acquiesça, espérant qu'on pourrait répondre favorablement à sa requête.

— Hé ! Fred ! Est-ce que la maison est assez grande pour accueillir cinq personnes ?

Jan crut défaillir quand un des deux hommes, celui qui devait s'appeler Fred, s'approcha de la table.

— Pas de problème. Je peux presque accueillir une division.

Jerzy tiqua. Ce Fred avait certainement fait l'armée pour user de ce langage.

— Et un bébé, ça ne dérangera pas trop ta femme ?

— Un, deux ou trois, ça ne fait pas de différence.

Fred s'approcha de Jerzy et lui demanda de le suivre avec sa famille. Jerzy ne sut que faire. Devait-il refuser d'aller avec lui et risquer de déclencher une rixe ou le suivre et faire le guet tout le temps de son séjour ? Il interrogea Jan du regard. Jan prit une de leurs deux valises et commença à marcher lentement derrière Fred. Le second homme les regarda partir, médusé.

La ferme de Fred était propre et accueillante, et sa femme, Lynn, avait l'âge d'Anna, et des jumeaux de deux ans.

— Si j'avais su que vous aviez des bébés, j'aurais demandé à être logé ailleurs.

— Non, non. Ça va être amusant. Quel âge avez-vous dit qu'il a ?

— Stanislas va avoir quatre mois la semaine prochaine.

L'installation fut rapide et Anna, dès que Stanislas eut pris du lait et un peu de blanc-manger, s'empressa de le coucher dans un landau que Fred était allé chercher au grenier. Mᵐᵉ Jaworska eut une chambre pour elle seule et elle s'y étendit, le temps d'une sieste. Lynn et Anna s'empressèrent de cuisiner le repas. Jan et Jerzy inspectèrent les lieux avec des yeux d'aigle, Jan cherchant tout ce qui pourrait leur être utile en cas d'agression, Jerzy vérifiant les issues au cas où ils seraient obligés de fuir. Fred les dévisagea sans dit un mot. Il sortit du papier et du tabac et se roula une cigarette. Jerzy le laissa terminer avant de lui offrir une Export. Fred refusa d'un geste de la tête et craqua une allumette de bois avec l'ongle de son pouce. Les trois hommes restèrent dans le salon, sans parler, pendant que les femmes papotaient sans rien voir. Elles dressèrent la table. Anna monta réveiller sa mère pendant que Lynn jetait un coup d'œil sur les enfants.

— Une vraie nursery. Les trois dorment à poings fermés.

Ils s'attablèrent et mangèrent avec appétit. Anna ne cessa de gesticuler pour que Jerzy et Jan parlent un peu. Ils étaient muets comme des carpes et Anna s'interrogeait sur leur manque de courtoisie.

Jerzy ne dormait pas, même s'il savait que Jan faisait le guet. Il entendait le souffle régulier d'Anna qui avait une cuisse chevauchant la sienne et un bras autour de sa poitrine. Jerzy avait les oreilles aux abois, certain qu'il entendrait Fred sortir de sa chambre pour venir lui chuchoter un défi. Il avait beau se raisonner et se dire qu'aucun homme ne pouvait être assez idiot pour terroriser deux familles sous son toit, il ne réussissait pas à s'en convaincre. Sa seule consolation était de se souvenir que Fred avait été le moins violent des quatre.

Jerzy voulait changer de position lorsqu'il entendit des pas s'approcher de la porte. Le silence se fit aussitôt. Jerzy se libéra de l'étreinte d'Anna qui se retourna en grognant doucement. S'aidant de ses bras, il réussit à s'asseoir sans trop faire grincer le sommier. Les pas s'étaient encore fait entendre avant de s'arrêter de nouveau. Jerzy eut la certitude qu'on soulevait le loquet de la porte. Il retint sa respiration, prêt à bondir, priant le ciel de n'avoir pas à effrayer Anna qui s'était endormie en pardonnant à la vie les misères qu'elle leur faisait depuis bientôt deux mois. Les charnières commencèrent à gémir et Jerzy sentit une colère noire s'emparer de lui. Une colère qui ressemblait à celle qui avait accompagné la perte de mobilité de sa jambe. Une colère sourde, profonde et sans pardon. Il repoussa les couvertures, posa le pied de sa jambe réfractaire sur le plancher. Il entendit battre son cœur et reconnut le rythme qui avait toujours précédé les attaques. Il déglutit péniblement, surpris de se sentir une gorge d'émeri.

— Jerzy ?

Il retomba sur l'oreiller, soupirant si fort qu'Anna s'éveilla une fraction de seconde et se rendormit.

— Qu'est-ce qu'il y a, Jan ?

— Ce Fred est en bas et il ne monte pas se coucher. Qu'est-ce qu'on fait ?

Jerzy ferma les yeux pour réfléchir, puis décida de se lever. Il enfila une chemise, prit son paquet de cigarettes qu'il glissa dans une poche de poitrine et sortit derrière Jan, sans faire de bruit.

— Va te coucher, Jan. Je descends.

— Pas question. Tu descends, je descends.

Jerzy ne discuta pas, trouvant l'endroit mal choisi. Ils s'engagèrent dans l'escalier, Jan toujours devant. À peine étaient-ils entrés dans le salon qu'une forme noire bondit derrière Jerzy, le prit à la gorge et le menaça d'un couteau sur la joue. Jan crut vivre un mauvais cauchemar lorsqu'il vit la figure de Fred noircie, comme s'il avait été un soldat en patrouille de nuit. Jerzy demeura immobile durant quelques secondes, puis, son sang-froid reprenant les veines d'assaut, il effectua trois brusques mouvements et désarma Fred. Jan allait se précipiter à sa rescousse lorsqu'il entendit un rire étouffé. Fred avait le fou rire. Jan et Jerzy laissèrent tomber les bras.

— Je le savais : il n'y avait qu'un soldat pour m'assommer comme je l'ai été.

Jerzy le regardait, ne sachant trop s'il assistait à une soudaine crise de folie ou si lui-même avait la berlue.

— Il faut bien être un Polak pour avoir accepté de venir ici.

Fred se dirigea à tâtons vers un fauteuil. Jerzy s'assit à son tour et offrit une cigarette à son hôte qui, cette fois, l'accepta. Aucun des trois hommes ne parla pendant tout le temps que les petites flammes rouges se promenèrent des bouches aux cendriers. Fred éteignit son mégot et alluma une lampe. Jerzy sourit de son maquillage sommaire.

— C'est de la cendre de poêle.

Fred se dirigea vers la pompe de la cuisine pour s'y débarbouiller. Jan et Jerzy se regardèrent, complètement déroutés par ce qui se passait. Ce Fred était sûrement fou. Il revint en s'essuyant avec une serviette.

— Est-ce que la dame qui était avec vous a eu peur, l'autre fois ?

Jerzy ne broncha pas. Jan observait son frère, certain qu'il avait dû être un soldat exceptionnel.

— Qu'est-ce que tu en penses ?

Fred ne cilla pas devant la question.

— Je n'en pense pas grand-chose. Tout ce que je sais, c'est que la bière et nous, ça a fait un vrai cocktail Molotov. Elle a été chanceuse de vous avoir.

Fred lança sa serviette.

— J'ai été dans les *Winnipeg Grenadiers*.

Jerzy regarda la main que lui tendait Fred et fut incapable de la serrer. Il était certain que Jan demeurait derrière sa chaise, prêt à bondir.

— Deuxième corps d'armée polonais, sous commandement anglais.

— Est-ce là que tu as été blessé ?

— Oui.

— Où ?

— À la hanche, à la cuisse, au genou, au mollet...

— ... alouette !

Fred l'avait interrompu. Jerzy sourit.

— *Damned* Polak ! Vous déconnez toujours. Où ? À la bataille de Bologne ?

— Non. À la bataille de Bologne, ça faisait presque un an que j'étais à l'hôpital, à Londres. Mes reliques...

— Reliques... ?

— Mes morceaux, je les ai laissés au mont Cassin, en Italie.

— Les miens sont à Hong-kong. Au bout d'une baïonnette de Jap.

Jan n'en crut pas ses oreilles. Pour la première fois, il eut droit à la totalité des récits de guerre de son frère. Jerzy n'avait jamais parlé de sa fuite en Russie.

Fred et Jerzy parlèrent pendant des heures, se racontant

les sons et les vibrations des bombardements, et la peur, et l'odeur de chair roussie, et l'odeur de chair gangrenée, et l'odeur de mort. Jan n'osa pas les interrompre même si chaque histoire se superposait parfaitement à ses souvenirs. La nuit passa, le temps ne se comptant plus dans un sablier mais dans un cendrier. Fred regarda enfin l'heure, se leva et se dirigea vers la patère de la cuisine.

— Les vaches m'attendent.

— J'ai mis les miennes en pension pour qu'elles ne se noient pas.

Jerzy enfila son manteau et se tourna vers Jan pour lui dire qu'il allait vérifier s'il n'avait pas perdu la main.

49

LORSQUE Anna rentra chez elle, elle éclata en sanglots. Le plancher de la cuisine avait gonflé et fait craquer le prélart. Il était jonché de détritus malodorants : brindilles de bois, boîtes de conserve rouillées, pelures d'orange, grains de maïs, corps de mulots noyés. Même le dessus de la table avait des cernes noirs. Anna n'osa y déposer Stanislas et elle s'empressa de monter à l'étage, pleurant aussi fort que le bébé épuisé par le voyage. Mme Jaworska enleva son manteau et s'arma de courage et d'un balai. Jerzy et Jan suivirent Anna et allèrent vite au grenier récupérer le lit de Stanislas.

La maison sentit la moisissure pendant plusieurs jours, mais leurs narines s'habituèrent à ce désagrément. Jan et Jerzy mirent les bouchées doubles à trier les semis encore utilisables.

— Heureusement que nous avions tout monté !

Le 14 juin, ils partirent pour les champs, les cordes et les piquets dans les mains.

— Penses-tu que notre récolte de cordes va être aussi bonne que celle de l'an dernier, Jan ?

Jan ricana. Son frère avait une façon de réagir qu'il se jura d'essayer d'imiter. Ils travaillèrent d'arrache-pied avec les frères d'Anna qui s'étaient empressés de venir à la rescousse, n'ayant pas, eux, été touchés par l'inondation. La maison bourdonna de l'intérieur, un des frères d'Anna ayant pensé à amener une connaissance pour refaire la peinture. Après avoir tout frotté et récuré, Mme Jaworska s'attaqua au lavage

412

de la literie et de tous les rideaux. La maison bourdonna aussi de l'extérieur, quelques abeilles vaillantes réussissant à trouver des fleurettes là où la terre avait fini de s'assécher. Presque tous les travaux de nettoyage et de réfection avaient été exécutés quand Élisabeth et Étienne arrivèrent pour les semis.

— Nous avons vu Jan sur la route.

— Il est allé à la poste.

Jerzy regarda Anna, un sourire sur les lèvres.

— Nous trouvons qu'il y va souvent.

— Moi, je pense qu'il y a une fille quelque part. Peut-être cachée dans une enveloppe, qui sait ?

— Une enveloppe de matelas ?

Jerzy avait éclaté de rire devant le regard scandalisé d'Anna.

— Anna ! Franchement ! As-tu l'impression que Jan est toujours... ?

— Oui. S'il est un bon Polonais, oui.

— Parce qu'être un bon Polonais, ça se mesure dans le fond de culotte ?

Étienne avait ri de sa question. Élisabeth le fusilla du regard. Jerzy ne savait plus s'il aimait la tournure de la conversation. Chaque fois qu'ils se retrouvaient aux champs, les propos prenaient toujours une drôle de direction. L'abbé Villeneuve n'était malheureusement plus là pour fixer des limites à la grivoiserie.

Élisabeth avait un air dubitatif. Elle ne pouvait croire que Jan ait une femme dans sa vie. Il lui en aurait parlé puisqu'ils n'avaient presque jamais eu de secrets l'un pour l'autre. Lorsque Jan revint du village, il se précipita dans la maison pour en ressortir quelques minutes plus tard, les joues roses de plaisir. Élisabeth l'observa, intriguée. Il vint se joindre à eux, tombant presque sur les genoux tant il s'était hâté de se mettre au travail.

— Ma foi, on devrait presque avoir fini demain soir.

— Il était temps ! Trois semaines de retard, c'est assez.

Jan ne parla plus, s'acharnant à semer et à planter dans les sillons humides. Les frères d'Anna partirent le samedi en fin d'après-midi, emmenant leur mère pour une visite d'une semaine. Jerzy les remercia mille fois, ne cessant de répéter combien il était chanceux d'avoir une famille aussi généreuse. Il rentra dans la maison, sourit en voyant Élisabeth bercer Stanislas sous le regard attendri d'Étienne. Quant à Jan, il était monté à sa chambre et Jerzy l'entendait déplacer des meubles. Jerzy n'osa le dire mais il se sentait le cœur gonflé de se retrouver avec sa petite famille. La vie l'avait toujours traité de la même façon, lui envoyant des bonheurs incommensurables immédiatement après lui avoir fait croire que la mort pouvait être un meilleur choix.

Ils s'attablèrent, Élisabeth tenant toujours Stanislas du bras gauche pendant qu'elle mangeait de la main droite.

— Étienne, peux-tu couper ma viande ?

Étienne haussa les épaules tandis qu'Anna faisait d'énormes efforts pour ne pas reprendre le bébé et l'installer dans son petit lit de cuisine. Jerzy lui tapotait la cuisse pour l'inviter à la patience. Élisabeth devenait complètement irrationnelle dès qu'elle mettait les pieds chez lui et qu'elle apercevait Stanislas.

— C'est Adam tout craché. C'est incroyable. Tu ne trouves pas, Jan ?

Même s'il trouvait généralement que tous les bébés se ressemblaient, cette fois il voyait effectivement un très fort air de famille entre les deux.

— Adam et Stanislas se ressemblent encore plus que Jan et Jerzy.

Élisabeth détaillait chacun des traits du visage du bébé. Jerzy essayait d'imaginer l'air qu'aurait son fils dans cinq ans pour voir le visage de ce frère qu'il n'avait jamais connu, emporté dans la mort. Le repas terminé, ils retournèrent dans les champs et réussirent, contre toute espérance, à compléter les derniers semis.

Élisabeth resta au salon, la main dans celle d'Étienne. Jan vint se joindre à eux pendant qu'Anna couchait le bébé et que Jerzy accordait son violon pour sa musique dominicale. Élisabeth demanda à Jan de s'approcher d'elle et lui chuchota qu'elle et Étienne se fianceraient en septembre et se marieraient en décembre. Jan voulut sincèrement se réjouir mais en fut incapable. Il serra la main d'Étienne et embrassa sa sœur sur les deux joues sans proférer un seul mot qui aurait pu ressembler à des félicitations.

— Est-ce que Jerzy et Anna sont au courant?

— Non. Nous allons le leur dire ce soir. Je tenais à ce que tu sois le premier à l'apprendre, Jan.

Jan avait connu tous ses malheurs. Aussi lui jeta-t-elle un regard désespéré devant sa réaction mitigée. Elle aurait juré qu'il était déçu. Il serra les lèvres et annonça qu'il sortait. Élisabeth eut l'air chagrinée, mais elle commença à croire qu'Anna avait peut-être raison et que Jan avait probablement une femme dans sa vie.

Jan passa plus d'une heure à promener sa tristesse et son indécision. Il rentra et fut accueilli par Jerzy qui, un verre de vodka à la main, célébrait la bonne nouvelle.

— Deux choses à fêter ce soir, Jan. La fin des semis et, tiens-toi bien, les fiançailles d'Élisabeth et d'Étienne. Sers-toi.

Jan ne dit pas un mot et se versa un verre plus que généreux, qu'il but un peu trop rapidement. Étienne et Élisabeth étaient resplendissants. Jerzy et Anna se tenaient l'un contre l'autre comme s'ils avaient encore le désir aigu de se découvrir. Jan avala une autre gorgée pour noyer l'affreuse impression qu'il venait d'avoir. Il était terriblement seul. Jerzy et Anna ne tarissaient pas, occupés qu'ils étaient à préparer le mariage d'Élisabeth.

— Vous allez vous marier ici.

Élisabeth n'osa les contredire mais déjà Étienne et elle avaient décidé de le faire en la cathédrale de Saint-Boniface. Jerzy était si touchant à voir en patriarche de la famille que Jan se tut. Il se contenta de remplir et de vider son verre jusqu'à ce qu'il se retrouve dans son lit sans savoir comment il y était arrivé et qu'il entende un lointain écho du violon de Jerzy. Il se leva en grognant, le cœur comprimé. Il entra dans la salle de bains, se passa la tête sous l'eau glacée et sortit de la maison. Il marcha d'un pas décidé, se fiant à son oreille pour retrouver son frère. Il resta un peu à l'écart, attendant que Jerzy finisse la pièce qu'il jouait. Jan pensa que Jerzy était un admirable musicien et qu'il devrait se joindre à un ensemble de musique de chambre. Il regarda ses

415

propres mains, déformées, et fit un rictus de tristesse. Les
dernières notes résonnaient encore lorsque Jerzy laissa
tomber l'archet. Jan le vit inspirer à pleins poumons l'air du
matin qui sentait encore la noyade du printemps. Jerzy
desserra les crins de l'archet et le posa, ainsi que le violon,
dans l'étui et se signa. Jan tiqua. Il n'avait jamais pensé son
frère aussi religieux. Jerzy se tourna enfin et l'aperçut. il lui
sourit aussitôt.

— As-tu mal à la tête?

— Oui. Et au cœur.

— C'est ce qui arrive quand on boit comme un maudit
Polonais.

Jerzy éclata d'un rire qu'il cassa presque aussitôt devant
l'air sérieux de son frère.

— Est-ce que tu m'en veux d'avoir joué du violon?

Jan fit non de la tête et emboîta le pas à Jerzy.

— Est-ce que je t'ai raconté comment j'ai rencontré
Anna?

— Oui, plusieurs fois.

— Évidemment. C'est un des plus beaux moments de ma
vie.

Jan ferma les yeux et inspira profondément.

— Est-ce que je t'ai raconté comment j'ai rencontré
M. Favreau?

— Oui, plusieurs fois...

Jan ne le laissa pas continuer et enchaîna.

— Évidemment. C'est un des plus beaux moments de ma
vie.

Jerzy, pressentant ce qui allait suivre, ralentit le pas, de
façon presque imperceptible. Jan parla alors sans laisser son
frère l'interrompre, lui disant combien il était heureux de le
voir si bien marié et père d'un si bel enfant, et ravi de savoir
qu'Élisabeth allait se marier.

— Si tu savais combien elle a souffert.

Il poursuivit en disant que lui-même n'avait qu'un rêve:
retourner à Montréal pour s'y installer. Jerzy ne put plus
tolérer le silence que son frère lui imposait.

— Depuis quand est-ce que tu as ce rêve-là, Jan?

— Depuis que j'ai fait la rencontre de M. Favreau et que

j'ai visité la ville. Je ne suis pas un gars de la campagne, Jerzy.

— Tu es un excellent cultivateur.

— J'ai toujours bien fait ce que j'avais à faire. Imagine ce que ce sera quand je vais faire ce que j'aime !

— Tu n'aimes rien ici ?

— Sincèrement ? Ce que j'ai le plus aimé, ç'a été de vendre les légumes au marché. J'aime vendre et discuter avec les gens.

Jerzy ne parla plus. Jan essayait de lire les pensées que pouvait avoir son frère. Il était d'un calme bouillonnant et Jan savait que cela n'augurait rien de bon.

« ... Es-tu devenu fou, Jerzy ?

— Malgré tout mon respect, papa, je pense que tu n'exprimes que ton point de vue... »

L'écho de la voix de son père résonnait encore dans le vide de Jerzy.

— Je pense que notre père aurait souhaité que nous restions tous ensemble.

— Peut-être le père que tu as connu. Celui dont moi je me souviens nous a fait partir de la maison sans lui.

— Mais il était censé vous suivre et vous retrouver.

— Ce n'est pas ce que le destin a voulu.

Jan observa son frère à la dérobée. Jerzy souffrait tellement à l'idée de son départ que Jan en eut mal.

— Mais je vais revenir souvent, Jerzy.

— Quand ? Tu sais très bien que dans le commerce il n'y a jamais de congé.

— Je vais revenir pour la récolte. Garder cette habitude que papa nous a inculquée.

— Penses-tu vraiment ?

— Évidemment.

Jerzy hocha la tête et expira trois fois avant de se tourner et de regarder Jan dans les yeux.

— Je ne veux pas que tu partes, Jan.

« Je pars ce soir, papa. »

— Je pars, Jerzy. Ne me complique pas les choses. C'est déjà assez difficile.

— Si c'est difficile, reste.

— Non.

Jerzy s'impatientait de plus en plus. Jan se força à doubler ses appels au calme. Jamais il n'avait pensé que Jerzy userait de son autorité. Jerzy accéléra le pas, ce qui, il le savait fort bien, le rendait encore plus pathétique.

— Jerzy, je vais être à bord du transcontinental mercredi soir.

Jerzy accéléra encore, le violon ballottant au bout de son bras. Jan tenta de le suivre puis s'arrêta brusquement. Jerzy ne se retourna même pas et entra dans la maison. Jan marcha dans le champ et alla s'appuyer contre un épouvantail. Puis il entendit un cri venant de la maison. La voix d'Élisabeth qui criait « Non ! » le glaça. Il la vit sortir de la maison à la hâte et se diriger vers lui en pleurant. Elle commença à courir dans le champ et Jan la revit, fragile, dans le champ de fraises. Il partit à sa rencontre et la prit dans ses bras pour la protéger.

— Non, Jan ! Oh non ! Ne me fais pas ça !

— Voyons, Élisabeth, cesse de pleurer. Tu le savais que je voulais rentrer à Montréal.

— Mais je pensais que c'étaient des rêves de petit gars de dix-sept ans.

Jan la regarda, renversé. D'abord, il avait dix-huit ans quand ils étaient arrivés au Canada. Ensuite, il n'avait jamais été un petit gars de dix-sept ans. À cet âge, il devait déjà survivre et la protéger.

— La dernière fois que j'ai été un petit garçon, j'avais dix ans, Élisabeth. C'est le soir où Jerzy est parti.

— Tu as toujours été mon petit frère, Jan.

— Non, Élisabeth. C'est toi qui as toujours été ma petite sœur. C'est ton grand frère qui part, Élisabeth, pas ton petit frère. Même maintenant, tu pleures comme si je t'abandonnais. Ton petit frère, c'était Adam. Ça n'a jamais été moi.

Élisabeth desserra son étreinte et Jan se dirigea vers la maison. Aussitôt qu'il entra, il eut le sentiment qu'une mort venait de se produire. Il regarda le miroir et vit qu'il n'était pas voilé, ce qui le rassura. Jerzy gémissait, la tête sur la table. Anna, assise à ses côtés, tentait tant bien que mal de le consoler, tandis qu'un blême Étienne hochait la tête d'incrédulité devant la profondeur du drame. Jan monta à l'étage et pénétra dans la chambre de Stanislas qui dormait à poings fermés. Il s'agenouilla et passa la main à travers les barreaux pour lui caresser le visage et les cheveux.

— Ce n'est pas parce que je vais habiter Montréal que je vais cesser d'être ton parrain, Stanislas. Tu pourras venir travailler avec moi dans une de mes épiceries, parce que je veux avoir des dizaines d'épiceries. À partir d'aujourd'hui, c'est mon plus grand rêve.

Il regagna sa chambre et s'y accroupit pour tirer les valises rangées sous son lit. Il entendit Élisabeth rentrer et la voix d'Étienne qui n'était qu'un murmure rassurant. Quant aux sanglots de Jerzy, ils se faisaient plus souffrants. Jan essuya la larme qui lui chatouillait l'œil et s'interdit d'en faire une autre. Il s'étendit sur le lit, les mains derrière la tête, et essaya de penser à tous ses projets. Il se releva, ouvrit une valise et en sortit sa boîte à souvenirs. Les lunettes de son père ne semblaient pas lui faire de reproches. Quant aux cordes du violoncelle, elles étaient toujours aussi tordues. La demi-alliance d'Élisabeth n'avait plus l'air que d'un triste bout de bois. Il prit le mouchoir de M. Favreau pour le sentir et ouvrit le livre pour regarder ses feuilles d'érable, sèches et foncées. Il saisit son sac de terre, descendit l'escalier et sortit de la maison sans regarder personne. Il marcha jusqu'au bout d'un champ, s'y accroupit et laissa tomber quelques grains de terre de Cracovie qu'il mélangea à la terre de son frère. La terre européenne était si sèche qu'elle eut l'air d'un assaisonnement saupoudrant la terre encore humide du Manitoba. Il prit ensuite un peu de terre du Manitoba qu'il fit tomber dans son sac.

— Jan!

La voix d'Anna avait résonné comme une complainte. Jan leva la tête et sourit à sa belle-sœur qui l'attendait à l'extrémité du champ, les mains jointes sur la poitrine. Il se releva et marcha dans sa direction.

— Tu ne peux pas partir, Jan.

— Je ne veux plus discuter de cela, Anna. Je pars mercredi soir.

— Tu ne peux pas. C'est la Saint-Jean samedi. Nous

419

allons te faire une fête extraordinaire, Jan. Nous allons allumer des feux de joie. Élisabeth et moi, nous allons tresser des couronnes de fleurs et les faire flotter sur la Rouge après y avoir allumé des bougies. Nous pourrons même faire une grande chasse au trésor pour trouver la fleur de la fougère.

Jan étreignit sa belle-sœur en lui chuchotant dans l'oreille qu'il n'avait plus besoin de chasse au trésor parce qu'il avait déjà son billet de train. Anna sanglota longuement et il ne l'en empêcha pas. Ils entrèrent tous les deux dans la maison mais Jerzy avait l'air d'autant plus maussade qu'il était bouffi. Élisabeth regardait Jan avec des yeux si suppliants qu'il ne sut que comprendre. Il monta à sa chambre mais à peine avait-il franchi la moitié de l'escalier que la voix de Jerzy lui coupa les jambes.

— Je veux que tu sortes de ma maison ce soir. Tu n'es plus le bienvenu ici.

Jan redescendit lentement et s'approcha de son frère.

— Tu me mets à la porte ?

— Non, Jan. C'est toi qui nous as tous mis à la porte.

— Moi ?

— Tu as redéchiré la famille, Jan.

— Mais non. La famille va avoir une branche ailleurs, c'est tout.

— De toute façon, tu es mineur et je ne t'autorise pas à partir.

Jan soupira et regarda son frère bien en face.

— Pas depuis avril, Jerzy. Le dégel t'a fait oublier que je vieillissais.

Jerzy accusa le coup. Jan remonta l'escalier pour en redescendre quinze minutes plus tard, portant tout son bagage. Anna se précipita vers lui.

— Reste, Jan. Jerzy a trop de chagrin pour savoir ce qu'il dit.

— Jerzy a trop de chagrin pour entendre ce que moi je dis. Tant pis.

Il enfila le seul manteau propre et léger qu'il avait et sortit de la maison. Il sentit son cœur lui cabosser la poitrine mais il continua à avancer, sans se retourner. Il le fit uniquement lorsqu'il fut certain que les arbres le cachaient. Il fit le tour du jardin des yeux, salua quand même son frère d'un signe de la main et continua sa route.

Jan avait franchi cinq bons kilomètres lorsque l'automobile d'Étienne s'arrêta à ses côtés. Élisabeth abaissa sa vitre et le pria de monter. Il ouvrit la portière arrière, plaça d'abord sa valise à l'intérieur avant de s'y glisser lentement. Étienne le regardait d'un air réprobateur dans le rétroviseur.

— Ne me regarde pas comme ça, Étienne. Je devais partir il y a trois semaines. J'ai jeté un billet dans les eaux de la rivière LaSalle. Je veux vivre à Montréal, Étienne, et travailler avec M. Favreau.

Élisabeth recommença à sangloter. Étienne lui donna son mouchoir et n'ouvrit pas la bouche.

— Tu vas venir habiter chez les Dussault. Peut-être qu'ils sauront te convaincre de changer d'idée.

— Non, Élisabeth. Mon idée est faite depuis que nous sommes arrivés au pays. Je vais au *YMCA*.

Jan passa ses deux derniers jours à lire de la documentation sur Montréal, à visiter Winnipeg, à attendre un appel de Jerzy ou d'Élisabeth. Le téléphone ne sonna pas. Le mercredi matin, il tenta de joindre son frère, mais Anna lui répondit que Jerzy était sorti. Elle lui répéta qu'elle l'embrassait et lui souhaita un bon voyage.

— Je ne m'en vais pas en voyage, Anna.

Elle avait raccroché sans entendre sa réponse. Jan décida de se payer le luxe d'un taxi et arriva à la gare bien avant l'heure, pour être certain de ne pas rater son train. Tout en mangeant un sandwich, il relisait la dernière lettre de M. Favreau qui disait l'attendre et lui promettait d'être à la gare. « *Je suis aussi excité à l'idée de ton arrivée que si tu étais mon fils revenant de guerre.* » Jan se gratta la paupière, regrettant profondément que son frère lui ait donné l'impression qu'il venait de tuer les survivants de sa famille. Il regarda l'heure, se leva et paya avant de se diriger vers les quais. Il chercha Élisabeth des yeux et ne la trouva nulle part. Sa défection le démolissait. Les passagers avaient commencé à monter et, le billet entre les lèvres, il suivit la file jusqu'à ce qu'il trouve son wagon. Espérant encore, il se retourna une dernière fois. Ni Élisabeth ni Jerzy n'étaient venus.

Jan entra dans le train et trouva sa place. M. Favreau avait fait toutes les réservations, mais ne lui avait pas dit qu'il roulerait en wagon-lit. Jan s'était préparé à faire tout le voyage assis et à dormir deux nuits la tête ballottante, un oreiller lui glissant dans le dos sur sa banquette de cuir.

Des coups de sifflet se répondirent, le conducteur ferma les portes et le train commença à rouler, donnant d'abord un coup sec qui se répercuta de la locomotive au wagon de queue. Jan regardait le quai d'un air distrait lorsqu'il aperçut Étienne agiter la main, sans sourire. Le cœur en émoi, il se retourna rapidement et lui fit des signes d'au revoir.

— C'est à moi qu'Étienne disait au revoir, Jan.

Sixième temps

1950-1952

50

Jerzy regardait Anna confectionner une couronne de fleurs et réussit à s'en émouvoir. Elle avait décidé que pour fêter la Saint-Jean elle lui redirait son amour et sa joie en lui redemandant sa main. Jerzy ferma les yeux et la revit assise près de son père agonisant. Tout le temps qu'il l'avait contemplée ainsi, il avait cru qu'elle tressait une couronne mortuaire. Mais, cette année, il la voyait faire de grands efforts pour retenir sa tristesse et il lui en savait gré. Il n'aurait pas eu la force de la consoler, s'appuyant davantage sur son sourire à elle. Jamais de sa vie il n'avait éprouvé un aussi grand sentiment d'abandon. Il se leva pour aller à l'extérieur et Anna confia Stanislas à sa mère pour suivre son mari.

— Tu marches trop vite, Jerzy.

Il ralentit en ricanant. Fallait-il qu'il fût désespéré pour avoir encore la force d'avancer ! Anna le rejoignit et lui prit la main. Depuis deux jours que Jan et Élisabeth avaient quitté le Manitoba, Jerzy n'avait pu trouver le sommeil, certain d'être responsable de ce qu'il qualifiait de désertion. Anna eut beau lui dire et redire la différence qu'il y avait entre lui, son frère et sa sœur, il demeurait sourd à ses raisonnements.

— J'ai certainement fait quelque chose, Anna. On ne brise pas une famille pour un rêve.

— Jerzy... Quand tu es parti de Cracovie en 39, as-tu pensé que tu brisais ta famille ? Non, et pourtant tu partais à la conquête d'un rêve, toi aussi.

Jerzy cessa de marcher, se revit dans la cour de Cracovie à

425

creuser pour emporter un peu de terre en souvenir, porte-bonheur ou fétiche, il ne le savait plus. Il n'avait jamais voulu blesser son père.

— Je partais par amour pour mon pays, Anna.

— Et Jan est parti par amour pour une ville...

— Et ce M. Favreau.

Jerzy avait prononcé ces mots avec tant de dépit qu'Anna comprit que ses fibres d'aîné avaient été très effilochées. Elle continua de le consoler, lui parlant du miracle de leurs retrouvailles.

— Pour si peu de temps...

Jerzy se tut, ralentit de nouveau et alla replacer un épouvantail qui avait tourné sur sa patte fixe. Anna le regarda faire, soupirant. Elle se demandait si Jerzy voyait une ressemblance entre l'épouvantail et lui-même. Il revint en sautillant, arborant ce sourire qui annonçait toujours une blague cynique.

— Tu ne trouves pas que lui et moi nous avons un air de famille ?

— Je le savais !

— Que nous avions un air de famille ?

— Non, que c'est ce que tu dirais.

— Parce que tu as eu pitié de moi, Anna, en remarquant que nous nous ressemblions vraiment ? Que c'est le seul frère qui me reste ?

Anna cessa de marcher. Jerzy, parfois, lui hérissait le poil. Elle se sentit vibrer de colère.

— Jerzy Pawulski ! Depuis que tu es ici, au Manitoba, je ne réussis que très rarement à retrouver le Polonais si charmant qui m'a séduite dans le train. Rarement. Parfois j'ai l'impression que tu travailles fort à te blesser, comme si la guerre ne t'en avait pas fait assez. Et puis, si tu veux le savoir, oui, j'ai pensé que tu te trouverais une ressemblance avec l'épouvantail, mais uniquement à cause de sa jambe. Je me dis aussi que notre vie d'aujourd'hui est encore plus belle que celle que nous avions avant notre mariage. Oui, plus belle ! Tu as une sœur et un frère bien en vie et tu as un fils. Nous n'en avions pas autant il y a deux ans.

Jerzy ne semblait pas réagir, regardant plutôt sa terre

comme s'il avait eu une soudaine attaque de surdité. Il avait sa mauvaise bouche des jours où le chagrin semblait la souder.

— J'en ai assez de tes lamentations ! Il y des mauvaises herbes à arracher. Viens avec moi si tu veux ou va te noyer dans la rivière. Mais cesse de t'apitoyer, Jerzy. Moi, j'ai besoin de rire. Et Stanislas aussi.

Anna se jeta presque à quatre pattes pour arracher non pas tant les mauvaises herbes que la colère qui, tel du gui, l'étouffait. Jerzy disparut pour ne revenir qu'à l'heure du souper, le sourire aux lèvres, au grand bonheur d'Anna.

Jan regardait les derrières des maisons, étonné de découvrir qu'à Montréal aussi il y avait de la pauvreté. Ses souvenirs avaient probablement étouffé ces images. Le train, après avoir enjambé un bras du lac des Deux-Montagnes, s'était glissé depuis l'ouest de l'île à travers des campagnes et des villages. Il était enfin arrivé dans la ville même et il se faufilait derrière les maisons, faisant le moins de bruit possible afin que les enfants dont le landau était presque à deux pas des rails puissent continuer leur sieste matinale. Les cordes à linge étaient pavoisées de vêtements multicolores mais aussi de drapeaux fleurdelisés qui, tous ensemble, flottaient à droite, flottaient à gauche. Jan eut le regard attiré par un pantalon qui, épinglé par la ceinture, lui semblait se déhancher.

Il se tourna en souriant vers Élisabeth qui lui fit un léger signe de tête. Il se leva pour aller entre les deux wagons, sachant que le conducteur avait ouvert la moitié supérieure d'une porte. Il s'appuya les coudes et sortit la tête. Il voulait sentir Montréal. Il entendit le ding-dong des avertisseurs des passages à niveau et regarda les automobiles et les camions immobilisés derrière les barrières blanches. Il vit aussi un laitier retenir son cheval que la vibration et le bruit des traverses rendaient nerveux. Il sourit. Enterrant le crissement des roues, une fanfare claironnait *Vive la Canadienne,* un air qu'il connaissait pour l'avoir appris en même temps que le *Pot-pourri.* Jan sourit, trouvant extraordinaire ce vrai pot-pourri que lui offrait la ville, enchaînant les vagissements aux cris des aînés, les rires aux éclats d'impatience, les notes aiguës des fanfares en répétition aux sifflements affolés du train.

La locomotive crachait ses vapeurs noires quand on tapota l'épaule de Jan.

— On entre en gare dans trois minutes.

Jan alla rejoindre Élisabeth qui tenait les valises en équilibre dans l'allée. Jan les empoigna toutes les deux et alla les porter là d'où il venait, voulant fuir le regard inquiet d'Élisabeth, voulant surtout se préparer à revoir M. Favreau. Il balayait ses craintes, refusant de penser que Favreau ne serait peut-être pas venu l'accueillir ou avait peut-être oublié ses promesses.

Le train commença à bousculer doucement ses passagers, freinant par à-coups durant son approche de la gare pour enfin s'immobiliser complètement. Jan empoigna les valises et demanda à Élisbeth de passer devant lui.

— Tu me le dis dès que tu les vois, Élisabeth.

— Veux-tu aussi le savoir si je ne les vois pas ?

— Ils vont être là.

Jan se tut, sentant un suintement de nervosité au-dessus de sa lèvre supérieure. Il posa une valise pour s'essuyer du revers de la manche avant de monter l'escalier mécanique derrière Élisabeth.

Ils arrivèrent dans le hall et une fanfare pinponna un air polonais. Jan éclata de rire en apercevant M. Favreau qui tenait une pancarte sur laquelle était écrit PAWULSKI, semblable à celle qui leur avait souhaité la bienvenue à leur arrivée, près de quatre années plus tôt. Il ne remarqua pas qu'Élisabeth avait tiqué. De toute évidence, les Favreau ne l'attendaient pas. Si cela avait été le cas, ils auraient inscrit PAWULSCY.

— Et Élisabeth est là aussi ! Mais c'est merveilleux ! Merveilleux !

Élisabeth regarda Jan et fut renversée de voir la joie lui déchirer la figure par un sourire à fendre l'âme de n'importe qui.

Jan posa les valises et se précipita dans les bras de M. Favreau qui se comportait vraiment comme un père venu accueillir son fils rentrant du front. Mme Favreau, elle, se réfugia dans les bras d'Élisabeth, ne cessant de lui dire la chance qu'avait Montréal de s'enrichir d'une aussi belle et talentueuse jeune femme. Élisabeth n'osa pas la contredire, mais elle se demanda si Jan avait eu ne fût-ce qu'une toute petite pensée pour Jerzy. Elle sentit que son cœur se noyait un peu devant l'évidence : Jan venait de retrouver sa famille.

M. Favreau pressa Jan d'entrer. Ce dernier s'immobilisa sur le seuil de l'épicerie, fit le tour du magasin des yeux avant d'y pénétrer presque religieusement et de humer l'odeur des épices et des légumes. Il pressa l'étui à lunettes de son père, qui était, depuis son départ du Manitoba, appuyé sur son cœur dans sa poche de poitrine. Il se tourna pour regarder Élisabeth qui souriait de ses souvenirs.

— Rien n'a changé.

Mme Favreau s'exclama en riant qu'elle avait vainement tenté de convaincre son mari d'effectuer quelques aménagements.

— Il vous attendait.

Favreau eut un air gêné tandis que Jan fondit de reconnaissance. Quant à Élisabeth, elle savait parfaitement qu'on n'avait pas envisagé son retour. Mme Favreau fit une légère pression sur son bras pour lui faire comprendre qu'elle avait lu ses pensées et tenter de la détromper.

M. Favreau passa devant Jan et l'incita à le suivre à l'extérieur de l'épicerie.

— Pourquoi ?

— Parce que c'est la façon d'entrer chez vous.

Le frère et la sœur se regardèrent sans comprendre. À la queue leu leu, ils longèrent l'épicerie et montèrent l'escalier intérieur, adjacent au garage, M. Favreau fermant la marche comme s'il voulait s'assurer que tout son monde était bien là. Jan entra derrière Mme Favreau, qui avait déverrouillé la porte, et ils pénétrèrent dans une assez grande pièce presque ronde, avec laquelle communiquaient deux chambres, une salle de bains et une cuisine. Jan et Élisabeth retinrent difficilement leur surprise en reconnaissant la table et les chaises qu'ils avaient vues lors de leur première visite. M. et Mme Favreau les laissèrent seuls et disparurent si discrètement que Jan n'entendit pas la porte se fermer ni même se rouvrir lorsque M. Favreau vint déposer leur bagage.

Jan étreignit l'étui à lunettes pendant qu'Élisabeth s'émerveillait devant la luminosité de la plus petite chambre. Jan, lui, se planta devant la fenêtre arrière et regarda la ruelle dans laquelle des enfants criaient pour rien, déversant leur trop-plein d'énergie pendant la pause de midi. Tout à leurs réflexions, ils n'entendirent pas revenir M. Favreau. Dans l'embrasure de la porte, il les regardait, aussi ému et heureux qu'eux.

— Mme Favreau se demande si vous voulez prendre une bouchée avec nous.

Jan sursauta et se tourna pour lui faire face.

— Si vous nous invitez, c'est certain !

Jan décréta qu'Élisabeth prendrait la grande chambre à coucher et qu'il se contenterait de la petite, ce qu'Élisabeth refusa. Jan ne voulut pas discuter, alléguant qu'elle aurait besoin d'espace pour recevoir ses élèves. Élisabeth préféra ne pas dire qu'elle n'avait jamais eu l'intention de demeurer à Montréal, Étienne l'attendant pour la rentrée de septembre. Elle soupira et haussa les épaules en voyant Jan, souriant, porter son bagage. Elle ne cessait de l'observer, le cœur à l'étroit dans la poitrine, autant parce qu'elle le savait heureux que parce qu'elle sentait qu'il avait de moins en moins besoin d'elle.

Élisabeth ouvrit le placard. Mme Favreau y avait laissé de nombreux cintres. Elle suspendit les jolies robes offertes par Mme Dussault et posa ses chaussures sur les lattes du plancher. Quand elle eut terminé, la chambre lui sembla encore vide et elle se demanda si, dans deux mois, elle y aurait inscrit un semblant de présence. Elle inspira silencieusement, souhaitant y laisser ne fût-ce qu'un souvenir.

Élisabeth pensait à rejoindre son frère pour lui donner un coup de main lorsqu'elle entendit claquer la porte d'entrée et les pas de Jan se précipiter dans l'escalier. La seconde porte, celle qui donnait sur l'extérieur, claqua à son tour et Élisabeth sentit la maison vibrer. Elle songea qu'elle devrait lui apprendre à respecter le calme des Favreau.

Élisabeth se dirigea vers la chambre de Jan et sourit devant le fouillis qu'il avait réussi à y créer. Sa valise avait été lancée sur le lit et il en avait certainement extrait quelques vêtements car elle était sens dessus dessous. Élisabeth s'interdit de fouiller la commode et le placard de son frère, sentant qu'il y aurait eu là quelque chose d'indiscret : Jan habitait déjà la totalité de l'espace de sa chambre. Élisabeth eut une pointe d'envie. Jamais, depuis Cracovie, elle n'avait eu le sentiment d'être chez elle. Elle s'englua dans le rêve qu'elle et Étienne nourrissaient d'une petite maison de crépi blanc dans laquelle ils s'installeraient sitôt mariés.

Jan poussa la porte et sentit son cœur faire écho au son de la clochette clouée juste sur le cadre. M. Favreau leva les yeux et lui sourit avec tellement de plaisir que Jan, encore une fois, eut de la difficulté à croire à sa bonne étoile. Il passa derrière le comptoir, arracha un tablier au crochet et le revêtit avec empressement. Il fixa un crayon noir et gras sur son oreille, et, sans attendre que M. Favreau lui parle, s'en alla dans les allées du magasin voir si tout était en ordre sur les tablettes. Il s'arrêta devant chaque produit, lut toutes les étiquettes, et replaça les boîtes, faisant des rangées bien droites. Il examina les étalages de produits en vrac.

— Est-ce que la farine puis le riz, comme ça, attirent la vermine ?

— Je touche du bois parce que je n'ai pas de vermine. Mais, dans l'alimentation, on sait que ça peut arriver.

— Même pas dans les ordures ?

M. Favreau concéda qu'il avait déjà aperçu quelques rats dans la ruelle, mais que, depuis qu'il avait construit une énorme boîte de bois dans laquelle il plaçait les poubelles, les rats étaient allés ailleurs. Jan pensa immédiatement à la fable de La Fontaine.

— Ils doivent être partis dans les champs.

Il s'apprêtait à rire de sa blague, mais vit que Favreau n'avait pas compris. Il haussa les épaules et poursuivit sa reconnaissance des lieux. Dès que les clients lui en laissaient le loisir, M. Favreau l'observait, pinçant la bouche devant la

431

détermination évidente de son protégé. Jan se dirigea vers l'étal de légumes, où les asperges fraîches et d'un vert étonnant semblaient être les seuls légumes à n'avoir pas étouffé dans les caveaux.

— Vous êtes certain d'en avoir assez, monsieur Favreau ?

— Oui. Les gens n'aiment pas tellement les asperges.

M. Favreau appuyait sur le *s* de « gens ». Jan fut presque scandalisé. Comment les gens pouvaient-ils bouder de la nourriture ?

De l'étage, Mme Favreau agita la cordelette faisant résonner un grelot. Jan et M. Favreau montèrent. Jan conserva son tablier, se contentant, par politesse, d'enlever sa casquette. Élisabeth était déjà sur place et Jan sourit en la voyant. Elle le toisa. Son frère, pensa-t-elle, était plus habillé par un tablier que par une salopette de cultivateur. M. Favreau avala ses œufs durs en sauce blanche, parlant si rapidement du travail que lui et Jan abattraient que Mme Favreau et Élisabeth passèrent les plats à une vitesse n'ayant d'égal que le débit de Favreau. Il ne s'interrompit que deux fois, des clients entrés dans le magasin l'obligeant à descendre pour les servir.

— Ce soir, on va au parc LaFontaine. On pourrait marcher mais je vais essayer d'amener l'auto le plus près possible. J'ai pensé qu'on pourrait aller à la messe de minuit après le feu de la Saint-Jean.

Mme Favreau demeura bouche bée, sa fourchette pointée au plafond.

— Es-tu sérieux ?

— Oui, madame. Ça fait combien de temps que tu me demandes d'aller au feu avec toi ?

Mme Favreau réfléchit quelques secondes.

— Ça fait combien de temps que tu as acheté l'épicerie ?

— Dix-sept ans.

— Alors, ça fait seize ans.

Jan regarda M. Favreau qui lui fit un clin d'œil avant d'avaler sa dernière bouchée.

— Je redescends. Tu viens avec moi, mon homme, ou tu montes chez toi défaire ta valise ?

Pour toute réponse, Jan remit sa casquette et bondit sur

ses pieds. Élisabeth le regarda descendre et sourit tristement à Mme Favreau, qui avala prudemment une gorgée de thé fumant.

— Si jamais il décide de devenir épicier, il est mieux de trouver une femme qui aime être à la maison.

Élisabeth approuva de la tête et regarda attentivement la cuisine, comme si elle la découvrait pour la première fois. Si elle avait pu reculer dans le temps et moucharder, elle aurait dit à sa mère combien elle désapprouvait la vie de ses frères. Jerzy était heureux, mais son bonheur n'avait que la couleur des champs et aucun horizon autre que celui qu'il voyait au bout de ses terres. Elle lui aurait confié que Jan n'avait jamais voulu terminer ses études et qu'il n'avait qu'un rêve : travailler dans une épicerie. Elle n'aurait pas effleuré le sujet de la musique, sachant que sa mère aurait été peinée d'apprendre que sa fille était la seule à avoir persévéré. Une voix imprécise lui parla et Élisabeth sursauta devant l'expression désolée de Mme Favreau.

— Pardon ?

— Je te demandais si tu voulais venir avec moi faire quelques petits achats.

Élisabeth s'efforça de sourire en acquiesçant. Elle sentait soudainement le poids du deuil de sa mère.

Jan marchait devant avec M. Favreau pendant qu'Élisabeth et Mme Favreau échangeaient des propos qu'Élisabeth trouvait frivoles et, en conséquence, plus que bienvenus.

— Et dans ce logement-là, il y a un vieux couple qui y habite depuis au moins cinquante ans. Ils n'ont jamais eu d'enfants, mais ils doivent bien avoir une douzaine de chats.

— Une douzaine ?

— Minimum, mais rien que des matous. Comme ça, ils n'ont pas besoin de se préoccuper des portées et des minous. Ici, dans ce logement-là, il y a une famille, tiens-toi bien, Élisabeth, de dix-neuf enfants.

— Dix-neuf ?

— Oui. Tous vivants. Mais il y en a de partis. Il y en a

même de mariés. L'aînée des filles a eu deux bébés avant que sa mère ait son dernier. Est-ce que vous avez des familles comme ça en Pologne?

— Peut-être dans les campagnes, mais à Cracovie, je ne me souviens pas d'avoir vu ça. Mais c'était la guerre.

Ils traversèrent la rue Rachel, et les piétons, de plus en plus nombreux, arrivaient de partout. Élisabeth n'avait pas vu un tel rassemblement depuis son enfance, quand les fervents de Cracovie, véritables pèlerins de la foi, marchaient le dimanche vers l'église Notre-Dame. Même à la cathédrale de Saint-Boniface, elle n'avait pas vu autant de gens.

Mme Favreau avait rejoint son mari et Jan se mit au pas de sa sœur.

— C'est extraordinaire, Élisabeth. M. Favreau m'a dit qu'il y avait une famille qui habitait ici et qu'il y avait...

— ... dix-neuf enfants.

— Tu le savais?

— Évidemment. Pourrais-tu me montrer la maison de la douzaine de chats?

— Oui, mademoiselle. Je pourrais aussi te montrer celle où il y a eu un meurtre.

— Un meurtre?

Élisabeth s'était rembrunie. Depuis le triste épisode de l'orage, à Saint-Adolphe, elle n'avait plus entendu parler de mort violente et n'avait plus vu de corps hachés Elle s'épongea le front, la chaleur étant intense et leur pas assez rapide. Elle regarda Jan qui souriait à lui faire mal au ventre. Il regardait à gauche et à droite, baissant les yeux timidement devant les filles, qui semblaient le trouver plutôt beau. Élisabeth le toisa et dut admettre que son frère paraissait encore mieux que Jerzy qui avait eu la réputation d'être un des plus beaux garçons de Cracovie.

— J'ai l'impression, Jan, que tu vas aimer Montréal et les Montréalaises.

— S'il te plaît, cesse donc. C'est à peine si...

Jan s'était tu et avait fait un petit signe de tête à une mère et à sa fille avant de leur céder le passage à l'intersection de la rue Christophe-Colomb. La fille se retourna au moins quatre fois pour le dévisager, les yeux étonnés. La mère mit fin au manège en la rappelant à l'ordre par un coup de coude si peu discret qu'il ne leur échappa pas. Élisabeth recommença à taquiner son frère.

— Qu'est-ce que je disais ? Tu vas aimer Montréal.

Jan haussa les épaules et pria sa sœur d'accélérer pour qu'ils rejoignent les Favreau.

— As-tu peur que nous nous égarions ?

— Non. Mais je veux être avec eux. On ne sait jamais. Peut-être qu'ils connaissent les gens que nous voyons.

— Jan ! Tu veux savoir le nom de la jeune fille aux cheveux frisés ?

Jan la regarda, presque choqué. Il n'avait sincèrement plus pensé à cette courte rencontre, mais voulait connaître les gens qui, peut-être, étaient des clients de l'épicerie.

— Pour qui me prends-tu ?

— Pour mon frère... si tu l'es encore...

Jan cessa de marcher et retint Élisabeth par le bras. Il la regarda bien en face, les yeux ternis d'incrédulité. Il lui arrivait parfois de ne plus la comprendre, alors que, cinq ans auparavant, elle ne pouvait faire une grimace sans qu'il sache où elle avait mal, que ce soit au corps ou à l'âme.

Arrivés dans le parc, ils suivirent M. Favreau qui jouait des coudes pour atteindre le kiosque central.

— Je voulais arriver tôt parce que j'ai pensé que vous aimeriez ça, assister au concert.

Ils s'assirent sur la pelouse. Élisabeth et Mme Favreau purent s'appuyer contre un arbre. Quand la musique commença, sous un ciel gris et chaud, Élisabeth s'abandonna la tête et laissa couler une larme en entendant une des pièces que sa mère avait aimé enseigner. Elle retrouva ses pensées de l'après-midi, s'interrogeant sur les projets et les rêves que sa mère avait caressés pour ses enfants. Se pouvait-il qu'elle fût ravie d'apprendre que ses enfants n'avaient pas tous un diplôme ? Comprenait-elle leur fuite de Pologne ? Voyait-elle, elle aussi, l'extraordinaire ressemblance entre son fils Adam et son petit-fils Stanislas ?

Un coup de percussion ramena Élisabeth au parc LaFontaine. Elle promit à sa mère de lui reparler tout en applaudissant les musiciens qui avaient joué stoïquement sous leurs chauds habits de cérémonie et s'essuyaient le cou, le front et la figure avec de grands mouchoirs apparus comme par magie. Un homme qu'on présenta comme étant Arthur Tremblay, président de la Société Saint-Jean-Baptiste, s'avança près du micro pour parler du programme de la fête et remercier les gens de s'être déplacés en si grand nombre par une canicule précoce et cruelle. Son propos dura trois quarts d'heure, au grand désespoir d'Élisabeth qui n'avait qu'une envie : se lever pour se dégourdir les jambes. M. Tremblay termina son allocution en annonçant le thème du défilé du lendemain : « La vie populaire au Canada français ». Élisabeth put enfin se lever quand on procéda à la bénédiction du bûcher, gigantesque cône de brindilles, de branches et de troncs.

— C'est pas notre archevêque. C'est Mgr Maurault.

Mme Favreau avait chuchoté l'information dans l'oreille d'Élisabeth pendant que cette dernière faisait le signe de croix. Un homme rondelet s'approcha du bûcher.

— Lui, c'est monsieur le maire Houde. Ça doit être lui qui va allumer le bûcher.

Mme Favreau avait à peine terminé sa phrase que le bûcher s'enflammait, énorme brasier qui semblait vouloir donner la réplique à la canicule. Plusieurs personnes reculèrent, craignant d'être atteintes par les brandons qui volaient partout telles des lucioles ivres ou égarées. Jan regarda le feu sans sourire. Il pensait à Jerzy et à Anna qui avaient insisté pour qu'il soit à Saint-Norbert à la Saint-Jean. Il revoyait aussi Stanislas qu'il avait privé de parrain. Il se promit de lui parler du rêve qu'il avait fait et refait pendant plus de deux ans avant de le réaliser.

Le bûcher se consumait toujours quand les artificiers allumèrent une première gerbe rouge qui se fixa au ciel quelques secondes avant de retomber en scintillements. Quelques comètes suivirent, puis, d'un treillis gigantesque fixé au sol près du lac, s'enflamma la tête du pape Pie XII. M. Favreau applaudit.

— Il faut quand même être artiste pour faire une tête de pape en feu de couleur !

Des candélabres furent lancés du sol avant que ne pétille une seconde tête.

— C'est la tête de qui ?

— Notre archevêque, Paul-Émile Léger.

— Il est mort ?

— Non, pourquoi ?

Jan esquissa son premier sourire et claqua la langue avant de dire qu'il avait hâte d'être connu pour voir sa tête en feu de Bengale.

M. Favreau se mit à rire.

— Je savais que tu rêvais, mais rêver comme ça, c'est spécial. Il va falloir que tu retombes sur terre. Je suis épicier, Jan. Pas médecin ou avocat. Si tu suis mes traces, tu vas être épicier.

— C'est bien mon intention. Mais j'aimerais bien retomber sur terre après avoir été épinglé au ciel par des aiguilles de feu.

Jan haussa les épaules en continuant à sourire. Perplexe, Favreau le regarda avant de sursauter à cause d'un pétard plus bruyant que les autres. L'air, déjà lourd d'humidité, s'était coloré en bleu et avait pris une odeur de bois brûlé et de poudre à fusil.

Ils décidèrent d'assister tous les quatre à la messe de minuit que Mgr Léger célébra en l'église Notre-Dame. Durant la messe, Jan ne cessa de regarder au plafond, cherchant dans les planches de bois peint et les plâtres dorés un sens à cette première journée qu'il venait de vivre, auréolé de son rêve.

Le 24 juin arriva accompagné de cris et de rires. Jan s'éveilla et sourit quand il entendit les pétards résonner dans la ruelle. Élisabeth frappa et entra dans sa chambre, épouvantée.

— Tu as entendu, Jan ?

— Mais oui. Ce sont des pétards. Ça fait partie de la fête.

— J'aime mieux le silence des couronnes de feuilles qui dérivent amoureusement sur les rivières. J'ai entendu assez d'explosions hier soir.

— Veux-tu qu'on aille sur le mont Royal chercher la fleur de la fougère ?

Élisabeth s'assit au pied du lit de son frère et lui caressa une cheville. Jan cessa de sourire.

— Tu n'as pas l'intention de rester, Élisabeth.

Élisabeth regarda son frère et cligna des yeux. Les lèvres pincées par la désolation, elle hocha la tête.

— À cause d'Étienne ?

— À cause d'Étienne. À cause de Jerzy. À cause d'Anna. À cause de Stanislas. À cause de toi.

Sa voix se cassa et Jan s'assit et s'approcha pour la consoler.

— Quand as-tu l'intention de partir, Élisabeth ?

— Pour la rentrée de septembre. J'espère que tu vas rencontrer une belle Montréalaise pour greffer une nouvelle branche sur l'arbre des Pawulscy.

Jan enlaça Élisabeth et lui caressa les cheveux, ne sachant comment lui avouer qu'il vivait son premier chagrin montréalais. Il avait espéré que sa sœur resterait avec lui le temps qu'il s'adapte et s'amalgame au mortier des briques de sa nouvelle ville. Il ne sut comment lui suggérer de travailler durant l'été, le temps de voir si elle aurait aimé cette ville comptant presque autant de clochers que Cracovie. Le temps de mesurer le bonheur de son frère. Le temps de comprendre qu'il avait choisi une vie parfumée d'odeurs d'orange et d'essence de vanille. Il se leva et s'étira devant la fenêtre, passa à la salle de bains pour en ressortir rafraîchi dix minutes plus tard.

— Le temps est douteux. Penses-tu qu'ils vont faire le défilé ?

Jan ne répondit pas et Élisabeth passa à la cuisine, ouvrit la porte du réfrigérateur dans lequel Mme Favreau avait placé quelques aliments, sourit de cette attention et commença à préparer un petit déjeuner pour elle et son frère.

— Il fait tellement chaud, Élisabeth. Il me semble qu'au Manitoba il ne fait jamais aussi chaud que ça.

Élisabeth ne répondit pas que le temps avait été semblable le jour de l'orage meurtrier. Jan grignota rapidement, ne cessant de regarder l'heure. Il descendit à la hâte après avoir salué sa sœur.

— Me permets-tu de ranger tes tiroirs, Jan ?

— Si tu veux. Mais je ne garantis pas qu'ils vont être en ordre tout le temps.

Élisabeth fit le ménage de sa chambre, lava la vaisselle qu'elle plaça dans les armoires, puis passa dans la chambre de son frère. Elle ouvrit les tiroirs de la commode pour y mettre sous-vêtements et chaussettes trouées, chemises trop petites et lainages percés. Elle s'assit quelques minutes, tira sur le col avant de sa robe et souffla sur sa poitrine dans l'espoir de se rafraîchir.

— Ça promet !

Elle prit la valise de Jan pour la glisser sous le lit, mais son frère ne l'avait pas fermée et elle s'ouvrit pour laisser tomber le violon de Jan et une boîte de souvenirs qu'Élisabeth avait déjà vue à Saint-Adolphe. Elle l'ouvrit, la boîte n'étant pas solidement refermée, regarda les feuilles d'érable séchées dans le livre donné par M. Favreau lors de leur arrivée au Canada et l'étui contenant les lunettes de leur père. Elle embrassa sa moitié d'alliance de bois, mais, surtout, caressa les cordes de violoncelle. Le contact du métal sur sa joue la rafraîchit et, d'une certaine façon, apaisa son chagrin.

Élisabeth s'empressa d'aller frapper chez Mme Favreau pour lui demander si elle avait un crochet.

— Quelle sorte de crochet ?

— Un crochet assez gros pour suspendre l'étui à violon de Jan.

Elle remonta avec le crochet et un marteau et installa l'instrument à la tête du lit de son frère. Elle eut une irrésistible envie de jouer et alla chercher son violon. Elle posa les lunettes et les cordes de violoncelle sur la commode et accorda son instrument, qu'elle avait été forcée de condamner au silence depuis une semaine.

— Un duo, papa, ça te plairait ?

Elle attaqua enfin une aria avec l'empressement et la fougue qui suivaient le sevrage imposé par le voyage. Dans l'épicerie, M. Favreau entendit la musique.

— C'est mieux que les coups de marteau.

Jan s'était immobilisé, ne manquant pas une note du petit concert que lui faisait sa sœur. Il pria intérieurement pour qu'Élisabeth ait donné le premier coup d'archet de sa vie de Montréalaise.

L'heure du défilé de la Saint-Jean approchait et le ciel, sournoisement caché derrière des nuages gris, ne cessait de gronder. Élisabeth s'énervait, craignant qu'il n'éclate.

— S'il y a du tonnerre, Jan, je n'y vais pas.

Jan comprenait les craintes de sa sœur mais s'attristait du fait qu'elle pourrait rater cette fête des Canadiens français. Élisabeth se tenait à la fenêtre, épiant le ciel comme s'il pouvait ouvrir le feu.

— Calme-toi, Élisabeth. Il y a encore du soleil.

— Il faiblit. Et les nuages viennent de l'ouest.

— Qui t'a dit que c'était l'ouest? Tu ne connais pas encore la ville.

— Peut-être, mais je sais que c'est l'ouest.

M. Favreau suait et transpirait, heureux comme un écolier faisant l'école buissonnière. Jan et Élisabeth suivirent les Favreau qui, encore une fois, jouaient du coude pour s'assurer d'avoir de bonnes places.

— Veux-tu me dire ce qui m'a pris de fermer le magasin par un samedi où tout le quartier veut de la bière?

Élisabeth ne cessait de regarder le ciel, de plus en plus menaçant. L'air était si lourd que Jan avait le front mouillé et les lèvres humectées par des gouttelettes qu'il ne cessait de lécher tout en s'essuyant les tempes avec un mouchoir à carreaux. Élisabeth, qui s'était entêtée à porter des gants et une robe cintrée, transpirait encore davantage et devait essuyer les moqueries de son frère et de M. Favreau quand elle soupirait et tentait désespérément de décoller les mèches de cheveux qui lui adhéraient au front.

— Est-ce qu'il va y avoir des soldats en uniforme?

— Des policiers, sûrement. Des soldats... peut-être. Mais les plus beaux uniformes que nous verrons seront ceux des musiciens.

— Des musiciens? Encore?

440

Jan venait de recevoir une petite brise de fraîcheur en entendant parler de musique. Quant à Élisabeth, elle écouta davantage les grondements qui percussionnaient dans le ciel. M. Favreau remit avec ostentation aux autres les journaux qu'il avait apportés.

— Je pense à tout. Je pense à tout. Rien de plus pratique qu'un journal. Vous pourrez vous en servir comme coussin. Si l'orage éclate, levez-vous à la hâte et changez-le en parapluie.

Devant cette remarque, Élisabeth prit un deuxième journal qu'elle déplia et posa avec précaution sur le trottoir. Malgré la recommandation de Mme Favreau, elle avait insisté pour emporter un parapluie. Jan la regarda et trouva qu'elle avait une drôle d'allure avec sa robe imprimée, ses gants, ses cheveux collés aux tempes, les fesses posées sur la bordure du trottoir et les mains tenant la poignée du parapluie, installé entre ses jambes comme si ç'avait été un violoncelle. Il lui sourit quand elle le regarda, inquiétée par un roulement de tambour dont le batteur semblait tapi derrière un gros nuage brunâtre.

— Il faisait si beau hier. Ça arrive souvent, des changements comme ça ?

— Tu le sais bien, Élisabeth. Ça arrive comme ça partout dans le monde.

Élisabeth, qui avait voulu être rassurée, fit un rictus pathétique. Jan comprit qu'elle était presque aussi terrorisée que lors de la traversée de la Manche. Jamais, depuis leur arrivée au Canada, il n'avait eu l'occasion de voir aussi clairement que les cicatrices de sa sœur étaient recouvertes d'une chair encore fragile.

— Élisabeth, cesse de penser à Saint-Adolphe. S'il y a un orage, nous allons tout de suite nous réfugier...

— J'ai peur de la panique, Jan.

Favreau, qui avait entendu la dernière phrase d'Élisabeth, s'approcha d'elle.

— À moins que la foudre ne tombe ici, les gens vont rire de la pluie. La pluie peut faire partie de la fête, tu sais.

Élisabeth tenta un sourire qui ressembla davantage à

une grimace. Jan la prit par l'épaule et lui plaqua une bise sur la joue.

— Élisabeth, s'il te plaît... Je suis venu voir le défilé de l'avenir. La Manche et Saint-Adolphe, c'est derrière.

— Tu m'as dit quelque chose qui ressemblait à ça en arrivant à Halifax.

— Je n'ai pas changé d'idée.

Un murmure rapidement suivi d'un cri de joie monta en raz de marée. D'un bond, la foule, avachie et écrasée par l'humidité, se leva, prête à applaudir. Des voitures, dans lesquelles prenaient place les dignitaires, roulèrent lentement, permettant aux officiels de saluer à gauche et à droite. Jan agita la main en criant « Bonjour ! Bonne fête ! » chaque fois qu'il réussissait à accrocher un regard. Élisabeth oublia les nuages quand l'humidité de l'air transporta le son des trompettes accompagné du roulement des tambours et du tintement des triangles. La foule s'agita et la rumeur indiqua à Jan que le premier char avait déjà franchi plus de la moitié du parcours et arriverait sous peu à l'angle des rues Sherbrooke et Saint-Hubert. Une fanfare passa enfin devant eux en jouant *Marianne s'en va-t-au moulin* avec cœur et poumons. Élisabeth battit la mesure, frappant le trottoir de son parapluie.

— Bonjour ! Bonne fête !

Le premier char, tiré par une voiture décapotable, fut enfin en vue. Sur les planches du véhicule à jupette, Jan vit un moulin à vent dont la roue tournait mécaniquement, le ciel de Montréal lui-même ne pouvant souffler sous la canicule. La fée des étoiles se tenait à l'avant, non loin d'un four à pain et de la croix du mont Royal.

— C'est un peu encombré, non ?

— Il faut bien que Marianne ait son moulin !

Les trompettes et les xylophones criaient *Vive la Canadienne* tandis que Jan regardait le deuxième char, où s'élevait une arche en forme de cœur piquée de fleurs et surmontée d'un angelot. Vêtues comme des princesses, les bras remplis de gerbes certainement odorantes, de belles Montréalaises souriaient malgré cette chaleur grisâtre accrochée aux clochers. Aux pieds des demoiselles, Jan aperçut une espèce de drapeau fleurdelisé dont les fleurs avaient été remplacées par des moutons blancs. Il n'avait même pas encore tout vu que déjà un troisième corps de clairons et trompettes foulait le pavé noir de ses bottes blanches. Élisabeth se pencha à l'oreille de son frère pour lui dire que ces uniformes ne l'effrayaient pas. Jan éclata de rire, lui serrant encore une fois l'épaule de plaisir.

Vingt chars se succédèrent à un rythme assez lent pour ne pas déséquilibrer les figurants, tous costumés, tous souriants, certainement en nage sous leurs falbalas. Les raquetteurs, vêtus de lainage dans un décor hivernal, furent ceux qui attirèrent le plus de sympathie, certains spectateurs essayant de les asperger de leurs breuvages, faisant rire à la ronde. Élisabeth soupira devant la beauté du *Cheval blanc,* attristée d'apprendre que la légende voulait qu'un diable fût caché sous cette belle bête. Elle pinça le bras de son frère lorsque des Canadiens d'origine japonaise, marchant au rythme de l'Orient, les cheveux des femmes tenus par de longues broches et leurs obis miroitant de leurs fils satinés, saluèrent la foule avec des dents presque jaunes sous les maquillages blanc et noir qui commençaient à couler le long des cous et à imprégner les cols. Favreau agita son drapeau mais demeura muet.

— Bonjour ! Bonne fête !

Élisabeth, les sourcils froncés, donna un coup de coude à son frère.

— Penses-tu que M. Favreau connaît quelqu'un qui aurait été à Pearl Harbor ?

— Je m'en fous, Élisabeth. Bonjour ! Bonne fête !

M. Favreau retrouva rapidement la parole et put leur expliquer la guignolée, bien illustrée par un char. Plusieurs chansons étaient familières à Jan et à Élisabeth. *Le Pot-pourri,* appris en Pologne quand ils étaient jeunes, leur revint en mémoire.

Puis un son parvint jusqu'à eux qui leur mit les oreilles au garde-à-vous. La musique venait tout à coup de rejoindre celle de leur passé. Devant eux apparut un groupe de Polonais en costume du pays, chantant et dansant comme ils

443

l'auraient fait sur la Grande Place de Cracovie. Jan ne put souffler un mot pendant qu'Élisabeth sautillait pour tout voir et que M. Favreau agitait son fleurdelisé d'une main et son drapeau papal de l'autre.

— Jan! Regarde! Jan, tu entends?

Élisabeth chantait à tue-tête, espérant que ceux qui défilaient sous la chaleur et la fleur de lys puissent l'entendre. Elle criait en polonais, elle criait en français, si fort que plusieurs des marcheurs tournèrent la tête et la saluèrent.

— Jan! Agite la main! Agite la main!

Jan sortit enfin de sa torpeur.

— Bonjour! *Dzien dobry!* Bonne fête! *Wesolych swiat!*

Toutes les personnes autour d'eux les regardèrent et seul Favreau entendit prononcer le mot « Polak ».

— Ils me connaissent. Ils m'appellent le Polak, mais ce n'est pas méchant.

— Mais vous vous appelez Favreau.

— Oui. Mais l'accent...

Jan n'osa pas lui demander si lui-même resterait toujours un Polak, même après des années.

Élisabeth accrocha son frère par le bras et lui fit danser quelques pas au son de la musique de ses compatriotes et lui dit en polonais qu'elle n'avait pas souvent eu l'occasion de s'amuser autant. Jan sourit tristement, conscient que si sa sœur était sortie de la Pologne, il y avait encore de la Pologne en elle.

Le dernier char arriva enfin. La Vierge Marie, l'Enfant Jésus et sainte Anne escortaient le petit saint Jean-Baptiste. L'enfant était blond et frisé et tenait une croix dans sa main droite. À ses côtés, un mouton, probablement assoiffé, ne cessait de bêler.

— Chaque année, pour ne pas le faire vieillir, on a un nouveau petit saint Jean. Cette année, c'est un petit Godin. Son père est conseiller municipal.

Favreau éclata de rire.

— Parfois, il suffit de faire de la politique pour faire canoniser ses enfants. Pouvez-vous imaginer ce qui se passerait si les prêtres pouvaient se marier?

Jan ne l'écoutait plus. Il s'était recueilli devant cete statue vivante de son saint patron et eut une pensée pour Jerzy qu'il imaginait aux champs à récolter les radis et les laitues. Il leva les yeux au ciel et vit que les nuages avaient abandonné la partie. Jan se demanda s'ils étaient retournés dans l'Ouest arroser les champs de son frère.

Jerzy et Anna partirent main dans la main en direction des boisés, dont les sous-bois ressemblaient à de véritables marécages. Ils avaient tous les deux enfilé d'énormes bottes de caoutchouc et Anna riait aux éclats.

— Je te jure, Anna, que j'ai fait un rêve. Et dans mon rêve j'entendais une voix qui disait : « Jerzy, Jerzy, la fleur de la fougère, la fleur tant recherchée par la Pologne est ici, dans tes boisés. Lève-toi de ton grabat, prends ta femme et marche pour la trouver. » Je te jure, Anna, que c'est ce que disait la voix.

Anna se tordait de rire. Les Polonais aimaient faire croire aux enfants que, le jour de la Saint-Jean, il y avait une fleur magique dans les fougères, mais habituellement c'étaient des fleurs de papier, faites à la main.

Anna s'enfonça donc jusqu'aux genoux dans les marécages. À cause de la vase qui lui serrait les chevilles, elle forçait pour faire chaque pas. La succion fut si grande qu'elle perdit une botte et se trempa le pied dans la bourbe, séquelle de l'inondation.

— Jerzy, je viens de me mettre le pied dans la boue.

Jerzy recula, alla cueillir la botte et aida Anna qui s'appuya au tronc d'un petit arbre pendant qu'il la rechaussait.

— Ô mon prince, penses-tu que nous approchons de la fleur magique ?

Jerzy se contenta de sourire et Anna plissa les yeux. Elle reconnaissait le Jerzy qu'elle aimait tant. Ils marchèrent encore quelque temps avant que Jerzy ne pousse un cri de feint étonnement.

— Oh ! Anna ! Regarde !

Anna se pencha au cœur d'une talle de crosses-de-violons et cueillit une fleur étonnante, faite de corolles superposées, dont les tiges avaient été piquées au cœur les unes des autres.

445

— Je n'avais jamais cru à la fleur de la fougère. Mais c'est vrai ?

— Et moi je n'avais jamais cru qu'on épousait celle qui nous avait tressé une couronne de fleurs. Depuis deux ans, je sais que c'est vrai.

Ils rentrèrent à la maison, la fleur ayant mis un baume sur leur chagrin.

— Anna, j'ai peur. Penses-tu qu'Élisabeth va revenir comme elle nous l'a dit ?

— Je n'en sais rien, Jerzy. Espérons que son amour pour Étienne va la ramener. Mais elle nous a dit qu'elle ne serait partie que le temps de veiller à l'installation de Jan.

— Moi, j'ai appris qu'on sait quand on part mais que le jour du retour demeure toujours incertain.

51

Le mois de juillet ne cessait d'assécher la ville. Même le mont Royal semblait flétri. Jan ne remarquait rien, absorbé et fasciné par l'apprentissage de son nouveau métier. Depuis le début du mois, il avait convaincu M. Favreau de laisser travailler Élisabeth à l'épicerie.

— Pourquoi ne pas faire remplacer Mme Favreau pour qu'elle se repose un peu ?

Élisabeth n'avait pas été enchantée de la suggestion de son frère.

— Moi ? Dans une épicerie ?

— Mais oui, Élisabeth. Toi et moi. Ensemble. Tu vas travailler à la caisse et parler avec les gens. Il me semble que tu dois t'ennuyer, toute seule presque toute la journée.

Élisabeth pouvait répondre oui à cette question, mais non au travail de caissière.

— Je ne saurais que dire aux gens, Jan.

— Alors, ne leur parle pas. Attends qu'ils te posent des questions.

Élisabeth s'était donc retrouvée derrière la caisse. Elle avait refusé que M. Favreau lui verse un salaire, alléguant qu'elle ne travaillait pas mais qu'elle se désennuyait. M. Favreau s'entêta et Élisabeth céda enfin, acceptant un montant qu'elle se promit d'expédier à Jerzy pour qu'il le verse au compte en banque qu'elle avait ouvert pour Stanislas.

Élisabeth était installée à sa caisse un matin que Jan était parti chez *Séguin Tabac*, place Jacques-Cartier, acheter quelques bonnes feuilles pour M. Favreau. Une dame entra, l'air à la fois timide et réservé. Élisabeth ne l'avait encore jamais croisée et crut, à voir la qualité de sa robe, qu'elle habitait probablement boulevard Saint-Joseph. Étonnamment, peu de gens du boulevard Saint-Joseph venaient s'approvisionner chez M. Favreau, même si son épicerie faisait l'angle des rues Gilford et Saint-André, un saut au sud du boulevard. La dame leva un doigt en l'air avant de commencer à parler. Elle demanda à Élisabeth si elle connaissait la personne qui habitait derrière et qui jouait du violon. La dame, voulant éviter toute méprise quant à sa curiosité, regarda autour d'elle comme pour se donner une contenance.

— C'est que je me demandais si vous pourriez communiquer avec cette personne. J'aimerais savoir où elle a pris ses cours. Elle a énormément de talent et doit avoir eu un excellent professeur pour si bien jouer. J'ai une petite-fille qui apprend le violon depuis deux ans et je trouve qu'elle n'avance pas assez rapidement. Elle adore le violon mais ses professeurs ne semblent pas comprendre son ambition, je dirais même, voir son talent. Ils lui redemandent sans cesse les mêmes exercices et la petite s'ennuie.

Élisabeth ne cessa de pester intérieurement contre son frère qui n'était pas là. Elle était condamnée à vanter la méthode Pawulska. Celle de sa mère et la sienne. Elle se résigna enfin à ouvrir la bouche pour dire que c'était elle qui jouait. Devant l'étonnement de la dame qui, de toute évidence, pensait qu'une virtuose ne pouvait être caissière, elle ajouta qu'elle avait appris à Cracovie.

— Où?

— Cracovie.

— C'est une école?

— Non, une ville.

— Une ville?

— En Pologne.

— Ah! C'est de là que vient votre accent.

La dame, ne sachant qu'ajouter, soupira et s'apprêtait à partir quand Élisabeth prit une profonde inspiration avant de lui dire que depuis son arrivée au Canada elle était professeur de violon.

— À quelle école ?

— La mienne. À Saint-Boniface.

— En Mauricie ?

— Non, au Manitoba.

La dame, qui pendant une fraction de seconde avait eu espoir de trouver un professeur pour sa petite-fille, s'assombrit.

— Vous venez du Manitoba ?

— Oui. Je suis ici pour l'été. En vacances.

— Et vous travaillez comme caissière ?

— Mais oui. Ça me permet de rencontrer des gens intéressants.

La dame se rengorgea et sourit, comme pour la remercier. Un inconfortable silence s'installait quand Jan entra avec empressement.

— Bonjour, madame Lagacé. C'est un honneur de vous voir ici.

Mme Lagacé sourit de la flatterie.

— C'est vrai que je ne me déplace plus pour l'épicerie. M. et Mme Favreau connaissent mes goûts.

— Est-ce que je peux vous aider ?

Jan déposa ses sacs derrière le comptoir et, tout en écoutant le récit de Mme Lagacé, enfila son tablier.

— Est-ce que ma sœur vous a offert de lui enseigner, à votre petite-fille ? Je parie qu'elle ne vous a pas dit que notre mère était la plus grande musicienne de Cracovie. Elle nous a tous enseigné.

— Vous jouez aussi ?

— Plus maintenant. À cause d'une blessure de guerre.

Élisabeth le fusilla du regard. Son frère n'avait pas inventé la subtilité.

— Je n'aurais jamais osé, Jan. De toute façon, ça ne serait pas bon pour la petite.

— Mais tu pourrais au moins l'entendre, non ?

Mme Lagacé regarda Élisabeth avec tant d'imploration dans les yeux qu'Élisabeth accepta de rencontrer la petite. Mme Lagacé s'anima et Élisabeth la trouva tout à coup moins distante.

— Demain soir, si vous le pouvez.

449

— À sept heures ?
— Sept heures.

Élisabeth dut s'avouer qu'elle était nerveuse. Elle regrettait d'avoir cédé à la requête de son frère, non parce qu'elle n'avait pas envie de rencontrer une petite fille mais parce qu'elle craignait d'être incapable de refuser de la prendre comme élève, ne fût-ce que pour un mois et demi.

Mme Lagacé et Florence arrivèrent cinq minutes avant l'heure. Jan avait préféré aller chez les Favreau pour laisser toute la place à sa sœur mais Élisabeth savait qu'il avait autant d'appréhension qu'elle.

Dès qu'elle aperçut Florence, Élisabeth fondit. Florence était minuscule, avait des cheveux roux, nattés, une robe cousue main dans un coton écossais marine, vert, rouge et jaune. Une dentelle bordait le collet et l'extrémité de la manche, courte et bouffante. Ses longues tresses étaient retenues à l'arrière par un ruban vert, noué minutieusement. Ses mains étaient encore un peu potelées, comme si elle n'avait pas encore fini de perdre sa graisse de poupon, mais, étonnamment, ses doigts étaient effilés. Florence toisa Élisabeth elle aussi pendant quelques secondes puis lui sourit.

— Vous avez l'air d'une violoniste, mademoiselle.
— Tu peux m'appeler Élisabeth. Et ça a l'air de quoi, une violoniste ?
— Ça a les doigts propres et les ongles bien coupés. Et ça tient sa tête comme ça.

Florence pencha la tête un petit peu vers la gauche, ce qui fit rire Élisabeth. Il était vrai qu'elle tenait la tête discrètement penchée vers la gauche. Florence était la troisième personne à le remarquer. M. Porowski avait été le premier et son père le deuxième. Tous les deux avaient dit qu'elle avait un port de tête semblable à celui de Zofia.

Mme Lagacé s'était assise et ne disait mot, se contentant de sourire béatement devant la vivacité de sa petite-fille.

— Et pourquoi est-ce que tu penses, Florence, que les violonistes ont la tête penchée comme ça ?

Florence, qui était assise sur une des chaises de la cuisine,

450

réfléchit longuement, se balançant les jambes d'avant en arrière.

— Peut-être parce qu'ils sont habitués à tenir le violon avec leur menton, comme ça.

— Peut-être. Je pense qu'à partir d'aujourd'hui je vais regarder comment les violonistes...

— Peut-être parce qu'ils ont toujours la tête prête à écouter les notes.

— Peut-être.

Élisabeth demanda à Florence de lui montrer son violon et Florence ouvrit son étui avec précaution. Elle enleva le linge fin qui recouvrait l'instrument et tendit l'étui à Élisabeth. Le violon avait de la patine.

— Je parie que ce violon est plus vieux que toi.

Florence la regarda, les yeux grands ouverts. Élisabeth venait de l'impressionner encore une fois. La petite jeta un coup d'œil en direction de sa grand-mère qui fit un petit signe de tête et un sourire.

— C'était le violon de grand-maman quand elle était petite, et le violon de mon père quand il était petit. C'est pour ça qu'il joue bien. Ça fait longtemps qu'il s'exerce.

Élisabeth était fascinée par le langage de la petite qui parlait de son instrument comme d'un être vivant. C'était une enfant toute désignée pour comprendre son approche. Elle lui demanda de tenir le violon. Florence sortir l'instrument avec précaution et le posa sur ses genoux. Elle le caressa avec délicatesse.

— C'est doux, un violon.

— Doux comme quoi?

— Doux comme... ma chemise de nuit. Et doux comme... la peau de grand-maman. Et doux comme... mon lapin en peluche.

Une heure passa rapidement. Florence porta son violon comme un bébé sans même qu'Élisabeth lui ait expliqué pourquoi. Elle marcha avec lui, aussi. De temps en temps, Élisabeth jetait un coup d'œil en direction de la grand-mère, qui ne semblait nullement surprise. Élisabeth s'étonna de constater qu'elle appréhendait la fin de ces préambules, craignant que la petite n'ait aucun talent. Elle se résigna pourtant et sortit son propre violon en demandant à Florence d'accorder le sien, lui donnant la note. Florence s'exécuta facilement.

— Est-ce qu'on les fait jouer aux perroquets ?

Florence éclata de rire et accepta. Élisabeth donna plusieurs notes, tantôt pizzicato, tantôt staccato, tantôt legato. Florence reproduisait tout parfaitement. Élisabeth sentit son cœur battre d'excitation. Florence savait bien où placer les doigts et tenait son archet avec une facilité et une grâce déconcertantes.

Jan rentra sans faire de bruit. Il trouva sa sœur en chemise de nuit, affalée dans un fauteuil de la pièce centrale, dans le noir total. Il lui demanda la permission d'allumer, permission qui lui fut accordée dans une sorte de grognement. Il la regarda et remarqua que sa sœur avait son air des jours de tristesse.

— Qu'est-ce qui se passe ?

Élisabeth haussa les épaules et baissa le front. Jan alla se verser un verre d'eau et lui en offrit un, qu'elle accepta.

— Qu'est-ce qui se passe ?

Élisabeth avala une gorgée après l'avoir longuement retenue dans sa bouche.

— Je pense que cette Florence a un talent qui s'apparente à celui d'un petit Mozart.

— Tu n'exagères pas un peu ?

— Évidemment que j'exagère. Mais je n'ai jamais vu un talent comme le sien. Ni à Saint-Boniface ni à Cracovie. Maman en aurait pleuré d'émotion. Elle a attendu une élève comme Florence toute sa vie.

— Elle est si bonne que ça ?

Élisabeth se contenta d'acquiescer de la tête. Jan sentit le terrible dilemme de sa sœur. Elle avait le cœur en équilibre entre son amour pour Étienne, sa promesse de retour à Saint-Boniface, ses petits élèves auxquels elle enseignait depuis presque trois ans, et l'euphorie d'avoir découvert un immense talent musical.

— Je me sens comme si je venais de déterrer un trésor.

Jan n'osa pas lui demander ce qu'elle avait l'intention de faire lorsqu'elle se leva en traînant les pieds et lui souhaita bonne nuit. Il but son verre tout d'un trait quand il l'entendit se mettre au lit.

Florence entra dans le magasin, un immense sourire figé sur une dentition blanche autour d'un trou noir.

— J'ai perdu une dent, hier soir. En rentrant à la maison. Elle est restée coincée dans un *toffee*.

— Félicitations !

— La fée des dents est venue et m'a promis de réaliser mon désir.

Élisabeth sourit faiblement, comprenant parfaitement que Florence venait de passer à l'attaque.

— Je connais plein de monde qui va dans un camp de vacances. Pas moi.

— Ça doit être amusant, non ?

— Non. Ça fait que j'ai demandé à la fée des dents de me donner des vacances de musique. Elle m'a promis que je pourrais venir ici tous les jours pour jouer avec toi.

— Elle a promis ça... ?

— Oui. Je l'ai très bien entendue.

Jan, qui écoutait la conversation, se demandait quelle pirouette sa sœur inventerait pour se dépêtrer des rets que la petite chasseresse avait tendus. Élisabeth demanda à Florence de l'excuser pendant qu'elle s'occupait des clients. Florence marcha dans les allées, regardant attentivement les étalages tout en jetant un regard à la dérobée pour voir si Élisabeth était seule. Aussitôt le dernier client sorti, Florence réapparut.

— Ta grand-mère sait que tu es ici ?

— Oui. J'ai dit que j'apporterais du pain.

Elle ouvrit sa main et déposa les sous sur le comptoir qu'elle dépassait à peine des épaules et de la tête. Élisabeth demanda à M. Favreau de s'occuper de la caisse pendant quelques minutes, le temps qu'elle discute avec Florence. M. Favreau se glissa derrière le comptoir et Élisabeth sortit sans faire tinter la clochette puisque la porte était ouverte en permanence.

— Pour les vacances, Florence, mais uniquement pour les vacances, tu peux venir tous les soirs si tu veux, mais un soir sur deux serait suffisant.

— J'aime mieux tous les soirs.

— Moi, je vais parler à ta grand-mère. Il faut qu'on te trouve un bon professeur pour le mois de septembre.

— C'est sûr que tu pars ?

— Oui, je vais me marier.

— Oh !

Florence ne dit plus rien, trouvant l'idée d'un mariage aussi romantique que celle d'un concert de violon. Elle partit chez elle en courant.

— Ton pain !

Florence freina brusquement, revint vers l'épicerie, prit un pain Wonder brun tranché, salua Jan en lui promettant de le revoir à sept heures et s'élança de nouveau pour disparaître.

— Tu as dit oui ?

— Pour l'été. Pour remplacer la colonie de vacances.

— Pourquoi ?

—·Voyons, Jan, c'est clair ! Pour remplacer la colonie de vacances. C'était le gros argument de Florence.

Élisabeth sourit et se remit au travail derrière la caisse.

52

Jᴇʀᴢʏ entra dans la maison, frappa du talon le tapis râpé pour faire tomber la terre de ses bottes de caoutchouc, se déchaussa et se dirigea vers Anna qui était assise, Stanislas tétant goulûment dans ses bras. Jerzy embrassa sa femme avec tendresse et effleura des lèvres la tête aux fils dorés et frisés de son fils.

— Incroyable! On dirait que l'eau a redonné de la vie à la terre. Malgré les semaines de retard pour les semences, les récoltes vont se faire presque au même moment.

Anna sourit. Jerzy répétait la même chose tous les jours depuis le début du mois de juillet, s'exaltant davantage les dimanches quand il rentrait après être allé jouer son solo de violon.

— On dirait que le vert est plus vert. Tu ne trouves pas?

— Nous avons reçu une lettre d'Élisabeth.

Jerzy alluma sa cigarette lentement avant de reprendre la conversation.

— Est-ce qu'elle dit qu'elle ne reviendra pas?

— Mais non. Elle travaille à l'épicerie de M. Favreau et, tiens-toi bien, elle a une petite élève qui s'appelle Florence.

— Une élève?

— Oui. D'après ce qu'elle écrit, elle n'a jamais vu un aussi grand talent.

Jerzy regarda par la fenêtre. Soudainement, le vert des laitues lui sembla plus terne. Il tira trois ou quatre bouffées de sa cigarette, se leva et se dirigea vers la cuisine, soulevant

455

le couvercle d'une casserole qui, malgré la chaleur ambiante, contenait une bonne soupe.

— Pauvre Étienne !

Anna regarda son mari et fronça les sourcils.

— Pourquoi dis-tu ça ?

— Parce qu'Élisabeth ne reviendra pas.

Anna déposa le biberon sur le guéridon et alla étendre Stanislas, déjà assoupi, dans son moïse. Il n'émit qu'un petit son de satisfaction avant de s'endormir profondément. Elle revint vers la table où s'était assis Jerzy et lui servit un bol de soupe qu'il avala sans dire un mot. Ils mangèrent ensuite de la salade fraîchement cueillie et Jerzy se dérida devant le croustillant de la feuille.

— Dommage pour Élisabeth. Je suis certain qu'elle n'a pas autant de fraîcheur à Montréal.

— Ils doivent quand même bien manger. Un épicier, ça achète au marché et Jan connaît...

Anna ne termina pas sa phrase, voyant qu'elle venait de faire une erreur. Elle s'était juré de ne plus parler de Jan tant que Jerzy ressentirait de l'amertume. Elle savait que, sous ses airs goguenards, Jerzy éprouvait un vif sentiment d'abandon. Parfois, elle allait jusqu'à penser que son mari était certain d'avoir échoué lamentablement dans son rôle d'aîné. Il se reprochait le départ de son frère et de sa sœur.

— Quand ta mère rentre-t-elle d'East Selkirk ?

— Pas avant deux ou trois semaines. Le temps que ma belle-sœur soit complètement remise et que le bébé fasse ses nuits.

— Nous devrions suffire à la tâche.

Anna se leva et sortit pour regarder les potagers et mesurer tout le travail qu'ils auraient à abattre. Elle rentra précipitamment. Un vent venait de se lever. Elle s'empressa de saisir son panier à linge et ressortit en vitesse chercher tout ce qu'elle avais mis à sécher sur la corde. Jerzy s'alluma une autre cigarette et ouvrit la porte qui, malgré la moustiquaire, fut happée par le vent et, tendant le ressort au maximum, frappa violemment le mur extérieur. Stanislas gémit quelques secondes et se rendormit.

Jerzy regarda le ciel et fronça les sourcils. Il avait souvent vu s'annoncer des orages, mais celui-ci semblait malfaisant. Il enfila ses bottes, courut aussi rapidement qu'il le put jusqu'à son tracteur, démarra et se dirigea à travers champs vers les cageots de laitues et de radis qu'il avait remplis dans l'avant-midi. Il les empila les uns sur les autres pour les mettre à l'abri et il pénétrait dans le bâtiment quand le tulle noir du ciel se déchira. Jerzy rentra en courant mais, eût-il été champion de course, il n'aurait pu être moins trempé. Anna l'attendait avec une serviette et il s'essuya la figure et les cheveux avant de monter se changer.

Jerzy enfilait une salopette propre lorsqu'il entendit pétarader le toit. Il blêmit avant de se diriger vers la fenêtre. Il entrouvrit le voilage et regarda la blancheur de la grêle rebondir sur les toits de ses petits hangars, dans l'allée qui menait au bâtiment principal, et dans les champs, qui ne semblaient pas résister à l'assaut. Il vit un épouvantail perdre la tête. Les grêlons grossissaient à vue d'œil. Si les premiers avaient la taille des radis, il en tombait maintenant qui avaient la grosseur d'un petit navet. Un deuxième épouvantail, presque éventré, s'affaissa complètement sous la violence de l'attaque. Le toit gémissait de plus en plus et Jerzy espéra que la tôle posée sur la cheminée tiendrait le coup. Il eut sa réponse immédiatement quand un fracas de vitre brisée fit crier Stanislas. Il descendit rapidement l'escalier pour voir la grêle entrer à pleine fenêtre dans le salon. Il s'empressa de tirer les tentures pour limiter les dégâts. Anna caressait Stanislas, chantonnant calmement une berceuse, mais les yeux plissés d'inquiétude.

Dix minutes à peine suffirent à rassasier l'ogre. Le soleil revint rapidement pour fondre les grelots blancs. Jerzy sortit précipitamment et se dirigea vers les champs. Il se pencha au-dessus des laitues et ramassa des feuilles trouées ou arrachées. Les choux étaient flagellés ; les tiges des haricots, cassées ; les queues des oignons, arrachées ; les plants de pommes de terre, voûtés. Les pieds de betteraves et de navets étaient fracassés. Ceux des carottes, allongés, et les têtes de maïs, fracturées. Il se dirigea enfin vers les champs de fraises, pour les trouver minés et ensanglantés. Toute sa récolte ressemblait à un champ de bataille. Tout en s'exhortant au calme pour éviter d'affoler Anna, il revint à la maison avec la désagréable impression de traverser un cimetière.

À quatre pattes devant la fenêtre éclatée, Anna, l'air sombre, essuyait le plancher sans émettre un son pour ne pas déranger le sommeil fragile de Stanislas. Jerzy, attristé par son chagrin, l'observa pendant quelques secondes. Même dans le découragement et la fatalité, Anna était brave. Jerzy s'agenouilla à ses côtés et ramassa les grêlons qu'il déposa dans le seau. Son calme surprit Anna. Il comprit ses pensées et lui sourit.

— Parfois le ciel nous mitraille. Nous ne pouvons rien y faire.

Il examina un grêlon beaucoup plus gros que les autres avant de le déposer, presque trop doucement. Il est vrai qu'il était de la grosseur d'un œuf.

— Anna, presque tous les légumes sont meurtris.

Anna, pensant à tout le travail qu'ils avaient abattu, soupira de découragement. Elle s'affola comme une enfant frustrée en entrevoyant la possibilité qu'ils manquent de nourriture et d'argent. Sa peine était comme un puits sans fond parce qu'elle craignait que Jerzy ne souffre énormément des revers qu'il avait essuyés coup sur coup.

— Ce n'est rien, Anna. J'ai déjà vu des champs après des bombardements, et les légumes, c'étaient les soldats. Moi-même, au mont Cassin, je ne devais pas avoir meilleure mine que les navets que j'ai aperçus tout à l'heure.

Devant la comparaison, Anna esquissa un sourire avant d'éclater d'un rire nerveux et amusé. Ils finirent de nettoyer les dégâts et Jerzy quitta la maison pour aller à la *Coop* acheter une nouvelle vitre et du mastic. Il revint avec quatre cultivateurs qui avaient décrété qu'ils feraient une corvée de nettoyage dans les champs, Jerzy installa la vitre avant d'aller les rejoindre. Anna prépara une limonade.

Jerzy ne rentra pas avant que le soleil ne se fût complètement assoupi. Ils avaient nettoyé deux champs et il était complètement courbatu. Anna le frictionna au liniment à l'odeur de thé des bois et il ne cessa de pousser des petits gémissements et des soupirs de plaisir sous ses caresses un peu rudes.

— Madame a la main ferme, ce soir.

— Il semble pourtant que cette main augmente la fermeté de monsieur.

Jerzy éclata de rire et attira Anna qui s'abandonna complètement dans ses bras. Ils firent l'amour à deux reprises, se taquinant comme des enfants.

— Ma foi, qu'est-ce qui est aphrodisiaque ? Les grêlons, le travail ou l'odeur de thé des bois ?

— Non. Ce qui m'excite, c'est toi. Et je vais certainement te faire encore plus plaisir quand je t'aurai dit que les dégâts ne sont pas aussi graves que nous le pensions.

Anna couina en entendant la bonne nouvelle et elle s'endormit en souriant dans les bras berçants de Jerzy.

Étienne, l'air guilleret, arriva le dernier dimanche de juillet sans s'être annoncé.

— Je m'excuse d'avoir l'air aussi joyeux quand je sais que votre récolte a été grêlée, mais j'ai reçu une lettre d'Élisabeth et elle me dit qu'elle rentre le 28 août.

— Le 28 août ? Ça veut dire qu'elle sera ici dans cinq semaines.

— C'est ce que ça veut dire.

Étienne s'assit dehors dans le parterre et soupira de bonheur. Craignant une insolation, il n'enleva pas son chapeau de paille, mais il le repoussa vers l'arrière.

— Quand une bonne nouvelle arrive, elle est habituellement suivie d'une deuxième.

Étienne, l'air taquin, fut assez satisfait de l'effet qu'il venait de produire. Anna semblait prête à bondir de joie tandis que Jerzy oublia que Stanislas attendait la sucette qu'il tenait dans sa main.

— J'ai été approché par Radio-Canada pour travailler à Ottawa.

Anna se força à sourire tandis que Jerzy grimaça assez discrètement pour que seule sa femme comprenne son malaise.

— Pour faire quoi ?

459

— Comment ça, quoi? Pour faire de la radio, évidemment!

Étienne fut déçu de voir que sa nouvelle ne les avait pas enchantés.

— Et Élisabeth?

— Nous nous marions et nous déménageons à Ottawa.

Jerzy mit la sucette dans la bouche de Stanislas et marmonna qu'il n'avait pas envie que sa famille soit ainsi dispersée.

— À deux endroits, ça peut toujours aller. Mais trois... Nous ne sommes pas assez riches pour nous payer des voyages tous les ans.

— Lui en as-tu parlé?

— Pas encore, Anna. Vous êtes les premiers à qui je le dis.

Jerzy, qui avait la conviction qu'Élisabeth ne reviendrait pas, ressentit un profond malaise en pensant qu'Étienne lui-même pouvait partir. Il décida d'aller marcher quelques instants, le temps de feindre un mal de jambe. Seul, loin d'Anna et d'Étienne, il mit ses mains sur sa figure et soupira longuement, se demandant pourquoi la vie s'acharnait à l'isoler. Moins de trois mois plus tôt, il avait cru à un avenir cousu dans la fibre familiale. Maintenant, il était en froid avec son frère; sa sœur, il en était certain, ne reviendrait pas; le père Villeneuve avait été muté et Étienne parlait d'une nomination impliquant un transfert. Jerzy regarda ses champs, qui avaient résisté à une attaque plus que meurtrière, et fut ridiculement fier d'eux. Il revint vers Anna qu'il trouva allongée sur le ventre, occupée à jouer avec une sauterelle qui lui explorait la main. Étienne, lui, s'était étendu sur le dos, le visage protégé par son chapeau. Stanislas gigotait sur une couverture et sa mère avait ouvert un parapluie près de lui pour le protéger du soleil. Jerzy sourit. Ce qu'il qualifiait d'idées noires, et non d'ennui, s'évanouit et il s'empressa de chatouiller Anna, qui rit si fort que Stanislas sursauta autant qu'Étienne, dont le chapeau avait camouflé l'assoupissement. Étienne accepta de souper avec eux, mais resta silencieux une bonne partie du repas, Jerzy ayant réussi à semer le doute quant au retour de sa fiancée.

— Mais qu'est-ce qui pourrait bien l'attirer à Montréal ? Nous avons fait des projets. Nous avons même dessiné la maison de nos rêves.

Il se tut longuement pendant que Jerzy jetait un coup d'œil entendu à Anna.

— En crépi blanc. Nous l'avons imaginée en crépi blanc.

— Si vous partez pour Ottawa, il faudra changer de modèle, parce qu'à mon avis il n'y a aucune ressemblance entre les maisons de Saint-Boniface et celles d'Ottawa, si je me fie à ce que j'ai vu à Toronto.

Étienne fit un petit sourire de désillusion pas trop blessante et décida de partir. Jerzy et Anna l'escortèrent jusqu'à son automobile. Jerzy lui serra fortement la main avant de lui tapoter une épaule. Anna lui fit une bise sur la joue.

— De toute façon, on va attendre qu'elle arrive pour discuter de tout ça.

— Si elle arrive.

Anna pinça le bras de Jerzy devant le regard assombri d'Étienne. Aussitôt que les feux rouges eurent disparu, Anna explosa.

— Jerzy Pawulski ! Si toi tu crains que ta sœur ne revienne pas, tu n'as pas le droit d'inquiéter Étienne.

— Je n'ai pas peur qu'elle ne revienne pas, Anna. Je sais qu'elle ne reviendra pas.

— C'est à Hollywood que tu devrais travailler, Jerzy. Tu passes ton temps à inventer des scénarios tristes.

— Non, Anna. J'ai la plus extraordinaire femme du monde et le plus beau bébé blond. Il n'y a rien de triste là-dedans.

— Oui, Jerzy. Ce n'est pas à moi qu'il faut mentir. Je sais, moi, que tu dors mal la nuit. Depuis que Jan a fait son bagage et a quitté la maison, depuis que tu as décidé de ne pas lui téléphoner et de ne pas aller le saluer à la gare, tu dors mal. Moi, je le sais.

— Si tu sais tant de choses, Anna, est-ce que tu sais que moi je me demande si je veux encore avoir Jan pour frère ?

Jerzy, chemise blanche, cravate et habit brun, marchait dans les champs, faisant ballotter son étui à violon comme un

461

enfant un toutou en peluche. Sa sœur devait rentrer dans vingt jours et il se demandait comment il avait été capable, pendant ces huit années d'absence, de vivre sans son frère et sa sœur. S'il avait hâte de la revoir, il craignait de montrer un peu trop d'intérêt lorsqu'elle parlerait de Jan. Il décida donc que, chaque fois qu'elle le ferait, il se retirerait; pour faire savoir son désintérêt, certes, mais aussi pour ne pas faiblir dans sa rancune qu'il sentait diminuer, ce qu'il n'avouerait jamais. Son frère avait assombri ses horizons et il lui en voudrait toujours.

Absorbé dans ses pensées, ou trop habitué au son, Jerzy n'entendit pas le concert que faisaient des milliers de sauterelles. Il n'avait même pas remarqué qu'il en avait écrasé sur le perron de sa porte, pas plus qu'il ne voyait celles qui se servaient de lui comme d'un tremplin.

Il sortit son instrument et l'accorda après avoir bandé les crins de l'archet. Une sauterelle aboutit sur le manche de l'instrument et une deuxième sur sa joue. Il les chassa toutes les deux mais cinq autres insectes lui sautèrent dessus avant de bondir dans les champs et d'être remplacés par d'autres encore. Jerzy tint son violon par le manche, attentif tout à coup au perpétuel mouvement autour de lui. Les champs étaient infestés de sauterelles! Il en avait bien vu plusieurs depuis quelques jours, mais jamais il n'avait pensé que leur nombre irait en augmentant de façon aussi démesurée. Il les voyait bondir et voler, chantant leur assaut. C'est tout juste s'il ne les entendait pas croquer dans les laitues et les choux. Il n'eut plus envie de jouer. Il rangea son violon après avoir tourné l'étui pour en faire tomber les intruses. Une sauterelle profita de ces quelques secondes pour pénétrer dans l'instrument. Jerzy l'entendait bondir pour essayer de sortir de sa prison, mais il ne put rien faire. Il rangea le violon et se dirigea rapidement vers la maison. Il croisa quelques-unes de ses poules qui semblaient suivre les visiteuses. Les sauterelles faisaient des centaines de petits flocs en retombant sur le perron. Cette fois-ci, Jerzy entendit qu'il en écrasait à chaque pas.

— Je ne comprends pas. Pourtant personne, ce matin à

la messe, n'a parlé de sauterelles. Il y en a des milliers ! Peut-être même des centaines de milliers !

Anna le regarda ouvrir son étui et sortir le violon pour le poser sur le guéridon. Elle aussi entendit le combat que menait désespérément la sauterelle emprisonnée.

Jerzy ouvrit la radio, certain qu'un phénomène aussi important avait retenu l'attention des autorités. Il ne se trompait pas. La voix d'Étienne annonçait que les coopératives recevraient d'énormes quantités de pesticide pour tenter d'enrayer le fléau et de sauver les récoltes qui, cette année, s'annonçaient abondantes.

Jerzy monta se changer et partit en camionnette. Plusieurs cultivateurs avaient certainement entendu la radio. Jerzy les apercevait, en grappe devant la porte de la *Coop*, ne doutant pas un instant qu'on ouvrirait, même si on était un dimanche. Jerzy immobilisa son camion et se mêla aux autres.

— Des vrais bombardiers ! Chez nous, il doit y en avoir des millions !

— Les enfants essaient de les attraper, croyant que ce sont des papillons. J'ai juste eu le temps d'empêcher mon petit de deux ans d'en manger une...

— Moi, je n'ai pas un grand terrain et je suis prêt à faire partie de la corvée.

— Mon fils est entré un peu tard et peut-être un peu ivre hier soir, et il a laissé la porte de la cuisine ouverte...

— Oh non !

— Oh oui ! La maison est pleine !

— Alors, on va commencer par chez vous.

— Oui, mais les pesticides, c'est en poudre. Pas question que je commence à poudrer l'intérieur de la maison.

— Moi, je proposerais qu'on conduise les enfants chez vous avec des bocaux et qu'on leur donne un sou pour cinq sauterelles.

— Bonne idée, mais pas plus de dix enfants, parce qu'autrement ça va être une autre sorte d'invasion...

— Ta femme pourrait superviser ces travaux-là et ta maison va être nettoyée rapidement, à condition que ton gars cesse de sortir le soir...

Les hommes purent rire malgré leur moral qui commençait à être écorché.

Jerzy passa son dimanche et son lundi à répandre la poudre blanche. Un vent chaud soufflait juste assez pour être agaçant, et Jerzy, comme tous les autres hommes, se mit un foulard sur la figure et baissa son chapeau jusqu'à la ligne des sourcils. Ils essayèrent de rire de leur allure de cow-boys. Quand il rentra à la maison, il était blanc, comme s'il avait été chaulé.

— Je parie que tu avais l'air de ça à Londres, quand tu travaillais à la reconstruction.

Jerzy alla se planter devant un miroir.

— Absolument, mais, cette fois, je ne suis plus la statue du *Polonais en exil qui se construit une patrie*, mais bien celle du *Polonais en exil travaillant à l'holocauste de la sauterelle*.

Lui et Anna éclatèrent de rire mais s'arrêtèrent rapidement en voyant Stanislas vomir. Anna entreprit immédiatement de le laver et lui fit boire une eau bouillie pour tenter de le soigner de son indigestion.

L'opération pesticide fut une réussite totale. Les sauterelles étaient mortes et les quelques rares survivantes n'arrivaient plus à voler. Elles étaient figées sur le sol, manifestant des soubresauts de vie par des spasmes de leurs pattes arrière. Jerzy les regardait agoniser et ne pouvait s'empêcher de penser à la cruauté de la nature, qui le forçait parfois à devenir un prédateur sans scrupules. Il sentit tout à coup son estomac se révolter et, en plein champ, se mit à vomir. Dès qu'il se fut vidé, il s'essuya la bouche avec un mouchoir propre et rentra dans la maison pour y trouver Anna aussi mal en point que lui.

— Une vraie épidémie !

Ils passèrent la journée au lit et se levèrent le lendemain complètement ragaillardis. Jerzy, passant près du guéridon, entendit la sauterelle continuer son combat à l'intérieur du violon. Il se dirigea vers ses bâtiments pour traire les vaches tandis qu'Anna alla au poulailler chercher les œufs. Jerzy l'entendit l'appeler à son secours. Il s'empressa de la rejoindre et ne mit pas longtemps à comprendre la signification de son cri. Des cadavres de poules jonchaient le terrain. Jerzy regarda ses pondeuses et sentit une vague de désespoir l'envahir. Il avait enduré l'inondation, la grêle, les sauterelles. Mais de voir ses poules mortes sans raison apparente le mit hors de lui. Anna, qui le connaissait bien, ferma les yeux. Elle entendait qu'il avait le souffle de la souffrance. Le souffle court, hachuré, sans profondeur.

— Sais-tu, Anna ? Je me suis trompé. Je pensais être un Polonais vivant au Manitoba, mais je commence à croire que je suis un Égyptien en pleine catastrophe des sept plaies. J'ai tout eu. Et je ne suis pas loin de croire que notre premier-né aura la vie sauve uniquement parce que Dieu a inscrit quelque part le sacrifice du benjamin de ma famille. Je ne me sens plus chez moi, Anna. Je me sens en exil.

Là-dessus, Jerzy rentra dans le bâtiment pour y beugler en paix, faisant en sorte qu'Anna ne l'entende pas appeler son frère et sa sœur à son secours. Sur le guéridon du salon, le violon avait cessé de crépiter.

53

J AN regardait Élisabeth remplir sa valise. S'il avait eu espoir qu'elle ne quitterait pas Montréal, il devait maintenant se rendre à l'évidence : l'appel de l'Ouest était plus fort, même s'il avait espéré un instant que l'arrivée de Florence la retiendrait. Jamais ils n'avaient entendu une enfant aussi talentueuse. Jan se demandait souvent, par pure curiosité, si Élisabeth, au même âge, avait été plus ou moins douée que Florence.

— Es-tu certaine que tu auras envie d'habiter Ottawa ?

— Non. Je ne suis certaine de rien, Jan. Tout ce que je sais, c'est que je voulais être avec toi le temps que tu t'installes. Tu aurais pu vouloir rentrer. C'est tout.

Élisabeth plia quelques vêtements puis les laissa tomber en regardant son frère.

— Jerzy et Anna auraient vraiment eu besoin de notre aide cet été et nous n'avons pas été là.

Jan ne répondit rien. Il pensait que, d'une certaine façon, sa sœur et Jerzy se ressemblaient. Ni l'un ni l'autre n'avaient vraiment choisi. Élisabeth rentrait, mais pas une fois elle n'avait dit le faire pour elle. Quant à Jerzy, il répétait, en ricanant il est vrai, qu'il avait voulu s'installer en Australie mais qu'il avait abouti au Canada. Qu'il avait choisi les vergers de St. Catharines en Ontario mais que la rencontre d'Anna l'avait mené à Saint-Norbert. Jan eut l'impression qu'il était le seul de sa famille à aimer être où il était. Élisabeth, elle, était avec qui elle aimait.

— Jan !

— Quoi ?

— Qu'est-ce que tu en penses ?

— De quoi ?

— Tu n'écoutes jamais, Jan.

Apparemment, elle avait dit quelque chose d'important, à en juger par l'agacement qu'elle montra en reprenant ses effets et en les plaçant sans délicatesse dans la valise. Il sortit de la chambre et alla se verser une bière dans la cuisine. Il alluma la radio, changea d'idée et éteignit. Il revint vers la chambre de sa sœur et s'appuya contre le cadre de la porte.

— Qu'est-ce que tu dirais si, pour ton dernier soir à Montréal, je t'emmenais manger au restaurant ?

— Qu'est-ce que tu dirais si, pour mon dernier soir à Montréal, tu m'emmenais manger au restaurant mais que tu invitais aussi les Favreau ?

— Je dirais que j'aimerais mieux être tout seul avec toi pour le souper, mais qu'on pourrait peut-être prendre le café avec eux.

— Si les Favreau sont d'accord, ça me va.

Jan alla chez les Favreau pour en revenir quelques minutes plus tard.

— M. Favreau vient de partir pour le stade DeLorimier, voir une partie de base-ball. J'ai demandé à Mme Favreau de nous accompagner. Je ne pouvais quand même pas la laisser seule.

Élisabeth sourit à son frère avant de lui demander de poser la valise sur le tabouret de sa table de maquillage. Jan s'exécuta.

Ils prirent le tramway rue Saint-Denis et descendirent à l'angle de Sainte-Catherine. De là, ils marchèrent lentement, pour ne pas fatiguer Mme Favreau — qui, après tout, devait bien avoir cinquante ans —, presque jusqu'au coin de Saint-Hubert et pénétrèrent chez *Da Giovanni*. Élisabeth s'était arrêtée de longues minutes devant la vitrine de chez *Ed. Archambault et fils* pour reluquer les pianos.

— Ça va me manquer, ce magasin. J'aimais venir ici regarder les feuilles de musique et entendre les gens pianoter.

Mme Favreau lui avait fait remarquer une petite note collée dans la vitrine, demandant un vendeur. Élisabeth lui sourit, affichant une espèce d'air de résignation.

— Lorsque Florence m'a accompagnée, nous sommes restées ici presque deux heures. Florence était éblouie comme Alice au pays des merveilles... Elle a regardé presque tous les disques en me demandant de lui chantonner les airs de ceux que je connaissais. Heureusement, ou malheureusement, je ne connaissais pas bien les chansons d'ici, mais j'ai pu lui chanter les premières mesures de plusieurs morceaux de musique classique. Florence, la coquine, a obtenu la permission de jouer sur un piano mécanique, et elle m'a joué *Le Ver luisant*, *L'Envoi de fleurs* et *Danny Boy*, et aussi deux ou trois airs d'avant-guerre de Maurice Chevalier et le *Minuit chrétien*.

Élisabeth continuait à parler tout en roulant ses spaghettis sur sa fourchette. Jan ne l'écoutait plus. Il avait repoussé son assiette, se sentait nauséeux et avait mal au ventre.

— Je pense que je ne digère pas les mets italiens, ce soir. Ne vous gênez pas pour moi.

Ils rentrèrent et Jan fut heureux de la présence de Mme Favreau, parce que le mal de ventre lui enlevait complètement l'envie de parler. Ils se saluèrent et se quittèrent devant l'épicerie. Jan laissa passer Élisabeth dans l'escalier de façon à pouvoir prendre son temps et se tenir à la rampe. Il alla se coucher aussitôt rentré et Élisabeth crut remarquer qu'il avait la larme à l'œil tant il était luisant. Elle en fut touchée. Jamais, depuis des années, elle n'avait vu son frère verser une larme.

Élisabeth se coucha à son tour mais fut réveillée par la voix de Jan qui parlait au téléphone. Elle n'entendit que quelques mots, mais suffisamment pour comprendre que son frère s'adressait à un médecin.

— Oui, Pawulski. Je travaille à l'épicerie de M. Favreau et j'ai vu votre nom sur une plaque devant une... ahhhh... je m'excuse... une maison du boulevard. Pardon ? Trois heures du matin, je crois. Pardon ? Un instant.

Jan posa le récepteur et mit une main sur son front.

— Je dirais que oui, plutôt. Dans cinq minutes ? Merci.

Non, pas chez les Favreau mais au logement dont la porte est derrière l'épicerie, à côté de celle du gar... Ah ! Vous savez où... Merci.

Élisabeth était derrière lui. Son frère était plié en deux, se tenant le ventre à deux mains comme s'il avait peur qu'il ne s'échappe.

— Qu'est-ce que tu as ?

— Si je le savais, je n'aurais pas téléphoné à un médecin en pleine nuit.

Jan avait perdu son sens de l'humour en descendant du tramway à l'angle de la rue Saint-Denis et du boulevard Saint-Joseph. Il retourna s'étendre en clopinant, ce qui inquiéta Élisabeth au plus haut point. Elle alla à la salle de bains, mouilla d'eau froide une petite serviette et revint au chevet de son frère. Elle la lui mit sur le front et retourna à la salle de bains pour se donner un coup de peigne afin de ne pas effrayer le médecin qui, au même moment, appuyait sur le bouton de la sonnette. Elle descendit l'escalier quatre à quatre en se disant qu'il leur faudrait installer une corde pour ouvrir à partir de l'étage. Un homme à l'air aussi cireux et endormi qu'elle se tenait à la porte, une trousse médicale à la main.

— Je suis bien chez M. je ne sais plus trop quoi mais ça finit en « ski » ?

— Oui, entrez.

Si Élisabeth n'avait pas été aussi inquiète de l'état de santé de Jan, elle se serait laissée tomber sur une marche pour rire. Elle avait été tellement saisie par cette entrée en matière que ce n'est que dans la chambre de Jan qu'elle vit à quel point le médecin était un bel homme. Au fur et à mesure qu'il examinait Jan et qu'il se réveillait, Élisabeth vit émerger une tête absolument magnifique. Une tête d'homme comme elle les aimait, cheveux bouclés, yeux pétillants, dents blanches et sourire magnifique, elle en était certaine, même si elle n'avait pas encore eu l'occasion de le voir. Il appuya sur le ventre de Jan et relâcha d'un coup sec. Jan retint un cri mais ne put empêcher la suée de lui inonder le front.

— Madame, vous allez enrouler votre mari dans une

469

couverture et m'aider à le descendre aussitôt que je vais revenir avec mon auto. Le temps de me rendre chez moi, de donner un coup de fil aux urgences, de sortir l'auto du garage et je suis de retour. Ce serait peut-être bien que vous lui fassiez une petite valise. Juste l'essentiel : pyjamas, pantoufles, rasoir et blaireau, brosse à dents.

Il redescendit aussitôt l'escalier sans même avoir pris la peine de les saluer. Jan était couché en position fœtale, se berçant pour endormir la douleur.

— Si j'ai bien compris, je m'en vais à l'hôpital.

Élisabeth boucla la valise de son frère en un temps record et mit le chemisier et le tailleur qu'elle devait porter dans le train. Elle avait à peine eu le temps de se rougir les lèvres lorsque la sonnette résonna de nouveau. Elle courut ouvrir, remonta pour faire enfiler à Jan un peignoir sur son pyjama détrempé, l'aida ensuite à s'enrouler dans une couverture de laine et le confia au médecin qui le soutint avec énormément d'énergie dans l'escalier pendant qu'elle les suivait, portant la valise.

En moins de deux, ils se retrouvèrent à l'Hôtel-Dieu et Jan fut transporté sur une civière. Il gémissait sans s'en rendre compte. Le médecin avait enfilé un sarrau blanc et Élisabeth put lire, sur une plaquette métallique épinglée sur la poche de poitrine, qu'il se nommait Denis Boisvert.

— Quand a-t-il mangé la dernière fois ?

— Au souper.

— Rien depuis ?

— Non.

— A-t-il vomi ? ?

— Je ne sais pas, je dormais.

Le médecin leva un œil d'étonnement mais n'ajouta rien.

— Où est-il ?

— Oh ! J'aurais dû vous le dire. Il est dans le bloc opératoire.

— Dans le bloc opératoire ?

— Oui. D'ici une heure, on va lui avoir enlevé cet appendice qui le fait souffrir, mais il n'y a pas une minute à perdre.

Il proposa à Élisabeth de rentrer chez elle mais elle

refusa, préférant attendre que Jan sorte de la salle d'opération.

— Il doit être affolé...

— Je pense qu'il a trop mal pour être affolé. Vient un
moment où les hommes ont moins peur de la mort que de la
souffrance.

Élisabeth grimaça, se demandant sérieusement si son
frère était en danger de mort. Boisvert passa derrière une
porte à deux battants après lui avoir indiqué un endroit où
elle pourrait trouver un fauteuil « à peu près confortable ».
Elle s'y affala et tenta de se détendre, mais n'y parvint pas.
Elle frappa sa montre au moins trois fois pour être certaine
que les aiguilles n'étaient pas collées puis se rendit compte
que le soleil venait de tomber en flaque sur le plancher. Il
était presque sept heures lorsqu'elle vit Boisvert s'approcher
d'elle en souriant. Elle constata qu'elle avait eu raison de
penser que son sourire était beau puis se reprocha cette
distraction.

— Il nous a fait peur. Il était à quelques minutes de la
péritonite. Mais je suis heureux du résultat. Évidemment, je
vais le garder ici une semaine, dix jours, avant de vous le
rendre.

— Si longtemps que ça?

— Madame, votre mari a évité la catastrophe.

Élisabeth aurait voulu lui dire qu'il n'était pas son mari,
mais le mot « catastrophe » la laissa muette.

— Maintenant, vous allez m'excuser mais j'ai un petit
bébé qui m'attend. Il faut que j'aille m'occuper de l'accueil
et de la coupure.

— De la coupure?

— Oui. La coupure du cordon.

Sur ces mots, il la salua et repartit derrière la porte
à deux battants. Élisabeth essaya de le voir par la minuscule fenêtre en losange mais elle ne vit rien. Il avait dû
tourner dans un couloir.

Elle s'occupa de l'admission de son frère, prit en note le
numéro de la chambre qu'on lui assignait, monta à l'étage
pour voir s'il était de retour de la salle d'opération et
fut rapidement mise à la porte en se faisant dire, sans

amabilité, que les visites se faisaient à sept heures du soir et non du matin. Elle revint lentement rue Saint-André, troublée par la nuit qu'elle venait de vivre, se demandant comment elle annoncerait à Étienne qu'elle ne serait pas dans le train.

54

— L'AMOUR d'Élisabeth a été comme un feu de paille. Je l'ai senti couver longtemps, puis s'enflammer, puis... Bref, disons que le feu est éteint.

— Ce n'est pas ce qu'elle a dit, Étienne.

— C'est ce que j'ai compris.

Anna n'avait pas envie de revenir sur cette discussion. Depuis le mois d'août, depuis qu'Élisabeth avait été retenue par l'opération de Jan, Étienne était passé par toutes les affres du rejet. Jerzy, lui, semblait s'en être remis assez facilement.

— Je te l'avais dit, Anna, qu'Élisabeth ne reviendrait pas. Ma sœur cherche quelque chose. Elle ne fuit rien.

— Mais elle a eu vingt-trois ans au début d'octobre. Il me semble qu'Étienne était un compagnon idéal...

— Moi, je pense qu'Élisabeth ne se mariera pas. Parce qu'elle a encore mal et qu'il est possible qu'elle ait mal toute sa vie.

— Tu répètes toujours la même chose, Jerzy.

— C'est que rien ne me prouve le contraire.

— Mais elle aime tellement les enfants...

— Ça ne l'a pas empêchée de quitter les petits Dussault et ses élèves.

Anna demeura songeuse. Se pouvait-il qu'Élisabeth ait refusé d'aimer Étienne et tous les enfants avec lesquels elle avait été mise en contact? Elle était déroutée. Elle n'avait jamais entrevu la possibilité qu'Élisabeth puisse demeurer seule. Pour elle, il était impensable qu'aucun

473

homme ne découvre et n'aime son extraordinaire belle-sœur.

— Mais elle envoie de l'argent pour Stanislas.

— Oui, parce que Stanislas c'est de la famille. Elle est dans son univers.

Anna regarda Jerzy avec étonnement et admiration. Elle aurait vraiment apprécié qu'il s'analyse lui-même aussi facilement. Mais, s'il comprenait ceux qu'il aimait, elle avait presque peur de conclure qu'il n'éprouvait aucune estime pour lui-même puisqu'il devenait borgne, aveugle ou simplement menteur chaque fois qu'il tentait de se regarder.

Étienne commanda un dernier café après avoir regardé sa montre et leur demanda s'ils pensaient pouvoir venir le visiter à Ottawa. Jerzy et Anna ne purent que répondre qu'ils le souhaitaient. Le casse-croûte sentait le diesel, dont les effluves passaient sous les portes et même par les joints du plancher. Toutes les gares exhalaient la même odeur et toutes les personnes qui fréquentaient les gares avaient les mêmes mines. Il n'y avait à peu près que trois expressions : la hâte, la joie, ou la tristesse. Une voix nasilla quelque chose que seul Étienne comprit.

— Ça y est.

Il avala rapidement sa dernière gorgée, ramassa sa valise et passa à la caisse pour payer les six cafés qu'ils avaient bus. Jerzy s'excusa pour quelques instants et se dirigea vers les toilettes des hommes. Anna en profita pour parler seule avec Étienne.

— Je n'ai jamais osé le demander, Étienne, mais depuis que je suis dans la gare, je ne cesse de m'interroger. As-tu parlé à Jan le jour de son départ ?

— Non, il était déjà monté dans le train. Mais j'ai pu le saluer du quai.

— Est-ce qu'il souriait ?

— Quand il m'a vu, oui. Mais je t'avoue que moi je regardais Élisabeth.

— Je regrette que nous l'ayons laissé partir comme s'il avait été un galeux. Pauvre Jan !

Mais c'est comme un membre de la famille qu'Étienne fut accompagné jusqu'à son wagon.

— Au revoir ! Je pense bien être ici pour Noël.

Anna le regarda entrer dans le wagon et, parallèlement à lui, marcha sur le quai. Le train démarra et elle agita la main jusqu'à ce qu'elle le perde de vue. Elle revint vers son mari.

— Tu aurais dû accompagner ton frère, Jerzy. Je pense qu'il a raison de t'en vouloir.

Anna attendit vainement que son mari lui réponde. Elle ne pouvait savoir que Jerzy ne voyait que sa canine et qu'il la trouvait désagréablement proéminente.

55

M. Favreau regardait Jan remonter la rue Saint-André, les roues avant du triporteur enlisées dans la neige qui avait pris Montréal d'assaut en ce début de décembre. Il soupira de fierté devant l'acharnement et l'entêtement de Jan à effectuer les livraisons.

— Tu peux attendre à demain, Jan. Les rues sont impraticables.

— Raison de plus. Mme Noël ne peut pas sortir de chez elle. Il faut absolument que j'aille lui porter sa commande, sans quoi elle va s'inquiéter.

Jan arriva enfin en suant comme un bœuf, poussa le triporteur par-dessus le banc de neige et le stationna près de la porte. Il entra, le visage rouge comme une crête de coq, enleva son manteau et revêtit immédiatement un tablier. Il passa dans l'arrière-boutique, chauffée juste assez pour éviter que la tuyauterie n'éclate, et en ressortit portant une caisse remplie de boîtes de petits pois. Avec un crayon gras, il marqua le prix sur chaque boîte avant de les déposer sur une tablette.

— Qu'est-ce que vous diriez si je repeignais le magasin ?

M. Favreau, qui mettait de l'ordre dans les livrets de factures de sa clientèle, retint un sourire. Il attendait cela depuis au moins un mois.

— Pour quoi faire ? De toute façon, il y a des tablettes devant les murs et de la marchandise sur les tablettes. On ne voit pas grand-chose.

Jan hocha la tête. Il retourna à l'arrière chercher un autre carton, contenant, cette fois, des boîtes de tomates à l'étuvée.

— Pouvez-vous me dire les trois couleurs du plafond?

M. Favreau leva les yeux et fut franchement étonné de voir du blanc, du jaune et un coin de gris.

— Ça alors! Qu'est-ce qui est arrivé?

— Il est arrivé que depuis dix-sept ans vous n'avez pas touché à un pinceau. Venez ici.

Favreau, feignant un énorme agacement, le rejoignit. Jan marcha à travers toute l'épicerie en soulevant les marchandises ici et là pour découvrir des tablettes qui non seulement n'étaient pas de la même couleur mais n'étaient pas toutes identiques.

— Tu peux repeindre?

— Oui. Pour que ce soit plus propre.

— De quelle couleur?

— Je ferais le plafond et les étagères en blanc et tout le reste en vert pâle. Et je remplacerais toutes vos suspensions disparates par des lampes de patinoire. Comme celles du parc LaFontaine.

— Des lampes de patinoire?

— Oui. Ça donnerait du chic.

— Des lampes de patinoire donneraient du chic à une épicerie?

— Oui. Et puis je ferais la porte extérieure et le tour des fenêtres de la vitrine en vert foncé, comme le vert des lampes de patinoire.

— Comment ça, l'extérieur?

— Pour que les gens aient le goût d'entrer. Pour attirer aussi ceux qui habitent boulevard Saint-Joseph.

— Ils viennent déjà ici.

— Non, ils téléphonent ici. Ils ne viennent pas. Comment voulez-vous qu'ils connaissent les nouveaux produits?

M. Favreau trouvait certes que les idées de Jan étaient excellentes mais il aurait parié que Jan n'avait jamais pensé que cela représentait de l'argent et qu'en décembre un épicier manquait toujours de liquidités. M. Favreau, lui, connaissait les habitudes de sa clientèle. À partir du jour où les femmes se procuraient ce qu'il fallait pour préparer les gâteaux aux fruits, c'est avec un sourire et rien d'autre qu'elles payaient la farine pour les beignes, le porc pour le ragoût et la dinde pour le souper de Noël.

— On pourrait peut-être changer ça. J'ai ma petite idée là-dessus.

Favreau fronça les sourcils. S'il se réjouissait chaque jour de l'intérêt que Jan portait à l'épicerie, il ne tolérerait jamais qu'il en change les habitudes.

— Et puis ? Je peux aller acheter la peinture ?

Favreau demanda une période de réflexion qui dura jusqu'au lendemain.

— Mme Favreau me dit de dire oui. Donc, c'est oui, mais uniquement pour l'intérieur.

Il sortit les billets de la caisse et les remit à Jan qui sourit avant de le remercier.

— Vous ne le regretterez pas, monsieur Favreau. Mais, à propos du crédit, j'aurais peut-être une idée...

— Je ne veux pas en entendre parler, Jan. Le crédit, ça fait partie de notre raison d'être. On peut même encaisser les chèques du gouvernement. Les gens du quartier comptent sur nous.

M. Favreau sentit qu'il avait froissé Jan, aussi monta-t-il chez lui avec les livrets pour faire sa comptabilité. Jan travailla avec application et acharnement jusqu'à vingt-trois heures. Élisabeth vint frapper à la porte, un manteau rapidement enfilé sur son pyjama.

Jan descendit de l'escabeau pour lui ouvrir et elle entra en grelottant.

— As-tu fini ? Oh ! ça pue !

— Pourquoi est-ce que tu penses que je fais ça un samedi ? Ça nous donne deux jours avant de rouvrir. Je devrais avoir fini pour Noël. Es-tu allée au concert ?

— Oui. C'était bien.

Jan passa au lavabo de l'arrière-boutique et fit tremper son pinceau dans la térébenthine. Il s'assura que tout était en ordre, éteignit, verrouilla la porte et monta derrière Élisabeth.

Jan trouva difficilement le sommeil. Il ne cessa de penser à l'épicerie telle qu'il l'imaginait au printemps, avec une porte vert foncé et des auvents, avec des étalages appétissants dès l'entrée, et un choix de légumes si frais qu'ils iraient chercher une clientèle habitant bien à l'ouest de la rue Saint-Denis, à l'est de la rue Papineau, au nord de la rue Laurier et jusqu'à la rue Rachel. Jan aménagea et réaménagea l'épicerie dans sa tête. Aussitôt qu'il déposait son pinceau et cessait de déplacer les marchandises sur les tablettes, son esprit s'emplissait de l'image de la fille de Mme Dupuis. Il n'avait jamais osé en parler à Élisabeth parce que Michelle était la jeune fille qui s'était retournée sur son passage le soir du 23 juin. C'est elle-même qui le lui avait rappelé lorsqu'il était allé faire une livraison.

— Je vous reconnais. Vous étiez au feu de la Saint-Jean avec une jeune fille blonde comme vous.

— Ma sœur, Élisabeth.

Elle n'avait plus rien ajouté, lui demandant seulement d'aller déposer la boîte d'épicerie sur le comptoir de la cuisine. Il aurait très bien pu y aller seul, mais elle l'avait suivi. Elle alla chercher son sac à main et lui remit un pourboire avec un sourire qui l'intimida tellement qu'il en échappa l'argent. Depuis ce temps, chaque fois que le téléphone sonnait, il répondait sans empressement pour ne pas éveiller de soupçon chez M. Favreau, espérant entendre la voix de Michelle ou de sa mère.

Incapable de trouver le sommeil, ayant le corps en attente de celui d'une femme, Jan se releva et se réfugia devant le contenu du réfrigérateur, referma celui-ci sans avoir rien pris, et passa au salon. Il déplia *La Presse* et fut attristé d'y lire que les troupes canadiennes s'apprêtaient à fouler le sol de Corée. Il referma le journal et rentra dans sa chambre pour se rhabiller.

Le soleil hivernal et frileux s'était levé et venait tout juste de frapper aux fenêtres quand M. Favreau, presque prêt à partir pour la messe de neuf heures, descendit dans l'épicerie. Il en fit le tour des yeux, se grattant la tête d'étonnement. L'épicerie était sens dessus dessous, mais deux murs et les tablettes qui y étaient fixées séchaient en vert pâle et en

479

blanc. Jan avait entrouvert une fenêtre pour accélérer le séchage.

— Yvonne! Yvonne! Viens voir!

Mme Favreau, des bigoudis sur la tête, le rejoignit et fut ravie de ce qu'elle voyait.

— Il a dû travailler toute la nuit.

— Sûrement.

M. Favreau monta chez lui à la hâte pour se changer.

— Qu'est-ce que tu fais? La messe est à neuf heures!

— Je le sais, mais j'ai décidé de faire la charité. Si un petit gars est capable de passer toute une nuit blanche pour m'aider dans mon travail, le moins que je puisse faire, c'est de l'aider à mon tour. Prie pour deux, mon Yvonne. Moi, je vais faire ce que j'aurais dû faire il y a dix-sept ans. J'espère simplement que Jan va dormir jusqu'à midi pour que je puisse le surprendre.

Mme Favreau partit seule pour la messe pendant que M. Favreau, juché sur l'escabeau, sifflotait en appliquant la peinture.

Jan emprunta la rue Gilford jusqu'à la rue de Grand-Pré, hésita avant de tourner à droite puis s'engagea résolument. Il ralentit à peine devant la maison qu'habitait Michelle, mais eut le temps de remarquer que les lampes étaient maintenant allumées. Depuis qu'il avait fini de peindre, il était passé au moins cinq fois devant chez Michelle, se disant chaque fois que c'était la dernière puisqu'il lui fallait aller dormir; aussitôt revenu à son point de départ, il regardait l'heure, décrétait qu'il n'avait pas encore sommeil et refaisait le trajet. Pour se convaincre qu'il avait effectué son dernier circuit, il revint par le long chemin, soit par le boulevard Saint-Joseph, qu'il arpentait en direction est pour la sixième fois lorsqu'il arriva nez à nez avec Mme Favreau à l'angle de la rue Berri.

— Jan! Tu n'es pas couché?

— Oui, madame Favreau. C'est mon rêve que vous voyez.

Elle éclata d'un rire si spontané qu'il entraîna Jan dans son écho. Ils se tordirent sans pouvoir s'arrêter, Mme Favreau lui labourant un bras de petits coups en le suppliant de cesser. Jan essayait sérieusement de le faire mais en était incapable. La fatigue, il le comprenait, venait enfin de s'emparer de lui.

— Cesse, sinon je vais être en retard à la messe.

— J'y vais avec vous.

Mme Favreau le toisa et jugea qu'il était assez propre pour y assister.

— As-tu les mains lavées?

— Non. Elles sont vertes.

Encore une fois, ils éclatèrent de rire et eurent toutes les misères du monde à reprendre leur sérieux en entrant dans l'église. Ils s'assirent dans une allée latérale, vers l'arrière. Jan avait la chance d'être à côté du mur. Il fut attentif jusqu'à l'homélie mais s'endormit dès que le prêtre monta en chaire et fit les annonces nécrologiques de la semaine. Mme Favreau ne broncha pas, feignant de ne pas remarquer son sommeil. À la fin du prêche, elle lui donna un coup de coude et Jan, surpris, s'agenouilla. Retenant un fou rire d'adolescente, elle le tira par la manche pour qu'il se rassoie et se pencha pour lui chuchoter quelque chose à l'oreille.

— As-tu de l'argent pour la quête?

— Non, et vous?

Elle pinça les lèvres pour ne pas rire, ouvrit son porte-monnaie et lui tendit une pièce de dix sous. Jan, se rappelant la couleur de ses doigts, la saisit de sa main gantée. Ne sentant rien, il l'échappa et la pièce roula sur le plancher avant de s'immobiliser. Mme Favreau et lui ne bronchèrent pas, pour éviter d'attirer l'attention. Elle rouvrit son porte-monnaie et lui remit une pièce de vingt-cinq sous.

— Je pense que c'est assez gros pour que tu ne l'échappes pas.

Jan grimaça et ne quitta pas la pièce des yeux jusqu'à ce qu'il la dépose dans le plat d'étain au fond tapissé de feutre bordeaux amené d'une main tremblante jusqu'à lui. Mme Favreau se leva pour aller communier et demanda à Jan s'il l'accompagnait.

— Non, j'ai grignoté des sucres d'orge toute la nuit.

Elle partit donc seule et Jan s'agenouilla, déposa sa tête sur ses mains comme le faisaient les communiants à leur retour de la balustrade et s'assoupit de nouveau. Il ne sentit pas Mme Favreau reprendre sa place et ne vit pas Michelle rougir en le voyant.

Jan était si fatigué qu'il ne remarqua pas la présence de M. Favreau dans l'épicerie. Il s'empressa de quitter Mme Favreau et monta chez lui. Il s'écroula tout habillé sur le couvre-lit et dormit profondément, jusqu'à ce qu'Élisabeth l'avise qu'il était quatre heures de l'après-midi et qu'il devait se doucher parce que les Favreau les attendaient pour manger du rôti. Il se leva en bougonnant avant que son interminable promenade lui revienne en mémoire. Il ne pouvait plus se permettre d'autre insomnie sans que son travail commence à s'en ressentir. Depuis près de cinq mois, il se demandait si Michelle accepterait de l'accompagner au concert, ou au cinéma, ou aux variétés. Il était furieux contre lui-même d'être paralysé devant une décision aussi simple. Le jet de la douche couvrait les dialogues qu'il imaginait avec Michelle, se parlant à voix haute pour se donner du courage. En sortant de la salle de bains, il se heurta à Élisabeth, tout sourire.

— Amène-la au concert de Noël à l'église Saint-Jean-Baptiste.

Jan descendit en courant et entra dans l'épicerie, anxieux de voir son travail. Il se figea devant ce qu'avait fait M. Favreau. Tout était terminé. Jan sourit de plaisir en voyant la métamorphose du local. Il ne lui restait, pour cacher la disparité des matériaux des tablettes, qu'à clouer sur leurs tranches les tiges métalliques qu'il s'était procurées. Du bout du doigt, il toucha une tablette et constata que la peinture était encore collante. Il reporta cela au lendemain matin, lundi. Pendant qu'il terminait son inspection, il n'entendit pas descendre M. Favreau, qui fixa les yeux sur lui, attendant qu'il se retourne. Quand il le fit, il vit l'amusement dans les yeux de son patron.

— Puis?

— Je trouve ça bien parfait. Et vous?

— Je pense que ça a fait du bien. Mme Favreau est d'accord avec moi.

Ils montèrent.

— Je voulais quand même te dire que je n'ai pas envie d'avoir des lampes de patinoire. Le monde va rire de moi. Quand ce sera ton épicerie, tu feras ce que tu voudras. Pour l'instant, c'est mon épicerie et j'aimerais mieux qu'on se contente de visser de petits abat-jour de métal sur les douilles.

Jan voulut répliquer, mais ne le fit pas. Il plissa le front, essayant de comprendre si M. Favreau venait de lui dire qu'il hériterait de l'épicerie. À la fois perplexe et excité, il passa à table et éclata de rire avec Mme Favreau qui racontait qu'elle avait assisté à la messe avec un rêve. Sous le regard médusé d'Élisabeth, Jan s'empressa de lui rendre les trente-cinq cents qu'elle lui avait prêtés.

56

É<small>LISABETH</small> marchait lentement aux côtés de son frère, jacassant comme une pie pour étourdir l'agitation qui l'avait happé. Depuis dix minutes, Jan faisait les cent pas devant les ascenseurs du neuvième étage de chez *Eaton*. Élisabeth essayait de le soutenir dans sa nervosité, ayant presque la certitude que Jan en était à son premier rendez-vous galant. S'il en avait eu à Saint-Adolphe ou à Saint-Norbert, il ne lui en avait jamais parlé. Elle était ravie qu'il se soit enfin décidé à inviter cette Michelle qu'elle n'avait pas encore rencontrée. À son grand amusement, il lui avait donné rendez-vous pour le lunch chez *Eaton*, prétendant avoir besoin d'aide pour choisir le cadeau de Noël de Stanislas. Élisabeth souhaitait secrètement que le prétexte du cadeau ait aussi caché le désir de Jan de lui présenter Michelle.

Depuis l'intervention chirurgicale de Jan, elle avait trouvé du travail à la salle à manger chez *Eaton*. Elle avait postulé un emploi de vendeuse, mais on lui avait offert d'être hôtesse à la salle à manger du neuvième étage. Le travail était moins rémunéré, certes, mais aussi moins fatigant, lui laissant le temps de poursuivre ses cours avec Florence et un autre élève sans autre talent que sa bonne volonté. Élisabeth avait été enchantée d'avoir été choisie, surtout après la grande déception qu'elle avait eue de ne pas être embauchée chez *Archambault*, mais elle avait été étonnée de voir que tout le personnel de la salle à manger était assez âgé. Soucieuse d'économiser pour se permettre des voyages au Manitoba ou à Ottawa, elle s'était pliée avec plaisir au port de l'uniforme, semblable à celui des serveuses, coiffe et tablier blancs en moins. On lui avait vendu un uniforme noir à collet blanc et on lui avait recommandé de porter une chaussure confortable, noire, à gros talon de un pouce et demi de hauteur et, de préférence, lacée. Profitant de sa remise d'employée, elle avait pu se procurer une ravissante paire de chaussures noires à courroie et à semelle compensée comme elle rêvait d'en avoir depuis la fin de la guerre.

Elle était arrivée le premier jour les cheveux tenus par d'énormes pinces, un léger rouge sur les lèvres et un voile de poudre sur les joues. Avant même de prendre son travail, elle s'était empressée de retourner au bureau du personnel pour rappeler qu'elle était toujours disponible s'il y avait une vacance au rayon de la musique. Elle se sentait tellement bien à cet étage qu'elle y venait presque tous les jours pour vérifier l'inventaire, acheter quelques feuilles de musique et remettre ses noms et adresse à la caissière au cas où quelqu'un serait à la recherche d'un professeur de violon ou — qui sait? — d'une violoniste pour une occasion spéciale.

Chaque fois qu'elle recevait son enveloppe de paye, elle en déposait la quasi-totalité à la banque pour le loyer — très peu élevé, faveur des Favreau — mais surtout pour aider Jan à surmonter ses difficultés financières dues à son appendicectomie. À eux deux, ils remboursaient l'Hôtel-Dieu et payaient les honoraires du docteur Boisvert.

Élisabeth jeta un coup d'œil à sa montre et étreignit le bras de son frère.

— On ouvre les portes dans quinze minutes. Tu vas venir manger avec elle?

Jan fit oui de la tête et Élisabeth eut le sentiment qu'il était trop tendu pour parler.

— C'est bien devant l'ascenseur numéro un, au rez-de-chaussée, que vous avez pris rendez-vous?

Encore une fois, il acquiesça sans parler. Élisabeth appuya sur le bouton pour appeler l'ascenseur et elle vit Jan se raidir et se passer rapidement une main dans les cheveux. L'ascenseur s'immobilisa et la liftière, costumée et gantée, ouvrit la porte vitrée et grillagée.

— *Going down.* En bas.

Jan toussota et entra. Élisabeth lui fit un petit salut de la main avant de serrer le poing pour lui souhaiter bonne chance mais il ne répondit pas et n'eut même pas le courage de sourire. Elle eut l'impression qu'il venait de poser la tête sous le couperet d'une guillotine. Il avait la main droite sur le cœur et sa sœur comprit qu'il devait serrer très fort son étui à lunettes, l'écrasant sur ce cœur qui battait certainement assez vite pour l'affoler. Elle regarda l'ascenseur descendre, passa aux toilettes pour rafraîchir son maquillage avant d'entrer dans la salle à manger.

Jan aperçut Michelle avant même que les portes ne se soient refermées derrière lui. Il ressentit durant un instant une panique telle qu'il pensa remonter au premier et s'enfuir par les escalators. Mais rien ne parut quand Michelle eut un petit soubresaut de plaisir en le voyant. Il s'essuya discrètement la main sur son pantalon avant de la lui tendre en la remerciant d'avoir accepté de venir conseiller un oncle désespéré. Elle lui répondit que cela lui faisait plaisir et ils montèrent à l'étage des jouets. Ils circulèrent dans les étalages pendant dix bonnes minutes. Jan essayait désespérément de s'intéresser aux jouets, mais il ne cessait de regarder Michelle qui prenait sa tâche très au sérieux.

— Presque onze mois?

— Presque.

— Est-ce qu'il marche?

— Euh!... Je n'en sais rien, mais il devrait marcher d'ici un an.

Michelle éclata de rire et continua à examiner et à tripoter les jouets. Jan entendait siffler le petit train du village du père Noël et, occasionnellement, apercevait la fée des étoiles qui venait accueillir les jeunes visiteurs fascinés, éblouis ou terrorisés. Jan aurait donné une fortune pour rajeunir magiquement et se retrouver dans cet univers féerique, innocent et insouciant, au lieu d'être là à se demander s'il devait tutoyer Michelle et l'inviter au récital de Florence.

— Qu'est-ce que vous en pensez?

— C'est très bien.

Michelle tenait une petite abeille qu'elle posa sur le plancher et tira vers elle une ficelle. Les ailes tournèrent en faisant un bruit amusant.

— Je crois que ce serait bien. Il devrait marcher bientôt et va certainement aimer tirer une petite abeille qui essaie de bourdonner.

Jan la remercia mille fois, passa à la caisse pour payer et la réinvita pour le repas. Elle regarda sa montre et grimaça.

— J'ai dit à mon père que je reviendrais pour une heure et demie. Je ne pense pas avoir le temps.

— Un dessert?

— O.K.

Ils montèrent au neuvième étage et Jan, d'une politesse inhabituelle, la fit passer devant lui au sortir de l'ascenseur et en entrant dans la salle à manger. Michelle poussa un « oh! » d'étonnement devant l'originalité du décor.

— Ç'a l'air vieux!

Jan sourit intérieurement.

— C'est voulu. Élisabeth m'a dit que c'était la réplique de la salle à manger d'un transatlantique.

— Non! Lequel? Pas le *Titanic*, au moins?

— L'*Île-de-France*, il me semble.

Élisabeth fut surprise en reconnaissant la jeune fille croisée au feu de la Saint-Jean. Jan fit les présentations et les deux jeunes femmes se toisèrent rapidement sans cesser de sourire. Jan, lui, avait le sourire laqué sur la figure même si, intérieurement, il se demandait de quoi Michelle et lui pourraient bien discuter aussitôt attablés. Élisabeth les escorta, déposa les menus, donna un discret coup dans le dos de Jan et alla accueillir d'autres clients.

— Si j'ai une minute, je reviendrai pour voir le cadeau que vous avez choisi.

Jan avait le menu devant les yeux et se demandait s'il n'avait pas besoin de verres correcteurs. Toutes les lettres se dandinaient au rythme de l'emballement de son cœur qui réagissait violemment au « vous » que leur avait servi

Élisabeth. Elle avait dit « que vous avez choisi », comme s'ils étaient deux.

— Et puis ? Qu'est-ce que tu prends ?

— J'ai changé d'idée. Je vais prendre du rôti de bœuf. Mon père va comprendre.

Jan l'avait tutoyée et elle n'avait pas bronché. Il ferma les yeux de plaisir, sachant que le tutoiement, quoique plus facile ici qu'en Pologne, lui permettait déjà plus d'intimité. Il commanda la même chose qu'elle et, en attendant le service et pour se donner une contenance, ils lurent tous les deux l'historique du restaurant dans lequel ils se trouvaient. Michelle ponctua sa lecture de termes d'étonnement alors que Jan se demandait s'il pouvait déjà lui parler de sa traversée de l'Atlantique. Michelle regarda les lieux avec encore plus de plaisir.

— Incroyable, tu ne trouves pas ? On peut fermer les yeux et s'imaginer entendre le bruit de la mer. On peut aussi penser que les vagues nous bercent. D'après toi, est-ce que les colonnes sont en vrai marbre ?

— Élisabeth m'a dit que oui.

Il toussota à quelques reprises pour se donner la force de lui dire qu'il avait déjà été sur un transatlantique.

— Oui ? J'ai bien pensé. Mais c'est extraordinaire !

— Pas tant que ça. Nous n'avions pas d'argent pour prendre l'avion et je ne savais pas nager.

Il rit, pensant sincèrement avoir été très drôle.

— Est-ce que c'était un gros bateau ?

— Oui, mais certainement pas aussi gros que l'*Île-de-France*. Les passagers, c'étaient soit des immigrants, soit des soldats. Je n'ai pas mangé dans une salle à manger comme celle-ci qui doit être presque aussi belle que celle du *Titanic*.

— Sûrement.

Il raconta sa traversée, parlant de la nourriture et des couchers de soleil. Il raconta leur sortie de la Manche et la présence d'un dragueur de mines, mais omit de mentionner la terreur d'Élisabeth. Il revit son arrivée à Halifax et lui décrivit tout ce qu'il avait vu ensuite de la fenêtre du train. Michelle l'écoutait avec attention et émotion, ce qui l'étonna, parce qu'il n'avait rien dit de triste. Élisabeth s'approcha d'eux, s'assit sur une fesse à la table à côté et demanda à voir le cadeau, que Michelle s'empressa de sortir du sac.

— Oh! Que c'est mignon! Je suis certaine que Stanislas va adorer ça.

— Jan m'a dit qu'il devrait marcher d'ici un an. On voit qu'il ne connaît pas trop les bébés...

Jan rougit et Élisabeth pâlit, se leva et les quitta sèchement. Michelle la regarda avant de se retourner vers Jan.

— Qu'est-ce que j'ai dit?

Jan jeta un coup d'œil vers Élisabeth, dévisagea Michelle et comprit que le brusque départ d'Élisabeth l'avait complètement fracassée.

— Nous avons eu un petit frère qui s'appelait Adam et que les Allemands ont assassiné.

Michelle déposa sa cuiller. Jan vit des larmes lui baigner les yeux. Il se demanda comment un jeune Polonais de bonne famille pouvait consoler une fille en public.

Ils sortirent et Élisabeth vint vers eux, suppliant Michelle du regard de lui pardonner son manque de savoir-vivre. Michelle l'attendit, la prit par les épaules, l'embrassa et lui demanda de l'excuser.

— Je ne savais pas. Jan ne m'avait pas parlé de...

— Jan parle rarement de quoi que ce soit.

Jan approuva intérieurement, parce que, s'il avait parlé, il aurait demandé à Michelle de l'épouser.

57

— A<small>NNA</small> ! Jerzy avait poussé un cri si strident qu'Anna en eut les jambes coupées et c'est en frissonnant qu'elle entra dans le salon. Jerzy était assis sur le fauteuil, les fesses sur le bout du coussin, bras tendus vers Stanislas qui s'avançait en riant, tirant sa petite abeille. Anna s'agenouilla, émue de voir marcher son fils.

— Mon Dieu ! Jerzy, c'est triste de penser à tout ce que manquent les gens qui n'ont pas d'enfants. Et maman qui rate ça...

Jerzy se tourna vers Anna et il allait lui dire qu'il se faisait la même réflexion en ce qui concernait ses parents quand Stanislas vacilla et tomba sur les fesses.

— Oups ! Debout, Stanislas !

Ni Jerzy ni Anna ne s'étaient précipités et Stanislas se releva sans geindre. Ses parents applaudirent, ce qui le fit sourire de nouveau. Anna alla chercher l'appareil photo, pensant qu'Élisabeth et Jan devaient, eux aussi, voir cet important moment. Elle fit trois tentatives pendant lesquelles Stanislas pleura, l'éclair du flash lui faisant peur. Elle haussa les épaules en se disant qu'elle expliquerait qu'il avait souri et que ce sourire était malheureusement perdu pour la postérité. Jerzy regardait la petite abeille avec amusement. Élisabeth leur avait écrit que Jan s'était servi de ce prétexte pour commencer à fréquenter une jeune fille. Jerzy n'avait pas voulu entendre le reste de la lettre mais Anna avait fait plusieurs tentatives pour lui en parler.

490

— Combien penses-tu que pourrait coûter un voyage à Montréal pour trois personnes?

— Je n'en sais rien, Anna, et je ne veux pas le savoir.

Anna entretenait une correspondance régulière avec Élisabeth et, plus les mois passaient, plus elle sentait la solitude les envahir comme du lierre. Sa mère les avait quittés pour aller vivre chez son fils à East Selkirk, sa belle-fille ne s'étant jamais remise de son accouchement. Anna avait énormément pleuré ce départ, se sentant vraiment devenue orpheline. Ce sentiment l'avait par contre rapprochée de Jerzy qui, à son avis, faisait cavalier seul avec humour et courage. Elle lui en voulait de s'être brouillé avec Jan, mais elle avait acquis la conviction que cette brouille s'évaporerait dès qu'ils se reverraient.

— As-tu envie de faire quelque chose de particulier pour Pâques?

— J'ai pensé que nous pourrions peut-être allez chez mon frère à East Selkirk, ou chez le tien à Montréal.

Elle le regarda d'un air taquin, certaine qu'il sourirait de sa deuxième tentative de la journée. Jerzy n'en fit rien et Anna eut soudainement peur d'avoir mal mesuré la profondeur de sa rancune.

Comme tous les matins, Jerzy alla voir la rivière, la suppliant de rester tranquillement dans son lit et de continuer à hiberner jusqu'à l'été. Ils devaient être nombreux à la prier de la sorte, pensait-il, parce que la Rouge avait l'air assagie et conciliante. Si elle frôlait les berges d'un peu près, elle ne les noyait pas, semblant avoir perdu ses instincts meurtriers. Jerzy s'installa à son point d'observation favori, celui d'où il avait repêché la couronne de fleurs et de feuilles tressées qu'Anna lui avait envoyée pour lui demander de l'épouser, celui aussi d'où il avait regardé la rivière se vomir.

Il se tourna, observa les clôtures quadrillant ses potagers et se demanda s'il ne devait pas essayer d'acheter plus de terre pour augmenter sa production et gâter Anna davantage. Sa promesse de rentrer en Pologne pâlissait au fil des jours, même si, depuis le début de l'année, il ne se sentait qu'en exil dans ce pays. Seul l'amour d'Anna lui donnait un toit. Il pensa alors à son fils qui trottait partout, tirant fièrement sa petite abeille, et il respira profondément, fier de voir la vie de Zofia et de Tomasz se dandiner sur les jambes de Stanislas.

Tout à ses pensées, Jerzy revint vers la maison et s'arrêta pour l'examiner. Il eut envie de la rajeunir un peu, d'y installer une salle de bains à l'étage avec une jolie robinetterie, sacrifiant pour ce faire la petite chambre à coucher — celle qu'avait occupée Jan — et conservant les trois autres. Ce rêve se transformant rapidement en projet, Jerzy pensa qu'il pourrait aussi acheter une automobile. Depuis qu'il était à Saint-Norbert, il se baladait dans la vieille voiture de son beau-père, une machine si bruyante que le klaxon était inutile. Elle avait bourlingué sur plus de cent cinquante mille milles et il passait son temps à la réparer. Il était certain qu'Anna serait contente de rouler dans un véhicule d'une autre couleur que gris éteint. Elle s'amuserait certainement à faire tinter la clef de contact contre un porte-clefs à chaînette.

Jerzy approchait de la maison lorsqu'il prit la décision d'accepter l'offre de son voisin et d'acheter un autre lopin de terre, pour que toutes ses ambitions prennent forme, mais surtout pour être en mesure de laisser un meilleur héritage aux siens si jamais l'avenir le gardait emprisonné dans les plaines. S'il se sentait banni de son pays, il commençait néanmoins à envisager de construire dans ce bagne une cellule de plus en plus douillette.

Le ciel du début de mars était d'un bleu presque lavande et Jerzy eut l'impression qu'il rendait la neige encore plus blanche. Il vit Anna sortir en tenant Stanislas par la main, celui-ci tout empêtré dans son habit de neige et très préoccupé aussi par ses bottes qui avançaient l'une devant l'autre. Stanislas aperçut son père et se mit à piailler, ballottant ses bras comme un oisillon essayant de prendre son envol.

— Pour Pâques, Anna, j'ai pensé te donner un jour de congé et emmener Stanislas à Winnipeg. Je lui ferais faire le tour de la ville en autobus.

— Il est tellement petit, Jerzy. Penses-tu qu'il va s'en souvenir ?

— Absolument pas. Moi, par contre, je dirai que je ne vais rien oublier.

Jerzy avait ricané. Anna se tut. Il avait l'air si heureux de sa proposition qu'elle n'eut pas le courage de lui dire qu'elle n'avait qu'une envie : demeurer sagement à la maison avec lui et leur fils et fouiner partout pour trouver les œufs en chocolat comme elle avait appris à le faire chez ses amis quand elle était enfant. Jerzy souleva Stanislas qui venait de s'accrocher à lui en bondissant sur ses petites jambes comme s'il voulait escalader son père.

— Il vient de me dire que c'est ce qu'il a envie de faire.

Anna sourit devant la pieuse invention et reconnut que jamais Jerzy n'avait été seul avec son fils.

Le dimanche de Pâques, Jerzy et Stanislas quittèrent Saint-Norbert immédiatement après la messe, durant laquelle Stanislas avait dormi profondément. Jerzy stationna près de la gare, à Winnipeg, et sauta dans le premier autobus qui passa. Stanislas, debout sur la banquette arrière, grignotait des carottes en bavant et en riant. Ils roulèrent pendant près d'une heure et, voyant que Stanislas commençait à s'impatienter, Jerzy descendit devant l'édifice de l'Assemblée législative pour que Stanislas puisse se dégourdir les jambes. Il s'accroupit près de lui et lui désigna le monument du *Golden Boy,* véritable girouette perchée au faîte de la coupole. Sachant que son fils ne comprendrait pas un mot de ce qu'il dirait, il lui raconta néanmoins que ce monument avait été fabriqué à Paris et que, au moment où on l'avait mis sur un bateau pour l'expédier, la guerre avait éclaté.

— Crois-moi ou non, mon fils, le navire a été réquisitonné pour le transport du matériel et des troupes. Le pauvre petit garçon, doré et tout nu, est arrivé ici en août 1919, après que ses cinq tonnes eurent servi de lest pendant cinq ans.

Jerzy eut l'irrationnelle conviction que Stanislas écoutait religieusement ses propos et il s'enhardit. Seul un bébé intelligent comme le sien pouvait si bien comprendre.

— Stanislas, tu as devant toi un rat de cale. Fais-lui

493

quand même le salut militaire, parce qu'il a affronté courageusement tous les mauvais temps. Ceux de l'océan et ceux de l'Europe.

Jerzy prit la main droite de Stanislas et le fit saluer. Stanislas se mit à pleurer, ce qui saisit Jerzy, qui jeta un coup d'œil à la coupole et remarqua soudainement la ressemblance entre la tête dorée et bouclée de son fils et celle de la statue. Il repensa à la description que lui avait souvent faite Élisabeth de la tête de ce frère qu'il n'avait vu que sous les jupes de sa mère, gonflées de maternité, et il eut un accès de tristesse. Tenant Stanislas dans ses bras, il lui chuchota à l'oreille qu'ils pouvaient tous les deux s'entendre pour baptiser le petit garçon doré, qui ne cessait de courir haut dans le ciel, « oncle Adam », et lui promettre de venir le visiter tous les ans, le jour de Pâques. Jerzy s'étonna d'avoir enterré son frère en ce jour de résurrection et de lui avoir inventé un cénotaphe paré de dorure. Stanislas s'endormit dans ses bras et n'eut jamais conscience d'être remonté dans un autobus, s'éveillant à peine lorsque son père ouvrit la portière de l'automobile pour l'installer sur sa couverture.

Ils reprirent la route de Saint-Norbert, mettant près d'une heure pour atteindre la maison. Une voiture vert foncé était garée devant la porte. Jerzy entra, mais la maison était vide. Il ressortit, tenant toujours Stanislas dans ses bras.

— Anna ? Anna !

Il parcourut les bâtiments et ne trouva personne. Il se dirigea ensuite vers la rivière et aperçut enfin Anna et un homme. Ne pouvant distinguer les traits de l'homme, il s'approcha. Anna avait le sourire aux lèvres quand il reconnut le père Villeneuve.

— Mon Dieu !

— Pas encore, jeune homme. Même pas évêque.

— Mais c'est vraiment le jour de la Résurrection ! Êtes-vous de passage ou êtes-vous revenu à Winnipeg ?

— De passage, hélas !

Le père Villeneuve s'approcha de Jerzy silencieusement et se pencha sur Stanislas qui dormait toujours. Il eut un regard attendri devant cet enfant qu'il n'avait vu qu'en photographie. Anna prit son fils et Villeneuve fit l'accolade à

Jerzy avant de tendre les bras vers Anna et d'enfin tenir le petit-fils de Tomasz et de Zofia.

Villeneuve resta pour le souper, évitant visiblement de parler d'Élisabeth et de Jan, au grand déplaisir d'Anna qui aurait voulu l'entendre ramener Jerzy à la raison. Il parla davantage de son nouveau travail, de Gravelbourg et de la survie du français. Seul Jerzy semblait captivé par ces propos, Anna étant trop déçue pour s'intéresser à une langue qu'elle comprenait un peu mais ne parlait presque pas.

— Qu'est-ce que tu en penses, Anna ?
— De quoi ?
— Penses-tu que nous irons un jour à Gravelbourg visiter le père Villeneuve ?
— Je pense que j'aimerais mieux qu'il se joigne à nous à Winnipeg et que nous fassions un voyage à Montréal.

Un malaise s'installa au moment où Anna versait le café. Elle n'ouvrit plus la bouche, espérant que Jerzy réagirait à ses propos. Seul Villeneuve sembla troublé, mais il se contenta de la féliciter pour le bon goût du café. Elle le remercia d'un sourire contrit et enfila un tablier pour commencer la vaisselle et ainsi s'éviter le martyre de la conversation. Villeneuve se leva enfin et annonça qu'il devait partir.

— Vous devriez dormir ici.
— C'est compliqué. Il faut que je chante la messe de sept heures demain matin.
— C'est quand même possible. Même en partant d'ici assez tôt, vous auriez le temps de regarder Stanislas avaler son gruau.

Villeneuve parut hésiter et regarda Anna qui ne sembla pas l'encourager à rester. Il se leva et alla aux toilettes avant de sortir. Jerzy le suivit, appelant Anna à deux reprises pour qu'elle vienne le saluer. Elle demeura dans la maison, lavant bruyamment la vaisselle. Villeneuve ouvrit la portière de l'auto et lança son chapeau sur la banquette avant, à la place du passager.

— Je pense qu'Anna est fâchée, Jerzy.

Jerzy haussa les épaules et prit un air insignifiant, en feignant de n'avoir pas remarqué les humeurs de sa femme.

— Contre moi.

— Contre vous ?

— Oui, contre moi. Parce que je suis un lâche, et que j'aurais dû te parler de Caïn et Abel.

— Je vous en prie. J'ai droit à...

— Tu as le droit de faire ce que tu veux, Jerzy. Ton frère aussi.

— Mon frère a fini d'assassiner ma famille. C'est ce qu'il a fait, mon frère.

— Ton frère, d'après ce que j'ai compris, est parti à la conquête de son rêve.

— Vous lui avez parlé ?

— Pas dernièrement. Jan a beaucoup souffert, Jerzy. Plus que tu ne peux l'imaginer.

Jerzy regarda Villeneuve en face, la bouche fermée sur des dents visiblement serrées.

— La souffrance de Jan ne l'excuse pas de faire souffrir les autres. Il a abandonné son filleul, a fait rompre les fiançailles de sa sœur, m'a forcé à...

Jerzy se tut. Il n'avait pas envie de justifier son courroux. Son cœur craquait encore de douleur chaque fois qu'il repensait au départ de son frère.

— Va le voir.

— Jamais. Je l'attends.

— Pour lui fermer la porte au nez ?

— Non. C'est quand même pas mal, non ?

— C'est mal, Jerzy. C'est mal.

Villeneuve quitta Jerzy en le saluant tristement de la main. Il le regarda dans le rétroviseur et eut peur pour cet homme si bon auquel les feux arrière de la voiture donnaient un air cramoisi. Il s'empressa d'enlever son pied du frein pour estomper la violence des ombres rouges.

58

— Eᴛ tu penses que je vais pouvoir jouer?
— Bien sûr. Si mon frère se marie cette année,
comme il l'espère, je vais certainement jouer moi aussi. C'est
une espèce de tradition familiale. Tu sais que Jan jouait très
bien du violon jusqu'à ce qu'il se blesse aux mains?

— Aussi bien que toi?

— Ça, je ne peux pas le dire. Je pense qu'il était un peu
moins patient que moi. Mais il avait un coup d'archet
extraordinaire, en plus d'une belle attaque... Peut-être qu'il
jouait mieux que moi. Maman aurait pu te le dire.

Florence était debout dans le salon, balançant doucement
son violon au bout de son bras.

— Je trouve que c'est bon de l'aérer un peu quand je le
sors de son étui. Pauvre petit violon! Des fois, j'ai peur qu'il
étouffe.

— Mais non, Florence. C'est dans son étui qu'il se repose.
C'est son lit.

Florence prit un air sérieux et ne parla plus. Elle appuya
son menton sur l'instrument et commença à jouer sous les
yeux émerveillés et toujours incrédules d'Élisabeth qui faisait une prière silencieuse au début de chaque leçon pour
inviter sa mère à ses côtés. Florence acceptait chaque
commentaire, chaque instruction avec la sagesse d'une
personne qui vise la perfection et qui ne recule devant rien.

La leçon se termina trop vite, comme toujours, et Florence
essaya de convaincre Élisabeth de continuer « encore cinq
minutes », comme toujours aussi. Elle rangea son violon en

lui souhaitant bonne nuit, détendit son archet et ferma l'étui. Depuis son arrivée, elle affichait un air songeur qui n'avait pas échappé à Élisabeth. Celle-ci ne posa pas de questions, sachant que la petite parlerait. Elle ne fut donc pas surprise de l'entendre finalement se confier.

— À part ta maman, est-ce que tu connais beaucoup de personnes qui sont mortes, toi ?

Élisabeth ne répondit pas, trop interloquée par la question. Sans attendre sa réponse, Florence continua.

— Moi, oui. Mon grand-père, mon père et une petite fille de mon école, aujourd'hui. Mais je n'ai jamais vu de mort. J'étais trop petite. Toi, tu en as vu ?

— Oui.

— Dans des cercueils ?

Élisabeth réfléchit quelques secondes avant de dire que non. Elle ne précisa pas que tous les morts qu'elle avait connus avaient probablement été laissés sans sépulture.

— Je vais aller demain au salon des morts avec ma classe pour voir la petite fille de mon école.

Élisabeth s'était approchée de Florence mais se sentait incapable de la prendre dans ses bras pour la rassurer.

— Je n'ai pas de peine parce qu'elle est morte. Ce n'était pas une de mes amies. Juste une petite fille de mon école.

— Qu'est-ce qui t'inquiète, Florence ?

— Le cercueil.

— Le cercueil ?

— Oui, le cercueil. On nous a préparées aujourd'hui et on nous a tout dit. On nous a dit, pour la morte couchée avec un chapelet et une belle robe. On nous a dit, pour les fleurs dans des pots en papier mâché blanc. On nous a dit qu'il ne fallait pas trop regarder la maman et le papa qui allaient pleurer beaucoup. On nous a expliqué que le cercueil serait ouvert pour qu'on la voie et qu'il serait fermé avant les funérailles pour qu'on ne la voie plus. Moi, j'ai demandé comment il était fait, le cercueil, et on m'a dit qu'il était doublé d'un tissu doux et qu'il se fermait comme une porte. Il paraît que ça se ferme par le dessus. Comme ça.

Florence imita à la perfection la fermeture d'un cercueil et éclata en sanglots.

— Je ne veux pas y aller, Élisabeth.

Élisabeth ne savait comment lui dire qu'elle n'était pas forcée d'aller au salon funéraire, pas plus qu'elle ne savait comment lui demander les raisons de ce soudain chagrin.

— Je ne veux pas voir le cercueil, Élisabeth.

Florence prit son étui et, devant Élisabeth, l'ouvrit et le ferma lentement. Élisabeth reconnut le geste de la fermeture du cercueil.

— Je ne veux pas parce que je ne veux pas penser que mon violon peut être mort dans sa petite boîte. Tu m'as dit qu'il dormait, que c'était son lit. On nous a dit que la mort c'était comme dormir toujours. Sans jamais se réveiller. J'ai peur pour mon violon.

Elle éclata dans de nouveaux sanglots qui émurent Élisabeth aux larmes. Élisabeth lui parla alors de son violon qui était resté en Pologne à attendre qu'on le réveille. Elle lui raconta que son frère était allé le chercher et qu'aussitôt dans ses bras le violon avait recommencé à jouer. Que son violon avait traversé l'Atlantique sans avoir le mal de mer et qu'ils s'étaient retrouvés, elle et lui, au Manitoba.

— Un violon, ça ne meurt pas, Florence.

— Oui, ça peut mourir.

— Seulement dans un accident.

— Comme un feu ?

— Comme un feu.

Florence demeura songeuse et demanda s'il était prudent qu'elle dorme le soir. Élisabeth la gronda gentiment en lui rappelant que son violon jouerait très mal si elle était fatiguée. Cela réussit à convaincre Florence de dormir sur ses deux oreilles et essuya son chagrin. Élisabeth la regarda longuement, fascinée plus que jamais par la sensibilité de Florence et son éternel pouvoir de rendre son violon responsable de tous ses états d'âme. Elle lui frotta le dessus de la tête, aussitôt réprimandée parce qu'elle avait déplacé ses nattes.

59

Jan entra, visiblement nerveux. Il s'empressa de se changer pendant qu'Élisabeth achevait la préparation du souper. Il vint s'asseoir, endimanché même si c'était un samedi, et prit la peine d'enfiler un tablier, ne voulant pas souiller sa cravate ou sa chemise. Élisabeth le regarda en souriant. Les vingt-deux ans de son frère lui allaient à ravir.

— C'est pour ce soir ?

— Oui.

Jan aspira prudemment sa soupe après avoir soufflé à trois reprises sur sa cuiller. Il picora son steak et, n'eût été son opinion sur le gaspillage de nourriture, il en aurait laissé la moitié dans son assiette. Il bondit plus qu'il ne se leva, enfila un veston et salua sa sœur, si distraitement qu'Élisabeth en fut presque mortifiée. Depuis que ses amours avec Michelle n'étaient plus un secret pour personne, Jan semblait avoir oublié qu'il avait une sœur. Élisabeth se réjouissait de son bonheur mais regrettait parfois le temps où ils n'étaient que deux à se protéger des humeurs de la vie. En attendant son retour, elle laissa déraper ses pensées jusqu'à Ottawa où était Étienne. Ils avaient mis fin à leur relation avec calme et Étienne lui avait écrit avoir fait la connaissance d'une autre jeune fille, qui, selon ses dires, serait tout son contraire. Élisabeth en fut blessée, non pas parce qu'il avait rencontré une autre personne, mais parce qu'il semblait heureux qu'elle soit aussi différente d'elle. Élisabeth soupira en se demandant comment elle parviendrait à rencontrer un homme qui comprendrait qu'une femme reporte un mariage, lui préférant le génie d'une enfant. Parce que c'est ce qu'elle avait fait. Dès l'instant où elle avait entendu jouer Florence, elle avait eu un frisson dans le cou et avait compris que sa mère venait de soupirer. La vie lui donnait la chance de terminer l'œuvre entreprise par Zofia. Elle n'était pas loin de croire que son père avait expédié Jan à l'hôpital afin de la retenir à Montréal pour qu'elle immortalise la femme qu'il avait aimée.

Florence sonna à la porte et Élisabeth descendit pour lui ouvrir. Florence bondit sur la première marche et monta l'escalier en courant devant Élisabeth. En arrivant à l'étage, Élisabeth lui caressa la tête, ce dont Florence avait horreur. Elle essuya une nouvelle rebuffade et en fut ravie.

Jan appuya sur la sonnette et Michelle vint ouvrir, pas tout à fait assez rapidement pour qu'il se sente parfaitement rassuré. Il la trouva plus jolie que jamais dans sa petite robe fleurie à col blanc. Elle lui fit un sourire dont il se méfia. Il entra et la suivit dans le salon où l'attendaient M. et Mme Dupuis de même que les deux frères aînés de Michelle. Jan se demandait ce qu'ils faisaient là, tout en leur serrant la main à tous. Celle de M. Dupuis lui sembla huileuse et fuyante. Celles des frères, presque provocantes tant elles avaient écrasé la sienne. Celle de Mme Dupuis était hésitante et Jan espéra que ce fût parce qu'elle craignait d'égratigner son vernis rouge cardinal et non pour une autre raison. Il s'assit enfin aux côtés de Michelle et tenta un sourire auquel personne, sauf Michelle, ne répondit. Jan se racla la gorge avant de parler.

— Michelle et moi, nous nous voyons tous les samedis soir et tous les dimanches après-midi depuis le mois de décembre.

— On sait ça.

M. Dupuis avait parlé d'un ton qui laissait entendre un profond désaccord. Jan se demanda s'il avait mal compris la famille Dupuis. À Cracovie, on ne permettrait jamais à un jeune homme de son âge de fréquenter une jeune fille s'il n'avait pas d'intentions sérieuses. Il jeta un coup d'œil à la dérobée en direction de Michelle et vit qu'elle avait cessé de sourire.

— Michelle et moi, nous avons pensé qu'il était peut-être temps de nous marier.

— Peut-être que vous avez pensé ça, mais pas nous.

Jan tenta de conserver son calme avant de demander pour quelles raisons ils semblaient avoir fait volte-face.

— Parce que j'aimerais mieux que ma seule fille marie quelqu'un de chez nous.

— Je suis de chez vous.

— Pas avec cet accent-là.

Jan se sentit rougir. S'il avait un accent, c'était davantage un accent français qu'un accent polonais. Ses parents et les jeunes filles au pair lui avaient enseigné une langue apparentée beaucoup plus à celle de Paris qu'à celle de Montréal — du moins l'avait-il toujours cru. Mme Dupuis grimaça un peu puis osa quelques mots que Jan trouva assez déplaisants.

— Jan, c'est bien parce que tu es venu livrer l'épicerie ici que tu as rencontré notre Michelle.

— C'est vrai, mais je l'avais souvent remarquée à l'église.

Il espéra les avoir ébranlés en leur rappelant leur foi commune. M. Dupuis secoua son cigare dans le cendrier et Jan vit tomber un long morceau de cendre roulé qui lui rappela un étron. Cela le dégoûta et il se jura de ne jamais fumer le cigare. Michelle s'agitait à ses côtés et Jan lui prit la main discrètement pour la rassurer devant les yeux presque choqués de ses parents.

— Avez-vous eu votre papeterie toute votre vie, monsieur Dupuis ?

Jan se sentait affolé et il espérait que cette diversion l'aiderait.

— Non. J'ai commencé à l'entrepôt des papiers Rolland mais j'ai toujours aimé le papier. J'ai monté mon commerce à la force des bras. Il faut de l'ambition et de la persévérance dans le vie.

Jan regarda M. Dupuis et se demanda comment celui-ci avait pu être sourd à tout ce qu'il lui avait dit depuis qu'il fréquentait Michelle. Il avait parlé de son désir de posséder sa propre épicerie, ambition encouragée par M. Favreau. Il avait cependant occulté sa vie en Pologne et sa fuite à travers les Carpates. Il n'avait jamais cru pertinent de parler des squelettes qui habitaient encore son cœur et ses rêves. Pour quelle raison aurait-il parlé de la perspicacité et de la tolérance de son père devant un homme aussi buté et sans jugement ? Pourquoi raconter le grand talent musical de sa mère devant une femme qui se contentait d'appuyer sur les pédales d'un piano mécanique pour avoir l'impression d'être une grande interprète ? Il freina ses pensées pour s'empêcher de développer de l'animosité envers la famille de Michelle. Il se leva donc et fit un petit salut poli devant Mme Dupuis et lui baisa la main. Les frères de Michelle éclatèrent de rire, l'un d'eux se levant et imitant Jan. Jan se sentit soudainement en milieu hostile. Michelle éclata en sanglots et sortit du salon en courant. Jan comprit qu'elle s'était dirigée vers l'extérieur et il la suivit sans serrer la main de M. Dupuis.

Michelle courait dans la rue de Grand-Pré en direction de la rue Gilford. Elle s'arrêta devant l'immense maison que les gens du quartier appelaient « le château », le temps d'étouffer des sanglots et d'essuyer ses larmes dans un mouchoir. Jan la rejoignit d'un pas pressé et la prit dans ses bras pour la consoler comme il l'avait fait des centaines de fois avec Élisabeth. S'il connaissait quelque chose aux femmes, c'était leurs larmes, leur chagrin, leur désespoir. Sa sœur lui avait enseigné ce langage.

— Est-ce que tu m'aimes, Jan ?

Jan prit Michelle par le menton et lui baisa les paupières qu'elle avait rouges et bouffies.

— Qu'est-ce que tu en penses ?

— J'en pense que nous sommes tous les deux majeurs.

Jan comprit qu'elle était prête à l'épouser sans l'accord de ses parents et fut extrêmement embarrassé. Il avait tant souhaité retrouver une famille que l'humiliation qu'il venait de vivre lui enlevait pour l'instant le goût d'entreprendre une autre querelle. Il en avait plein le cœur d'être en froid avec son frère.

— Non, Michelle. Je veux que ton père te conduise à l'autel et que ta mère...

— Et si j'étais enceinte, Jan ?

Jan la regarda, absolument renversé par la proposition qu'elle venait de lui lancer. Comment pouvait-elle penser qu'il oserait faire une telle chose ? Il frissonna devant l'immensité de l'amour qu'elle devait éprouver pour envisager ainsi d'enfreindre la loi de Dieu et de risquer la damnation. Cette immolation l'émut plus qu'il ne pouvait le croire et il l'entraîna avec lui en direction de la rue Henri-Julien, la serrant par le cou et lui bécotant la joue qu'elle avait encore inondée et luisante. Ils se dirigèrent finalement vers le mont Royal et ils y marchèrent pendant plus de deux heures. Jan eut mal et Jan fut bien. Mal d'avoir été rejeté et bien de se sentir aimé.

— Ne t'inquiète pas, Michelle, j'ai toujours une idée.

Michelle entra à l'épicerie, les joues rouges et les yeux luisants. Elle chercha Jan et lui annonça que son père avait reçu une lettre de l'évêché de Gravelbourg, rien de moins, et qu'un certain père Villeneuve avait plaidé en sa faveur. Jan eut un petit sourire en coin en regardant M. Favreau, qui secoua la tête d'un air fasciné devant l'exploit de Jan.

— Le père Villeneuve, Michelle ? Ne sois pas trop déçue mais c'est de lui que je t'ai parlé. C'était mon répondant pour que j'entre au Canada.

— Mais, Jan, il a écrit que tes parents étaient professeurs d'université et qu'ils avaient été tués par les Allemands, et que toi tu avais presque fait la résistance en volant du charbon. Il a même dit que tu avais sauvé la vie de ta sœur.

Jan avait rougi. Il n'avait jamais parlé de ces choses à Michelle. Il s'était promis de le faire après leur mariage. Une espèce de cadeau de noces. Pour lui donner un mari complet. Il le regrettait maintenant amèrement, voyant que Michelle était près d'être scandalisée par les propos du père Villeneuve.

— Tout est presque vrai, Michelle.

— Tout ?

— Oui, sauf que je ne suis pas certain d'avoir sauvé la vie d'Élisabeth. À sa façon, c'est elle qui a sauvé la mienne.

M. Favreau s'était éloigné, sentant que quelque chose d'intime se passait entre les jeunes. Il était monté à l'étage, espérant, pour une des rares fois de sa vie, qu'aucun client ne ferait tinter la clochette.

Jan mit le pied sur le mur, retint la boîte remplie d'épicerie en équilibre sur sa cuisse et appuya sur la sonnette. Mme Dupuis lui ouvrit et il fut mortifié de la voir s'arracher un sourire. Sans dire un mot, elle lui céda le passage et il alla poser le carton sur la table de la cuisine. Son cœur avait pris le mors aux dents en sentant qu'il n'était pas encore le bienvenu chez Michelle. Il avait cru que le mot de Ville-neuve lui aurait redonné ses lettres de noblesse et qu'il serait redevenu présentable. Il eut un moment de découragement devant les nouvelles difficultés qu'il rencontrait. S'il avait eu maille à partir avec les gens du Manitoba, il était sous l'impression que la famille Favreau l'avait mis à l'abri de la mesquinerie. Tout en se penchant pour déposer le carton sur la table, il redouta, encore une fois, de demeurer durant toute sa vie « le Polonais ».

— Est-ce que ma fille t'a fait le message ?

Chaque fois que les Dupuis parlaient de Michelle, elle n'avait pas de prénom. Elle était « leur » fille, privant ainsi Jan du plaisir d'avoir un morceau de son cœur.

— Oui, madame. Et c'est avec plaisir qu'Élisabeth a accepté de venir, elle aussi.

— Comme ça, on se voit pour le dîner le dimanche ?

— Oui, madame. Je vais accompagner votre fille à la messe et la reconduire ici. Je reviendrai avec la fille de mes parents pour midi tapant. Voulez-vous qu'elle apporte son violon, madame ?

Mme Dupuis demeura perplexe quelques secondes, se demandant si Jan s'était ouvertement moqué d'elle, puis balaya cette pensée. Un petit Polonais n'aurait jamais osé faire une chose pareille.

— Si elle le veut, mais je jouerai personnellement un peu de piano.

— Bien. Vous pourrez faire un duo.

Mme Dupuis allait répliquer qu'elle ne saurait lorsque Jan, plutôt fier de lui, referma la porte doucement en la saluant encore poliment. Il avait trop saigné des orteils pendant la guerre pour accepter que qui que ce soit lui marche sur les pieds.

Le rôti de bœuf avait été apprêté avec beaucoup de talent et Jan s'en pourléchait les babines, même si les Dupuis avaient assaisonné le repas de propos parfois indigestes. Élisabeth ne cessait de lui donner des coups de pied d'indignation alors que Michelle déposait sa fourchette à tout moment, suppliant ses parents du regard de laisser respirer Jan qui, à son grand plaisir, répondait du tac au tac, mais toujours dans les limites de la politesse. Ils passèrent au salon et M. Dupuis alluma un de ses horribles cigares à deux sous dont Jan ne pouvait tolérer l'odeur. Mme Dupuis s'assit du bout des fesses, impressionnée par la beauté et la classe d'Élisabeth, Jan en était certain. Depuis que les Dupuis avaient reçu la lettre de Villeneuve, ils s'apprivoisaient lentement à l'idée d'avoir un gendre qui ne serait pas un « pure laine ». La charité les obligeait en quelque sorte à être accueillants, même s'ils souhaitaient secrètement une mésentente.

Mme Dupuis offrit des digestifs, sous l'œil réprobateur de son mari qui ne trouvait pas que l'occasion justifiait la chose. Ce regard n'échappa à personne et Mme Dupuis n'eut aucun preneur. Elle se dirigea donc vers le piano mécanique, y inséra un rouleau et commença à pédaler tout en chantonnant, d'une voix à trémolos, un vieil air de Maurice Chevalier. Élisabeth hésita à prendre son violon, mais se décida dès qu'elle comprit que Jan l'y encourageait discrètement. M. Dupuis cessa de tirer sur son moignon de cigare pendant qu'elle s'installait derrière Mme Dupuis. Elle commença discrètement à accompagner le piano, ce qui, Jan le comprit, fit un immense plaisir à Mme Dupuis qui n'eut aucun mal à croire qu'elle avait un talent musical plus que certain. Au septième rouleau, Mme Dupuis, rouge de plaisir et de fatigue, poussa un petit cri étouffé et porta les mains à son mollet droit.

— Une crampe. Je ne suis pas habituée de jouer aussi longtemps.

Elle exprima sa discrète douleur par de véritables grimaces et quitta le banc du piano pour retourner s'asseoir près de son mari qui avait laissé mourir son cigare à écouter le mini-récital.

— Continuez, mademoiselle, ne vous gênez pas.

Élisabeth fut légèrement intimidée, mais elle avait la conviction profonde de travailler pour l'avenir de son frère. Aussi attaqua-t-elle avec entrain un extrait du *Concerto pour violon et orchestre en ré majeur* de Beethoven. Michelle s'approcha de Jan et lui prit discrètement la main, lui indiquant du menton l'hébétude de ses parents et de ses frères. Ils comprenaient qu'Élisabeth venait de passer à la musique sérieuse et que son jeu avec Mᵐᵉ Dupuis n'avait été qu'un simple échauffement. Élisabeth joua pendant plus de dix minutes. Ni les parents ni les fils ne bougèrent. Ces derniers qui, Jan le comprit, ne connaissaient rien à la musique hors les refrains mécaniques, étaient renversés. Il se demanda néanmoins s'ils étaient hypnotisés par le rythme lui-même ou plutôt par le mouvement du bras de sa sœur, qui entraînait le sein dans le rythme.

— C'est vrai que vous enseignez la musique?

— Oui, depuis des années.

— Mais juste aux débutants?

— Ici, oui. Je pourrais enseigner aux plus avancés si je voulais, mais j'aime bien les débutants.

— Ah!

Mᵐᵉ Dupuis s'était tue. Élisabeth lui en imposait vraiment. Elle jeta un regard d'appréciation à Jan qui sentit sa poitrine se rétrécir. S'il s'était écouté, il aurait bondi au cou de sa sœur et l'aurait embrassée.

— Jan jouait mieux que moi jusqu'à ce qu'il soit blessé. Maintenant, il a troqué le violon contre les oignons.

Élisabeth éclata d'un rire si drôle qu'elle entraîna toute la maisonnée derrière elle.

— Les deux font pleurer.

Jan l'avait relancée, Michelle pliée en deux à ses côtés. Il y avait longtemps que Jan espérait voir un fou rire dans cette famille et sa sœur le lui avait donné. Il pensa à Jerzy et regretta l'humour de son frère qui aurait certainement alimenté le feu par des dizaines d'autres ripostes.

Michelle les raccompagna à la porte, l'air radieux. Elle expira un bon coup comme si elle venait d'échapper à une peur terrible. Jan l'embrassa deux fois et partit en courant pour rejoindre sa sœur qui avait pris les devants.

— Merci, Élisabeth.

— Pourquoi ?

— Pour la belle mise en scène.

Élisabeth regarda son frère en souriant. Elle ne pouvait s'empêcher de lui envier son bonheur.

— S'ils ne sont pas convaincus que tu ne démordras pas, ils ne comprendront jamais le cœur des Pawulscy.

Ils entrèrent en ricanant, repensant à la déconfiture de Mme Dupuis quand elle avait entendu la « vraie » musique que jouait Élisabeth.

— J'espère qu'elle ne s'est pas sentie trop humiliée.

— Tu ne l'as pas humiliée.

— Les gens sont parfois étonnants.

Jan entra dans le logement, se précipita dans la cuisine, décrocha le calendrier du mur et tourna les pages.

— Il paraît qu'ici le mois de juin c'est le mois des mariages. Quel jour préférerais-tu ?

— Il paraît qu'ici on se marie le samedi.

Jan voulut choisir le 23 juin pour célébrer aussi le premier anniversaire de son arrivée à Montréal. Élisabeth répondit qu'elle préférait le deuxième samedi de juin, espérant ainsi que Jerzy et Anna pourraient se déplacer entre les semis et les premières récoltes. Jan regarda sa sœur et voulut soulever une objection, mais elle ne le lui permit pas.

— C'est à prendre ou à laisser, Jan. Jerzy doit être là avec Anna et ton filleul. Je suis même prête à payer une partie du voyage.

Jan savait qu'Élisabeth avait son ton d'aînée et il préféra feindre la soumission plutôt que de l'affronter. Il espéra sincèrement que les Dupuis choisiraient une autre date uniquement pour l'agacer. Ils l'ennuyèrent davantage par leur accord.

Le mois de mai avait tellement excité les bourgeons qu'en trois jours le mont Royal et l'île Sainte-Hélène avaient verdi.

Les arbres de la rue Saint-André s'étaient habillés eux aussi, au grand plaisir de Jan et de Michelle. Jan ressentit quand même une légère déception en se familiarisant avec le rituel du mariage à la canadienne, regrettant de ne pouvoir inviter lui-même les convives au bras de Michelle. Il obtint quand même l'accord des Dupuis pour passer le soulier et récolter un peu d'argent et les convainquit aussi de le laisser apporter les boissons. Cependant, il ne réussit jamais à convaincre Michelle de marcher de chez elle à l'église et de rentrer à pied.

— Mais vous habitez tout près de l'église ! C'est tellement beau de voir défiler toute la noce, les mariés devant.

— Pas question. Ça porte malheur de voir la robe de la mariée avant le mariage.

— Mais voyons donc ! Tous les Polonais ont vu la robe de leur femme avant la bénédiction.

— Et tu trouves qu'il n'y a pas de malheur en Pologne ?

Jan s'esclaffa devant ce sophisme et Michelle enchaîna en parlant des préparatifs que sa famille avait à faire, dressant liste sur liste d'articles à acheter. Elle avait gentiment fait comprendre à Élisabeth qu'elle et Jan prendraient la grande chambre, et Élisabeth, presque gênée de penser qu'elle habiterait sous le même toit que les nouveaux mariés, n'avait absolument pas été offusquée. Michelle avait maintenant une clef à elle et elle venait tous les jours veiller à la pose des tentures dans la chambre, au vernissage du mobilier fané que les Favreau leur avaient offert, à l'installation d'un nouveau couvre-lit et à l'ajout de vaisselle dans les armoires de la cuisine. Elle avait pris congé de son travail, avec la bénédiction de son père qui n'était que trop content qu'elle ne soit pas avec lui. Il ne pouvait tolérer de la voir aussi nerveuse.

Le mois de juin approchait à grands pas quand Michelle, complètement catastrophée, entra, un soir, les bras chargés de cartons.

— J'ai besoin de vous.

Elle avait interrompu la leçon de Florence, qui tiquait toujours quand on estropiait son heure de violon. Élisabeth lui fit signe d'être patiente quelques minutes.

— Quand j'arrête comme ça, en plein jeu, j'ai l'impression

que mes doigts deviennent raides trois fois plus vite. Ils n'aiment pas ça.

— Tes doigts?

— Oui, mes doigts. Je suis certaine que s'ils pouvaient parler, ils te le diraient tout seuls.

Elle alla s'enfermer dans la petite chambre et fit des gammes pour ne pas perdre sa souplesse. Élisabeth fit comprendre à Michelle qu'elle ne devait pas s'inquiéter des humeurs de Florence.

— Florence, c'est déjà une vraie artiste. Elle fait ses scènes. Moi, je la vois comme mon oiseau de paradis. Magnifique quoiqu'un petit peu piquante quand elle a l'impression de se faire enlever quelque chose.

— Justement. On dirait que c'est à la mode du jour. Mon père vient de décider que Jan et moi ça ne pouvait pas marcher parce que vos parents étaient trop instruits. Il m'a dit que vous veniez d'une classe sociale beaucoup trop haute pour moi.

Élisabeth regarda Jan qui avait délesté Michelle de ses cartons.

— Qu'est-ce que tu en penses, Jan?

— Pas grand-chose.

Michelle commença une étonnante diatribe contre son père.

— Jaloux! C'est ça, son problème : il est jaloux!

— Il faut peut-être comprendre un peu, Michelle. Tu es sa seule fille.

— Quand même! J'ai vingt et un ans!

— Et je ne suis pas certain qu'il ait l'impression de gagner un fils.

Jan avait parlé avec amertume. M. Dupuis était presque aussi difficile à conquérir que les Carpates.

— Mais il y a pire.

— Pire?

— Mes parents se demandent s'ils ne devraient pas tout annuler à cause de ça.

Jan s'assit lourdement à table tandis qu'Élisabeth cessa d'écouter Florence qui s'amusait maintenant à jouer ses gammes sur plusieurs rythmes. Michelle leur avait dit avec beaucoup de finesse que, pendant des mois, ils n'avaient pas été à l'aise avec le fait qu'elle avait choisi un livreur d'épicerie.

— Mon frère n'est pas livreur d'épicerie.

— Mais oui, Élisabeth, je suis aussi livreur.

Jan, au fait de ces réserves, se contenta de sourire. Il savait exactement où il serait dans dix ans et même dans vingt ans. On frappa à la porte et M. Favreau entra, l'air inquiet.

— J'ai vu arriver Michelle avec un drôle d'air. Est-ce qu'il y a un problème?

Michelle lui résuma la situation et M. Favreau en fut profondément mortifié. Il connaissait M. Dupuis depuis des années et savait que celui-ci n'avait aucune raison de les regarder de haut, fussent-ils épiciers. Il se versa un verre de vodka et s'assit à table en face de Jan.

— Tu leur as dit, j'espère, que tu étais mon héritier.

— Mais non, ça ne les regarde pas. Pas pour l'instant, du moins, et ça n'a rien à voir avec le fait que j'aime « leur fille ».

M. Favreau regarda Michelle et lui sourit.

— Quand même étonnant que tes parents aient fait une fille aussi parfaite que toi!

Michelle ne sut si elle devait accepter le compliment ou réagir au léger mépris dont M. Favreau venait d'asperger ses parents. Voyant que Jan n'avait pas l'air offensé, elle opta pour le sourire avant de le casser en repensant au véritable objet de sa visite.

— Mais on est loin du pire, monsieur Favreau. Je leur disais que mes parents avaient presque envie de tout annuler.

— Pourquoi?

M. Favreau semblait sidéré.

— Depuis qu'ils ont entendu jouer Élisabeth, qu'ils savent que M. et Mme Pawulscy étaient des professeurs d'université, qu'ils ont vu que Jan avait des contacts dans un évêché, ils pensent que Jan vient de la haute et qu'il n'est peut-être pas bon que j'épouse un homme qui n'est pas de mon rang.

Jan éclata de rire, mais cessa devant la colère de Favreau

511

qui donna une tape sur la table. Le violon se tut dans la chambre.

— J'aurai tout entendu ! Pas assez ou trop ! Jan, tu n'es pas assez bien ou trop bien. Il faudrait qu'ils se décident ! Si tu veux mon avis, tu es l'homme qu'il faut pour Michelle mais tu es trop bien pour eux.

La porte de la petite chambre s'ouvrit et Florence en sortit, le regard courroucé.

— Mon violon n'aime pas ça quand quelqu'un donne un coup de poing sur la table. Ça lui fait peur et il joue mal. Et puis mon violon aimerait bien savoir si oui ou non il va y avoir un mariage, parce qu'il se prépare à jouer depuis longtemps, lui.

Devant son air plus que sérieux, tous éclatèrent de rire, Élisabeth la première. Mme Favreau frappa à la porte et entra à son tour, intriguée.

— J'ai entendu que la petite avait cessé de jouer, alors je me demandais si ce n'était pas toi qui...

— Oui, c'est lui. Il vient de faire peur à mon violon et moi je me demande s'il doit répéter pour les noces.

— Comment ça ? Il n'y a plus de mariage ?

Devant la déconfiture de sa femme, M. Favreau résuma la situation et Mme Favreau fut offusquée.

— Notre Jan pas assez bien pour eux ?

— Non, Yvonne, tu n'as rien compris. Maintenant, il est trop bien pour eux.

— Ah bon ! C'est mieux.

— Mais non, Yvonne, ce n'est pas mieux !

Malgré que la situation fût assez sérieuse pour compromettre son mariage, Jan ne put s'empêcher de penser qu'elle avait des allures de mauvais vaudeville.

— Il ne manque qu'une entrée côté jardin pour que le tableau soit complet.

Tous s'immobilisèrent et lui demandèrent ce qu'il venait de dire.

— Je dis qu'il manque un personnage pour précipiter le dénouement. Comme au théâtre. Tu sais, Élisabeth, quand tous les protagonistes sont pris dans un imbroglio inextricable...

Jan fut interrompu par un coup de sonnette qui les figea tous.

— Mon père.

Michelle avait blêmi et, devant son réel effroi, Jan tenta une nouvelle moquerie.

— Entrée côté rue. Inhabituel, mais intéressant. Ça serait très bien. Le père de la promise vient la chercher et la tire par un bras pendant que le fiancé essaie de la retenir de l'autre.

— Jan, tu n'es absolument pas drôle.

Jan vit que Michelle était au bord des larmes et s'excusa des yeux et de la bouche, qu'il referma sur un sourire crispé. Élisabeth descendit pour ouvrir et elle remonta avec la grand-mère de Florence qui s'inquiétait de son retard. Tout le monde soupira avant que Michelle n'éclate d'un rire nerveusement incontrôlable.

— Entrée côté rue.

Elle fut imitée par Florence qui la trouvait drôle, puis par Élisabeth qui ne résistait jamais au rire de Florence. En moins de dix secondes, un vaste éclat secouait la maison et Jan s'empressa d'aller dans sa chambre pour prendre deux enveloppes dans la commode et poser l'étui à lunettes près de la porte afin que son père soit vraiment présent à la soirée. Il ressortit et demanda le silence. Ils se turent tous, échappant quelques petits restants de rire ici et là.

— Je connais assez bien les Dupuis pour savoir qu'ils sont extrêmement imaginatifs et qu'ils pourraient encore arriver avec une objection. J'aime Michelle et je veux la rendre heureuse. Pour moi, c'est tout ce qui compte.

M. Favreau regarda Élisabeth et vit qu'elle aussi s'attendait à une annonce sérieuse.

— Parce que je suis ici ce soir avec ma famille, j'ai décidé de donner à Michelle son cadeau de noces.

Fébrile, il sortit les deux enveloppes de sa poche et lui tendit la première, légèrement gonflée. Élisabeth posa sa main sur l'épaule de Florence quand Michelle ouvrit l'enveloppe. Michelle regarda à l'intérieur et ne sut que penser en y voyant un peu de terre.

— De la terre ?

Élisabeth tourna son regard vers M. Favreau et vit qu'ils

étaient au moins deux à avoir compris. Jan expliqua à Michelle la provenance de cette terre polonaise à laquelle il avait mélangé un peu de terre de Saint-Norbert et de Montréal.

— Oh! Jan!

Michelle serra l'enveloppe contre son cœur après l'avoir embrassée. Élisabeth essuya une larme indiscrète qui lui titillait l'œil. Michelle ouvrit la seconde enveloppe et en sortit une lettre de deux pages qu'elle lut et relut.

— C'est vrai? Mais pourquoi?

— C'est vrai.

Jan leur apprit donc à tous que, le jour où il recevrait sa citoyenneté canadienne, ce qui ne devait tarder, il deviendrait officiellement Jean Aucoin.

— Aïe!

Élisabeth, sous l'effet du choc, avait serré l'épaule de Florence qui gémissait. Michelle, elle, regardait Jan, incertaine d'avoir très bien compris ce qu'il lui révélait.

— Tu veux dire que nos enfants vont s'appeler Aucoin et pas Pawulski?

— Ce sera plus facile pour tout le monde. Pour toi et ta famille, et pour moi. M. Favreau aussi a compris ça.

Le silence qui avait envahi la pièce était si dense que les sanglots étouffés d'Élisabeth n'en furent que plus douloureux à entendre. Elle alla s'isoler dans sa chambre sous le regard attristé de Jan et de Michelle. M. Favreau prit la main de sa femme, comme pour lui rappeler qu'il ne regrettait rien. Quant à Florence, elle chuchota à l'oreille de sa grand-mère que son violon avait un peu de peine et qu'il voulait aller dormir.

60

Jerzy, le bras autour de la taille d'Anna, regarda les champs avec fierté. Depuis qu'il avait acheté un lopin de terre supplémentaire, ils avaient plus de travail, certes, mais Jerzy savait qu'à l'automne ils auraient cette salle de bains dont ils rêvaient. Anna s'abandonna la tête sur son épaule et Jerzy frémit discrètement en sentant son parfum à essence de terre et d'ozone. Stanislas dormait paisiblement et Jerzy et Anna marchèrent en direction de la rivière pour y observer le coucher du soleil, qui s'annonçait bleuté et lilas. Un ciel chaud couvert de teintes froides. Anna s'assit et regarda l'heure. Jerzy devina ses pensées.

— Je ne pense pas que les noces soient terminées, Anna.

Anna lui sourit tristement. Son mari la connaissait assez bien pour savoir à quel point la décision de ne pas aller à Montréal l'avait à la fois irritée et déçue.

— Je me demandais à quoi ressemblait Michelle dans sa robe de mariée.

— Élisabeth a écrit que Michelle était jolie et candide. Elle doit être encore plus jolie aujourd'hui.

— J'espère qu'Élisabeth va penser à nous poster des photographies.

— J'en suis certain.

Anna se tut, ne voulant pas gâcher la beauté du coucher de soleil et l'humeur romantique de Jerzy.

Dès qu'ils avaient reçu l'invitation, Anna avait compris que Jerzy ne se déplacerait pas. Il avait retourné à Élisabeth l'argent qu'elle leur avait expédié pour être certaine qu'ils prendraient le train. Elle lui avait même écrit qu'il était important qu'il soit avec son frère au pied de l'autel, lui rappelant la joie que lui-même avait ressentie en les apercevant dans le jubé le jour de son mariage. « *Nous pourrions peut-être décréter que nos mariages seront toujours l'occasion d'agréables retrouvailles. Je pleure encore de joie à ce merveilleux souvenir. Ne me fais pas pleurer de chagrin le jour du mariage de Jan.* »

Jerzy avait dit à Anna que Jan n'était presque plus son frère, puisqu'il n'était plus un Pawulski et que M. Favreau lui servirait de père. Anna n'avait pas répondu, comprenant trop bien à quel point la décision de Jan de changer de nom lui avait fait mal.

— Il a coupé une branche de notre arbre, Anna. Tu te rends compte ? Ses enfants vont être des Aucoin. Avec leur accent polonais, ça va être ridicule.

— Ses enfants n'auront pas d'accent polonais, Jerzy.

Jerzy s'était tu. Il n'avait même pas réfléchi à cette question en parlant polonais avec Stanislas. Il n'avait même pas pensé que Stanislas pouvait en être affecté un jour. Stanislas était un Polonais né d'une mère et d'un père polonais et il était normal que le polonais soit sa langue. Anna connaissait la pensée de Jerzy à ce sujet, aussi n'avait-elle jamais parlé anglais à son fils quand il était là. Jerzy comprendrait bien assez tôt que son fils parlait aussi la langue de sa mère. Jerzy avait pourtant pris l'habitude, depuis le départ de Jan et d'Élisabeth, de parler français le plus souvent possible et de n'écouter que CKSB pour que cette langue soit également familière à Stanislas.

Anna sentit la main de Jerzy lui serrer la taille pour l'approcher davantage. Elle soupira de plaisir, reconnaissant le geste codé des nuits folles. Ils rentrèrent à la maison en éloignant les moustiques qui se faisaient voraces, lurent et écoutèrent un peu de musique avant qu'Anna s'étire et annonce qu'elle allait dormir. Jerzy la suivit des yeux pour la désirer encore plus, écouta ses pas qui allaient du berceau de Stanislas à leur chambre, du placard au lit. Il ne l'entendit pas ouvrir le tiroir de la commode et devina qu'elle n'avait mis aucune chemise de nuit. Il sourit, sachant exactement la position qu'elle avait prise, couchée sur le côté, les yeux rivés sur la porte, la couverture pliée au pied du lit, ne se protégeant qu'avec un drap de finette. Il se leva, ferma les lumières et monta à son tour, mais décida de la surprendre en se dévêtant complètement avant d'entrer dans la chambre. Il enleva sa chemise dans l'escalier, son pantalon, ses sous-vêtements et ses chaussettes dans le couloir. Il ouvrit doucement la porte. Ses yeux mirent quelques secondes de trop à s'habituer à l'obscurité. Anna le prit par-derrière, le bâillonnant de sa main pour éviter que sa surprise n'éveille Stanislas.

— Tu penses que je suis sourde ? La prochaine fois, essaie de ne pas trop faire tinter ta boucle de ceinture.

Jerzy éclata d'un rire chuchoté et se laissa tomber sur le lit, entraînant Anna sur lui.

— Non, non, Jerzy. Pas tout de suite. J'ai quelque chose à te dire avant.

Jerzy essaya d'attendre avec la patience écorchée d'un mâle en rut.

— Ça ne peut pas attendre une demi-heure ?

— Non, il va falloir que ça attende encore sept mois et demi.

Jerzy eut une décharge de joie pendant qu'Anna riait, la tête enfouie dans l'oreiller.

— Ça veut dire qu'il va naître quand ?

— Au début de février.

— Encore ?

Son anniversaire était le 5 et celui de Stanislas le 2. Anna s'appuya sur les coudes en lui disant qu'ils semblaient vouloir faire des économies de gâteau et de ballons. Jerzy l'attira vers lui et elle s'abandonna aux mordillements qu'il lui faisait aux oreilles.

Repue, Anna s'endormit la première. Jerzy se releva, enfila une robe de chambre et descendit. Il se versa un verre d'eau glacée et se planta sur le perron, regardant la lune qui s'apprêtait à passer sous la ligne d'horizon. Il ne put s'empêcher de se demander si elle offrait un visage identique au-dessus de Montréal. Allumant une cigarette, autant par plaisir que pour éloigner les moustiques, il la fuma lentement en regardant virevolter les petites étincelles qui se détachaient chaque fois qu'il aspirait. Il avait le cœur écrasé entre la joie de savoir Anna enceinte et un immense chagrin. Il refusait de croire que son frère ait pu ressentir une quelconque tristesse, mais espérait seulement qu'Élisabeth n'avait pas trop de peine et ne lui en tenait pas rigueur.

Jerzy lança son mégot d'une pichenette et le regarda s'éteindre. La lune avait complètement disparu et il pensa que la nuit lui ressemblait. Noire et sans phare. Il pensa à ses parents et tenta de leur expliquer sa décision de ne pas accompagner son frère à l'église, mais il trouva ses arguments faibles. Un peu désespéré, il tenta malhabilement de s'excuser et de leur cacher la larme qui venait de lui irriguer l'iris. Pour se faire pardonner, il s'empressa de leur annoncer la venue d'un nouvel enfant Pawulski. L'idée que Jan était peut-être en train de connaître les plaisirs du corps de Michelle l'effleura comme un éclair. Il sourit en pensant que son frère allait faire ou avait fait un autre Pawulski, même s'il était un Aucoin.

61

L'AIR de la salle à manger était gonflé d'un incessant cliquetis d'assiettes, de verres et d'ustensiles, et d'un murmure chuinté par des dames poudrées et parfumées qui trempaient leurs lèvres dans un bouillon de bœuf, déchiraient de leurs dents jaunes et imparfaites les feuilles de leur salade ou souriaient d'un air coupable devant un dessert enrobé d'amandes et de noix de coco râpées. Élisabeth travaillait en automate, le corps à son ouvrage et le cœur en cavale entre ses frères, dont l'entêtement commençait à lui faire un mal sur lequel elle avait de plus en plus de difficulté à appliquer un baume. Pour la première fois de sa vie, elle avait eu, la veille, une discussion acidulée avec Jan qu'elle suppliait d'écrire à Jerzy pour lui dire sa joie d'avoir appris qu'il aurait un nouvel enfant. Élisabeth avait maintes fois tenté de convaincre Michelle d'intervenir mais Michelle lui avait dit ne pas vouloir se mêler de leurs histoires de famille.

— Je ne te demande pas de te mêler des histoires de notre famille, Michelle, je voudrais que tu répètes à Jan ce que tu m'as dit.

Michelle avait esquissé un sourire de désolation, faisant comprendre qu'elle préférait attendre que Jan lui-même fasse les avances.

— Je ne comprends pas. Je n'ai pas hésité, avec M. Favreau, à venir au secours de Jan pour amollir la résistance de tes parents. Pourquoi est-ce que tu ne fais pas la même chose? Tu m'as dit que tu avais terriblement hâte de rencontrer Jerzy, Anna et Stanislas.

— C'est vrai.

— Qu'est-ce qui est vrai ? Que tu as hâte de les voir ou que tu me l'as dit ?

— Tout ce que tu as dit est vrai.

Élisabeth l'avait suppliée de répéter ces propos à Jan, mais Michelle répondait toujours qu'elle le ferait « en temps et lieu ».

— Le lieu, c'est ici. Le temps, c'est maintenant. Jerzy va avoir un autre bébé, Michelle.

Élisabeth s'entendait peut-être un peu trop bien avec Michelle qu'elle considérait presque comme une sœur.

— Je connais mon frère, Michelle. Il est trop entêté et trop généreux...

— Je le connais aussi.

— Oui, mais pas autant que moi.

— Peut-être. Je le connais différemment, c'est tout.

Élisabeth avait voulu poursuivre son plaidoyer mais avait aperçu Jan, qui était entré sans bruit et avait apparemment entendu toute la conversation.

— Élisabeth ! Je ne veux pas que tu parles à Michelle comme tu viens de le faire. Michelle a droit à ses idées.

— Justement, Jan, ce ne sont pas ses idées, ce sont les tiennes.

Michelle avait refoulé un hoquet de sanglots, soupçonnant un léger mépris dans la réplique de sa belle-sœur. Jan avait regardé Élisabeth d'un air furieux et avait profité de l'instant pour lui annoncer sans douceur que si Michelle et lui se réjouissaient du fait que Jerzy aurait un autre enfant en février, ils étaient davantage émus par l'annonce de l'arrivée prochaine de leur enfant, au mois de mai. Les sanglots de Michelle avaient redoublé et elle était partie s'isoler dans sa chambre. Malgré la déconfiture d'Élisabeth, Jan l'avait tenue responsable du chagrin de sa femme.

— Je suis désolé de t'avoir appris la nouvelle aussi crûment, Élisabeth.

— Si ma mémoire est bonne, Jerzy ne t'a pas annoncé la grossesse d'Anna avec plus de délicatesse.

— Tu parles tellement de Jerzy et d'Anna que ça en devient épuisant.

— Comment peux-tu dire ça, Jan ?

— Parce que c'est vrai. J'imagine que tu vas écrire à Jerzy pour lui demander de m'expédier une lettre pour me féliciter.

— Non, Jan. Je vais faire mieux que ça.

Élisabeth s'était dirigée vers l'appareil téléphonique, avait demandé l'assistance de la standardiste et avait senti ses tempes éclater en entendant la sonnerie qui résonnait dans le salon de Saint-Norbert. La voix de Jerzy la frappa directement au cœur.

— Jerzy ? Bonjour, c'est Élisabeth... À Montréal... Attends un instant, veux-tu ?

Elle avait tendu le récepteur à Jan qui avait secoué la tête doucement pour protester. Elle avait eu un signe d'impatience en refaisant son geste avec plus d'insistance. Jan s'était approché d'elle, soupirant lourdement, avait pris le récepteur et l'avait posé sur son oreille. Élisabeth avait fait une prière silencieuse.

— La ligne a été coupée, Élisabeth.

Jan avait lentement raccroché.

Élisabeth regarda sa montre. La salle à manger s'était presque vidée et elle avait hâte d'aller prendre l'air. Elle remerciait toutes les clientes qui sortaient, remarquant que la plupart, bouche close, utilisaient leur langue pour se fouiller les molaires et en retirer un aliment coincé, ou y allaient discrètement de l'ongle du petit doigt si le morceau était sur les incisives, les canines ou les prémolaires. La salle à manger ferma enfin et Élisabeth enfila un manteau avant de se diriger vers le rayon de la musique pour s'y procurer des partitions qu'elle roula et enfouit dans un fourre-tout. Elle descendit ensuite par l'escalier mécanique, s'arrêta au passage pour jeter un coup d'œil aux vêtements pour enfants, eut un pincement de tristesse et se dirigea vers la porte de la rue Sainte-Catherine.

Toute à sa surprise de voir tomber la pluie violemment, Élisabeth traversa la rue et attendit le tramway numéro 15, tenant son sac au-dessus de sa tête en se demandant si elle ne devait pas rebrousser chemin pour s'acheter un parapluie. Deux automobiles passèrent un peu trop près du trottoir, éclaboussant les piétons qui protestèrent à l'unisson. Un des chauffeurs s'arrêta juste après avoir passé la rue Union, sortit de sa voiture et courut vers eux en appelant Élisabeth. Elle ne mit que quelques secondes à reconnaître le docteur Boisvert qui l'invitait à le suivre. Elle s'assura de ne pas l'avoir mal interprété, cherchant des yeux s'il y avait une autre personne qu'il aurait pu inviter, et, certaine qu'il s'agissait bien d'elle, se dirigea vers lui à pas rapprochés, s'inondant les chevilles et les mollets d'une eau froide de fin de septembre. Elle regarda ses chaussures et se désola de voir combien elles avaient perdu leur fraîcheur et songea qu'il lui en faudrait une nouvelle paire.

— Je suis désolé. Je vous conduis chez vous ?

— Merci et il ne faut pas vous excuser. Je vais rentrer plus rapidement.

Elle s'assit et il ferma la portière. Les essuie-glaces avaient énormément de difficulté à lécher les vitres tant l'eau y arrivait en trombe. Le docteur Boisvert sourit à Élisabeth avant de démarrer et de se glisser entre deux automobiles chuintantes elles aussi. Il engagea la conversation, lui demandant si elle était allée faire quelques petits achats. Élisabeth vit qu'il était gêné de sa question après avoir remarqué qu'elle n'avait que son fourre-tout.

— J'ai acheté du papier à musique. Il est dans mon sac.

Il se tut quelques instants, s'arrêtant à un feu rouge. Élisabeth n'osa pas le regarder.

— Il ne nous reste qu'un paiement, vous savez. Finalement, nous aurons mis un an à vous rembourser.

— C'est un délai très raisonnable. Vous et votre mari travaillez toujours à l'épicerie de M. Favreau ?

— Ce n'est pas mon mari, docteur. C'est mon frère et il est marié.

Élisabeth se demanda si elle avait imaginé le petit sourire qu'il avait esquissé. Ils tournèrent dans la rue Saint-Denis et roulèrent vers le nord.

— Jan travaille toujours avec M. Favreau. Quant à

moi, je n'ai travaillé là que l'été dernier. Je suis professeur de musique.

Boisvert en fut étonné et Élisabeth crut voir qu'il avait l'air ravi.

— Vraiment ? C'est pour ça que vous êtes allée chez *Eaton* ?

— Oui et non. Je suis professeur de musique et je suis aussi hôtesse à la salle à manger.

Elle parla alors rapidement de la musique, de ses études à Cracovie et de son travail au Manitoba. Elle insista davantage sur la découverte de l'immense talent — elle n'osait pas dire « génie » — de Florence que sur elle-même.

— Vous pourriez vivre comme professeur de musique ?

— C'est mon rêve. Troquer les menus contre des cahiers de musique. Quand j'aurai vingt étudiants, je pourrai. Pour l'instant, je n'en ai que quatre.

Boisvert ne parla plus, se contentant de la regarder à la dérobée, ce qui la mit extrêmement mal à l'aise. Elle se demanda s'il avait compris qu'elle avait exagéré et le nombre de ses élèves — elle n'en avait toujours que deux — et ses ambitions — elle ne pourrait jamais en avoir plus de dix si elle travaillait chez *Eaton*.

— Vous avez des enfants, docteur ?

— Non, et vous ?

— Non.

Élisabeth ne cessait de tourner la courroie de son sac, trouvant soudainement très étouffante l'atmosphère de l'automobile. Elle eut l'impression que les glaces s'embuaient rapidement. À son grand soulagement, ils furent bientôt rendus à la rue Marie-Anne.

— Est-ce que je peux vous laisser au coin de Gilford ?

— Pas de problème. C'est tout à côté.

Durant les dernières minutes du trajet, il la regarda à quelques reprises avant d'oser lui demander s'il pouvait l'inviter à un concert. Elle accepta, ignorant qu'il avait des billets pour le lendemain.

— L'orchestre sera sous la direction de Wilfrid Pelletier.

— Je l'ai déjà rencontré, une fois, dans une petite réception.

— Vraiment ?

Élisabeth crut l'avoir impressionné. Elle n'ajouta donc pas qu'elle avait fait sa connaissance à une kermesse au profit des réfugiés de guerre à laquelle elle et Jan avaient été invités par M. Favreau. Le docteur Boisvert freina lentement et s'immobilisa le long du trottoir près de la rue Gilford. Élisabeth le remercia de sa gentillesse.

— Si on se rejoignait dans le hall de la salle du Plateau à sept heures et demie, ça vous irait ?

Élisabeth voulut dire oui mais se rendit compte qu'il n'avait pas précisé le jour.

— Quand ?

— Mais... demain soir.

Elle se mordit les lèvres. Elle était dans l'impossibilité de le rencontrer le lendemain, la leçon de Florence ayant priorité.

— Je suis désolée, mais je ne peux jamais sortir les soirs de semaine. Je donne mes cours.

Boisvert éclata de rire, précisant qu'il ne pouvait jamais sortir les fins de semaine, étant de garde soit à l'hôpital, soit chez lui. Élisabeth cacha sa légère déception. Elle lui demanda donc s'il recevait des patients à domicile, ce qu'elle savait très bien depuis l'opération de Jan.

— Pas à mon domicile, je n'y habite plus, mais j'ai conservé mon bureau au sous-sol.

— J'ai habité chez un médecin à Saint-Boniface et c'est dans la salle d'attente que je donnais mes cours, le samedi matin.

— Moi, je reçois de six heures à huit heures, lundi, mardi et mercredi.

Élisabeth ouvrit la portière, vit que la pluie avait diminué d'intensité, le remercia et le salua avant de refermer tout doucement et de s'engager dans la rue Gilford en se demandant pour quelle raison il ne démarrait pas.

La salle à manger était très occupée et Élisabeth n'avait pas une seconde de répit, cherchant tantôt une place pour une dame effacée et timide, tantôt trois places pour des femmes rondelettes et ricaneuses. De temps en temps, un homme, accompagnant son épouse, entrait dans la salle, escorté d'un silence poli jusqu'à ce qu'il s'assoie. Élisabeth ne détestait pas son travail, mais elle s'impatientait parfois en pensant aux heures qu'elle aurait pu consacrer à Florence et à d'autres élèves. Quand le docteur Boisvert arriva dans la salle à manger, elle avait le dos tourné et seul un discret et curieux silence l'informa qu'un homme était entré. Elle conduisit deux clientes, posa les menus sur la table et revint vers la porte. Lorsqu'elle l'aperçut, elle sentit son cœur échapper un battement mais tenta quand même de se diriger vers lui en souriant, se disant une fois de plus qu'il était un homme fort attirant. Manquant de places, elle dut lui demander d'attendre quelques minutes. Il accepta de bon gré ce léger contretemps. Quant à Élisabeth, tout en trouvant agréable de le revoir, elle se donnait une contenant en surveillant plus qu'attentivement sa clientèle.

— J'ai un petit quelque chose pour vous.

— Pour moi?

Boisvert dégagea le manteau plié sur son avant-bras et découvrit un parapluie, bien accroché à son poignet. Élisabeth eut un petit rire gêné tout en trouvant le parapluie fort amusant avec sa poignée sculptée en tête de cygne. Elle ne savait cependant comment l'accepter, ayant rarement été l'objet d'une attention aussi charmante. Elle remercia quand même le médecin avec le plus d'enthousiasme possible et se dirigea vers la patère pour y suspendre le parapluie et le recouvrir du manteau. Une table se libéra finalement et elle invita Boisvert à la suivre, craignant que ses chevilles ne se foulent d'intimidation tant elle sentait son dos brûler sous le regard vert du jeune médecin. Pendant le repas, elle se surprit à le dévisager, sursautant de malaise si leurs regards se croisaient. Il lui fit signe de s'approcher. Elle obtempéra en prenant d'abord le temps de remercier des clientes qui sortaient et d'en escorter quatre autres qui entraient.

— Est-ce que vous êtes occupée le jour de Noël?

Ravie et surprise, Élisabeth ne sut que répondre. Comme elle le faisait au Manitoba, elle avait déjà offert à Florendre d'être chez sa grand-mère vers midi, afin d'y donner avec elle un petit récital intime pour la famille.

— À quelle heure?

Boisvert lui expliqua qu'il aurait énormément apprécié qu'elle vienne à l'hôpital pour égayer les patients qui ne pourraient sortir pendant les fêtes.

— C'est que j'ai déjà pris un engagement avec Florence.

— Amenez-la.

— Mais Florence est trop jeune pour entrer dans un hôpital.

— Je m'en occupe. On peut certainement assouplir le règlement... pour une bonne cause.

Ils discutèrent pendant quelques minutes, le temps de déterminer qu'elles pouvaient être à l'hôpital, si évidemment Florence était d'accord, vers deux heures.

— Jusqu'à quelle heure?

— Cinq, j'imagine.

Boisvert eut l'air satisfait. Il lui promit de passer les prendre devant l'épicerie à deux heures moins le quart. Elle accepta et alla chercher son manteau.

Élisabeth le regarda partir, plus déçue qu'excitée. Elle avait sincèrement pensé qu'il était venu pour le plaisir de la revoir et non pour lui demander un service. Elle décrocha le parapluie de la patère et l'ouvrit pour voir le coloris des fleurs.

— Fais pas ça, Élisabeth. Ça porte malheur d'ouvrir un parapluie dans une maison.

Élisabeth regarda sa collègue, rit, puis fit tournoyer le parapluie avant de le refermer et de le suspendre de nouveau.

— On va jouer à l'Hôtel-Dieu? Toi et moi?

— Oui. Pour les malades.

— Ça, c'est bien. Ceux qui sont très, très malades vont penser qu'ils sont morts et que notre musique, c'est celle des anges.

— Voyons, Florence...

Florence se rembrunit, se demandant si elle avait dit une stupidité. Élisabeth s'apprêtait à sortir son violon et Florence l'observait avec admiration.

— Quand tu étais petite comme moi, tu jouais déjà?

— Oh oui! J'ai commencé à quatre ans.

— Tu aimais ça ?

— J'ai toujours aimé ça.

— Ton violon aussi ?

— Je pense, oui.

— Le mien, il attend ça tous les jours. Il a l'impression d'être puni quand je le couche. Il voudrait jouer du matin au soir. Je suis certaine qu'il va être content de jouer à l'hôpital à Noël. Ça va lui faire une bonne journée. Le matin, il va jouer juste avec moi, le midi devant ma famille et l'après-midi avec les malades. Est-ce qu'ils peuvent chanter ?

— Peut-être.

— Pas ceux qui meurent mais les autres.

— Florence, on ne meurt pas toujours, dans les hôpitaux. Jan y est allé et il en est revenu. Il y a beaucoup de bébés qui naissent dans les hôpitaux.

— Est-ce qu'on peut jouer pour les bébés ?

— Je n'en sais rien, Florence.

Élisabeth mit fin à la discussion, sachant que Florence adorait les digressions qui lui permettaient de rester avec elle le plus longtemps possible. Elles travaillèrent pendant plus d'une heure, au grand plaisir de Michelle qui ne se lassait jamais d'entendre le violon, même s'il arrivait occasionnellement à Florence de rater une note. Rose de plaisir, Florence posa son instrument et alla à la cuisine demander à Michelle si elle avait eu l'impression d'entrer au ciel. Michelle lui répondit que non, et qu'elle avait préféré être sur la terre pour l'écouter. Florence eut l'air déçue.

— C'est vrai qu'au ciel les anges jouent de la trompette et de la harpe. Ils ne connaissent pas le violon.

62

JAN tenait Michelle par le bras, effrayé à la pensée qu'elle pourrait perdre pied et tomber, risquant de blesser ce ventre qui commençait à s'arrondir comme un globe terrestre porteur de toute l'humanité. Élisabeth marchait devant et Jan se désolait de la voir seule. Ils avaient reçu une carte de vœux d'Étienne qui leur disait se plaire à Ottawa et projeter de s'y établir et d'y fonder une famille.

Les Favreau fermaient la marche et parlaient, Jan les entendit, du nombre de dindes vendues. Jan était complètement épuisé par les longues journées de travail qu'il avait abattues durant les deux dernières semaines. Il avait hâte d'entrer dans l'église et de s'y laisser bercer par l'orgue et les chœurs, espérant que les solistes seraient excellents comme ceux de l'année précédente. Michelle se mit à patiner et Jan la retint avec force, le cœur lui battant à tout rompre. Élisabeth avait offert à Michelle des crampons qu'elle avait fixés à ses couvre-chaussures, mais elle ne s'était pas encore habituée à ce nouveau corps toujours en déséquilibre. Ils arrivèrent enfin à l'église et se glissèrent tous les cinq sur le même banc.

Les trois messes furent récitées devant une foule fébrile aux douze coups de minuit et somnolente à la messe de l'aurore. Élisabeth vit deux couples échanger des bagues de fiançailles et elle détourna le regard, ayant, à son grand embarras, immédiatement pensé à Denis Boisvert. Elle regarda Jan sourire à Michelle et envia un peu leur joie évidente. Jan, elle en avait la conviction, était sur la voie du bonheur et rien ne saurait le faire dérailler. Elle imagina Jerzy qui, lui aussi, devait être à l'église aux côtés d'une Anna tout en plénitude et Élisabeth les salua en pensée, leur promettant de tout faire pour réunir la famille. À chacune des trois messes, M. Favreau fit tomber son chapeau de fourrure, ce qui amusa et fit sourire Mme Favreau. La troisième fois, elle le suspendit au crochet devant elle, empêchant ainsi M. Favreau de répéter la même bourde une quatrième fois.

— C'est aussi bien comme ça, tu serais à court de messes.

Ils sortirent enfin de l'église et s'embrassèrent sur le parvis avant de reprendre le chemin de la maison pour le réveillon. Il était convenu que Jan et Michelle réveillonneraient chez les Favreau et prendraient le souper de Noël chez les Dupuis. Élisabeth fut émue de penser qu'au prochain Noël ils auraient un enfant avec eux.

Le matin du mardi 25 décembre 1951, Élisabeth s'éveilla, éructa péniblement quelques relents de pâté à la viande, se leva et décida de surprendre Jan et Michelle en leur servant le petit déjeuner au lit. Elle passa à la cuisine, mit son projet à exécution et profita du temps que mettait la cafetière à infuser le café pour sauter sous la douche et effacer les traces de nuit presque blanche qui lui barbouillaient le visage. Le petit déjeuner fut préparé au goût de Jan et de Michelle : hareng saur, œufs et rôties pour lui, tartines de confitures pour elle. Élisabeth plaça le tout sur un plateau qu'elle décora d'une boucle rouge et d'un cône de pin, frappa à leur porte et, sans attendre leur réponse, entra en souriant. Elle faillit défaillir, en apercevant Jan et Michelle, tous les deux nus, dans une position qu'elle n'avait jamais qu'imaginée, se chevauchant allègrement malgré le poids du ventre de Michelle. Elle fut si saisie qu'elle resta quelques secondes à les regarder avant de ressortir en prenant bien soin de ne faire aucun bruit. Elle revint s'asseoir dans la cuisine, ne sachant si elle devait être offusquée, amusée, scandalisée, étonnée, troublée ou envieuse. Jamais de sa vie elle n'avait fait une telle chose et elle en ressentit une grande amertume. Elle se demanda si elle serait capable d'afficher ainsi sa nudité devant Denis Boisvert et frissonna par assentiment avant même que sa tête ne lui réponde.

Élisabeth se versa une tasse de café qu'elle but lentement avant d'avaler sans appétit les œufs apprêtés pour son frère et une des tartines de Michelle. Elle jeta les restes à la poubelle, recouvrit le tout d'un sac brun afin d'éviter que Jan ne fasse une colère, et se vêtit, choisissant sa plus jolie robe — elle portait encore les robes offertes par Mme Dussault — en taffetas miroitant tantôt en rose, tantôt en vert. Elle attendit jusqu'à dix heures et décida de quitter la maison, tenant son étui à violon d'une main et ses chaussures de l'autre pour ne pas incommoder Jan et Michelle.

Elle sortit rue Saint-André et se dirigea vers la rue Gilford pour aller chez les Favreau. Ayant monté l'escalier, elle frappa et attendit vainement qu'ils viennent ouvrir. Étonnée — ils ne pouvaient quand même pas dormir ni faire ce que faisaient Jan et Michelle —, elle frappa une deuxième fois, mais plus discrètement. Elle appuya l'oreille contre la porte mais aucun son ne lui parvint. Elle se résigna donc à partir et se dirigea vers la maison de la grand-mère de Florence, située rue Mentana au nord du boulevard Saint-Joseph. On l'accueillit à bras ouverts et elle en fut remuée, venant de prendre conscience de sa solitude. Elle avait vingt-quatre ans, un mari mort avant qu'elle n'ait vraiment été sa femme, un fiancé dont l'amour n'avait pas été assez fort pour évincer le génie de Florence, et une attirance secrète pour un homme qui l'avait reconduite chez elle une fois, l'avait invitée à un concert auquel elle n'avait pu assister, lui avait proposé de jouer du violon là où il travaillait et lui avait offert un parapluie. Tous les soirs, Élisabeth embrassait doucement la tête de cygne qui, suspendue à la tête de lit, veillait sur ses rêves et sur ses désirs.

Élisabeth et Florence eurent énormément de succès auprès des patients et des visiteurs qui fêtaient Noël parmi les civières et les fauteuils roulants, respirant à plein nez l'alcool à friction, l'urine et l'odeur âcre du sang. Elles n'en furent toutefois nullement incommodées, Florence suscitant tellement l'admiration que la plupart des personnes s'approchaient d'elle pour la caresser, l'embrasser et lui remettre de l'argent, « un petit cadeau de Noël ». Tantôt on l'appelait « la petite poupée », tantôt « le petit ange ». Certaines personnes, toutefois, semblant connaître davantage la musique, s'approchaient d'Élisabeth pour lui murmurer à l'oreille que Florence était un petit génie et qu'il lui fallait continuer à jouer comme elle le faisait.

— Encore quelques années et elle dépassera son maître, mademoiselle.

Élisabeth avait été honorée de se faire appeler « maître » et ravie de constater que le talent de son élève envoûtait les gens. Elle savait depuis le premier jour que Florence était phénoménale et qu'il ne lui faudrait pas plus de dix ans avant qu'elle ne la surpasse.

Denis Boisvert les avait accompagnées partout, ayant d'abord avisé les infirmières des étages de leur venue. Les gens formant l'assistance avaient été invités dans les salons de chaque étage. Elles jouèrent jusqu'à dix-sept heures trente et Élisabeth eut du mal à arrêter Florence, qui ne connaissait jamais la fatigue quand elle tenait son archet. Sa résistance et sa concentration étaient incroyables pour une enfant aussi jeune. Si Élisabeth en était musicalement renversée, Boisvert, lui, ne tarissait pas d'éloges à accent médical.

— C'est exceptionnel pour son âge.

— Je sais.

— Pensez-vous que c'est en partie grâce à vous ?

Élisabeth aurait voulu dire la vérité. Avouer que Florence avait fait deux ans de violon avant de la connaître et que ses professeurs n'avaient rien compris à sa façon d'apprendre. Qu'elle-même avait utilisé une méthode mise au point par sa mère et perfectionnée par elle, et que cette approche avait fait des miracles.

— Je pense qu'il n'y avait qu'une chose à comprendre. Florence n'a pas de violon. Elle a un ami qui a joué avec son père et avec sa grand-mère, qui dort dans son étui, qui a peur du noir et de la mort, et qui aime bien jouer avec elle aussi. Ah oui ! j'oubliais : il n'aime pas se faire interrompre et il est doux comme un lapin.

Boisvert l'écoutait parler avec ravissement, et Élisabeth ne

531

savait jamais si elle le préférait quand il lui regardait les yeux jusqu'au fond des pupilles ou lorsqu'il semblait vouloir lui mordre la bouche.

Dans l'ascenseur, Florence ne cessa de papoter, enchantée de son expérience.

— Ce que je n'ai pas compris, c'est que tu m'as dit que le monde ne mourait pas toujours, dans un hôpital.

— C'est vrai.

— Moi, je les trouvais presque morts, parce qu'ils m'appelaient « petit ange ». Ils sont mêlés, parce que tout le monde sait que les vrais anges ne jouent pas de violon.

Lorsqu'ils sortirent de l'hôpital, ils furent accueillis par une chute de neige folichonne qui ravit Florence. Ils se précipitèrent dans la Buick de Boisvert.

— Une chance que mon violon est bien habillé, parce qu'il aurait pu être surpris et avoir pas mal froid.

Depuis le début de l'hiver, Florence enroulait toujours un foulard sur le manche de l'étui. Un foulard qu'elle avait mis un an à faire en enroulant de la laine sur quatre clous plantés sur une bobine de fil. Sa grand-mère avait fini le travail en assemblant les cylindres multicolores et en enjolivant le tout de deux franges rouges. Élisabeth jeta un coup d'œil à Denis Boisvert qui secouait la tête de fascination devant Florence. Elle le regarda en fronçant les sourcils puis elle lui fit un sourire. Il semblait tout prêt à aimer Florence autant qu'elle.

Denis s'arrêta devant la maison de la rue Mentana et laissa tourner le moteur pendant qu'Élisabeth conduisait son élève. Il la regarda parler avec la grand-mère, embrasser Florence et revenir en riant vers l'automobile, dont il ouvrit la portière dès qu'elle en fut assez rapprochée.

— Je rentre chez moi ou je monte ?

— Tu montes et je te fais une proposition.

Elle fut ravie qu'il l'ait tutoyée et elle décida d'en faire autant. Il lui proposa de la ramener à l'hôpital, où elle pourrait lui tenir compagnie dans la salle de garde.

— Je sais que ce n'est pas romantique, mais c'est mon devoir. Les gens ont toujours besoin de moi le soir de Noël.

Depuis que j'exerce, j'ai toujours travaillé ce soir-là. Et j'ai travaillé hier. Et je travaillerai le soir de la Saint-Sylvestre.

— Et au jour de l'An ?

— Je soupe chez ma mère.

Élisabeth ne réfléchit que quelques instants et retourna avec lui. Quand ils entrèrent dans l'hôpital, elle comprit qu'il prenait de grands risques à la manière dont il évitait les religieuses. Ils arrivèrent finalement à un long couloir bordé de portes.

— Ce sont les chambres des internes.

— Des chambres ?

Elle eut soudainement peur de s'y trouver avec lui, ayant cru qu'ils se dirigeaient vers une grande salle remplie de médecins et d'infirmières généreux pour qui le soin des malades était vraiment une raison d'être. Denis vit son malaise, lui prit doucement la main et lui dit qu'elle pouvait avoir confiance.

— Je ne suis pas un vieux satyre qui attaque les déesses de la musique, Élisabeth.

Élisabeth le suivit donc dans une toute petite chambre presque monacale, dotée d'un lit, d'une chaise de bois et d'une commode, le tout à peine éclairé par une fenêtre sale. Elle vit un crucifix au mur et fut rassurée. Rien de malheureux ne pouvait lui arriver. Pendant plus de deux heures, ils se racontèrent des souvenirs de Noël. Ceux d'Élisabeth étaient exotiques et touchants, ayant eu pour cadre l'enchantement des soirées familiales ou les jours troubles de la guerre, puis pour décor la cathédrale de Saint-Boniface ou la campagne de Saint-Norbert. Denis, lui, raconta sa solitude d'enfant unique, les crèches couvertes de ouate ou de bran de sciure selon le goût des professeurs, les sapins sous lesquels il n'y avait d'autres cadeaux que les siens, celui que son père remettait à sa mère et celui que sa mère offrait à son père. Ses plus beaux présents avaient été un train électrique qu'il conservait encore et, beaucoup plus tard, un jeu de chimie qui lui avait donné le goût de la science.

— C'est ce jeu qui a fait un médecin de moi.

— Tu penses ?

— J'en suis certain.

Denis dut s'absenter vers vingt et une heures pour ne revenir qu'à vingt-deux heures trente, et une deuxième fois à vingt-trois heures. Élisabeth éteignit le plafonnier et la lampe de lecture et se planta devant la fenêtre pour regarder tomber la neige dans la rue Saint-Urbain. Les flocons s'affolaient comme des papillons de nuit autour des lampadaires. Elle était incapable de penser à autre chose qu'aux propos de Denis. Malgré la tristesse de ses souvenirs, elle avait la conviction d'avoir plus que lui. Elle avait deux frères pour lesquels elle était prête à sacrifier sa vie. Elle occulta Adam dans ses pensées, comme elle avait omis de parler de lui à Denis. Elle ferma les yeux et imagina ce dernier penché sur un malade, avec son sarrau blanc froissé et son stéthoscope dans sa poche de poitrine, ou occupé à percevoir une pulsation. Puis elle bâilla et hésita avant de s'étendre sur le lit. Aussitôt couchée, elle s'endormit et se fit réveiller par un chuchotement qui lui disait que le soleil se lèverait dans moins d'une heure et qu'il devait aller la reconduire. Élisabeth s'empressa de regarder sa montre. Elle aurait voulu être énervée, ou confuse, ou honteuse, mais elle ne ressentait que du plaisir. Elle s'assit sur le bord du lit, se frotta la figure pour lui redonner de la couleur, fit mine de se coiffer et se releva sous le regard admiratif de Denis.

Ils roulèrent en silence, chacun savourant les confidences de l'autre. Ils arrivaient près de la rue Gilford lorsque Élisabeth lui demanda d'arrêter pour qu'elle descende. Denis obtempéra sans poser de question.

— Élisabeth...

— Oui...

— Je viens de vivre le plus beau Noël de ma vie.

Elle ne sut que répondre, trop émue et trop intimidée pour dire qu'elle-même était enchantée du sien. Elle pinça les lèvres et ouvrit la portière. Il la retint par le bras, lui demandant si elle croyait être malade le mercredi suivant et avoir besoin de passer à son bureau privé. Elle répondit que déjà elle avait un petit chat qui lui égratignait la gorge et qu'il était bien possible qu'elle ait des problèmes.

— Pas avant huit heures. À cause de Florence.

Il sembla un peu déçu, mais acquiesça de la tête. Élisabeth marcha d'un pas léger dans la neige qui lui allait jusqu'aux chevilles. Elle ne cessait d'emplir d'air ses poumons, qu'elle sentait prêts à éclater. Dès qu'elle mit le pied dans la maison, elle fut accueillie par Jan défiguré par l'inquiétude.

— Où étais-tu, Élisabeth ? J'ai passé la nuit debout à t'attendre. La grand-mère de Florence nous a dit que tu l'avais raccompagnée à six heures. Où étais-tu passée ?

Elle eut envie de lui répondre, mais préféra se taire. Son instinct lui disait que le moment n'était pas venu de parler de Denis. Jan lui faisait si pitié à voir avec sa barbe longue et ses cheveux ébouriffés qu'elle s'en approcha pour lui caresser la crinière. Il enleva sa main avec douceur et la baisa.

— J'étais mort d'inquiétude, Élisabeth.

— Je comprends. J'étais comme ça, moi aussi, quand je t'ai cherché et que je t'ai trouvé en mille morceaux dans un cimetière.

Jan n'ajouta plus rien et la regarda entrer dans sa chambre et refermer la porte. Il soupira, espérant qu'Élisabeth savait ce qu'elle faisait. Il devait taire sa désapprobation, sachant combien elle avait déjà souffert. Il avait encore dans le nez l'odeur du corps de Michelle et il eut un pincement au cœur en pensant qu'un homme avait peut-être sur lui le parfum d'Élisabeth.

63

ÉLISABETH ne tenait plus de joie. Elle raccrocha le téléphone, interrompit son cours de violon au grand déplaisir de Florence, déboula presque l'escalier tant elle le descendit rapidement, enfila ses bottes sans les attacher et entra en souriant dans l'épicerie. Michelle, l'air fatiguée, était assise derrière le comptoir à mettre de l'ordre dans les factures de la clientèle pendant que Jan pesait une pièce de bœuf et que M. Favreau essayait de vendre une marque de détersif plutôt qu'une autre. Élisabeth se dirigea vers son frère et se dandina sur place, attendant que les clients aient quitté l'épicerie. À son expression, Jan avait compris qu'Anna avait eu le bébé. Il avait quand même évité de brusquer sa cliente, malheureux néanmoins de faire ainsi languir sa sœur. Ce n'est que lorsque la clochette de la porte eut fait entendre son dernier tintement qu'Élisabeth annonça à la ronde qu'on venait de lui demander d'être la marraine d'une petite fille de six livres et deux onces. M. Favreau cria de joie en levant le poing vers le plafond avant de donner, comme à son habitude, une tape de plaisir sur le comptoir. Jan regarda Michelle d'un œil attendri et cette dernière pensa à demander le nom du bébé.

— Sophie. La petite s'appelle Sophie. Comme sa grand-mère Pawulska.

Jan fut visiblement touché et passa derrière le comptoir pour mettre la main sur l'épaule de sa femme. Il réussit enfin à sourire et affirma que Sophie, avec une grand-mère comme la sienne et une marraine comme Élisabeth, ne pourrait échapper à son destin : elle deviendrait une grande musicienne. M. Favreau monta chez lui annoncer la nouvelle à sa femme. Une fois à l'étage, il leur cria de le rejoindre pour qu'ils portent un toast à cet heureux événement.

Florence entra dans une épicerie vide et fut doublement insultée. Non seulement Élisabeth l'avait-elle abandonnée mais l'épicerie elle-même avait été désertée. Avec son étui emmitouflé au bout du bras, elle se planta au pied de l'escalier et appela.

— Monte, Florence. Et prends-toi un *Kik* si tu veux.

Florence sautilla de plaisir, s'empara d'une orangeade et attrapa un sac de pop-corn au passage. Elle monta les marches deux à deux et rejoignit les autres qui trinquaient à la santé de Sophie.

— C'est qui ?

— Notre nièce. Elle est née ce matin.

— Est-ce qu'elle s'appelle Valentine ?

— Non, Sophie. Mais elle aurait très bien pu s'appeler Valentine.

— Moi, j'aurais aimé ça être née le 14 février. J'aurais toujours eu plein de chocolats pour ma fête.

Florence prit l'orangeade que Mme Favreau lui servit, alla choquer tous les verres pour porter son toast, but en larmoyant, le gaz lui remontant dans le nez et lui picotant les yeux. Son verre achevé, elle eut le hoquet et expliqua qu'elle n'avait jamais la permission de boire des colas parce qu'ils lui donnaient le hoquet.

— J'ai pensé que l'orangeade ce n'était pas pareil.

Florence n'avait pas encore cessé de hoqueter lorsque sa grand-mère vint la chercher.

— Tu as pris du cola, Florence ?

— Non, de l'orangeade.

Élisabeth tenta de la disculper et Florence fut pardonnée, Jan et M. Favreau retournèrent travailler — le magasin fermait malheureusement à vingt et une heures en ce jeudi soir — et Élisabeth précéda Michelle qui s'était encore alourdie. Michelle monta lentement et s'assit, très essoufflée. Élisabeth la regarda, l'œil tout à coup inquiet.

— Est-ce que ton médecin a dit quelque chose sur ta fatigue ?

— Il dit que c'est normal. Que je ne dois quand même pas m'attendre à sautiller quand j'ai vingt livres sous le ventre et dans les fesses.

Élisabeth lui demanda l'âge de son médecin et Michelle lui rappela lui avoir déjà dit que c'était celui-là même qui l'avait mise au monde.

— Tu devrais peut-être en voir un plus jeune.

— Tu penses ?

— Non seulement je le pense, mais je te prends un rendez-vous avec le docteur Boisvert.

Élisabeth était franchement inquiète de la mauvaise mine de sa belle-sœur. Elle se vêtit et s'apprêtait à sortir quand Michelle, qui était passée à la salle de bains, l'appela à son secours. Elle venait d'avoir des saignements. Élisabeth la soutint jusqu'à son lit et joignit d'abord Denis Boisvert qui était à l'hôpital — elle le savait puisqu'il l'y attendait — avant d'appeler Jan. Elle s'assit au pied du lit de sa belle-sœur sans cesser de lui sourire. Michelle était extrêmement angoissée et Élisabeth se disait qu'il serait terrible qu'elle perde son enfant. Elle avait encore près de trois mois de grossesse à faire.

Jan entra en courant et Élisabeth eut mal pour lui en reconnaissant dans son visage l'affolement qu'il avait éprouvé lorsqu'il avait dû la défendre contre des hommes qui avaient menacé sa vertu, à Amberg et au Manitoba avec Jerzy. Elle sortit de la chambre et alla attendre Denis au salon, contente de ne pas avoir encore parlé de leur relation de moins en moins amicale, de plus en plus amoureuse.

Denis arriva, trousse en main et foulard au cou. Élisabeth pensa aussitôt à Florence en voyant le foulard et se dit qu'il lui faudrait lui téléphoner si elle se voyait obligée d'annuler le cours. Elle regarda Denis d'un air troublé et il lui fit une petite moue pour lui signifier d'attendre le résultat de son examen avant de s'inquiéter. Elle l'introduisit dans la chambre et referma la porte derrière lui, après avoir suggéré discrètement à son frère de la suivre. Jan s'installa près d'elle et, instinctivement, comme au jour de la naissance d'Adam, lui prit la main pour trouver du réconfort. Seule Élisabeth pouvait bien comprendre ses sentiments, il le savait. Même Michelle ne les saisissait pas entièrement. Il ne pouvait lui en tenir rigueur puisqu'elle n'avait rien vécu de son passé. Élisabeth resta à ses côtés sans broncher, le cœur en pendule entre le malaise de Michelle et la présence réconfortante de Denis. Celui-ci sortit enfin et leur sourit tristement, désignant du menton la cuisine. Jan le suivit le premier et Élisabeth entra sur ses talons.

— Au lit. Pour tout le temps de la grossesse. Aucun effort, aucun énervement autre que du plaisir.

— Les cours de violon?

— Pas de problème. Elle a justement précisé qu'elle voulait voir Florence. La présence de la petite lui fera penser à l'enfant qu'elle porte et l'encouragera à garder les jambes surélevées.

Ils parlèrent des risques et Jan sembla effondré d'apprendre qu'il n'était pas certain que Michelle puisse mener sa grossesse à terme. Denis leur annonça aussi qu'il serait probablement nécessaire de lui faire une césarienne, son bassin étant particulièrement étroit.

— Son médecin n'a jamais dit ça.

— Son médecin est de la vieille école. Moi, j'aime autant que vous sachiez exactement ce qui peut se produire. Cela me garantit une plus grande prudence de votre part.

Il annonça finalement que Michelle devrait probablement passer les dernières semaines de sa grossesse à l'hôpital, par mesure de précaution. Élisabeth fit une croix sur le voyage éclair qu'elle s'était promis de faire au Manitoba pour rencontrer sa filleule et passer la journée de Pâques avec sa famille de l'Ouest. Elle en avait déjà parlé au personnel de chez *Eaton* et on lui avait accordé les jours de congé nécessaires. Jan retourna dans la chambre et Élisabeth raccompagna Boisvert, qui lui fit face, l'air complètement défait.

— Parfois, Élisabeth, je me demande où la nature trouve ses idées pour inventer tant de mesquineries.

Après qu'ils se furent promis de se voir au bureau le mercredi soir et, si possible, d'aller au cinéma le jeudi, Denis resta planté devant Élisabeth pendant d'éternelles secondes avant d'oser approcher ses lèvres des siennes et l'embrasser pour la première fois. Elle eut un mouvement de recul. Contrit, il s'excusa de son audace et sortit, penaud. Élisabeth s'enferma dans sa chambre, ne sachant si elle avait envie de rire ou de pleurer de sa réaction de pucelle offensée. Elle s'étendit et regarda les murs qui se rapprochaient de plus en plus. Depuis qu'elle avait emménagé dans la petite chambre, depuis le matin de Noël où elle avait été témoin par inadvertance des ébats amoureux de Jan et de Michelle, depuis surtout qu'elle avait envie d'avoir un peu d'intimité avec Denis, elle songeait sérieusement à louer un petit appartement coquet. Maintenant que Michelle devait être alitée, Élisabeth prit au sérieux les conseils de Denis et songea qu'une des bonnes façons de lui soutenir le moral serait de libérer la petite chambre et de l'aménager pour le bébé.

Elle téléphona à Florence pour lui expliquer la situation et lui demander si elle serait bien triste de rater une leçon. Florence répondit d'une voix enrouée.

— Mon violon m'a prêté son foulard pour que je le mette autour de ma gorge qui me brûle et qui est toute rouge.

— Tu as mal à la gorge ?

— Oui, et grand-maman veut que j'aille voir le docteur Boisvert bientôt parce qu'elle pense que j'ai des amygdales.

— Il ne donne pas de consultations le jeudi. Peut-être que ta grand-maman pourrait lui téléphoner chez lui.

Florence raccrocha et Élisabeth passa dans la chambre de Jan et de Michelle pour voir s'ils n'avaient besoin de rien. Devant la négative, elle en profita pour aller demander à Mme Favreau si elle et son mari pouvaient l'héberger, le temps qu'elle achève les travaux de la chambre du bébé. Comptant sur la discrétion éprouvée de Mme Favreau, elle lui parla de son projet de déménagement après l'avoir informée des difficultés de sa belle-sœur. Mme Favreau promit de passer toutes ses journées auprès de Michelle.

— On ne peut quand même pas la laisser pâtir comme un bagnard. Je vais demander à mon mari de monter ma *Singer* et je vais me mettre au travail pour t'aider.

Denis Boisvert n'était même pas parti depuis deux heures que déjà M. Favreau avait promis de peindre la chambre, Mme Favreau de coudre les rideaux, Élisabeth de faire les achats. Jan vint les rejoindre après la fermeture du magasin, s'excusant auprès de M. Favreau de lui avoir faussé compagnie. Il parlait calmement et Élisabeth reconnaissait sous cette froideur l'amertume que provoquaient toujours chez lui les coups du destin qu'il ne pouvait rendre.

Le mois de mars était déjà bien amorcé et Élisabeth avait accepté d'être la marraine de Sophie mais, comme elle l'avait prévu, n'avait pu se rendre au baptême. Elle s'était par contre payé le luxe d'un long interurbain et avait ainsi pu entendre Stanislas jacasser, Anna pleurer d'émotion et Sophie de faim. Elle parla à Jerzy qui avait une voix plus qu'enjouée, ce qui lui fit bien plaisir. Il lui confirma que tout allait très bien, que sa fille était magnifique, qu'il avait l'intention d'acheter un nouveau lopin de terre et qu'il espérait que la Rouge se tiendrait tranquille. Élisabeth revit les ravages que la rivière avait faits et souhaita que la nature leur donne un répit. Elle lui parla ensuite des ennuis de santé de Michelle. Jerzy s'en dit profondément désolé et lui demanda de faire part à Michelle de sa sympathie.

— Dis-lui de se rassurer. Son petit a du sang de Pawulski et les Pawulscy s'accrochent à la vie comme des aimants au métal.

Élisabeth aurait voulu lui dire qu'elle ne répéterait pas ces propos, l'enfant attendu à Montréal étant un Aucoin et non un Pawulski, mais elle s'en garda bien pour ne pas blesser inutilement son frère aîné qui lui manquait énormément. Elle sursauta lorsqu'il lui demanda si elle songeait à rentrer au Manitoba maintenant que Jan avait sa propre famille.

— Je ne pense pas, Jerzy.

Il eut un petit rire et la taquina en laissant entendre qu'il y avait certainement un homme tapi derrière cette décision.

— Non, plutôt une petite fille. Si seulement vous pouviez venir pour les fêtes...

— Je vais y penser.

Élisabeth savait qu'il n'en ferait rien. Jerzy termina l'appel sur des anecdotes et raccrocha sans avoir mentionné le nom de Jan.

Le fœtus s'agrippait toujours et Jan avait retrouvé sa sérénité, le danger étant presque annihilé. Des clients lui avaient vendu lit de bébé, commode et chaise haute. M. Favreau les avaient peints en blanc à la demande de Michelle qui ne voulait ni rose ni bleu.

— Du jaune. Je voudrais du jaune. C'est aussi joli pour une fille que pour un garçon. Peut-être une petite touche de vert tendre, si vous voulez.

Michelle avait tricoté une layette complète et Mme Favreau avait non seulement installé des tentures jaunes mais aussi cousu des accessoires pour le moïse — blancs à fleurettes jaunes — et des petites décorations en feutrine qu'elle avait fixées autour du plafonnier, essayant de produire l'effet d'un mobile.

La seule ombre au tableau, au grand désespoir de Michelle, fut un incident avec sa mère. Elle avait eu le malheur de lui raconter la générosité de la clientèle de l'épicerie, qui leur avait vendu le mobilier à prix ridicule et qui ne cessait d'apporter des vêtements de bébé à peine portés. Mme Dupuis en avait presque fait une syncope.

— Voyons donc, ma fille ! Tu veux faire porter du linge usagé à notre premier petit-enfant ? On dirait que ton mari te fait vivre en pauvresse.

Michelle avait été tellement froissée et énervée par la réaction de sa mère que Jan avait poliment prié sa belle-mère de rentrer chez elle et de ne revenir que pour aider.

— Vous connaissez les consignes du médecin, madame Dupuis.

— Un jeune sans expérience. Michelle en avait un bon jusqu'à ce que vous lui en fassiez changer.

— Madame Dupuis, Michelle aurait pu perdre le bébé si le docteur Boisvert n'était pas intervenu. Votre médecin devrait se retirer et cultiver des fleurs.

Mme Dupuis avait durement pris la remontrance, protestant que Michelle était sa fille. Michelle avait éclaté en sanglots et Jan, à bout de patience, avait entraîné sa belle-mère jusqu'à la sortie, saisissant son manteau au passage et le lui mettant dans les bras avant de la saluer devant la porte grande ouverte.

— Je vais parler de ça à mon mari. C'est peut-être votre enfant, mais c'est notre unique fille et ce sera notre petit-enfant.

— Je sais.

— Je vais dire à mon mari que vous m'avez mise à la porte.

— Maman! Si je pouvais me lever, c'est moi qui l'aurais fait.

— Michelle! Oh non! Vous me l'avez changée. Est-ce que c'est l'habitude des Polonais de manquer de respect à leurs parents?

Jan était si en colère qu'il blêmit. Mme Dupuis comprit et s'esquiva rapidement.

— Maman va revenir te voir, mon bébé.

Jan vit Michelle s'enfouir la tête dans l'oreiller et il aurait bien aimé se demander si c'était pour rire ou pour pleurer. Des sanglots lui donnèrent sa réponse.

Jan s'en voulut tellement d'avoir provoqué une crise de larmes chez sa femme et d'avoir peut-être trop bousculé sa belle-mère qu'il alla s'excuser le soir même. Il ne pouvait espérer changer sa belle-mère, mais il reconnaissait qu'elle faisait de véritables efforts pour être aimable avec lui. Ce fut M. Dupuis qui lui ouvrit et Jan vit, à son air maussade, qu'il était informé de la bisbille. Il lui tendit la main en lui disant qu'il était venu faire des excuses. M. Dupuis les accepta sans se faire prier — pour la première fois depuis qu'il le connaissait, Jan sentit une complicité d'homme — et indiqua à Jan que sa femme était au salon. Mme Dupuis était assise devant un landau magnifique couvert d'une moustiquaire de gaze, qu'elle poussait et tirait comme si elle essayait d'endormir un poupon. Jan fondit et s'approcha d'elle doucement.

— Pensez-vous que nous allons avoir une fille ou un garçon, madame Dupuis?

— Un garçon. Ma fille, même si je ne l'ai pas vue debout depuis longtemps, porte comme je le faisais quand j'ai eu

543

ses frères. Je suis certaine que c'est un garçon. Un beau petit garçon blond comme celui de vos photos.

— C'est mon neveu, Stanislas.

— Je sais. Je sais aussi que ma fille et vous nous avez certainement fait un beau bébé.

Elle se tut, ourla sa lèvre supérieure et Jan comprit qu'elle était aussi rongée par l'inquiétude qu'eux-mêmes. Elle dit alors à Jan qu'elle et son mari avaient commandé tout un mobilier de chambre neuf mais qu'ils avaient annulé l'achat. Jan comprit les causes de l'esclandre.

— Est-ce que vous pourriez me promettre de nous laisser vous offrir son lit dans deux ans ?

Jan fit oui de la tête et, devant leur évidente satisfaction, les invita à venir immédiatement porter le landau. M. et Mme Dupuis ne se firent pas prier et ils poussèrent le landau vide avec autant de précaution que s'ils avaient promené un nourrisson.

— J'ai pensé acheter la robe de baptême.

— C'est bien aimable, mais ma belle-sœur nous a expédié celle dans laquelle mon neveu et ma nièce ont été baptisés. Nous essayons de perpétuer une tradition de famille. Ce n'est pas une robe mais une espèce de petit habit blanc, piqué et brodé, dans lequel il y a plein de place pour déposer de l'argent.

— À l'église ?

— Non, au retour. J'espère que vous ne verrez pas d'objection à ce qu'on le baptise en suivant quelques petites coutumes polonaises. Michelle et Élisabeth y tiennent.

— Non, non, bien entendu.

Si Jan avait été touché par le geste d'Anna, soupçonnant qu'elle avait certainement voulu par là recréer des liens entre les survivants d'une famille décimée et éclatée, l'accord spontané des Dupuis lui fit un bien immense. Ce soir-là, Jan parla longuement aux lunettes de son père, le suppliant d'aider Michelle à finir cet enfant qui était un chaînon entre eux tous.

64

L A chambre était presque complétée. Élisabeth arpenta les rues, marchant tantôt vers le nord, tantôt vers le sud, mais jamais plus au sud que la rue Marie-Anne, jamais plus au nord que la rue Laurier. Elle avait visité plusieurs petits logements, mais elle les trouvait ou trop laids, ou trop petits, ou trop sombres, ou trop bruyants. Elle rêvait d'un salon assez spacieux pour pouvoir, un jour, y installer un piano devant une cheminée ; d'une salle à manger immense où elle pourrait les recevoir tous : Jan et sa famille, Jerzy et sa famille, M. et Mme Favreau ; d'une cuisine vaste où elle pourrait se déplacer sans heurter les coins des comptoirs ; d'une chambre avec balcon donnant sur un joli jardin. Tous ses rêves se trouvaient ailleurs, et ils étaient, elle le savait, inaccessibles.

Élisabeth et Denis sortirent de l'automobile et il lui prit l'épaule. Ils s'étaient arrêtés sur le belvédère de Westmount et la ville scintillait à leurs pieds. Élisabeth parla de la fin des travaux et du moral de Michelle qui n'avait jamais sombré sous la ligne de flottaison. Elle remercia Denis pour la millième fois d'avoir veillé sur Michelle avec une régularité de métronome. Denis ne répondit rien à cette remarque, trop heureux d'aider, trop heureux aussi d'avoir pu voir Élisabeth et d'avoir pu l'entendre jouer avec Florence lors de ses visites. Il demanda, espérant ne pas être indiscret, où était la mère de Florence. Élisabeth haussa les épaules et hocha la tête. Elle avait cru comprendre, en rapiéçant les morceaux de

545

conversation décousue de la grand-mère, que Florence était orpheline de père, celui-ci étant décédé accidentellement avant d'avoir vingt-cinq ans, et que sa mère en avait, pour ainsi dire, perdu la raison. Elle devait être hospitalisée quelque part, à Saint-Jean-de-Dieu ou ailleurs.

— Quel drame !

— Je n'en aime Florence que davantage. Quand je pense que sa pauvre mère ne l'entendra jamais. Être mère d'un génie et l'ignorer...

Ils se turent et regardèrent encore le spectacle qu'offrait la ville, l'énorme gyrophare de l'édifice de la *Sun Life,* le pont Jacques-Cartier dont le tablier semblait franchir une partie du fleuve sur la pointe des pieds, le pont Victoria qu'Élisabeth revoyait toujours avec émotion, puisqu'il était le tapis que Montréal avait déroulé pour les accueillir, Jan et elle.

Élisabeth annonça à Denis qu'elle allait déménager et qu'elle s'était cherché un logement convenant à ses besoins et à sa bourse. Denis l'écouta, sans poser de questions, pour enfin lui faire une offre.

— Je regrette que mes logements sur Saint-Joseph soient tous loués. Ça aurait été bien pour toi. Juste au-dessus de ma clinique.

— Tu as des logements ? Je pensais que tu louais le sous-sol pour ta clinique...

— Non, c'est un héritage de mon père. Toute la maison où j'ai ma clinique m'appartient.

Élisabeth fut impressionnée et, elle dut le reconnaître, envieuse.

— Qu'est-ce qu'il faisait, ton père ?

— Médecin, évidemment.

Denis éclata de rire et regarda Élisabeth. Son expression passa de rieuse à songeuse, inquiétant un peu Élisabeth qui se demanda si le moment de la demande en mariage n'était pas venu. Denis lui prit la main sans ménagement, la tira vers l'automobile, embraya et se dirigea vers le chemin de la Côte-des-Neiges, qu'il monta jusqu'au chemin de la Côte-Sainte-Catherine, suivant ensuite celle-ci jusqu'au boulevard Saint-Joseph. Élisabeth tenta vainement de lui tirer les vers du nez, ne sachant où ils allaient. Il tourna finalement dans la rue Nelson et stationna tout près de l'intersection. Il ouvrit la portière du côté d'Élisabeth et la pria de l'accompagner. Il prit une clef de son lourd trousseau et entra dans une maison de brique comportant deux logements et monta à l'étage. Élisabeth le suivit dans un appartement immense, calqué en presque totalité sur ses rêves. Les pièces étaient cependant encore plus vastes... Elle découvrit trois chambres à coucher, la cuisine était équipée d'une cuisinière et d'un réfrigérateur, avec assez d'espace pour qu'elle évite de heurter les coins de table et de comptoir.

— Est-ce qu'il y a un balcon derrière ?

— Non, pourquoi ?

Élisabeth ne répondit pas, essayant de comprendre ce qui lui arrivait. Si elle avait bien saisi, Denis lui offrait le logement, il ne parlait pas de l'épouser. Peut-être voulait-il s'assurer de ses propres sentiments. Il était si accaparé par son travail qu'il avait peu de temps à consacrer à une famille, elle le savait. Elle se réjouit de voir qu'elle pourrait, le cas échéant, continuer de travailler. Jamais elle ne saurait vivre sans violon et sans personne à qui l'enseigner.

— Combien est-ce que tu peux payer pour ton logement, mon amour ?

Elle se figea, avala péniblement et se surprit à respirer rapidement, comme si elle n'osait aller chercher son souffle trop profondément, craignant de distraire son cœur de la joie qui venait de l'inonder. Elle réussit à marmonner un chiffre et Denis répondit « Adjugé ! » sans poser d'autre question. Élisabeth se précipita dans ses bras qu'il avait ouverts et sanglota comme une enfant. Denis lui essuya les yeux de son mouchoir à monogramme.

La salle à manger était presque vide. Cela arrivait toujours quand avril était trop beau et que les femmes préféraient ratisser leurs pelouses pour prendre l'air et s'emplir les yeux du vert de la chlorophylle. Des vendeuses du rayon des chapeaux avaient dit à Élisabeth qu'il arrivait fréquemment que les femmes demandent des chapeaux de paille verte, pour s'harmoniser avec leur environnement.

— Ça n'existe pas, la paille verte.

Elle faisait son service, le bonheur irradiant de sa figure. Depuis que Denis lui avait avoué l'aimer autant qu'elle l'aimait, elle avait la tête bourrée de nuages. Il lui arrivait bien parfois de repenser à Marek, mais ses traits s'étaient complètement estompés, comme s'ils avaient été de sable et le temps une marée anesthésiante. Denis et elle avaient même fait quelques petits projets : visiter la ville de Québec et faire le tour de l'île d'Orléans. Élisabeth le freinait constamment, lui rappelant que des patients comptaient sur lui, et Florence, sur elle. Elle accompagna deux dames, la mère et la fille à en juger par l'étonnante ressemblance, et n'entendit rien de la conversation sauf le mot « bouquet ». Elle comprit qu'elles parlaient de mariage.

Élisabeth se demandait comment elle pourrait annoncer à son frère qu'elle quittait les Favreau pour aller habiter un immense logement, presque aussi beau que la maison de Cracovie, avec, en sus, des corniches sur lesquelles elle pourrait poser des statuettes. Elle aurait voulu l'inviter à la suivre et à habiter avec elle, mais elle le savait trop orgueilleux et se doutait qu'il ne voudrait pas, pour le moment, s'éloigner de l'épicerie. Elle redoutait sa réaction, sachant qu'il allait être attristé de la voir s'éloigner encore une fois, mais surtout parce qu'il connaissait le prix des logements et qu'il s'interrogerait sur sa relation avec Denis. Élisabeth soupira. Sa relation avec Denis était parfaitement idyllique et jamais il n'avait osé lui faire d'avances auxquelles ses principes n'auraient pu répondre.

Elle revint vers la caisse et salua des clientes qui étaient là, beau temps mauvais temps, tous les mardis midi. Denis apparut en coup de vent, lui demandant de passer au rayon des tissus pour choisir ceux qu'elle désirait voir aux fenêtres de son appartement. Elle demeura bouche bée avant de répondre qu'elle était capable de coudre ses rideaux, voilages et tentures elle-même. Il balaya sa réponse d'un sourire, la suppliant presque de l'autoriser à la gâter un peu.

— Mais tu m'as déjà beaucoup donné en me le louant. Je ne veux rien de plus.

— Laisse-moi f...

— Non, merci. Il va falloir que tu apprennes que nous, les Polonaises, nous sommes têtues.

Denis s'inclina et la quitta sans l'embrasser, toujours très correct lorsqu'il y avait des personnes autour d'eux. Élisabeth se dirigea vers l'estrade de droite, un pichet d'eau à la main, pour répondre au geste d'une cliente qui lui désignait son verre pour lui faire comprendre qu'il était vide.

— C'était bien le docteur Boisvert qui vous parlait ?

Élisabeth se sentit mal à l'aise, pas tant à cause de la question qu'à cause du ton un peu trop curieux.

— Peut-être. Je ne le connais pas.

— Il me semblait qu'il vous parlait.

— Oui, c'est vrai. Mais c'est parce que je suis violoniste et que les gens du rayon de la musique me l'ont envoyé. Il aurait besoin d'une musicienne. N'est-ce pas extraordinaire de penser qu'on va me payer pour jouer du violon ?

— Ah !... Je pensais que vous étiez peut-être une de ses patientes.

— Oh non ! Vous m'apprenez qu'il est médecin.

Élisabeth revint à l'entrée, le cœur au galop. Elle était extrêmement mal à l'aise d'avoir menti, mais quelque chose lui disait que Denis aurait été heureux de sa réponse.

La nuit fut agitée. Michelle, que Denis avait dit vouloir faire admettre à l'hôpital le lendemain, s'éveilla en sursaut à une heure et demie, baignant dans un liquide visqueux qui dégageait une odeur qu'elle ne put reconnaître. Elle réveilla Jan qui ouvrit la lumière, s'assit comme s'il avait été mû par un ressort, vit la couverture, éteignit, couvrit Michelle juqu'au cou et se leva. Il téléphona à Boisvert qu'il joignit à l'hôpital, lui demanda une ambulance et sortit en pyjama pour aller chercher sa sœur, préférant la prévenir doucement plutôt que d'énerver les Favreau par la sonnerie du téléphone. Il la trouva debout devant sa fenêtre, complètement éveillée. Il n'avait pas encore prononcé un seul mot que déjà elle avait ouvert son placard pour en sortir des vêtements. Quand il comprit qu'elle l'accompagnerait, il retourna chez lui à toute vitesse et entra dans la chambre. Il demanda à Michelle si elle avait mal au ventre, mais elle ne répondit pas. Il alluma le plafonnier et retint un cri de détresse.

Michelle avait été badigeonnée aux teintes de la mort. Il s'approcha d'elle, posa la tête sur sa poitrine et ne cessa de déplacer son oreille, incapable d'entendre le moindre battement.

Il retourna au téléphone, complètement affolé, demanda à parler à Boisvert, mais on lui dit qu'il avait quitté l'hôpital. Il raccrocha, certain que Boisvert avait décidé de venir avec l'ambulance. Il retourna vite au chevet de Michelle et entendit monter Élisabeth, qui entra dans la chambre un sourire rassurant aux lèvres. Devant le spectacle morbide et sanguinolent, Élisabeth eut une vision de la boucherie de Cracovie, à laquelle elle n'avait pourtant pas assisté, et sortit pour aller dans la salle de bains mordre une serviette afin d'étouffer sa peur. Jan, lui, prit les lunettes de son père et les posa sur l'oreiller, près de la tête de sa femme. Il commença à leur lancer des invectives, d'abord à voix basse, puis, voyant que Michelle ne s'éveillait pas, de plus en plus fort. Élisabeth l'entendit de la salle de bains et elle arracha une autre serviette du support pour s'en enturbanner, laissant ses mains au-dessus de ses oreilles.

— Papa ! Si tu me fais ça, je te détesterai jusqu'à la fin de mes jours, tu m'entends ? Je vais te haïr parce que tu m'as laissé tomber. Tu m'entends ? Je vais faire plus que changer de nom, papa. Je vais changer de passé et d'histoire. Tu m'entends ? Je ne serai plus de Cracovie. Je ne serai plus le fils de Tomasz et Zofia Pawulscy. Est-ce que c'est ce que tu veux pour elle ? Tu m'entends, papa ? Je vais réécrire ma vie comme tu as réécrit l'histoire de Pologne. Je ne conserverai qu'Élisabeth comme souvenir du passé.

Il sortit de la chambre en courant pour ouvrir à Boisvert qui venait d'appuyer sur la sonnette. Boisvert monta à folle allure et se précipita auprès de Michelle. En trois secondes, il sut qu'il était en train de perdre sa patiente et il l'ausculta, cherchant, lui aussi, à entendre battre un cœur. Jan avait cessé de respirer et Élisabeth, que la course de Denis dans l'escalier avait ramenée à la réalité, tenait son frère par la main, en transpirant de peur. Elle fit un grand effort pour taire les trémolos qui lui agitaient les cordes vocales.

— Denis va s'en occuper, Jan. Crois-moi, Denis peut faire des miracles.

Denis se tourna vers eux et leur annonça d'une voix monocorde qu'il avait entendu les deux cœurs. L'ambulance arriva à ce moment et Michelle fut portée à toute vitesse par les brancardiers pendant que Jan enfilait un pantalon et une chemise et courait derrière eux en sautillant, essayant de fermer sa braguette. Il monta à l'arrière de l'ambulance avec Boisvert, qui laissa sa voiture immobilisée, une roue sur le trottoir, devant la porte du garage. Personne ne parla à Élisabeth. Elle fut étonnée d'avoir été oubliée mais, se ressaisissant, elle remonta chez les Favreau et ne se gêna nullement pour les sortir du lit.

— Vite ! Il faut aller à l'hôpital.

— Michelle a des contractions ?

Mme Favreau était presque joyeuse à l'idée que le bébé arrivait enfin. M. Favreau se leva en grommelant de plaisir, enfila son pantalon sur ses sous-vêtements sans même se soucier de la présence d'Élisabeth et sortit en glissant son haut de pyjama dans son pantalon.

— Grouille, Yvonne, grouille !

Élisabeth le regarda partir, n'ayant pas encore réussi à donner une seule explication. La porte extérieure s'était à peine refermée que déjà il la poussait et remontait.

— Il y a un imbécile qui a stationné sa voiture devant la porte du garage. Je ne peux pas sortir l'auto.

— C'est le docteur Boisvert.

— Qu'est-ce que tu dis ?

— C'est l'auto du docteur Boisvert.

M. et Mme Favreau se regardèrent, leur brève euphorie déjà passée. Élisabeth leur expliqua rapidement la situation pendant que M. Favreau tentait désespérément de joindre une station de taxis. À la limite de perdre patience, il appela un client qu'il savait chauffeur de taxi et ce dernier vint les chercher rapidement. Ce n'est qu'une fois montés qu'ils songèrent à aviser les Dupuis. Ils firent donc un détour par la rue de Grand-Pré. M. Favreau laissa son doigt appuyé sur la sonnette jusqu'à ce qu'on allume la lumière de l'entrée.

Ils trouvèrent Jan désespérément seul dans une grande salle d'attente et s'approchèrent de lui en essayant de ne pas trop faire de bruit. Quand il les aperçut, il tenta de leur sourire, heureux de les voir à ses côtés. Il n'avait eu aucune nouvelle depuis que Denis s'était engouffré derrière la porte à deux battants qu'Élisabeth reconnut à sa petite fenêtre en losange.

Les Dupuis arrivèrent une quinzaine de minutes après eux et Mme Dupuis embrassa Jan avec une douceur qui lui fit énormément de bien. Elle lui frotta les cheveux en bataille, faisant et refaisant le geste de les placer.

— Ça va aller. Notre fille tient beaucoup trop à la vie. Crois-moi, ça va aller.

Elle s'assit ensuite à sa gauche et lui prit la main. Jan était maintenant encadré d'elle et d'Élisabeth et il sentit qu'il reprenait vie. Quant à M. Dupuis, il marchait de long en large comme il l'avait fait à trois reprises quand sa femme avait accouché, mais, cette fois, il avait si peur qu'il avait du mal à conserver son équilibre. M. Favreau, néophyte, alla lui emboîter le pas.

Ils restèrent tous les six silencieux jusqu'à ce que Denis Boisvert revienne de la salle d'opération vers les quatre heures. Ils retinrent leur souffle, ne sachant s'il leur était encore permis de vivre.

— Un garçon. Je l'ai fait mettre en incubateur, mais uniquement pour un jour ou deux. Il est en grande forme.

Tous les six savaient qu'ils auraient dû se réjouir et se féliciter, mais ils avaient tous la bouche fermée et les yeux attachés à ceux de Boisvert. Élisabeth le suppliait du regard de ne pas les faire languir.

— Quant à Michelle, elle va s'en remettre. Ce sera long, mais elle pourra certainement être assez bien pour courir derrière son petit.

Un cri de soulagement balaya la salle d'attente. Jan se laissa tomber sur sa chaise et ne put qu'essuyer les larmes de peur qui lui avaient assailli les joues. Boisvert les quitta, préférant reporter à plus tard l'annonce que Michelle avait accouché pour la première et la dernière fois de sa vie.

65

ÉLISABETH descendit du tramway du chemin de la Côte-Sainte-Catherine et marcha jusqu'à la rue Nelson. Depuis son déménagement, elle n'avait plus eu une seule minute à elle. Elle travaillait toujours chez *Eaton*, espérant être mutée au rayon de la musique, et allait chez Florence les lundis, mardis et mercredis soir pendant les heures de consultations de Denis — elles avaient d'un commun accord réduit la fréquence des cours pour que Florence puisse avoir plus d'heures d'excercice. Quand il le pouvait, Denis passait la voir ces soirs-là vers vingt et une heures et la quittait pour aller faire une dernière ronde à l'hôpital. Les jeudis et les vendredis, ils sortaient, habituellement pour un repas et un spectacle, concert ou autre. Elle s'enfermait ensuite presque toute la fin de semaine pour décorer sa nouvelle maison, dont elle raffolait. Ses voisins du rez-de-chaussée étaient un couple de vieux anglophones qui ne sortaient que le dimanche pour aller à l'église.

Élisabeth soupait tous les samedis chez les Favreau avec Jan et Michelle qu'elle forçait à prendre quelques heures de repos le dimanche pendant qu'elle allait pousser le landau. Très souvent, elle retrouvait Michelle endormie et Jan dans l'épicerie occupé à faire quelques travaux, allant de l'inventaire à la comptabilité. Élisabeth savait que Denis passait les dimanches chez sa mère et elle espérait y être invitée à Noël.

Le baptême avait été amusant et les Dupuis avaient glissé beaucoup trop d'argent dans la housse de Nicolas. Les prénoms Joseph Denis Nicolas avaient été choisis par Michelle qui avait voulu témoigner sa reconnaissance envers Boisvert et s'était souvenue que Nicolas était le nom de la rue qu'habitaient les Pawulscy à Cracovie. Jan ne s'y était pas opposé, aimant le nom de son fils : Nicolas Aucoin. Lui-même avait reçu ses papiers de citoyenneté canadienne et il était devenu l'individu immatriculé 215532.

Élisabeth avait acheté de vieux fauteuils qu'elle avait, avec l'aide de Mme Favreau, recouverts de velours bordeaux. La grand-mère de Florence, Mme Lagacé, lui avait donné une table de salon dont les pattes en forme de serres d'aigle étaient agrippées à des boules de verre.

— Si vous aimez cette horreur, je vous la donne. C'était un de mes cadeaux de noces.

Élisabeth l'avait installée à côté du fauteuil, de biais avec la cheminée. Les Favreau avaient placé une petite annonce à l'épicerie qui leur avait permis de dénicher un mobilier de chambre à coucher plaqué merisier qui devait dater du début du siècle et ils étaient venus le lui porter. Élisabeth et M. Favreau l'avaient collé, poncé et reverni et elle trouvait que sa chambre était la plus jolie pièce de l'appartement. Les parents de Michelle lui avaient offert son mobilier de jeune fille — Michelle leur avait dit ne plus pouvoir en supporter la vue — et Élisabeth en avait meublé la deuxième chambre. Quant à la troisième, elle l'avait méta-morphosée en salle de musique et elle y avait placé un vieux secrétaire à cyclindre en chêne égratigné et deux classeurs achetés par Denis à la succession d'un vieux médecin. Dans la cave, elle avait vu une bibliothèque ayant appartenu au père de Denis. Une des tablettes avait été arrachée, consé-quence d'un chamaillage de Denis enfant, mais il accepta néanmoins de la lui monter. Quant à la salle à manger, elle était sans meuble et seuls un vieux tapis persan et un miroir la décoraient.

Ses amours avec Denis étaient merveilleuses et ils n'avaient jamais assez de temps pour entendre tout ce qu'ils voulaient bien se révéler. Ils étaient tous les deux terrible-ment occupés mais faisaient l'impossible pour se voir au moins cinq jours par semaine, Denis étant de garde toutes les fins de semaine.

Élisabeth avait placé un avis sur le babillard de l'église catholique orthodoxe devant chez elle, annonçant des cours de violon pour septembre. Elle déborda de joie quand sept parents vinrent inscrire leurs enfants. Seule Florence eut quelques hésitations, affolée à l'idée qu'Élisabeth puisse aimer un autre élève plus qu'elle.

— As-tu un rêve, Florence ?

— Un rêve de nuit ou un rêve de jour ?

— De jour.

Florence, pendant de longues secondes, feignit une recherche sérieuse au fond de ses idées avant de dire qu'elle en avait un magnifique.

— Je veux être le premier violon de l'orchestre de Wilfrid Pelletier.

Élisabeth lui frotta la tête puis demeura songeuse. Florence venait de lui offrir un projet sur un plateau. Élisabeth passa plusieurs nuits éveillée, essayant d'imaginer un groupe de jeunes enfants jouant du violon. Elle demanda l'opinion de Zofia des dizaines de fois avant de sombrer dans le sommeil. Ses nuits devinrent finalement de moins en moins encombrées par ses réflexions. Ses angoisses et son excitation s'étaient changées en musique qui fuguait par les fenêtres et se répandait dans la rue Nelson telle une rosée rafraîchissante.

La canicule humide de ce samedi de juillet imprégnait tout. Élisabeth revint du travail en transpirant et en cherchant son oxygène. L'air à l'intérieur du tramway était rare et irrespirable. Les aisselles étaient mouillées sous les robes et les chemises cernées dégageaient des odeurs étourdissantes tant elles étaient fortes. Élisabeth, agrippée à une poignée, dut faire tout le trajet debout, aucune banquette n'étant libre. Après être entrée dans son appartement, elle en fit le tour comme elle le faisait toujours pour se convaincre qu'elle ne rêvait pas, se dit qu'elle pourrait avoir encore plus de plantes, et se fit couler un bain tiède. Elle s'y plongea en essayant de se calmer. Denis devait venir la chercher après son travail et l'emmener à Québec, au château Frontenac, jusqu'au lundi midi. Elle ferma les yeux et repensa à son arrivée avec Jan, quand ils avaient aperçu cette forteresse qu'ils avaient cru être un vrai château. Elle se souvint d'avoir pensé que l'hôtel avait accueilli Churchill et Roosevelt, qui y avaient certainement bien mangé pendant qu'à Cracovie leur famille avait dû faire de petits miracles quotidiens uniquement pour subsister.

Élisabeth sortit du bain et s'épongea. Aussitôt rhabillée, elle recommença à transpirer dans une robe rose pâle amollie par l'humidité. Elle mit le couvert, plaça trois fleurs dans un petit vase posé au centre de la table, prépara un casse-croûte qu'elle réfrigéra et passa au salon pour attendre Denis. Elle s'assit après avoir branché un ventilateur qui ne lui rafraîchissait que le visage. Elle tenta bien de lire mais en fut incapable, sa pensée refaisant sans cesse le trajet entre l'hôpital et son appartement, se demandant où était la voiture de Denis. Elle regarda l'heure, et les aiguilles, probablement collées elles aussi, se tenaient dangereusement en équilibre sur le neuf. Élisabeth se leva et marcha vers la fenêtre. La lourdeur de l'air réverbérait les sons de la rue et le cri des chauves-souris se répercutait sur tous les murs, frôlant le chant des oiseaux nocturnes. Élisabeth essaya de voir les étoiles, mais les nuages, que l'assoupissement du soleil colorait encore de lilas, l'empêchaient de les distinguer. Elle retourna à la cuisine, pigea quelques légumes crus qu'elle croqua sans appétit, revint au salon et se rassit devant le ventilateur dont le bourdonnement se faisait de plus en plus bruyant dans le silence qui envahissait tranquillement la maison. Elle passa son mouchoir sur ses sourcils et ses paupières, le replaça sous la bretelle de son soutien-gorge et tenta de reprendre une lecture distraite par l'attente de Denis. Elle avait compris qu'ils n'iraient pas à Québec. Son rêve de dormir dans un semblant de château, de se promener en tenant le bras du plus beau prince qu'elle eût rencontré, s'envolait en se mêlant à l'étouffante humidité. Même les oiseaux s'étaient tus. La touffeur de la journée ressemblait à celle qu'elle avait connue le jour de son arrivée à Montréal.

Les aiguilles avaient réussi à franchir la dernière heure de la soirée quand, déçue, inquiète et incapable de comprendre ce qui était arrivé à Denis, elle éteignit toutes les lumières, passa à sa chambre en traînant le ventilateur qu'elle installa sur la table de chevet, et s'étendit, les bras à la tête du lit, offerte à la solitude.

Elle s'endormit après avoir vu les aiguilles chuter en parallèle sur le trois. Son sommeil fut hanté de spectres et de cauchemars dans lesquels elle faisait manger des fraises piégées à Denis qui lui souriait sans méfiance. Agitée, elle se réveilla en sursaut et aperçut une ombre debout au pied du lit. Un son étouffé par la frayeur sortit de sa poitrine opprimée. Elle reconnut enfin la voix de Denis qui la rassurait.

— Je m'excuse. Je n'aurais pas dû utiliser ma clef.

Élisabeth s'assit avant de s'avancer vers lui et de lui tendre une main. Denis demeurait debout, impassible. Elle ne pouvait lire son visage, la noirceur de la nuit ayant éteint la lune.

— Qu'est-ce qui s'est passé, Denis ? Je t'ai attendu...

— Je sais.

Sans s'approcher d'elle, il s'assit enfin près du pied du lit, elle au centre. Il avait une odeur de musc que l'humidité rendait encore plus enivrante. Élisabeth osa mettre le nez dans son cou, lui lécher une oreille et lui embrasser la joue. Il la repoussa sans la brusquer. La chaleur écœurante de la nuit ne parvint pas à vaincre le frisson qui venait de gaufrer la peau d'Élisabeth.

— Qu'est-ce qu'il y a, Denis ?

— Je ne peux pas, Élisabeth, je ne peux pas.

Élisabeth entendit clairement son cœur se fêler. Le bruit résonna encore plus que les sanglots de Denis qui lui sembla aussi inconsolable qu'un enfant dont le jouet aurait été écrasé en mille morceaux.

— Je n'en peux plus, mon amour.

— De moi ?

— Non, de moi.

Ses sanglots redoublèrent et Élisabeth le prit dans ses bras pour le cajoler et le consoler. Denis gardait la tête droite, incapable de l'abandonner sur l'épaule d'Élisabeth qui voulut crier le rejet qu'elle ressentait. Sa bouche demeura close, paralysée par le tremblement qui la secouait. Elle avait plus mal qu'à Cracovie, plus mal que dans le champ de fraises. Encore un mot et elle mourrait étranglée par sa douleur. Honteuse de montrer son écorchure à son père, elle pensa plutôt à sa mère et la pria de l'aider. Zofia pouvait la comprendre.

Elle se coucha sur le ventre, s'enfouit la tête dans l'oreiller déjà humecté de transpiration et laissa sortir ses larmes. Elle entendit Denis lui demander pardon et lui répéter combien il l'aimait. Elle ne comprit plus rien. Jamais elle n'avait tant rêvé.

— Tu me brises, Denis.

— Oh non! mon amour. C'est moi qui suis brisé et je t'entraînais.

Elle se retourna, s'assit en face de lui, les yeux maintenant habitués à reconnaître les ombres de ses traits.

— Est-ce que je t'ai dit que tu étais la femme de ma vie, Élisabeth?

— Oui...

— C'est la seule vérité.

Denis s'essuya la figure du revers de la manche, soupira avant de pouvoir continuer à lui parler. Élisabeth lui tenait une main et Denis sentait des spasmes de douleur, semblables à ceux d'un patient sur le point de tomber en état de choc.

— Je suis marié, Élisabeth.

La chaleur lui monta à la tête et l'odeur de musc devint si étouffante qu'Élisabeth cessa de respirer. Elle venait d'arriver aux portes de l'enfer et frappait pour qu'on lui ouvre.

— Oh non! Denis... Oh non!

Elle se pendit à son cou pour lui demander pourquoi il lui avait menti mais elle fut incapable de parler. Elle ne retenait que ce qu'il venait de lui dire : qu'elle était la femme de sa vie. C'était la seule vérité qu'elle voulait comprendre. Un éclair zébra le ciel et Élisabeth se tendit de peur. Un grondement suivit, éclatant si près de la maison qu'une vibration parcourut les murs. Élisabeth paniqua et se mordit le bras. Denis le lui dégagea de la bouche et essaya de la rassurer.

— Ce n'est qu'un orage, mon amour.

— Toute ma vie est un orage.

Le tonnerre envahit encore l'espace étouffant de la chambre et Élisabeth se cacha la figure.

— Toute ma vie...

Élisabeth essaya de frapper encore plus fort aux portes de l'enfer pour qu'on lui ouvre.

Elle se sentit happée par les bras de Denis et s'y laissa entraîner. Elle fut prise d'une immense fébrilité et, sans comprendre que quelqu'un venait de lui faire franchir le portail infernal, elle se retrouva dans le lit, le corps nu et humide sanglé sur celui de Denis.

— Je t'aime, Denis.

— Je t'aime, Élisabeth.

Elle se demanda si la chaleur qui la pénétrait de partout était celle de l'enfer ou de l'amour. Elle eut soudainement peur des foudres célestes, craignant qu'un éclair ne déchire le rideau de sa chambre, mais toutes ses pensées se mêlèrent aux murmures d'amour qui les berçaient, elle et Denis.

Le soleil se leva et ils ne le virent pas, aveugles tous les deux, découvrant à tâtons l'univers de leur sensualité. Ils entendirent les cloches appeler les fidèles aux offices et Élisabeth sut qu'elle était probablement damnée. Elle fut incapable d'avoir peur de son Dieu qui devait comprendre que son corps venait de naître à la femme qu'elle était devenue.

Elle regarda les yeux de Denis, bouffis de chagrin et gavés du spectacle de leur nuit. Elle lui caressa les arcades sourcilières et les os de la joue, certaine maintenant qu'elle resterait toujours dans les coulisses de sa vie.

Élisabeth s'endormit à midi dans les bras de Denis, son prince des ténèbres, ignorant que Jan venait de décider d'acheter une autre épicerie, ignorant aussi que Jerzy, sur les rives de la Rouge, relisait pour la centième fois sa copie du baptistaire de Joseph Denis Nicolas Aucoin, sur lequel il était écrit qu'il était le fils de Michelle Dupuis et de Jean Aucoin et le filleul de Jerzy Pawulski et d'Anna Jaworska.

Achevé d'écrire à Longueil, le 6 juin 1992.

Pause

Tant de personnes nous ont aidés pour que ce roman voie le jour que je suis terrorisée à l'idée d'oublier ici un seul nom. Si une telle omission s'est produite, que la victime nous en pardonne.

À Montréal, Michel Maheu, Marielle Caron et Jean-Roch Marcotte ont été les complices de la première heure.

La néo-Canadienne d'origine polonaise avec laquelle j'ai eu la première rencontre de débroussaillement a été Élisabeth Pawulski — aucun lien avec le personnage du même nom. En plus de me prêter son nom, Élisabeth, à son insu — et même au mien! —, m'a fourni l'idée de mettre en scène une famille de musiciens. Elle est aussi intervenue en nous mettant en contact avec M. Adam Dobija, qui nous a longuement raconté sa sortie de Pologne, à pied, à travers les Carpates, ainsi que ses premières années dans l'Ouest canadien. Enfin, Mme Pawulski a accepté de participer au groupe de lecture.

Mes remerciements à Mme Anna Poray-Wybranowski, qui nous a mis sur la piste de l'enlèvement des professeurs de l'université de Cracovie et qui nous a renseignés sur la vie de l'université pendant la guerre.

Nous tenons aussi à remercier Mme Jacqueline Seyens-Ouellet, qui a parlé de sa traversée de l'Atlantique et de son arrivée au Canada à titre d'épouse d'un militaire canadien.

M. Robert Prégent nous a décrit la vie d'une épicerie de Montréal dans les années 50.

Un clin d'œil à M. Marcel Malcuit, qui a autorisé le personnage de Jan Pawulski à lui emprunter le numéro de son certificat canadien.

Mes remerciements à la famille Schweitzer, plus spécialement à Heïdi, ainsi qu'à Pauline et à son époux Walter Canzani.

Un merci tout spécial à mon père, Émile Couture, témoin privilégié de l'immigration au Canada depuis les années 30 jusqu'à la fin des années 60, dont j'ai siphonné la mémoire de 88 ans pendant les trois dernières années, lui demandant à brûle-pourpoint de me transporter dans le Manitoba des années 40 ou dans le Québec des années 50.

Au Manitoba, Raymond Hébert nous a été d'une grande utilité en nous servant d'intermédiaire. C'est grâce à lui que nous avons fait la connaissance de Mme Zophia de Witt, du Canadian Polish Congress; de M. Lech Fulmyk, dont les Mémoires non publiés ont inspiré le passage de la déportation russe du personnage de Jerzy Pawulski pendant la guerre. M. Hébert m'a aussi mise en contact avec M. Gérard Lagacé, de Saint-Norbert. M. Lagacé m'a longuement entretenue de l'inondation de 1950. M. Hébert nous a aussi servi de cicérone dans la campagne manitobaine, tout comme M. Roland Couture, qui nous a conduits dans les « îlots » polonais de East Selkirk et nous a présenté M. Philip et Mme Rose Tencha, de Saint-Norbert. M. Tencha nous a abondamment parlé de l'aventure de sa famille et du caractère polonais. D'une de ses anecdotes a germé l'idée du conflit entre les frères Jerzy et Jan Pawulscy. M. Roland Couture nous a aussi permis l'accès aux archives de la station radiophonique CKSB traitant de l'inondation de 1950.

Le regretté Mgr Aimé Décosse, ancien évêque de Gravelbourg, qui nous a reçus à l'archevêché de Saint-Boniface, nous a entretenus du développement des paroisses polonaises au Manitoba ainsi que des séjours qu'ont faits en Pologne de nombreux prêtres de l'Ouest canadien durant l'entre-deux-guerres.

Toujours au Manitoba, la famille d'André Couture nous a

mis en contact avec Anya et Francis Lobreau, qui se sont fait un plaisir de nous décrire les us et coutumes traditionnels des Polonais. Cette rencontre a permis de donner une saveur authentique aux passages où il est question de rites ou de sacrements : baptême, mariage, funérailles et fête de la Saint-Jean.

Finalement, Mme Yvette Couture m'a conduite à travers la ville même de Winnipeg, de la gare Union au Parlement. J'ai pu ainsi faire vivre la gare à l'arrivée des Pawulscy et faire du *Golden Boy* le cénotaphe d'Adam Pawulski.

Nos premiers contacts en Pologne ont été établis grâce à l'intervention de M. François Lévesque, de Bedford. C'est aussi M. Lévesque qui a accompagné Daniel lors de sa recherche « sur le terrain ». Par l'intermédiaire de M. Lévesque, Daniel y a rencontré Mme Teresa Walenta, néo-Canadienne depuis le début des années 80, en séjour d'études à Varsovie. Elle lui a servi de guide et d'interprète à Varsovie, à Cracovie et dans la campagne polonaise. Trois autres personnes de Cracovie nous ont été d'une grande utilité, en accueillant et en guidant Daniel et Mme Walenta à Cracovie et dans les Carpates : Alicja et Andrzej Wienckowscy ainsi que Pawel Zemanek.

L'écriture du roman terminée, j'ai demandé à des amis, connaissances ou connaissances d'amis, de former un groupe de lecture. Leur intervention s'est faite sur une version préliminaire du manuscrit. Je les remercie ici : Jean Benoît, André Bolduc, Anne Bolduc, Brigitte Bouchard, France Boucher, Suzanne de Cardenas, Lyse Couture, Michelle Couture (mes fidèles sœurs), Marie Eykel, Agnès Gruda, Yves Guillet, Raymond Hébert, Nicoletta Massone, Élisabeth Pawulski, Janusz Porowski, François Pratte, Lyse René, Huguette Roberge, Jacek Walenta et Teresa Walenta.

Je tiens également à remercier Charles-André Cadot, qui m'a fait bénéficier de sa connaissance du passé, ainsi que le peintre Roger Alexandre, qui a créé spécialement pour ce livre le charmant tableau reproduit sur la couverture.

Un énorme merci enfin à Louis Royer, qui a révisé le manuscrit avec une minutie monastique; à Carole Levert et André Bastien, mes éditeurs apaisants, respectueux et attentionnés, ainsi qu'à toute l'équipe de Libre Expression.

La composition de cet ouvrage
a été réalisée par l'Imprimerie Bussière,
l'impression et le brochage ont été effectués
sur presse CAMERON dans les ateliers de la S.E.P.C.,
à Saint-Amand-Montrond (Cher),
pour le compte des Éditions Albin Michel.

Achevé d'imprimer en mars 1994.
N° d'édition : 13696. N° d'impression : 646.
Dépôt légal : mars 1994.